MATTHEW WALKER

Matthew Walker est professeur de neurosciences et de psychologie, directeur du laboratoire Sommeil et neuro-imagerie de l'université californienne de Berkeley. Il a également enseigné la psychiatrie à l'université de Harvard et est l'auteur de nombreuses études scientifiques publiées dans des revues de renom. *Pourquoi nous dormons* est son premier livre.

Pourquoi nous dormons

ÉVOLUTION

Des livres pour vous faciliter la vie !

Michel DESMURGET
L'Antirégime : maigrir pour de bon

Jacques STAEHLE
L'énergie qui guérit : traité de digitopuncture

Mikkel BORCH-JACOBSEN
La Vérité sur les médicaments

Michael MOSLEY
L'Intelligence naturelle de l'intestin
Se libérer de l'addiction au sucre, booster son système immunitaire, perdre du poids naturellement

Mélanie DÉCHALOTTE
Le Livre noir de la gynécologie

Michel LALLEMENT
Déterminez votre régime alimentaire

Dr Matthew WALKER
Pourquoi nous dormons
Le pouvoir du sommeil et des rêves, ce que la science nous révèle

Dr Matthew Walker

Pourquoi nous dormons

Le pouvoir du sommeil et des rêves, ce que la science nous révèle

Traduit de l'anglais par Pauline Soulat

La Découverte
9 *bis*, rue Abel-Hovelacque
75013 Paris

Ouvrage initialement publié sous le titre
WHY WE SLEEP.
UNLOCKING THE POWER OF SLEEP AND DREAMS
par Scribner (Simon & Schuster) en 2017

Pocket, une marque d'Univers Poche,
est un éditeur qui s'engage pour la préservation
de l'environnement et qui utilise du papier fabriqué
à partir de bois provenant de forêts gérées
de manière responsable.

ISBN : 978-2-266-28723-4
Dépôt légal : septembre 2019

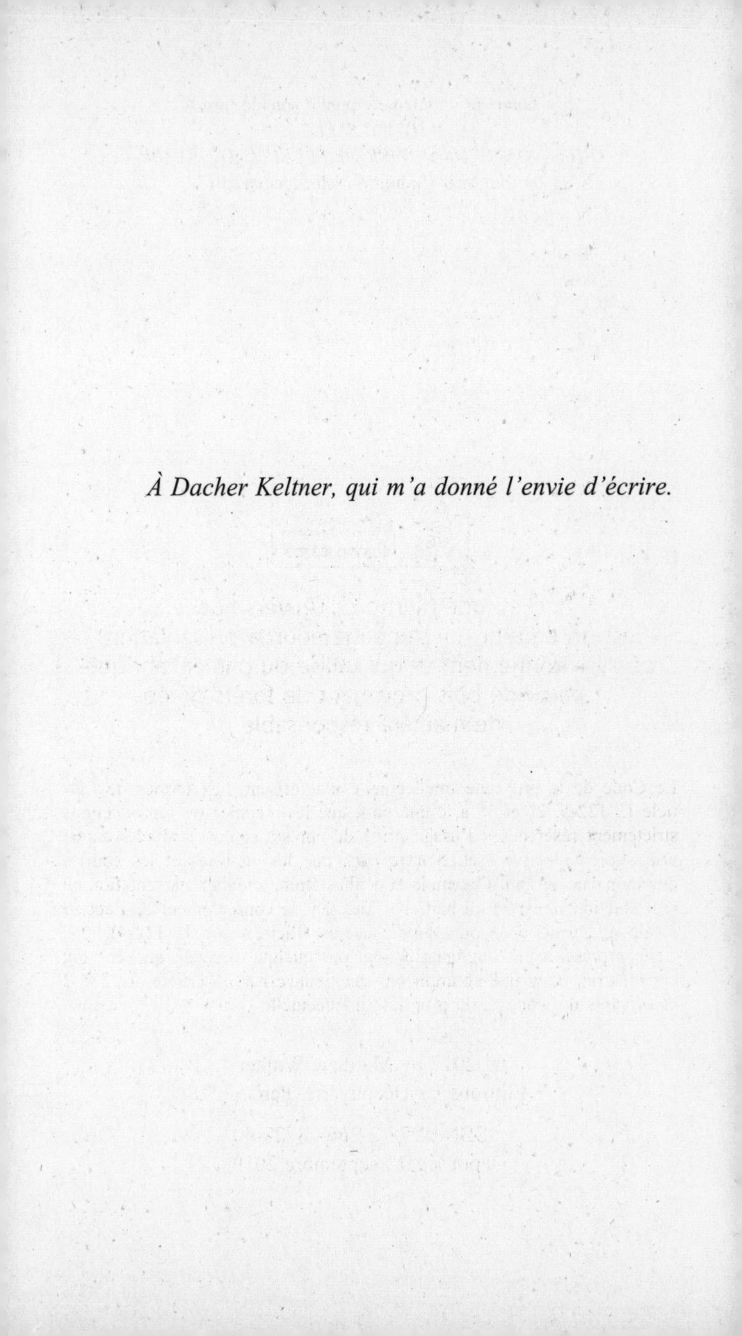

À Dacher Keltner, qui m'a donné l'envie d'écrire.

I

Cette chose que l’on nomme « sommeil »

1

Dormir...

Estimez-vous avoir assez dormi la semaine dernière ? Vous rappelez-vous la dernière fois que vous vous êtes réveillé sans faire sonner votre réveil, en ayant l'impression d'être reposé et sans ressentir le besoin de caféine ? Si la réponse à l'une de ces questions est *non*, sachez que vous n'êtes pas le seul. Dans tous les pays développés, deux tiers des adultes ne réussissent pas à atteindre les huit heures de sommeil recommandées par nuit[1].

Si ce fait ne vous étonne sans doute pas, ses conséquences risquent en revanche de vous surprendre. Dormir régulièrement moins de six ou sept heures par nuit détruit votre système immunitaire et multiplie par deux les risques de cancer. Le manque de sommeil est un facteur déterminant dans le développement de

---

1. L'Organisation mondiale de la santé et la Fondation nationale du sommeil préconisent une moyenne de huit heures de sommeil par nuit pour un adulte.

la maladie d'Alzheimer. Un sommeil troublé – même écourté pendant une semaine – agit si profondément sur le taux de sucre dans votre sang que vous pourriez être diagnostiqué prédiabétique. Dormir peu augmente la probabilité pour vos artères coronaires de se boucher et de se fragiliser, vous rendant ainsi vulnérable aux maladies cardiovasculaires, aux attaques et aux insuffisances cardiaques congestives. Comme l'avait déjà relevé Charlotte Brontë, pour qui « un esprit tourmenté fait un oreiller agité », les troubles du sommeil favorisent en outre un grand nombre de maladies psychiatriques, parmi lesquelles la dépression, l'anxiété et les tendances suicidaires.

Peut-être avez-vous également remarqué que l'envie de manger est plus forte lorsque vous êtes fatigué ? Ce n'est pas un hasard. Le manque de sommeil augmente la concentration de l'hormone responsable de la sensation de faim et supprime celle qui est responsable de la sensation de satiété. Vous avez beau être rassasié, vous avez encore faim. Il a ainsi été démontré que le manque de sommeil entraîne une prise de poids chez l'adulte comme chez l'enfant. Le pire étant de suivre un régime sans bénéficier d'un sommeil suffisant : cela ne sert strictement à rien puisque l'on perd alors plus de masse maigre que de masse grasse.

Si l'on considère ensemble ces divers effets sur la santé, on comprend mieux l'affirmation selon laquelle moins vous dormez, moins vous vivrez longtemps. Le vieil adage « je dormirai quand je serai mort » est par conséquent préjudiciable. En l'adoptant, vous raccourcirez votre vie et réduirez sa qualité. La privation de sommeil fonctionne comme un fil élastique : si l'on tire trop dessus, il finit par rompre. Tristement, les êtres humains sont la seule espèce à se priver délibérément de sommeil, sans compensation légitime. C'est une négligence lourde de conséquences pour notre bien-être, détériorant également, sur les plans humain et financier, le maillage du tissu social. C'est pourquoi l'Organisation mondiale de la santé (OMS) affirme que les nations industrialisées connaissent actuellement une épidémie de manque de sommeil[1]. Ce n'est pas un hasard si les pays où le temps de sommeil a le plus dramatiquement baissé au siècle dernier, comme les États-Unis, le Royaume-Uni, le Japon et la Corée du Sud, ou de nombreux États d'Europe occidentale, notent également une forte augmentation des maladies physiques et des troubles mentaux évoqués ci-dessus.

Certains scientifiques, dont je fais partie, font désormais pression sur les médecins pour qu'ils *prescrivent* du sommeil. C'est là sans doute le conseil médical le moins douloureux et le plus agréable à suivre, mais ne vous méprenez pas : il ne s'agit pas d'appeler les médecins à prescrire plus de *pilules* pour dormir – au contraire, si l'on considère les preuves alarmantes de la nocivité de ces médicaments pour la santé.

Pouvons-nous toutefois aller jusqu'à dire que le manque de sommeil peut être mortel ? C'est effectivement le cas, pour au moins deux raisons. En premier lieu, il existe une maladie génétique rare survenant vers la quarantaine et qui débute par une insomnie

1. Voir *Sleepless in America* (*Le Manque de sommeil en Amérique*) sur le site de National Geographic : http://channel.nationalgeographic.com.

progressive. Au bout de plusieurs mois, le patient cesse totalement de dormir. Il a alors déjà perdu un grand nombre de ses fonctions cérébrales et corporelles essentielles. Aucun médicament connu à ce jour n'étant en mesure de l'aider à dormir, le patient meurt après douze à dix-huit mois sans sommeil. Bien qu'extrêmement rare, cette maladie est la preuve que le manque de sommeil peut tuer un être humain.

Ensuite, il est important de signaler les conséquences mortelles de la conduite en état de fatigue, qui cause chaque année des centaines de milliers d'accidents et de décès sur les routes. Ici, ce n'est pas seulement la vie de ceux qui manquent de sommeil qui est en jeu, mais aussi celle de ceux qui les entourent. Aux États-Unis, une personne meurt toutes les heures d'un accident de voiture en raison d'une erreur liée à la fatigue. Fait inquiétant : ces accidents sont plus nombreux que ceux que causent la drogue et l'alcool réunis.

L'indifférence de notre société à la question du sommeil est en partie liée à l'échec historique de la science à expliquer son utilité. Le sommeil est ainsi resté pendant longtemps l'un des plus grands mystères biologiques. Aucune des méthodes scientifiques d'élucidation connues – la génétique, la biologie moléculaire ou la technologie numérique de haut vol – n'est parvenue à déverrouiller cette chambre forte si tenace. Les esprits les plus vifs, parmi lesquels le lauréat du prix Nobel Francis Crick, à qui nous devons la découverte de la structure en double hélice de l'ADN, le célèbre pédagogue et rhéteur romain Quintilien, ou encore Sigmund Freud, ont tous tenté de déchiffrer ce mystérieux code, en vain.

Pour mieux cerner le statut de cette lacune scientifique de premier ordre, figurez-vous la naissance de votre premier enfant. Une médecin entre dans votre chambre d'hôpital en vous annonçant : « Félicitations, c'est un beau garçon en pleine santé. Nous avons effectué les examens préliminaires, tout semble en ordre. » Elle vous adresse un sourire rassurant, puis se dirige vers la porte. Mais, avant de sortir, elle se retourne et ajoute : « Juste une chose. À partir de maintenant et pour le restant de ses jours, votre enfant sombrera régulièrement dans un état de coma apparent, évoquant la mort clinique. Tandis que son corps reposera étendu, son esprit sera le plus souvent rempli d'hallucinations bizarres et déconcertantes. Il traversera cet état pendant un tiers de sa vie et je n'ai absolument aucune idée de pourquoi il le fera, ni à quoi cela lui servira. Bonne chance ! »

Aussi étonnant que cela puisse paraître, jusqu'à très récemment, les médecins et scientifiques n'étaient pas en mesure d'expliquer le sommeil de façon cohérente et raisonnée. Alors que nous connaissons depuis des dizaines, voire des centaines d'années, le fonctionnement des trois autres forces de vie élémentaires – boire, manger, se reproduire –, le quatrième moteur biologique commun à tout le règne animal – dormir – a continué d'échapper à la science pendant des millénaires.

Se demander à quoi sert le sommeil, dans une perspective évolutive, ne fait que renforcer le mystère. Quel que soit l'angle d'observation, il apparaît comme le plus insensé des phénomènes biologiques. Lorsque vous dormez, vous ne pouvez pas faire vos réserves alimentaires. Vous ne pouvez pas vous faire d'amis.

Vous ne pouvez pas chercher un partenaire pour vous reproduire. Vous ne pouvez ni nourrir ni protéger votre progéniture. Pire encore, le sommeil rend vulnérable à la prédation. C'est assurément l'un des comportements humains les plus déroutants.

Qu'importe sur laquelle de ces bases – intrinsèquement liées par ailleurs –, l'évolution aurait dû faire fortement pression pour *empêcher* l'émergence du sommeil, ou de quoi que ce soit qui s'en approche. Comme l'a déclaré un spécialiste de la question : « Si le sommeil ne sert pas une fonction absolument vitale, il est la plus grande erreur que l'évolution ait jamais faite[1]. »

Et pourtant, le sommeil a persisté. Héroïquement. Toutes les espèces étudiées à ce jour dorment[2] : ce fait prouve à lui seul que le sommeil a évolué en même temps que – ou très peu de temps après – la vie elle-même sur notre planète. Sa persévérance signifie en outre qu'il doit présenter de grands avantages, dépassant largement les risques et préjudices évidents.

« Pourquoi dormons-nous ? » n'était en définitive pas la bonne question, car elle partait du principe que le sommeil n'avait qu'une seule fonction, une seule raison d'être, comme le saint Graal en quête duquel nous serions partis. Les réponses à cette question oscillent de la logique (un moment qui permet de préserver notre énergie) au bizarre (l'occasion pour le

1. Dr Allan Rechtschaffen.

2. C. Kushida, *Encyclopedia of Sleep*, vol 1, Cambridge (Massachusetts), Academic Press, 2013.

globe oculaire de s'oxygéner), en passant par la psychanalyse (un état de non-conscience où se déversent nos désirs refoulés).

Le présent ouvrage révèle une vérité bien différente : le sommeil est infiniment plus complexe, profondément plus intéressant et impérieusement plus utile pour la santé. Il sert une riche variété de fonctions, offrant à notre cerveau et notre corps une pléiade de bienfaits. Il n'existe aucun organe majeur, ni aucune fonction cérébrale que le sommeil ne contribue à optimiser (ni que son manque ne dégrade). Ses bénéfices ne devraient pas nous surprendre. Après tout, nous restons *éveillés* deux tiers de notre vie et pendant ce laps de temps nous accomplissons non pas une seule action salutaire, mais bien une multitude d'opérations utiles à notre bien-être et notre survie. Pourquoi alors penser que le sommeil n'aurait qu'une seule fonction pendant les vingt-cinq à trente ans de la vie qu'il nous prend en moyenne ?

L'éclosion des découvertes de ces vingt dernières années nous a permis de comprendre enfin que l'évolution n'avait pas fait une bourde spectaculaire en concevant le sommeil. Ses nombreux bienfaits, il ne tient qu'à vous de les récolter en décidant de suivre et de renouveler la prescription toutes les vingt-quatre heures (ce que beaucoup ne font pas).

Le sommeil nourrit une foule de fonctions cérébrales, parmi lesquelles nos capacités à apprendre, mémoriser, prendre des décisions et faire des choix logiques. Au service bienveillant de notre santé psychologique, il rééquilibre nos circuits émotionnels pour nous permettre de relever les défis sociaux et psychologiques du jour suivant avec sang-froid. Nous commençons aussi à comprendre la plus imperméable et controversée des expériences conscientes : le rêve, qui délivre une série unique de bienfaits à toutes les espèces ayant la chance d'en faire l'expérience. Entre autres, un bain neurochimique réconfortant, qui apaise les souvenirs douloureux, et un espace de réalité virtuelle où notre cerveau peut mêler les savoirs passés et présents, nourrissant ainsi notre créativité.

Sur le plan corporel, le sommeil réapprovisionne l'arsenal de notre système immunitaire, nous aidant à lutter contre les tumeurs, à prévenir les infections et repousser tout type de maladies. Il modifie notre métabolisme, réglant avec précision l'équilibre entre l'insuline et le glucose circulant dans notre corps. Il régule également l'appétit et nous permet de contrôler notre poids, en nous incitant à faire le choix d'une nourriture saine plutôt qu'à répondre à une pulsion irréfléchie. Bien dormir renforce notre flore intestinale, dont nous savons qu'elle conditionne grandement notre santé nutritionnelle. Un sommeil adapté assure la santé de notre système cardiovasculaire, car il fait baisser la pression artérielle tout en maintenant le cœur en bonne condition.

Il est certes vital d'avoir un régime équilibré et de faire de l'exercice, mais le sommeil nous apparaît désormais comme la force principale de cette trinité. Les inconvénients d'un sommeil incomplet dépassent largement ceux que cause une absence équivalente de nourriture et d'exercice. Difficile d'imaginer un autre état – naturel ou médicamenté – qui puisse restaurer aussi puissamment notre santé mentale et physique, à tous les niveaux.

Cette compréhension scientifique du sommeil, riche et novatrice, nous dispense de nous poser la question de son utilité. Nous sommes désormais contraints de nous demander plutôt s'il existe des fonctions biologiques sur lesquelles une bonne nuit de sommeil n'agit *pas* positivement. Les milliers d'études réalisées sur la question indiquent que non.

Ce renouveau de la recherche livre un message sans équivoque : rien de plus efficace que le sommeil pour relancer chaque jour notre cerveau et notre santé. Il représente ainsi le plus grand effort de Mère Nature pour lutter contre une mort prématurée. Cette évidence, qui fait clairement apparaître le danger du manque de sommeil pour les individus et les sociétés, n'a malheureusement pas été explicitement transmise au public, et représente l'oubli le plus évident du discours sanitaire contemporain. Cet ouvrage se veut donc une intervention scientifique minutieuse, destinée à combler ce manque. J'aimerais qu'il soit un voyage fascinant, ponctué de découvertes, et qu'il transforme notre compréhension du sommeil pour que nous cessions de le négliger.

Je dois dire que je suis personnellement un grand amoureux du sommeil (et pas seulement du mien, même s'il est vrai que je m'en accorde chaque nuit huit heures non négociables). J'aime tout ce qu'il est et tout ce qu'il fait, j'aime découvrir ce que l'on ne connaît pas encore à son sujet, transmettre au public son éclat surprenant, trouver les moyens de le réconcilier avec l'humanité, qui en a tant besoin. C'est une histoire d'amour qui couvre désormais plus de vingt ans d'une carrière dans la recherche, née lorsque j'étais enseignant en psychiatrie à la Harvard Medical School, et que je poursuis aujourd'hui, en tant que professeur en neurosciences et psychologie à l'université de Californie à Berkeley.

Tout cela n'a pourtant pas débuté sur un coup de foudre. C'est par hasard que je suis devenu chercheur en sommeil, n'ayant jamais eu l'intention d'évoluer dans cet espace scientifique ésotérique. À dix-huit ans, je suis parti étudier au Queen's Medical Center en Angleterre, un institut exceptionnel, à Nottingham, réunissant une excellente équipe de spécialistes du cerveau. La médecine n'était pas faite pour moi, en ce qu'elle semblait intéressée avant tout par les réponses, alors que j'avais toujours été, pour ma part, fasciné par les questions. Les réponses m'apparaissent toujours comme un moyen de poser de nouvelles questions. J'ai ainsi décidé d'étudier les neurosciences et, après ma licence, j'ai obtenu un doctorat en neurophysiologie, financé par une bourse du Medical Research Council d'Angleterre, à Londres.

J'ai fourni mes premières véritables contributions scientifiques en ce domaine dans le cadre de mon doctorat, lorsque j'étudiais les schémas d'activité des ondes cérébrales chez les personnes âgées dans les premières phases de démence. Contrairement à ce que l'on imagine fréquemment, il n'existe pas un seul type de démence. La maladie d'Alzheimer est la plus commune, mais ce n'est qu'une forme de folie parmi de nombreuses autres. Et, pour diverses raisons sanitaires, il est essentiel de connaître le plus tôt possible le type de démence dont souffre un individu.

J'évaluais donc à l'époque l'activité des ondes cérébrales de mes patients pendant la veille et le sommeil, en suivant l'hypothèse suivante : une signature électrique unique et spécifique du cerveau permet de prévoir vers quel sous-type de démence un individu est en train de progresser. Les mesures prises pendant la journée restaient vagues, sans signature nette et distincte. Ce n'est que dans l'océan nocturne des ondes cérébrales du *sommeil* que les enregistrements offraient un marquage clair du triste destin pathologique de mes patients. Cette découverte mit au jour le fait que le sommeil pouvait constituer un nouvel examen déterminant pour le diagnostic précoce du type de démence développé par l'individu.

Le sommeil est ainsi devenu mon obsession. Comme toutes les bonnes réponses, celle qu'il m'avait apportée m'entraînait vers des questions plus fascinantes encore : les interruptions de sommeil de mes patients contribuaient-elles effectivement aux maladies dont ils souffraient ? Étaient-elles même la cause de certains de leurs terribles symptômes, comme la perte de souvenirs, l'agressivité, les hallucinations ou les illusions ? J'ai lu tout ce que je pouvais lire sur le sujet. Une vérité à peine croyable commençait à émerger : personne ne savait vraiment pour quelle raison nous avions besoin de dormir ni quelle était l'action du sommeil. Comme je ne pouvais répondre à ma propre question sur la démence et comme cette première question fondamentale restait sans réponse, je décidai de déchiffrer le code du sommeil.

J'ai interrompu mes recherches sur la démence et, dans le cadre d'un contrat postdoctoral qui m'a mené de l'autre côté de l'Atlantique, à Harvard, j'ai entrepris de m'attaquer à l'une des énigmes les plus mystérieuses de l'humanité – à laquelle s'étaient heurtés certains des meilleurs scientifiques de l'histoire : pourquoi dormons-nous ? Avec une naïveté sincère, sans prétention aucune, je pensais élucider la question dans les deux ans. C'était il y a vingt ans. Les cas complexes n'ont que faire de ce qui motive les chercheurs ; ils se présentent dans ce qu'ils ont de plus problématique, quoi qu'il en soit.

Aujourd'hui, après avoir concentré mes efforts de recherche sur cette question pendant deux décennies, et suite aux milliers d'études réalisées par des laboratoires du monde entier, je suis en mesure de dire que nous disposons d'une grande partie des réponses. Ces découvertes m'ont fait vivre un parcours merveilleux, privilégié et inattendu, au sein comme en dehors de l'université : j'ai été consultant en sommeil pour la NBA (National Basketball Association), la NFL (National Football League) et la Premier League anglaise, pour Pixar Animation, pour des agences gouvernementales et des entreprises technologiques et financières de renom. J'ai également participé ou apporté mon aide à de nombreux documentaires et programmes télévisés. Ces révélations, ainsi que de nombreuses découvertes similaires de mes camarades spécialistes du sommeil, contribuent à démontrer l'importance vitale du sommeil.

Une dernière précision, sur la structure de cet ouvrage : les chapitres suivent un ordre logique, qui forme un arc narratif de quatre grandes parties.

La première partie défait les mythes attenants à ce phénomène captivant que l'on nomme « sommeil » :

ce qu'il est, ce qu'il n'est pas, qui dort, combien de temps, comment les êtres humains devraient dormir (ce qu'ils ne font pas), et comment le sommeil se modifie au cours de nos vies ou de celle de nos enfants, pour le meilleur et pour le pire.

La deuxième partie détaille les avantages, les inconvénients et le caractère létal du sommeil ou de la perte de sommeil. Nous analyserons ses bienfaits surprenants sur le cerveau et le corps, montrant qu'il est un véritable couteau suisse pour la santé et le bien-être. Nous verrons ensuite pourquoi son manque crée un terrain fertile aux problèmes de santé et aux maladies pouvant entraîner une mort prématurée – nous tirerons, en somme, la sonnette d'alarme.

La troisième partie quitte le sommeil pour plonger dans le monde fantastique des rêves, analysé d'un point de vue scientifique. Comment fonctionne exactement le cerveau d'un individu en train de rêver, comment les rêves ont inspiré certaines idées qui ont remporté le prix Nobel et transformé le monde. Et s'il est possible – et sage – de les contrôler.

La quatrième partie nous ramène au bord du lit, pour aborder les divers troubles du sommeil, dont l'insomnie. J'expliquerai les raisons évidentes, et celles qui le sont moins, pour lesquelles nous sommes si nombreux à avoir du mal à trouver le sommeil, nuit après nuit, et remettrai ensuite en question l'utilisation des somnifères en m'appuyant sur des données scientifiques et cliniques, plutôt que sur des rumeurs ou des messages publicitaires. J'exposerai alors des détails sur les nouvelles thérapies non médicamenteuses, plus saines et plus efficaces pour atteindre un meilleur sommeil.

Puis nous quitterons le lit pour rejoindre le monde social et découvrirons l'impact, donnant à réfléchir, du manque de sommeil sur l'éducation, la médecine et les services de santé, mais aussi dans le monde des affaires. Dans chacun de ces domaines, s'imposer de longues heures de veille et rogner sur le sommeil est absolument vain quand on a en tête d'atteindre ses buts efficacement, de façon sûre, profitable et éthique.

Terminant cet ouvrage sur un espoir sincèrement optimiste, je dresserai une carte des idées susceptibles de réconcilier l'humanité avec le sommeil dont elle a tant besoin, pour offrir au XXIe siècle une nouvelle acception du sommeil.

Il me faut souligner qu'il n'est pas nécessaire que vous lisiez ce livre dans l'ordre chronologique. Chaque chapitre peut, en grande partie, être lu indépendamment des autres. Je vous invite donc à consommer cet ouvrage dans son intégralité ou en partie, dans l'ordre ou selon vos préférences, comme dans un buffet.

En guise de conclusion, un avertissement : si vous vous sentez somnolent à la lecture de ce livre, contrairement à la plupart des auteurs, je ne serai pas contrarié. Étant donné le sujet et le contenu de cet ouvrage, je vous encourage même vivement à adopter un tel comportement. Fort de ce que je sais du lien qui unit sommeil et mémoire, je ne trouve rien de plus flatteur que de vous savoir, vous lecteur, incapable de résister au besoin pressant de donner du sens et du poids à mes propos en vous endormant. Alors, s'il vous plaît, laissez-vous aller aux flâneries de votre esprit pendant la lecture. Je ne m'en offusquerai pas. Au contraire, j'en serai ravi.

2

Caféine, décalage horaire et mélatonine

Perdre et retrouver le contrôle de votre rythme de sommeil

Comment votre corps sait-il qu'il est temps d'aller dormir ? Pourquoi souffrez-vous du décalage lorsque vous changez de fuseau horaire ? Comment venez-vous à bout de ce décalage ? Pourquoi, malgré cette adaptation, souffrez-vous encore plus du décalage lorsque vous rentrez chez vous ? Pourquoi certaines personnes utilisent-elles la mélatonine pour lutter contre ces problèmes ? Pourquoi (et comment) une tasse de café vous maintient-elle éveillé ? Et peut-être avant tout, comment savez-vous si vous avez assez dormi ?

Il existe deux grands facteurs qui déterminent les moments où vous avez envie de dormir ou de vous réveiller. À l'instant même où vous lisez ces lignes, ils font d'ailleurs tous les deux pression sur votre esprit et votre corps. Le premier est un signal émis par votre horloge interne de vingt-quatre heures, située au fin fond de votre cerveau. Cette horloge crée un cycle, un rythme jour-nuit qui vous donne la sensation d'être fatigué ou alerte à des moments réguliers de la nuit ou du jour, respectivement. Le second est une substance chimique qui se diffuse dans votre cerveau pour créer un « besoin de sommeil ». Plus vous restez éveillé, plus le besoin chimique de dormir s'accumule, plus vous vous sentez endormi. C'est l'équilibre entre ces deux facteurs qui commande votre degré de veille et d'attention pendant la journée, votre impression que vous vous endormez et qu'il est temps d'aller au lit, mais aussi en partie, la qualité de votre sommeil.

Vous avez le rythme ?

Au cœur de beaucoup de questions posées dans le paragraphe introductif, se trouve la force organisatrice de votre rythme de vingt-quatre heures, également connu sous le nom de « rythme circadien ». Tout le monde produit un rythme circadien (*circa* signifie « environ » et *dien* est dérivé de *diem*, qui signifie « jour »), puisque chaque créature de notre planète dont l'espérance de vie dépasse plusieurs jours le génère naturellement. L'horloge interne de vingt-quatre heures située dans votre cerveau envoie son signal de rythme circadien vers chaque autre région de votre cerveau et chaque organe de votre corps.

C'est ce tempo de vingt-quatre heures qui détermine en partie le moment où vous avez envie de vous réveiller et celui où vous avez envie de dormir. Mais il contrôle également d'autres schémas rythmiques, comme les moments où vous préférez manger et boire, votre état d'esprit et vos émotions, la quantité d'urine que vous produisez[1], la température de votre corps, la vitesse de votre métabolisme et la production de nombreuses hormones. Ce n'est pas un hasard si, comme cela a été démontré, la probabilité de battre un record olympique est liée au moment de la journée. Elle atteint son maximum avec le pic naturel du rythme circadien de l'humain, en début d'après-midi. Même la temporalité des naissances et des morts prouve la régularité du rythme circadien, car elle est liée aux fluctuations marquées des processus hormonaux, thermiques, cardiovasculaires et métaboliques primordiaux que contrôle ce stimulateur.

Bien avant que nous découvrions l'existence de ce stimulateur biologique, une expérimentation ingénieuse a permis un événement notable : arrêter le temps. Du moins pour une plante. C'était en 1729, lorsque le géophysicien français Jean-Jacques Dortous de Mairan a établi la toute première preuve que les plantes généraient leur propre temporalité en interne.

De Mairan menait une étude sur les mouvements des feuilles d'une espèce héliotropique : c'est-à-dire dont les feuilles ou les fleurs suivent la trajectoire du soleil dans le ciel au fil de la journée. Il s'intéressait plus particulièrement

1. Je sais par expérience que cette information remporte toujours un certain succès dans les dîners, les réunions de famille, ou autres occasions de ce type. Il vous suffira de la délivrer pour que plus personne n'ose vous parler, vous approcher ou vous rendre l'invitation.

à une plante nommée *Mimosa pudica*[1], dont les feuilles tracent non seulement l'arc décrit par le soleil dans le ciel au cours de la journée, mais se replient aussi la nuit, presque comme si elles étaient fanées. Ensuite, lorsque commence le jour suivant, elles s'ouvrent à nouveau en ombrelle, toujours aussi vigoureuses. Ce phénomène se répétant chaque matin et chaque soir, le célèbre biologiste de l'évolution Charles Darwin les a nommées *sleeping grass* (« herbe dormante »).

Avant l'expérience de De Mairan, nombreux étaient ceux qui pensaient que le phénomène de déploiement et de repli de la plante n'était lié qu'au lever et au coucher du soleil. C'était une supposition logique : la lumière du jour (même quand il ne fait pas beau) provoque l'ouverture des feuilles, tandis que l'obscurité qui la suit leur impose de plier boutique, liquidation totale, on ferme. De Mairan a remis en question cette hypothèse. Pour commencer, il a placé la plante en plein air et l'a exposée aux signaux de lumière et d'obscurité du jour et de la nuit. Sans surprise, les feuilles se sont déployées dans la lumière du jour et rétractées dans l'obscurité de la nuit.

Le coup de génie est arrivé après. De Mairan a placé la plante dans une boîte scellée pendant les vingt-quatre heures qui ont suivi et l'a plongée dans l'obscurité totale durant toute la journée et toute la nuit. Pendant ces vingt-quatre heures d'obscurité, il jetait de temps en temps un œil à la plante dans une obscurité contrôlée,

1. Le terme *pudica*, qui vient du latin, signifie « timide » ou « gêné » : en effet, les feuilles tombent également si on les touche ou les frotte.

pour observer l'état de ses feuilles. Bien que coupée de l'influence de la lumière pendant la journée, la plante se comportait toujours comme en plein soleil, ses feuilles fièrement déployées. Elle les rétractait ensuite pile à la fin du jour, même sans avoir reçu de signal de réglage du soleil, et restait en berne toute la nuit.

La découverte était révolutionnaire : de Mairan avait démontré qu'un organisme vivant renfermait sa propre temporalité, et qu'il n'était donc pas l'esclave des ordres rythmiques du soleil. Quelque part dans la plante se trouvait un générateur de rythme de vingt-quatre heures, qui comptait le temps sans recevoir aucun signal du monde extérieur, tel que la lumière du jour. Le rythme de la plante n'était pas seulement circadien, il était aussi « endogène », autogénéré, tout comme votre cœur qui bat à son propre rythme, à la seule différence que le rythme qui stimule votre cœur est beaucoup plus rapide, puisqu'il bat d'ordinaire au moins une fois par seconde et non une fois toutes les vingt-quatre heures comme l'horloge circadienne.

Étonnamment, il a fallu attendre deux cents ans pour prouver que nous, êtres humains, disposions également d'un rythme circadien généré en interne. Cette expérimentation a toutefois ajouté quelque chose d'inattendu à notre compréhension du chronométrage interne. C'était en 1938, et le professeur Nathaniel Kleitman de l'université de Chicago, accompagné par son assistant de recherche Bruce Richardson, était sur le point d'accomplir une étude scientifique encore plus radicale, qui exigeait un dévouement sans doute sans égal à ce jour.

Kleitman et Richardson allaient être leurs propres cobayes. Armés de nourriture et d'eau pour six semaines, ainsi que de deux lits d'hôpital démantelés de grand standing, ils se sont rendus dans le Kentucky, à la Mammoth Cave, l'une des grottes les plus profondes de la planète – si profonde qu'aucune lumière du soleil détectable ne pénètre dans ses confins. C'est dans cette obscurité que Kleitman et Richardson allaient éclairer notre lanterne par l'une des découvertes scientifiques les plus frappantes, démontrant que notre rythme biologique durait *approximativement* une journée (circadien) et pas *précisément* une journée.

En plus de la nourriture et de l'eau, les deux hommes avaient apporté avec eux un tas d'appareils de mesure leur permettant d'évaluer la température de leur corps et leurs rythmes de sommeil et d'éveil. Cet espace consacré à l'enregistrement des données formait le cœur de leur lieu de vie, encadré par leurs lits, dont les longs pieds étaient posés dans un sceau d'eau, telles les tours d'un château fort, pour dissuader les innombrables petites (ou grosses) créatures qui rôdaient dans les profondeurs de la Mammoth Cave de les rejoindre sous la couette.

Kleitman et Richardson voulaient se confronter à une question expérimentale simple : une fois coupés de leur cycle journalier de lumière et d'obscurité, leurs rythmes biologiques de sommeil et d'éveil, ainsi que la température de leur corps deviendraient-ils totalement irréguliers ou resteraient-ils les mêmes que ceux des individus vivant dans le monde extérieur, exposés à la lumière rythmique du jour ? Ils sont restés au total trente-deux jours dans l'obscurité totale, au cours desquels ils ont acquis une étonnante pilosité faciale, mais aussi réalisé deux découvertes révolutionnaires.

La première, c'est que les êtres humains, comme les plantes héliotropes de De Mairan, génèrent leur propre rythme circadien endogène en l'absence de la lumière extérieure du soleil. Cela signifie que ni Kleitman ni Richardson n'ont connu de fluctuations hasardeuses d'éveil et de sommeil, mais qu'ils ont présenté un schéma prévisible et répété de veille prolongée (environ quinze heures), alliée à des périodes marquées d'environ neuf heures de sommeil.

Le second résultat, inattendu – et plus profond –, était que leurs cycles d'éveil et de sommeil répétés de manière fiable ne duraient pas précisément vingt-quatre heures mais systématiquement et incontestablement plus longtemps. Richardson, alors âgé d'une vingtaine d'années, a développé un cycle de veille-sommeil qui durait entre vingt-six et vingt-huit heures. Celui de Kleitman, alors dans sa quarantaine, se rapprochait un peu plus des vingt-quatre heures, mais restait plus long. Lorsqu'un être humain est coupé de l'influence extérieure de la lumière du jour, sa « journée » générée en interne ne dure donc pas exactement vingt-quatre heures, mais un peu plus. Comme avec une montre qui fonctionnerait au ralenti, au fil de chaque journée (réelle) du monde extérieur, Kleitman et Richardson ont commencé à additionner le temps en se fondant sur leur chronométrie étirée générée en interne.

Puisque notre rythme biologique inné ne dure pas précisément vingt-quatre heures, mais environ vingt-quatre heures, une nouvelle nomenclature était requise : on a appelé ce rythme le rythme *circa*dien – c'est-à-dire qui dure *approximativement*, ou environ, une journée et pas précisément une journée[1]. Plus de soixante-dix ans après cette expérience phare de Kleitman et Richardson, nous avons déterminé que la durée moyenne de l'horloge circadienne endogène de l'adulte humain était d'environ vingt-quatre heures et quinze minutes. Cela n'est pas si éloigné des vingt-quatre heures de durée de rotation de la Terre, sans toutefois respecter la temporalité précise qu'exigerait toute montre suisse qui se respecte.

Heureusement, la plupart d'entre nous ne vivons pas dans la Mammoth Cave, ni dans l'obscurité constante qu'elle impose. Nous faisons l'expérience systématique de la lumière du soleil, qui vient au secours du dépassement de notre horloge circadienne interne. La lumière du soleil agit comme un doigt manipulateur qui viendrait appuyer sur le bouton d'une montre imprécise pour la mettre à jour. Elle remet ainsi méthodiquement et chaque jour à zéro notre horlogerie interne imparfaite, en nous « remontant » précisément et non approximativement, à vingt-quatre heures[2].

Ce n'est pas une coïncidence si le cerveau utilise la lumière du jour pour cette réinitialisation. La lumière

---

1. Ce phénomène d'imprécision de l'horloge biologique interne a désormais été observé systématiquement chez de nombreuses espèces. Il n'est toutefois pas le même chez toutes les espèces. Certaines présentent un rythme circadien endogène court, de moins de vingt-quatre heures, lorsque l'individu est placé dans l'obscurité absolue, comme chez les hamsters ou les écureuils. Pour d'autres, comme les humains, il dure plus longtemps que vingt-quatre heures.

2. Même la lumière du soleil qui passe à travers d'épais nuages un jour de pluie est assez puissante pour nous aider à remonter nos horloges biologiques internes.

du jour est en effet le signal répété le plus fiable dont nous disposions. Depuis la naissance de notre planète et tous les jours, sans faille, le soleil s'est levé le matin et couché le soir. Si la plupart des espèces vivantes ont adopté un rythme circadien, c'est probablement pour se synchroniser, elles-mêmes et leurs activités à la fois internes (température) et externes (nourriture), avec les mécanismes orbitaux journaliers de la planète Terre tournant sur son axe, qui la font alterner régulièrement entre phases lumineuses (face au soleil) et phases sombres (cachée du soleil).

La lumière du soleil n'est toutefois pas le seul signal que le cerveau peut capter pour mettre à jour son horloge biologique, même si elle reste le signal principal et préférentiel, lorsqu'il est présent. Dans la mesure où ils se répètent de façon fiable, le cerveau peut également utiliser d'autres signaux externes, comme la nourriture, l'exercice, les fluctuations de température, et même l'interaction sociale si elle suit un rythme régulier. Tous ces événements favorisent la mise à jour de l'horloge biologique, lui permettant d'atteindre la note précise de vingt-quatre heures. C'est la raison pour laquelle les individus touchés par certaines formes de cécité ne perdent pas totalement leur rythme circadien. Même s'ils ne reçoivent pas les signaux lumineux, d'autres phénomènes agissent comme des déclencheurs de mise à jour. Tout signal utilisé par le cerveau dans le but de mettre à jour l'horloge est nommé *zeitgeber*, de l'allemand « minuterie » ou « synchroniseur. » Ainsi, tandis que la lumière est le signal le plus fiable, donc le *zeitgeber* principal, de nombreux autres facteurs peuvent être utilisés en plus de la lumière du jour, ou en son absence.

L'horloge biologique de vingt-quatre heures située au cœur de votre cerveau est nommée noyau suprachiasmatique. Comme pour beaucoup de termes anatomiques, le nom, bien que difficile à prononcer, en dit long : *supra* signifie « sur » et le terme « chiasme » désigne un « point de croisement ». Le point de croisement est celui des nerfs optiques qui partent de vos globes oculaires. Ces nerfs se croisent au milieu de votre cerveau avant d'échanger leurs trajectoires. Le noyau suprachiasmatique est situé juste au-dessus de cette intersection pour une bonne raison. Il « prélève » le signal lumineux envoyé par chaque œil le long des nerfs optiques qui se dirigent vers l'arrière du cerveau pour le traitement visuel. Le noyau suprachiasmatique utilise cette information lumineuse fiable pour rectifier l'imprécision de sa temporalité interne et atteindre un cycle précis de vingt-quatre heures, empêchant ainsi toute dérive. Si je vous dis que le noyau suprachiasmatique se compose de vingt mille cellules cérébrales, ou neurones, vous supposerez peut-être que c'est énorme et qu'il occupe une vaste zone de votre espace crânien. Or il est en réalité infime. Le cerveau se composant d'environ cent milliards de neurones, le noyau suprachiasmatique apparaît comme minuscule relativement à l'ensemble de la substance cérébrale. En dépit de cette stature, l'influence du noyau suprachiasmatique sur le reste du cerveau et du corps est tout sauf mince. Cette horloge microscopique est le chef d'orchestre suprême de la symphonie biologique du rythme de la vie – la vôtre et celle des autres espèces vivantes. Le noyau suprachiasmatique contrôle un large éventail de comportements, dont ceux qui nous intéressent dans ce chapitre : les moments où vous avez envie de vous lever ou d'aller dormir.

Chez les espèces diurnes actives pendant la journée, comme les êtres humains, le rythme circadien active de nombreux mécanismes dans le cerveau et le corps pendant les heures du jour destinées à vous maintenir éveillé et alerte. Ces processus sont ensuite minimisés pendant la nuit, ce qui annule l'influence de cette mise en alerte. La figure 1 montre un exemple de rythme circadien – celui de la température du corps. Elle représente la température au cœur du corps (dans le rectum, ni plus ni moins) d'un groupe d'humains adultes. À partir de douze heures (tout à gauche du schéma), la température du corps commence à monter, jusqu'à atteindre son pic en fin d'après-midi. La trajectoire se modifie alors. La température commence à baisser à nouveau, tombant en dessous de celle de son point de départ de midi à mesure que l'heure du coucher approche.

Votre rythme circadien biologique aménage une baisse de votre température centrale à l'approche de l'heure habituelle de votre coucher (figure 1). La température de votre corps atteint ainsi son nadir, son point le plus bas, environ deux heures après le début de votre sommeil. Ce rythme est toutefois indépendant du fait que vous dormiez effectivement ou non. Si je vous maintenais éveillé toute la nuit, le schéma ci-dessus serait le même. Certes, la baisse de température aide à faire advenir le sommeil, mais les variations auront lieu sur vingt-quatre heures que vous soyez ou non réveillé. C'est là l'une des manifestations typiques du rythme circadien préprogrammé, qui se répète à l'infini et sans faille, à l'image d'un métronome. La température n'est que l'un des nombreux rythmes que dirige le noyau suprachiasmatique. L'alternance entre éveil et sommeil en est un autre. Ce sont donc l'éveil et le sommeil qui sont sous le contrôle du rythme circadien, et non l'inverse. Votre rythme circadien monte et descend en dépit du fait que vous ayez ou non dormi. Il est sur ce point infaillible, mais il suffit d'observer différents individus pour se rendre compte que chacun suit son propre chronométrage circadien.

Figure 1. Rythme circadien typique de vingt-quatre heures (température corporelle centrale)

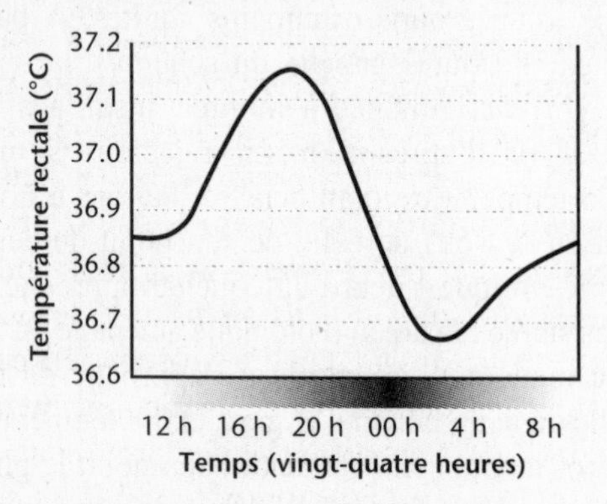

Mon rythme n'est pas le vôtre

Si chaque être humain suit un schéma avéré de vingt-quatre heures, les pics et creux respectifs diffèrent étonnamment d'un individu à l'autre. Chez certaines personnes, le pic d'éveil a lieu tôt dans la journée et le creux de sommeil tôt le soir. Ce sont les gens « du matin », qui représentent environ 40 % de la population. Ils préfèrent se réveiller à l'aube, ou vers l'aube, sont heureux ainsi et fonctionnent de façon optimale à ce moment de la journée. D'autres sont « du soir » et représentent approximativement 30 % de la population. Ils préfèrent naturellement se coucher tard, donc se réveiller tard le matin suivant, voire l'après-midi. Les 30 % restants, dont je fais partie, se trouvent quelque part entre les deux, avec une légère préférence pour le soir.

Vous connaissez peut-être ces deux types sous les noms familiers de « lève-tôt » ou « couche-tard ». Contrairement aux lève-tôt, les couche-tard sont bien souvent incapables de s'endormir tôt le soir, malgré leurs tentatives, et ne réussissent à s'assoupir que tôt le matin. Ne s'étant pas endormis avant une heure tardive, les couche-tard détestent bien sûr se lever tôt et ne peuvent être opérationnels à ce moment de la journée. En effet, même s'ils sont « éveillés », leurs cerveaux restent dans un état de mi-sommeil pendant tout le début de matinée. C'est particulièrement vrai d'une région qu'on appelle le cortex préfrontal, située au-dessus des yeux et qui peut être considérée comme le siège social du cerveau. Le cortex préfrontal contrôle les pensées complexes et le raisonnement logique, et nous aide à maîtriser nos émotions. Lorsqu'un couche-tard est contraint de se réveiller trop tôt, son cortex préfrontal n'est pas en mesure de fonctionner : il est « déconnecté ». Comme un moteur froid que l'on démarre tôt le matin, il lui faut du temps avant de se chauffer pour atteindre une température opérationnelle et ne fonctionnera pas efficacement avant cela.

Le fait qu'un adulte soit plutôt du soir ou du matin, qu'on appelle également chronotype, est largement déterminé par la génétique. Si vous êtes du soir, il est probable que l'un de vos parents (ou les deux) le soit aussi. Malheureusement, la société traite les gens du soir injustement, à deux niveaux. D'abord, on les accuse de paresse, parce qu'ils ont pour habitude de se réveiller tard puisqu'ils ne s'endorment pas avant les premières heures du matin. D'autres (souvent les lève-tôt) s'en prennent aux couche-tard en supposant à tort que leurs préférences sont des choix, et que s'ils n'étaient pas aussi négligents, ils se réveilleraient plus tôt. Les couche-tard ne le sont pourtant pas par choix. Ils sont soumis à ces horaires différés par un câblage ADN inévitable. Ce n'est pas leur faute *consciente*, mais plutôt leur destin *génétique*.

Viennent ensuite les règles du jeu inégales et bien ancrées de l'organisation du travail, largement orientées vers le fait de commencer tôt, qui punit les couche-tard et favorise les lève-tôt. Si la situation tend à s'améliorer, les horaires de travail habituels forcent les couche-tard à suivre un rythme de sommeil-réveil qui ne leur est pas naturel. Leurs performances professionnelles sont par conséquent bien moins optimales. On les empêche même d'exprimer leur véritable potentiel en fin d'après-midi et en début de soirée, puisque les journées de travail se terminent en général avant. Bien malheureusement, les couche-tard subissent un manque de sommeil chronique puisqu'ils doivent se lever en même temps que les lève-tôt, alors qu'ils ne sont pas en mesure de s'endormir aussi tôt qu'eux. Les couche-tard sont donc souvent contraints de brûler la chandelle proverbiale par les deux bouts. Ils sont plus souvent victimes des maladies liées au manque de sommeil, comme la dépression, l'anxiété, le diabète, le cancer, les crises cardiaques et les AVC.

Sur ce point, un changement sociétal est nécessaire, qui permettrait d'offrir des arrangements équivalents à ceux que nous proposons pour les autres particularités physiques (une vue défaillante, par exemple). Nous avons besoin de programmes de travail plus souples, mieux adaptés à tous les chronotypes, et pas seulement à l'un d'entre eux, extrême.

Vous vous demandez peut-être pourquoi Mère Nature a programmé une telle variabilité entre les êtres. En tant qu'espèce sociale, ne devrions-nous pas être tous synchronisés, donc réveillés au même moment, pour inciter au mieux les interactions humaines ? Il se peut que non. Comme nous le découvrirons plus tard dans cet ouvrage, il est probable que les humains aient évolué vers un cosommeil par familles, voire par tribus, et non individuellement ou en couples. Le contexte évolutif permet ainsi de comprendre les bénéfices de cette variation génétiquement programmée des préférences en termes de sommeil/réveil. Les couche-tard d'un groupe ne se couchent pas avant une ou deux heures du matin et ne sont pas réveillés avant neuf ou dix heures. De l'autre côté, les lève-tôt se retirent pour la nuit à neuf heures et se réveillent à cinq heures. Par conséquent, le groupe en tant qu'ensemble n'est vulnérable (au moment où tout le monde dort) que pendant quatre heures au lieu de huit, même si chacun a la possibilité de dormir huit heures. Voilà qui augmente potentiellement de 50 % l'aptitude de l'espèce à la survie. Mère Nature ne se priverait jamais d'une caractéristique biologique – ici, la variabilité utile du moment où les individus d'une tribu vont dormir et se réveillent – capable de renforcer les chances de survie, donc la bonne forme d'une espèce. Elle ne l'a donc pas fait.

Mélatonine

Votre noyau suprachiasmatique communique son signal répété de nuit et de jour à votre cerveau et votre corps en utilisant un messager circulatoire que l'on nomme mélatonine. La mélatonine porte également d'autres noms, parmi lesquels l'« hormone de l'obscurité » ou l'« hormone vampire » – pas parce qu'elle est angoissante mais simplement parce qu'elle est émise la nuit. Instruite par le noyau suprachiasmatique, la montée de mélatonine démarre en effet peu de temps après le coucher du soleil. Elle est diffusée dans le sang par la glande pinéale, située tout à l'arrière de votre cerveau. La mélatonine agit comme un puissant mégaphone qui crierait un message clair au cerveau et au corps : « Il fait noir ! Il fait noir ! » On nous annonce solennellement qu'il fait nuit tout en nous donnant l'ordre biologique de nous mettre à dormir[1].

---

1. Pour les espèces nocturnes comme les chauves-souris, les criquets, les lucioles ou les renards, cet appel se fait au matin.

La mélatonine aide ainsi à réguler le moment où le sommeil arrive, en signalant l'obscurité de façon systématique à l'organisme. Elle a toutefois peu d'influence sur la génération du sommeil en soi : c'est une idée fausse que se font beaucoup de gens. Pour rendre la distinction plus claire, imaginez le sommeil comme une course olympique sur cent mètres. La mélatonine est la voix du minuteur officiel. Elle dit : « Coureurs, à vos marques ! », avant de lancer le coup de feu qui déclenche la course. Ce minuteur (la mélatonine) décide du moment où commence la course (le sommeil), mais ne participe pas à cette course. Dans cette comparaison, les coureurs sont les autres zones du cerveau et les processus qu'il met en branle, ceux qui génèrent activement le sommeil. La mélatonine rassemble ces zones cérébrales génératrices de sommeil sur la ligne de départ du coucher. Elle ne fait que donner l'ordre officiel du début du sommeil, mais ne participe pas à la course du sommeil en elle-même.

Pour ces raisons, elle n'est pas une aide puissante au sommeil, du moins pas pour les individus en bonne santé qui ne sont pas victimes du décalage horaire (nous étudierons bientôt ce phénomène, et la façon dont la mélatonine peut lui venir en aide). On peut parfois trouver un peu de mélatonine dans les somnifères. Cela étant dit, elle dispense un effet placebo de sommeil qui ne doit pas être sous-estimé, car c'est après tout l'effet le plus fiable de toute la pharmacologie. Il faut également savoir que la mélatonine vendue sans ordonnance n'est habituellement pas réglementée par les organes directeurs dans le monde, tels que la US Food and Drug Administration (FDA). Les évaluations scientifiques de ces marques ont trouvé des concentrations de mélatonine allant de 83 % de moins que ce qui était annoncé sur l'étiquette à 478 % de plus[1].

Figure 2. Le cycle de la mélatonine

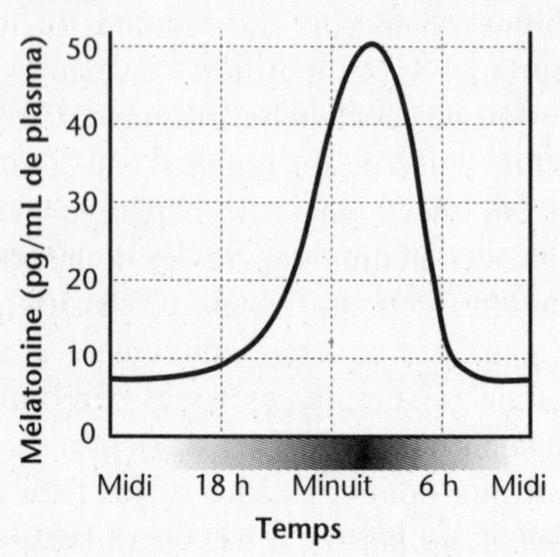

Une fois le sommeil lancé, la concentration de mélatonine baisse lentement au cours de la nuit et pendant les heures du matin. À l'aube, au moment où la lumière du soleil pénètre le cerveau par les yeux (même à travers les paupières fermées), une pédale de frein fait pression sur la glande pinéale, qui cesse ainsi la diffusion de mélatonine. L'absence de mélatonine en

1. L. A. Erland et P. K. Saxena, « Melatonin natural health products and supplements: Presence of serotonin and significant variability of melatonin content », *Journal of Clinical Sleep Medicine*, 13(2), 2017, 275-281.

circulation informe alors le cerveau et le corps que le sommeil a atteint la ligne d'arrivée. Il est temps de déclarer la fin de la course du sommeil pour faire revenir la veille active pendant le reste de la journée. De ce point de vue, nous pouvons dire que nous, êtres humains, fonctionnons à l'« énergie solaire ». La pédale de frein solaire qui bloque la mélatonine diminue donc avec la lumière.

La figure 2 montre une diffusion type de mélatonine. Elle démarre quelques heures après le crépuscule et augmente rapidement, jusqu'à atteindre son pic vers quatre heures du matin. Elle commence ensuite à baisser à mesure que l'aube approche, atteignant des niveaux indétectables tôt le matin et dans la matinée.

Gardez le rythme, ne voyagez pas

L'avènement du moteur à réaction a représenté une véritable révolution pour le transport en commun des humains à travers la planète, mais il a aussi entraîné un désastre biologique imprévu : les avions à réaction permettaient de traverser les fuseaux horaires avec une rapidité telle que nos horloges internes de vingt-quatre heures ne pourraient jamais suivre ou s'adapter. Ils ont ainsi créé un décalage biologique, le décalage horaire. Par conséquent, nous nous sentons fatigués et endormis pendant la journée lorsque nous nous trouvons dans un fuseau horaire lointain, car notre horloge interne se croit encore en pleine nuit et qu'elle n'a toujours pas rattrapé son retard. Et, comme si cela ne suffisait pas, nous nous retrouvons incapables de dormir ou de rester endormi pendant la nuit, parce que notre horloge interne se croit désormais en plein jour.

Prenons l'exemple de l'un de mes vols récents vers mon Angleterre natale depuis San Francisco. Londres a huit heures d'avance sur San Francisco. Lorsque j'arrive en Angleterre, en dépit de l'horloge digitale de l'aéroport Heathrow de Londres qui m'indique qu'il est neuf heures du matin, mon horloge circadienne interne enregistre un temps bien différent – celui de Californie, donc une heure du matin, heure à laquelle je ferais bien d'aller me coucher. Je vais donc traîner mon cerveau et mon corps décalés tout au long du jour londonien, dans un état de léthargie profonde. Chacun de mes aspects biologiques exige du sommeil ; sommeil dans lequel la plupart des gens sont en train de se lover, là-bas, en Californie.

Le pire reste toutefois à venir. À minuit, heure de Londres, je suis au lit, fatigué, voulant dormir mais, contrairement à la plupart des Londoniens, je ne m'assoupis pas. Il a beau être minuit ici, mon horloge biologique interne pense qu'il est quatre heures de l'après-midi, l'heure de Californie. En temps normal, je serais pleinement éveillé, et je le suis d'ailleurs, étendu dans mon lit londonien. Il faudra cinq ou six heures avant que ma tendance naturelle à l'endormissement n'arrive… pile au moment où Londres commence à se réveiller et où je dois donner une conférence en public. Quel chaos.

C'est cela, le décalage horaire : vous vous sentez fatigué et endormi pendant la journée de votre nouvelle zone horaire, parce que l'horloge de votre corps et son fonctionnement biologique « croient » toujours que c'est la nuit. Pendant la nuit, vous êtes bien souvent incapable de dormir fermement, car votre rythme biologique croit toujours que c'est le jour.

Heureusement, mon cerveau et mon corps ne vont pas rester dans ces limbes discordantes pour toujours. Je vais m'acclimater à la temporalité londonienne grâce aux signaux de lumière du soleil. Mais c'est un processus lent, car sur chaque jour passé dans un nouveau fuseau horaire, votre noyau suprachiasmatique ne peut se réajuster que d'environ une heure. Il me faut donc environ huit jours pour m'adapter au temps londonien après San Francisco, puisque les deux villes sont à huit heures l'une de l'autre. Malheureusement, après avoir accompli des efforts drastiques pour avancer dans le temps et s'intégrer pleinement à la vie londonienne, l'horloge de vingt-quatre heures de mon noyau suprachiasmatique doit faire face à une nouvelle tout à fait déprimante : au bout de neuf jours, je dois rentrer à San Francisco. Ma pauvre horloge va devoir mener sa lutte une fois de plus, dans le sens inverse !

Vous avez peut-être remarqué qu'il semble plus difficile de s'adapter à une nouvelle zone horaire lorsqu'on voyage vers l'est que lorsqu'on voyage vers l'ouest. Il y a deux raisons à cela. D'abord, aller vers l'est exige que vous vous endormiez plus tôt que la normale, ordre biologique difficile à mettre en œuvre. Par contraste, aller vers l'ouest exige que vous restiez éveillé plus longtemps, perspective plus facile d'un point de vue psychologique et pratique. Ensuite, souvenez-vous qu'une fois coupé de toute influence du monde extérieur, notre rythme circadien est naturellement plus long qu'une journée – environ vingt-quatre heures et quinze minutes. Aussi modeste soit-il, ce fait rend plus facile pour vous d'étirer artificiellement une journée que de la réduire. Lorsque vous voyagez vers l'ouest – dans le sens de votre horloge interne naturellement plus étirée –, le « jour » est pour vous plus long que vingt-quatre heures, et c'est pourquoi il vous semble un peu plus facile de vous adapter. Le voyage vers l'est, qui signifie pour vous un « jour » plus court que vingt-quatre heures, va au début à l'encontre de la tendance de votre rythme interne naturel étiré, et il vous est ainsi plus difficile de vous adapter.

Que l'on aille vers l'ouest ou vers l'est, le décalage horaire soumet le cerveau à une véritable torture psychologique. Il fait vivre aux cellules, organes et systèmes majeurs du corps un stress biologique profond, qui n'est pas sans conséquences. Les scientifiques ont étudié les équipages d'avion qui prenaient fréquemment des longs courriers et avaient peu d'occasions de récupérer. Deux résultats alarmants sont apparus. D'abord, des parties de leur cerveau – notamment celles qui sont rattachées à l'apprentissage et la mémoire – ont physiquement réduit. Cela suggère que le stress biologique causé par les voyages à travers différents fuseaux horaires a détruit certaines de leurs cellules cérébrales. Ensuite, leur mémoire à court terme a été significativement détériorée. Ils étaient bien plus distraits que des individus du même âge issus du même milieu mais qui n'avaient pas voyagé régulièrement dans différents fuseaux horaires. D'autres études portées sur des pilotes ou membres d'équipage et sur des travailleurs postés ont en outre indiqué des conséquences inquiétantes, dont un taux de cancer et de diabète de type 2 bien plus élevé que celui de la population générale – ou d'individus similaires qui ne voyageaient pas autant.

Connaissant ces effets délétères, vous comprendrez pourquoi certaines personnes fréquemment confrontées au décalage horaire, parmi lesquelles les pilotes de ligne et les membres d'équipage, aimeraient limiter ces souffrances. Ils choisissent ainsi souvent de prendre de la mélatonine pour tenter de régler le problème. Souvenez-vous de mon vol entre San Francisco et Londres. Après mon arrivée ce jour-là, j'ai eu beaucoup de mal à trouver le sommeil et à rester endormi pendant la nuit, en partie parce que la mélatonine n'était pas diffusée pendant ma nuit londonienne. Ma montée de mélatonine avait eu lieu longtemps avant, à l'heure de Californie. Imaginez que j'utilise un composé légal de mélatonine après mon arrivée à Londres. Il fonctionnera ainsi : vers sept ou huit heures, heure de Londres, je prendrai une pilule de mélatonine, déclenchant ainsi une montée artificielle de la mélatonine en circulation, qui imitera le pic de mélatonine naturelle de la plupart des habitants de Londres. Par conséquent, mon cerveau croira qu'il fait nuit et par cette astuce chimique, la course de mon sommeil sera lancée. Poursuivre le sommeil en soi à cette heure peu ordinaire (pour moi) restera une lutte, mais ce top départ augmentera significativement la probabilité que je dorme dans ce contexte de décalage horaire.

Besoin de sommeil et caféine

Votre rythme circadien de vingt-quatre heures est le premier des deux facteurs qui déterminent votre éveil et votre sommeil. Le second est le besoin de sommeil. À cet instant même, une substance chimique nommée adénosine croît dans votre cerveau. Elle continuera à augmenter sa concentration à chaque minute de veille. Plus vous restez éveillé, plus l'adénosine s'accumule. Imaginez l'adénosine comme un baromètre chimique qui enregistrerait continuellement la quantité de temps écoulé depuis votre réveil ce matin.

L'une des conséquences de la montée d'adénosine dans le cerveau est l'aggravation de l'envie de dormir. C'est ce qu'on appelle le besoin de sommeil, qui est la seconde force déterminant le moment où l'on sent que l'on s'endort et qu'il faudrait aller au lit. Par leur double effet subtil, les concentrations élevées en adénosine font baisser le « volume » des zones du cerveau qui appellent au réveil, tout en augmentant celles qui invitent au sommeil. Suite à cette pression chimique, lorsque l'adénosine atteint son point le plus élevé, un besoin irrépressible de sommeil prend le dessus[1]. C'est ce qui se produit pour la plupart des gens après douze à seize heures d'éveil.

Vous pouvez toutefois faire taire artificiellement le signal de sommeil que livre l'adénosine au moyen

1. En supposant que votre rythme circadien soit stable et que vous n'ayez pas voyagé récemment dans divers fuseaux horaires, auquel cas vous aurez toujours du mal à vous endormir, même après seize heures d'éveil.

d'une substance chimique qui vous maintient alerte et éveillé : la caféine. La caféine n'est pas un complément alimentaire, mais le stimulant psychoactif le plus largement utilisé au monde (et aussi celui dont on abuse le plus), puisque le café est la deuxième denrée la plus vendue sur la planète après l'huile. La consommation de caféine correspond ainsi à l'une des études de médicament non supervisées les plus longues et vastes jamais menées sur la race humaine – avec peut-être l'alcool –, et qui se poursuit encore aujourd'hui.

La caféine agit en remportant son combat contre l'adénosine pour gagner le privilège de se fixer sur les sites d'accueil de l'adénosine – ou récepteurs – dans le cerveau. Une fois que la caféine occupe ces récepteurs, elle ne les stimule pas comme l'adénosine, pour vous rendre somnolent. Au contraire, elle les bloque et les rend inactifs, agissant comme un agent masqué. C'est comme si vous vous bouchiez les oreilles avec vos doigts pour ne plus rien entendre. En piratant et en occupant ces récepteurs, la caféine bloque le signal d'endormissement normalement communiqué au cerveau par l'adénosine. Résultat : la caféine vous fait croire que vous êtes alerte et réveillé, même si vos niveaux d'adénosine sont élevés et qu'ils vous inviteraient sinon à dormir.

Les niveaux de caféine en circulation atteignent approximativement leur pic trente minutes après ingestion. Ce qui reste problématique, c'est la persistance de la caféine dans votre système. En pharmacologie, nous utilisons le terme de « demi-vie » pour parler de l'efficacité d'un médicament. Il renvoie au temps qu'il faut pour que le corps efface 50 % d'une concentration médicamenteuse. La caféine a une demi-vie moyenne de cinq à sept heures. Partons du principe que vous prenez un café après votre dîner, vers dix-neuf heures trente. Cela veut dire qu'à une heure trente, 50 % de cette caféine sera toujours active et en circulation dans vos tissus cérébraux. En d'autres termes, à une heure trente, vous n'aurez nettoyé qu'à moitié votre cerveau de la caféine que vous avez ingurgitée après le dîner.

En outre, cette trace de 50 % est tout sauf faible. La moitié de la dose de caféine reste pleinement active, et tout le travail de décomposition reste à venir pendant la nuit jusqu'à ce que la caféine disparaisse. Tant que votre cerveau continuera à lutter pour s'opposer à la caféine, vous ne pourrez pas trouver le sommeil, ni le garder. La plupart des gens ne se rendent pas compte du temps qu'il faut pour venir à bout d'une simple dose de caféine, et ne font donc pas le lien entre la mauvaise nuit de sommeil dont ils se réveillent au matin et la tasse de café qu'ils ont bue au dîner, dix heures plus tôt.

La caféine – présente non seulement dans le café mais aussi dans certains thés et boissons énergétiques, aliments comme le chocolat noir ou la crème glacée, et médicaments antidouleur ou destinés à faire perdre du poids – est l'une des substances qui empêchent le plus l'endormissement facile, donc le sommeil profond, déguisant habituellement en insomnie ce qui constitue en réalité un véritable phénomène de santé. Il faut également savoir que *décaféiné* ne signifie pas *non caféiné*. Une tasse de déca contient habituellement 15 % à 30 % de la teneur habituelle d'une tasse de café, ce qui est loin de signifier une absence de caféine. Si vous buvez trois ou quatre tasses de déca dans la soirée, cela sera donc aussi dommageable pour votre sommeil que si vous aviez bu une tasse de café ordinaire.

Le « choc » de caféine finit de fait par passer. La caféine est supprimée de votre système par une enzyme de votre foie[1] qui la dégrade petit à petit. Pour des raisons essentiellement génétiques[2], certaines personnes disposent d'une version plus efficace de cette enzyme venant affaiblir la caféine, qui permet au foie de la supprimer rapidement du système sanguin. Ces individus rares peuvent boire un expresso après le dîner et s'endormir à minuit sans problème. À l'inverse, d'autres ont une enzyme à action lente, et il faut bien plus de temps à leur système pour éliminer la même dose de caféine. Ce sont des personnes très sensibles aux effets de la caféine. Une tasse de thé ou de café le matin leur durera une bonne partie de la journée, et si elles en prennent une autre, même en début d'après-midi, elles auront du mal à dormir le soir. L'âge altère également la rapidité de l'élimination de la caféine : plus nous vieillissons, plus il faut du temps à notre cerveau et notre corps pour supprimer la caféine, donc plus nous devenons sensibles à l'influence de la caféine sur le sommeil.

---

1. D'autres facteurs favorisent la sensibilité à la caféine, comme l'âge, les traitements médicamenteux parallèles, ou la quantité et la qualité du sommeil préalable. Voir A. Yang, A. A. Palmer et H. de Wit, « Genetics of caffeine consumption and responses to caffeine », *Psychopharmacology*, 311(3), 2010, 245-257, disponible sur www.ncbi.nlm.nih.gov.

2. L'enzyme principale du foie qui métabolise la caféine est nommée cytochrome P450 1A2.

Si vous voulez rester éveillé tard dans la nuit en buvant du café, préparez-vous à une conséquence fâcheuse lorsque votre foie aura supprimé avec succès la caféine de votre système : c'est un phénomène que l'on appelle communément le « crash de caféine ». Comme les batteries d'un jouet qui se déchargent, votre énergie va chuter très rapidement. Il vous deviendra difficile d'être fonctionnel et concentré, et vous vous sentirez à nouveau très endormi.

Nous comprenons désormais pourquoi : tout le temps où la caféine est dans votre organisme, la substance chimique endormissante qu'elle bloque (l'adénosine) continue à monter. Votre cerveau n'est pas conscient de cette marée d'adénosine qui vous incite au sommeil, parce que le mur de caféine que vous avez créé vous empêche de la percevoir. Mais, une fois que votre foie démonte cette barricade de caféine, vous ressentez un contrecoup vicieux : vous êtes frappé par le sommeil que vous avez ressenti deux ou trois heures auparavant avant de boire cette tasse de café *et* par l'adénosine qui s'est accumulée entre les deux, attendant patiemment que la caféine s'en aille. Lorsque les récepteurs sont libérés par la décomposition de la caféine, l'adénosine se précipite pour les boucher. Vous êtes alors assailli par un besoin de dormir encore plus puissant, déclenché par l'adénosine : c'est le crash de caféine dont j'ai parlé plus haut.

Afin de mieux vous faire comprendre les effets de la caféine, j'ai pris quelques notes sur des recherches ésotériques conduites dans les années 1980 par la NASA, quand leurs scientifiques ont exposé des araignées à différentes drogues dans le but d'observer les toiles qu'elles tissaient ensuite[1]. On trouvait parmi ces drogues le LSD, le speed (amphétamines), la marijuana et la caféine. Les résultats, visibles sur la figure 3, parlent d'eux-mêmes. Les chercheurs ont noté à quel point les araignées étaient incapables de construire quoi que ce soit qui ressemble à une toile normale ou logique et susceptible de leur être utile lorsqu'elles absorbaient de la caféine, même par comparaison avec les autres drogues puissantes utilisées pour l'expérience.

Figure 3. Effets de diverses drogues sur la construction de toiles d'araignée

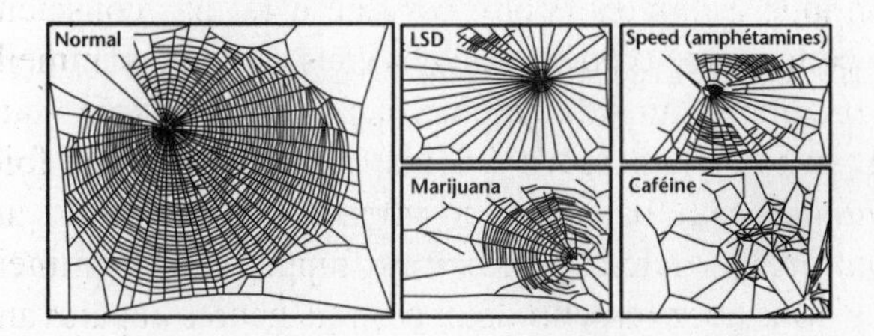

Il est important de souligner que la caféine est une drogue stimulante. C'est aussi la seule substance addictive que nous donnons volontiers à nos enfants et adolescents – nous reviendrons plus tard sur les conséquences de tels agissements.

1. R. Noever, J. Cronise et R. A. Relwani, « Using spider-web patterns to determine toxicity », *NASA Tech Briefs*, 19(4), 1995, 82 ; Peter N. Witt et Jerome S. Rovner, *Spider Communication. Mechanisms and Ecological Significance*, Princeton (New Jersey), Princeton University Press, 1982.

Marcher au pas, ou pas

Mettons un instant la caféine de côté. Vous avez peut-être supposé que les deux forces qui gouvernaient la régulation de votre sommeil – le rythme circadien de vingt-quatre heures du noyau suprachiasmatique et le signal de besoin de sommeil émis par l'adénosine – communiquaient entre elles pour unir leurs influences. En réalité, ce n'est pas le cas. Elles forment deux systèmes distincts et séparés qui s'ignorent mutuellement. Bien qu'indépendantes, elles sont habituellement synchrones.

Figure 4. Les deux facteurs régulateurs de l'éveil et du sommeil

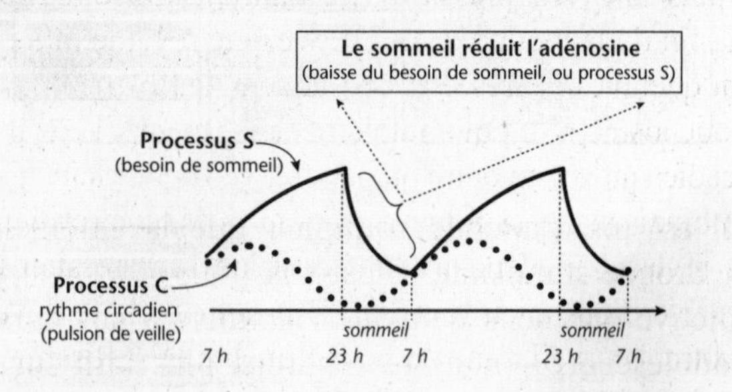

La figure 4 représente quarante-huit heures, de gauche à droite – deux jours et deux nuits. La courbe en pointillé décrit le rythme circadien, également connu sous le nom de *processus C*. Telle une onde sinusoïdale, elle monte et descend à plusieurs reprises, de manière fiable, puis remonte et redescend encore une fois. Débutant à l'extrême gauche du schéma, le rythme circadien commence par augmenter son activité quelques heures avant votre réveil. Il infuse votre cerveau et votre corps d'un signal d'alerte énergétique. Imaginez une fanfare tonitruante qui s'approcherait au loin. Au début, le signal est vague mais, petit à petit, au fil du temps, il grandit, grandit, grandit. En début d'après-midi, chez la plupart des adultes en bonne santé, le signal d'activation émis par le rythme circadien est à son pic.

Considérons à présent ce qui se passe pour l'autre facteur de contrôle du sommeil, l'adénosine. L'adénosine crée un besoin de dormir, que l'on connaît également sous le nom de *processus S*. Elle est représentée sur la figure 4 par une courbe continue. Plus vous restez réveillé, plus l'adénosine s'accumule, créant ainsi un besoin de plus en plus fort (une pression) de sommeil. Entre le milieu et la fin de la matinée, vous n'avez été réveillé que pendant quelques heures. Par conséquent, les concentrations en adénosine n'ont que faiblement augmenté. Le rythme circadien atteint en outre un puissant pic de vivacité. Cette combinaison de la force active du rythme circadien et des niveaux d'adénosine bas entraîne l'impression très agréable d'être bien réveillé. (Du moins, elle le devrait, si votre sommeil a été de bonne qualité et suffisamment long la nuit précédente. S'il vous semble que vous pourriez vous endormir sans difficulté en milieu de matinée, c'est que vous n'avez sans doute pas assez dormi, ou que la qualité de votre sommeil est insuffisante.) La distance entre les courbes ci-dessus reflétera directement votre envie de dormir. Plus l'écart entre les deux est grand, plus votre envie de sommeil est grande.

Figure 5. La pression de l'éveil

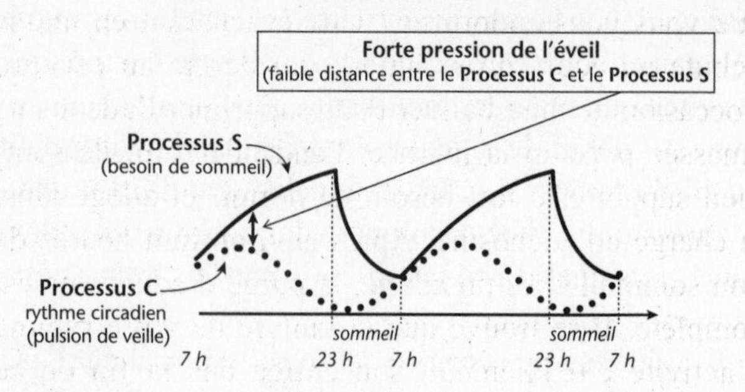

Par exemple, à onze heures du matin, lorsque vous vous êtes réveillé à huit heures, il n'y a qu'un faible écart entre la courbe en pointillé (rythme circadien) et la courbe continue (besoin de sommeil), illustré sur la figure 5 par la double flèche verticale. Cette différence minimale signifie que le besoin de sommeil est faible et que la pulsion d'éveil et de vigilance est forte.

La situation est toutefois différente à onze heures du soir, comme l'illustre la figure 6. Vous êtes désormais réveillé depuis quinze heures et votre cerveau est inondé par de fortes concentrations en adénosine (notez sur le schéma la forte montée de la courbe continue). En outre, la courbe en pointillé du rythme circadien est descendante, ce qui a pour conséquence d'amoindrir votre activité et vos niveaux de vigilance. Par conséquent, la différence entre les deux courbes a augmenté, comme en témoigne la double flèche verticale sur la figure 6. La combinaison puissante de cette abondance d'adénosine (besoin de sommeil élevé) et du déclin du rythme circadien (niveaux d'activité réduits) déclenche une forte envie de dormir.

Qu'arrive-t-il à toute l'adénosine accumulée une fois que vous vous endormez ? Une évacuation en masse débute au cours du sommeil, qui donne au cerveau l'occasion de faire baisser et de supprimer l'adénosine amassée pendant la journée. Pendant la nuit, le sommeil supporte le fort besoin de dormir et allège ainsi la charge en adénosine. Après environ huit heures de bon sommeil chez un adulte, la purge d'adénosine est complète. Il se trouve que la fanfare de votre rythme d'activité circadien fait son entrée dès la fin de ce processus, et son effet énergisant commence alors à se faire sentir. Lorsque ces deux procédés échangent leur place aux premières heures du matin, quand l'adénosine a été évacuée et que le volume activateur du rythme circadien augmente (c'est la rencontre des deux courbes sur la figure 6), nous nous réveillons naturellement (à sept heures du matin le deuxième jour sur le schéma, par exemple). Après cette pleine nuit de sommeil, vous êtes désormais prêt à affronter seize nouvelles heures d'éveil avec une vigueur physique et des fonctions cérébrales affûtées.

Figure 6. La pression du sommeil

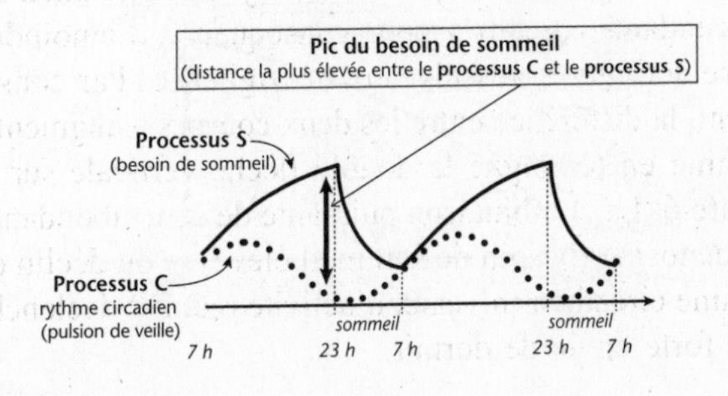

Jour et nuit de l'indépendance

Avez-vous déjà passé une nuit blanche, renoncé au sommeil pour rester éveillé tout le jour suivant ? Si tel est le cas, et si vous êtes en mesure de vous souvenir de quoi que ce soit à ce sujet, vous vous rappelez sans doute que vous vous êtes senti vraiment mal et somnolent à certains moments, mais qu'à d'autres, bien qu'étant resté éveillé plus longtemps, vous étiez paradoxalement *plus* alerte. Pourquoi ? Je ne conseille à personne de mener cette auto-expérimentation, mais il se trouve qu'évaluer la veille d'un individu au cours de vingt-quatre heures de privation totale de sommeil permet aux scientifiques de démontrer que les deux forces déterminantes lorsqu'on cherche à être éveillé et à dormir – le rythme circadien de vingt-quatre heures et le signal de somnolence émis par l'adénosine – sont indépendantes, et qu'elles peuvent être dégagées de leur synchronisme habituel.

Figure 7. Les fluctuations du manque de sommeil

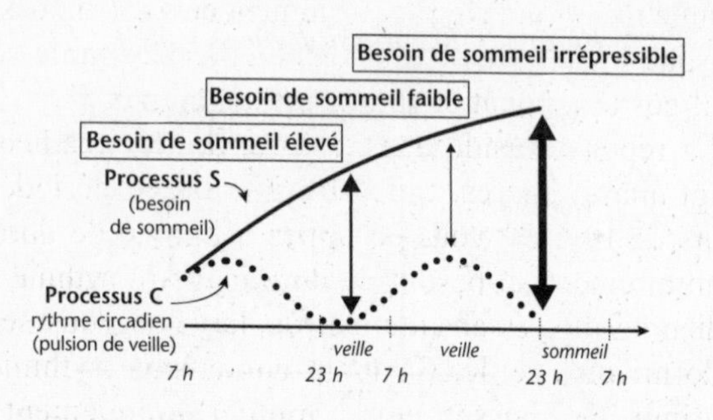

Considérons la figure 7, qui représente la même portion de temps de quarante-huit heures et les deux facteurs concernés : le rythme circadien de vingt-quatre heures et le signal de besoin de sommeil émis par l'adénosine, ainsi que la distance qui les sépare. Dans ce scénario, notre volontaire va rester éveillé toute la nuit et toute la journée. À mesure que la nuit de privation de sommeil avance, le besoin de sommeil émis par l'adénosine (courbe du haut) s'élève progressivement, comme le niveau de l'eau qui augmente dans un évier bouché lorsqu'on laisse le robinet ouvert. Il ne descendra pas au cours de la nuit. C'est impossible, puisque le sommeil est absent.

Lorsqu'on reste éveillé, on empêche la purge d'adénosine que déclenche le sommeil, et le cerveau devient ainsi incapable de se débarrasser du besoin chimique de dormir. Les niveaux d'adénosine continuent de monter. Cela devrait signifier que plus longtemps vous êtes éveillé, plus vous vous sentez endormi. Or ce n'est pas le cas. Même si vous vous sentez de plus en plus endormi au cours de la nuit, atteignant un très faible degré d'éveil vers six heures du matin, vous prenez ensuite un second souffle. Comment cela est-il possible puisque les niveaux d'adénosine et le besoin de sommeil correspondant continuent d'augmenter ?

La réponse réside dans votre rythme circadien de vingt-quatre heures, qui offre une brève période au cours de laquelle vous échappez à l'envie de dormir. Contrairement au besoin de dormir, votre rythme circadien se moque absolument du fait que vous soyez endormi ou éveillé. Sa lente contenance rythmique continue de baisser et de monter uniquement en fonction du moment du jour et de la nuit. Qu'importe l'état du besoin de somnolence émis par l'adénosine dans votre cerveau, le rythme circadien de vingt-quatre heures défile comme d'habitude, sans tenir compte de votre manque de sommeil.

Si vous regardez à nouveau la figure 7, vous comprendrez que les souffrances nocturnes que vous ressentez vers six heures du matin peuvent s'expliquer par la combinaison du besoin de sommeil lié au fort taux d'adénosine, et de l'abaissement maximal du rythme circadien. Indiquée par la première flèche verticale sur le schéma, la distance verticale qui sépare ces deux courbes est large à trois heures du matin. Mais si vous réussissez à passer ce point critique de vigilance, vous serez prêt pour un rallye. L'éveil matinal du rythme circadien vient à votre secours, mettant en place pendant toute la matinée une stimulation à la veille qui vient compenser temporairement les niveaux croissants du besoin de sommeil émis par l'adénosine. Tandis que votre rythme circadien atteint son pic vers onze heures du matin, la distance verticale entre les deux courbes respectives dans la figure 7 a baissé.

Vous vous sentez par conséquent bien *moins* endormi à onze heures du matin qu'à trois heures, même si vous êtes réveillé depuis plus longtemps. Malheureusement, ce second souffle ne dure pas. À mesure que l'après-midi avance à pas lourds, le rythme circadien se met à décliner, tandis que la montée d'adénosine fait s'accumuler le besoin de sommeil. Quand arrivent la fin d'après-midi et le début de soirée, toute stimulation temporaire à la veille a disparu. Vous êtes frappé par la pleine force d'un immense besoin de dormir émis par l'adénosine. À neuf heures du soir, la distance verticale entre les deux courbes de la figure 7 est particulièrement imposante. Sans perfusion de caféine ou d'amphétamine, l'endormissement trouvera son chemin, luttant avec votre cerveau qui n'a désormais plus qu'une faible prise sur une veille très vague, et vous enveloppant de sommeil.

Est-ce que je dors assez ?

Mettons à part le cas extrême de la privation de sommeil : comment savoir si vous dormez assez en temps normal ? Est-il nécessaire d'entreprendre une analyse clinique de votre sommeil pour répondre vraiment à cette question ? Une règle générale facile pour le savoir consiste à répondre à deux questions simples. D'abord, après vous être réveillé le matin, pourriez-vous vous rendormir vers dix ou onze heures ? Si la réponse est « oui », vous ne dormez sûrement pas assez, ou pas assez bien. Ensuite, pouvez-vous fonctionner de façon optimale sans caféine jusqu'à midi ? Si la réponse est « non », vous automédicamentez votre état chronique de privation de sommeil.

Vous devriez prendre au sérieux ces deux signes et chercher à identifier ce qui manque à votre sommeil. Ce sont des sujets et une question que nous étudierons en profondeur dans les chapitres 13 et 14, lorsque nous parlerons des facteurs qui empêchent votre sommeil et lui nuisent, mais aussi de l'insomnie et des traitements efficaces en ce domaine. En général, la sensation de manque de vigueur qui pousse une personne à s'endormir en milieu de matinée, ou lui impose de renforcer sa vigilance par de la caféine, est imputable à des individus qui ne s'offrent pas les occasions adéquates de dormir assez longtemps – au moins huit ou neuf heures au lit. Parmi les nombreuses conséquences du manque de sommeil, se trouve le maintien d'une concentration en adénosine trop élevée. Le matin arrive à l'image d'une énorme dette sur prêt, tandis qu'une certaine quantité d'adénosine de la veille n'a pas été éliminée. Vous portez alors ce large solde d'endormissement tout au long de la journée. Cette dette de sommeil continuera de s'accumuler comme des arriérés de paiement. Vous ne pouvez pas vous y soustraire. Elle se renouvellera jusqu'au prochain cycle de paiement, puis au suivant, et encore au suivant, engendrant un état de privation de sommeil prolongé et chronique qui se reporte d'un jour sur l'autre. Cette obligation notable de sommeil entraîne un sentiment de fatigue chronique, qui se manifeste sous de nombreuses formes de maladies mentales et physiques aujourd'hui répandues dans les nations industrialisées.

D'autres questions peuvent indiquer une insuffisance de sommeil, parmi lesquelles : si vous n'aviez pas mis de réveil, dormiriez-vous au-delà ? (Si oui, vous avez besoin de plus de sommeil que ce que vous vous accordez.) Vous retrouvez-vous parfois derrière l'écran de votre ordinateur à lire et relire (et peut-être relire encore) la même phrase ? (C'est souvent le signe d'un cerveau fatigué, qui manque de sommeil.) Oubliez-vous parfois lorsque vous conduisez de quelle couleur étaient les derniers feux de circulation ? (La simple distraction est souvent la cause de cet oubli, mais le manque de sommeil en est une autre de taille.)

Bien sûr, même lorsque vous vous accordez beaucoup de temps pour passer une pleine nuit de sommeil, la fatigue et l'endormissement peuvent apparaître le jour suivant, parce que vous souffrez de l'un des troubles du sommeil non diagnostiqués – on en compte désormais plus d'une centaine. Le plus fréquent est l'insomnie, suivie par les troubles respiratoires du sommeil, ou apnée du sommeil, qui incluent un lourd ronflement. Si vous soupçonnez un dysfonctionnement de votre sommeil ou de celui de quelqu'un d'autre, qui entraîne pendant la journée une fatigue, un handicap ou une détresse, parlez-en immédiatement à votre médecin pour qu'il vous adresse à un spécialiste du sommeil. Le plus important à cet égard est de ne pas considérer les somnifères comme votre option première. Vous comprendrez au chapitre 14 pourquoi j'affirme cela mais, si vous en utilisez régulièrement ou si vous envisagez de le faire dans un futur immédiat, je vous engage à lire directement, s'il vous plaît, la section de ce chapitre consacrée aux somnifères.

Dans le cas où cela pourrait vous aider, j'ai fourni un lien vers un questionnaire développé par des chercheurs spécialistes du sommeil, qui vous permettra de déterminer votre degré d'épanouissement de sommeil[1]. Intitulé *SATED*, il est facile à compléter et ne comporte que cinq questions simples.

---

1. D. J. Buysse, « Sleep health: Can we define it? Does it matter? », *SLEEP*, 37(1), 2014, 9-17. Disponible sur : www.ncbi.nlm.nih.gov.

3

Définir et générer le sommeil

Le temps dilaté et ce que nous avons appris d'un enfant en 1953

Sans doute vous est-il déjà arrivé de pénétrer dans votre salon pendant la nuit tout en discutant avec un ami, avant de découvrir un membre de votre famille (appelons-la Jessica) étendu sur le canapé, ne faisant aucun bruit, le corps allongé et la tête penchée sur le côté. Vous avez alors dit : « Chuuuuut, Jessica dort. » Mais comment le saviez-vous ? Il vous a suffi d'une fraction de seconde pour être certain de l'état de Jessica. Pourquoi ne pas avoir pensé qu'elle était dans le coma, ou pire, morte ?

Le sommeil auto-identifié

Cette appréciation rapide du sommeil de Jessica était probablement juste. Vous l'avez peut-être d'ailleurs confirmée en la réveillant par mégarde après avoir fait tomber un objet. Au fil du temps, nous avons tous acquis une capacité étonnante à reconnaître les signaux indicateurs du sommeil de l'autre. Ce sont des signes si fiables que nous disposons désormais d'un ensemble de caractéristiques observables dont les scientifiques s'accordent à dire qu'elles indiquent la présence du sommeil chez les humains et chez d'autres espèces.

La saynète mettant en scène Jessica intègre presque tous ces signes. Premièrement, les organismes en sommeil adoptent une position typique, souvent horizontale chez les animaux terrestres, comme c'est le cas de Jessica sur le canapé. Deuxièmement – les deux sont liés –, les organismes en sommeil perdent de leur tonus musculaire, ce que l'on remarque principalement dans la détente de leurs muscles squelettiques posturaux (antigravité) – ceux qui vous maintiennent en posture debout, vous empêchant de vous effondrer au sol. Le corps s'avachit pendant le sommeil léger puis profond, car ces muscles relâchent leur tension. Un organisme en sommeil se replie ainsi sur tout ce qui peut le soutenir, ce qui apparaît notamment dans la position de la tête de Jessica. Troisièmement, les individus en train de dormir ne présentent aucune manifestation visible de communication ou de réactivité. Jessica n'a pas semblé se tourner vers vous lorsque vous êtes entré dans la pièce comme elle l'aurait fait si elle avait été éveillée.

La quatrième caractéristique du sommeil est qu'il est facilement réversible. C'est ce qui le différencie du coma, de l'anesthésie, de l'hibernation et de la mort. Souvenez-vous qu'au moment où l'objet tombe dans la pièce, Jessica se réveille. Cinquièmement, comme nous l'avons établi dans le chapitre précédent, le sommeil suit un schéma de temps fiable s'étendant sur vingt-quatre heures, instruit par le rythme circadien stimulé par le noyau suprachiasmatique. Puisque nous sommes des êtres diurnes, nous préférons rester éveillés pendant la journée et dormir pendant la nuit.

J'aimerais à présent vous poser une question quelque peu différente : comment savez-vous que *vous* avez dormi ? Vous faites cette constatation encore plus fréquemment que celle du sommeil des autres. Chaque matin – si tout va bien –, vous revenez au monde de l'éveil en sachant que vous avez dormi[1]. L'observation de votre propre sommeil est si sensible que vous pouvez même évaluer si vous avez bien ou mal dormi. C'est là une autre façon de mesurer le sommeil : une estimation phénoménologique à la première personne, fondée sur d'autres signes que ceux que vous utilisez pour identifier le sommeil des autres.

Il existe en outre des indicateurs universels permettant de conclure avec certitude que le sommeil a bien eu lieu – ils sont en fait au nombre de deux. D'abord, la

---

1. Certaines personnes sujettes à un type particulier d'insomnie ne savent pas évaluer avec précision si elles ont dormi ou non pendant la nuit. Cette « mauvaise perception » du sommeil les amène à sous-estimer la quantité de sommeil qu'elles ont réussi à atteindre – nous reviendrons plus tard sur cet état.

perte de conscience externe – vous ne percevez plus le monde extérieur. Vous n'êtes plus conscient de ce qui vous entoure, du moins pas explicitement. En réalité, vos oreilles continuent à « entendre » et vos yeux, bien que fermés, sont toujours capables de « voir ». Cela est également vrai des autres organes sensoriels que sont le nez (odorat), la langue (goût) et la peau (toucher).

Ces signaux continuent d'affluer vers le centre de votre cerveau, mais c'est dans cette zone de convergence sensorielle que leur trajet prend fin lorsque vous dormez. Ils se retrouvent bloqués par une barrière édifiée au sein d'une structure que l'on nomme le thalamus. Lisse, de forme ovale, un peu plus petit qu'un citron, le thalamus est la vanne sensorielle de votre cerveau, décidant quels signaux sensoriels sont autorisés à entrer et lesquels ne le sont pas. Ceux qui ont le privilège d'entrer sont envoyés dans le cortex, au sommet de votre cerveau, où ils sont perçus consciemment. En refermant ses portes à l'approche d'un bon sommeil, le thalamus impose un *black-out* sensoriel à votre cerveau, empêchant l'avancée des signaux dans le cortex. Vous n'êtes donc plus conscient des informations transmises par vos organes sensoriels extérieurs. Votre cerveau perd le contact avec le monde extérieur propre à l'éveil. Pour le dire autrement, vous êtes désormais endormi.

Le second élément permettant l'auto-évaluation de votre sommeil est l'impression d'une distorsion du temps, que vous éprouvez de deux façons contradictoires. Au niveau le plus évident, vous perdez la conscience du temps lorsque vous dormez, faisant ainsi l'expérience d'un vide chronométrique. Rappelez-vous la dernière fois que vous vous êtes endormi dans un avion. En vous réveillant, vous avez sans doute regardé une horloge pour savoir combien de temps vous aviez dormi. Pourquoi ? Parce que, pendant votre sommeil, vous avez manifestement perdu toute trace de temps explicite. Cette sensation de vide temporel vous assure rétrospectivement, lorsque vous êtes réveillé, que vous avez dormi.

Si vous ne suivez plus *consciemment* le temps pendant votre sommeil, il continue toutefois d'être emmagasiné dans votre cerveau à un niveau *non conscient*, avec une précision incroyable. Il vous est certainement déjà arrivé de devoir vous réveiller à une heure précise le matin parce que vous deviez prendre un avion de bonne heure par exemple. Avant d'aller vous coucher, vous avez réglé à la hâte votre réveil sur six heures. Or vous vous êtes réveillé par miracle sans assistance à cinq heures cinquante-huit, juste avant que votre réveil sonne. Le cerveau semble en effet capable d'enregistrer le temps avec une précision remarquable pendant le sommeil. Simplement, comme c'est le cas pour de nombreuses opérations cérébrales, vous ne disposez pas d'un accès explicite à cette conscience lorsque vous dormez. Tout flotte au-delà du radar de votre conscience et n'affleure qu'en cas de nécessité.

Une dernière distorsion du temps mérite d'être ici mentionnée : celle du temps des rêves, au-delà de celui du sommeil en soi. Le temps n'est pas vraiment le temps dans les rêves. Il est le plus souvent étiré. Considérez la dernière fois que vous avez appuyé sur le bouton de votre réveil en vous réveillant d'un rêve. Par bonheur, vous vous êtes accordé cinq délicieuses minutes de sommeil supplémentaires et avez replongé immédiatement dans vos rêves. Au bout des cinq minutes accordées, votre fidèle réveil sonne à nouveau, mais vous n'avez pas la même impression. Pendant ces cinq minutes de temps réel, vous avez peut-être eu la sensation de rêver pendant une heure, voire plus. Contrairement au sommeil sans rêve, qui vous fait perdre toute conscience du temps, les rêves vous permettent de conserver une certaine perception du temps. Simplement, cette perception n'est pas particulièrement précise – le plus souvent, le temps du rêve est distendu et prolongé par rapport au temps réel.

Si nous ne comprenons pas encore totalement cette dilatation, certains enregistrements récents effectués à partir de cellules cérébrales de rats fournissent des indices enthousiasmants. L'expérience consiste à laisser courir les rats dans un labyrinthe. Pendant que les rongeurs assimilent l'agencement de l'espace, les chercheurs enregistrent le schéma d'activité de leurs cellules cérébrales. Ils poursuivent l'enregistrement lorsque les rats s'endorment, continuant à écouter le cerveau au cours des différentes phases du sommeil, dont le sommeil aux mouvements d'yeux rapides (*rapid eye movement*, ou REM), pendant lequel les humains rêvent principalement.

Premier résultat marquant : la trace de l'activité des cellules cérébrales émise au moment où les rats assimilent le labyrinthe se reproduit à plusieurs reprises pendant le sommeil, ce qui signifie que les souvenirs sont « rejoués » au niveau de l'activité des cellules cérébrales pendant la sieste des rats. La seconde découverte, plus marquante, est la vitesse de cette reprise. Pendant le sommeil REM, les souvenirs sont rejoués beaucoup plus lentement, deux fois ou quatre fois moins vite que lorsque les rats sont réveillés et qu'ils assimilent le labyrinthe. Ce récit neuronal au ralenti des événements de la veille est à ce jour la meilleure preuve dont nous disposons pour expliquer notre impression d'un temps prolongé pendant notre sommeil REM. Ce ralentissement spectaculaire du temps neuronal est peut-être la raison pour laquelle notre vie onirique nous semble bien plus longue que ce que nous assure notre réveil.

Révélation infantile : deux types de sommeil

Si nous savons définir le sommeil d'un autre ou le nôtre, la confirmation scientifique de référence en ce domaine consiste à enregistrer au moyen d'électrodes les signaux émis par trois zones différentes : (1) l'activité des ondes cérébrales, (2) l'activité du mouvement des yeux, (3) l'activité musculaire. On regroupe ces signaux sous le terme générique de « polysomnographie » (PSG), qui signifie mesure (*graph*) du sommeil (*somnus*) réalisée à partir de plusieurs signaux (*poly*). C'est à partir de cette collecte de données que ce qui représente sans doute la découverte la plus importante en matière de sommeil a été réalisé en 1953 à l'université de Chicago, par Eugene Aserinsky (alors étudiant de troisième cycle) et par le professeur Nathaniel Kleitman, célèbre pour son expérience de la Mammoth Cave évoquée dans le chapitre 2.

Dans le cadre de son étude minutieuse sur les schémas de mouvements des yeux d'enfants pendant le jour et la nuit, Aserinsky remarque que, pendant certaines phases de sommeil, les yeux effectuent sous les paupières des mouvements furtifs d'un côté à l'autre. Ces phases s'accompagnent en outre toujours d'ondes cérébrales notablement actives, presque identiques à celles qu'on observe dans un cerveau pleinement réveillé. Autour de ces phases avérées de sommeil actif, des plages de temps plus longues voient les yeux se calmer et s'immobiliser. Pendant ces périodes tranquilles, les ondes cérébrales restent également calmes, oscillant lentement.

Comme si cela n'était pas assez étrange, Aserinsky observe également que ces deux phases de sommeil (le sommeil avec mouvement des yeux et le sommeil sans mouvement des yeux) se répètent tout au long de la nuit suivant un schéma régulier.

Par son scepticisme tout professoral, son mentor, Kleitman, souhaite voir se répéter ces résultats avant de les entériner. Désireux d'intégrer ses proches à son expérience, il entreprend d'y faire participer sa fille, Ester. Les conclusions se confirment. Kleitman et Aserinsky comprennent alors la profonde découverte qu'ils viennent de faire : les humains ne font pas que dormir ; ils suivent des cycles de deux sommeils bien distincts. Les deux chercheurs décident de nommer ces phases à partir de leurs caractéristiques oculaires : sommeil avec mouvement non rapide des yeux, ou sommeil NREM (*non-rapid eye movement*, en anglais) et sommeil avec mouvement rapide des yeux, ou sommeil REM[1].

Avec l'aide d'un autre étudiant de Kleitman en troisième cycle, William Dement, Kleitman et Aserinsky démontrent que le sommeil REM, pendant lequel l'activité cérébrale est presque identique à celle de l'éveil, est intimement lié à l'expérience que nous nommons *rêve.* Il est ainsi souvent décrit comme le *sommeil du rêve.*

Le sommeil NREM a été étudié plus avant au cours des années qui ont suivi, et découpé en quatre phases distinctes, nommées avec bien peu d'imagination *phases NREM 1 à 4* (nous, chercheurs en sommeil, formons une population particulièrement créative), dont chacune augmente en profondeur. Les phases 3 et 4 sont ainsi les plus profondes du sommeil NREM, la « profondeur » représentant ici une difficulté accrue à se réveiller par rapport aux phases 1 et 2.

Le cycle du sommeil

Durant les années qui ont suivi la révélation sur le sommeil d'Ester, nous avons découvert que les deux étapes de sommeil – NREM et REM – se livraient chaque nuit une bataille récurrente pour prendre le pouvoir sur votre cerveau. Cette lutte est remportée par l'un ou l'autre des sommeils toutes les quatre-vingt-dix

1. C'est ce sommeil que l'on nomme également en français « paradoxal ». *(N.d.T.)*

minutes[1]. D'abord dominée par le sommeil NREM, elle voit ensuite le retour du sommeil REM. Dès qu'une bataille prend fin, une autre commence, durant quatre-vingt-dix minutes. La beauté de l'architecture cyclique du sommeil, illustrée par la figure 8, apparaît dans tout son éclat lorsqu'on suit pendant une nuit ces étonnantes fluctuations, dignes de montagnes russes.

L'axe vertical indique les différents états du cerveau, partant de l'éveil en haut jusqu'aux phases descendantes du sommeil NREM, de 1 à 4, en passant par le sommeil REM. L'axe horizontal indique le temps écoulé pendant la nuit, partant de la gauche vers onze heures du soir et se terminant à droite vers sept heures du matin. Le terme technique pour désigner un tel graphique est « hypnogramme » (graphique du sommeil).

Figure 8. L'architecture du sommeil

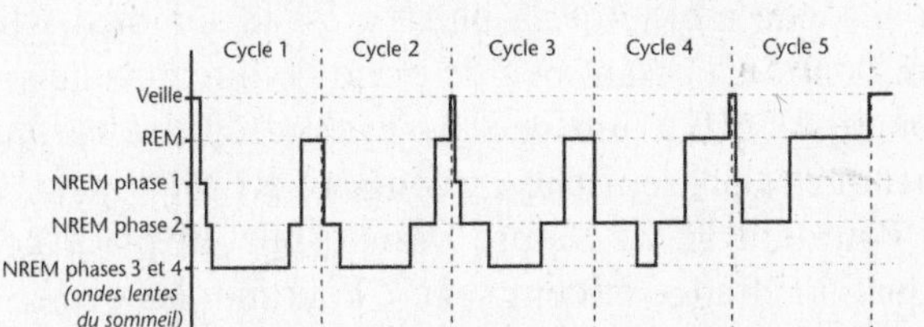

1. La longueur des cycles NREM-REM diffère selon les espèces. Beaucoup d'espèces ont des cycles plus courts que les êtres humains. La raison pratique de cette longueur constitue un autre mystère du sommeil. À ce jour, le meilleur indicateur de la longueur du cycle est la largeur du tronc cérébral : plus il est large chez une espèce, plus le cycle de cette dernière est long.

Si je n'avais pas ajouté les lignes pointillées verticales pour différencier chaque cycle de quatre-vingt-dix minutes, vous auriez peut-être estimé qu'on ne distinguait pas de schéma régulier répété toutes les quatre-vingt-dix minutes. Du moins pas tel que ma description le laissait imaginer. La raison à cela est une autre caractéristique du sommeil : le profil asymétrique de ces différentes phases. S'il est vrai que nous ne cessons de virevolter tout au long de la nuit entre sommeil NREM et sommeil REM, le rapport entre les deux connaît un changement spectaculaire au sein de chaque cycle. Dans la première moitié de la nuit, la grande majorité de notre cycle de quatre-vingt-dix minutes est accaparée par le sommeil NREM profond, tandis que le sommeil REM occupe une place très limitée, comme nous le voyons dans le premier cycle de la figure ci-dessus. L'équilibre s'inverse toutefois dans la seconde moitié de la nuit : c'est le sommeil REM qui domine, laissant peu de place – voire aucune – au sommeil NREM profond. Le cycle 5 illustre parfaitement cette phase, riche en sommeil REM.

Pourquoi Mère Nature a-t-elle mis en place cette équation étrange et complexe ? Pourquoi les cycles de sommeil NREM et de sommeil REM s'enchaînent-ils ? Pourquoi ne recevons-nous pas d'abord tout le sommeil NREM dont nous avons besoin, puis tout le sommeil paradoxal ? Ou inversement ? Si le risque est trop grand qu'un animal n'obtienne qu'une nuit de sommeil partielle, pourquoi ne pas garder le même ratio d'un cycle à l'autre, placer pour ainsi dire le même nombre d'œufs dans chaque panier, plutôt que mettre d'abord la plus grande partie dans l'un pour inverser la tendance pendant le reste de la nuit ? Pourquoi ces variations ? L'évolution semble avoir abattu un travail colossal pour mettre en place et appliquer ce système complexe.

Si aucun consensus scientifique n'explique pourquoi notre sommeil (comme celui de tous les autres mammifères et oiseaux) présente ces cycles suivant un schéma répété étonnamment asymétrique, nous disposons toutefois d'un certain nombre de théories. J'ai notamment proposé la suivante : ce jeu de va-et-vient irrégulier entre sommeil NREM et sommeil REM permet de remodeler élégamment nos circuits neuronaux pour les mettre à jour pendant la nuit et gérer l'espace de rangement limité de notre cerveau. Assujettis à la capacité de stockage qu'impose le nombre défini de nos neurones et des connexions de leurs structures mémorielles, nos cerveaux doivent trouver le « point idéal » pour conserver les informations anciennes tout en libérant de la place pour les nouvelles. Pour trouver l'équilibre dans cette équation d'archivage, il convient d'identifier quels souvenirs sont nouveaux et utiles, et lesquels se recoupent, s'avèrent redondants ou manquent simplement de pertinence.

Comme nous le découvrirons dans le chapitre 6, l'une des fonctions clés du sommeil NREM profond, qui prédomine pendant la première partie de la nuit, consiste à éliminer et supprimer les connexions neuronales inutiles. Par contraste, la phase de rêve du sommeil REM qui prévaut plus tard dans la nuit, joue un rôle dans le renforcement de ces connexions.

En combinant les deux, nous pouvons expliquer au moins en partie pourquoi ces deux cycles alternent et sont d'abord dominés par le sommeil NREM, puis par le sommeil REM. Imaginez la création d'une sculpture à partir d'un bloc d'argile. Il convient d'abord de placer un large tas de matière première sur un piédestal (c'est la masse des souvenirs personnels accumulés, les nouveaux et les anciens, offerts chaque nuit au sommeil). On élimine ensuite une grande partie de la matière superflue (longs tronçons de sommeil NREM), avant de façonner brièvement les premiers détails (courtes périodes de sommeil REM). Après cette première session, les mains sélectives reviennent excaver en profondeur (nouvelle longue phase de sommeil NREM), pour entamer ensuite une phase plus marquée de consolidation des structures raffinées qui ont émergé (un peu plus de sommeil REM). Après plusieurs autres cycles de travail, l'équilibre des besoins sculpturaux s'est inversé. Les traits principaux ont été taillés à partir de la masse originelle de matière première. Puisqu'il ne reste plus que l'argile importante, le sculpteur et ses outils cherchent à renforcer et sublimer certains traits de la matière restante (c'est le besoin des fonctions du sommeil REM qui se fait avant tout sentir, le sommeil NREM n'ayant plus que peu de travail à accomplir.)

Le sommeil trouve dans ce système un moyen de résoudre avec élégance la crise de l'archivage de nos souvenirs, la force excavatrice globale du sommeil NREM s'imposant dans un premier temps, avant de laisser place à la main graveuse du sommeil REM, qui vient mêler les détails, les mettre en connexion et les ajouter les uns aux autres. Puisque notre expérience ne cesse d'évoluer, exigeant que notre catalogue de souvenirs soit mis à jour à l'infini, la sculpture autobiographique faite de l'accumulation de nos expériences n'est jamais achevée. Le cerveau a besoin de bénéficier chaque nuit d'un nouveau sommeil et de ses diverses phases pour mettre à jour les réseaux de nos souvenirs à partir des événements de la veille. C'est là l'une des raisons (je suppose qu'elles sont nombreuses) de la nature cyclique des sommeils NREM et REM et du déséquilibre de leur distribution au cours de la nuit.

Cette configuration comporte un danger que la plupart des gens ignorent. Partons du principe que vous vous coucherez ce soir à minuit. Au lieu de vous réveiller à huit heures après huit heures pleines de sommeil, vous devez vous lever à six heures, en raison d'un rendez-vous matinal ou parce que vous êtes athlète et que votre entraîneur exige que vous pratiquiez aux premières heures de la journée. Quel pourcentage de sommeil allez-vous perdre ? Il serait logique de répondre 25 %, puisque, en vous réveillant à six heures, vous perdez deux heures de sommeil sur les huit heures usuelles. Cela n'est toutefois pas entièrement vrai. Puisque dans la dernière partie de la nuit votre cerveau a principalement besoin de sommeil REM, vous perdrez avec les dernières heures de sommeil du matin 60 % à 90 % de l'intégralité de votre sommeil REM, même si vous ne perdez que 25 % de votre temps total de sommeil. Et cela fonctionne dans les deux sens. Si vous vous réveillez à huit heures en vous étant couché à deux heures, vous perdez une dose significative de sommeil NREM profond. Cela revient à suivre un régime déséquilibré à base de glucides uniquement, qui laisse dans un état de malnutrition par manque de protéines : en ne fournissant pas assez de sommeil NREM ou REM à votre cerveau – chacun servant des fonctions essentielles distinctes pour le cerveau et le corps –, vous risquez de devenir la proie de nombreuses maladies physiques et mentales, comme nous le verrons dans les chapitres suivants. En matière de sommeil, on ne peut donc pas s'en sortir en brûlant la chandelle par les deux bouts – ni même par un seul.

Comment votre cerveau génère le sommeil

Si je vous fais entrer ce soir dans mon laboratoire de sommeil à l'université de Californie, à Berkeley, pour placer des électrodes sur votre tête et votre visage avant de vous laisser vous endormir, à quoi ressembleront les ondes cérébrales de votre sommeil ? En quoi votre activité cérébrale sera-t-elle différente de celle qui est la vôtre à présent, au moment même où vous lisez cette phrase, réveillé ? Comment les diverses variations électriques du cerveau expliquent-elles pourquoi vous êtes conscient dans un état (éveil), non conscient dans un autre (sommeil NREM) et illusoirement conscient ou en train de rêver dans le troisième (sommeil REM)?

Partant du principe que vous êtes un jeune adulte ou dans votre quarantaine, en bonne santé (nous évoquerons le sommeil des enfants, des personnes âgées et des malades un peu plus tard), les trois courbes de la figure 9 reflètent les différents types d'activité électrique que j'enregistrerais dans votre cerveau. Chacune représente trente secondes de l'activité des ondes cérébrales à divers états : (1) veille, (2) sommeil NREM profond, (3) sommeil REM.

Votre activité cérébrale lorsque vous êtes éveillé est frénétique, ce qui signifie que vos ondes cérébrales tournent (montent et descendent) peut-être trente ou quarante fois par seconde, comme un battement de tambour très rapide. C'est ce qu'on appelle la « fréquence rapide » de l'activité cérébrale. Ces ondes cérébrales ne présentent en outre pas de schéma fiable – non seulement le battement de tambour est rapide, mais il est aussi irrégulier. Si je vous demandais de prévoir les prochaines secondes de l'activité en battant le rythme à partir des ondes précédentes, vous ne seriez pas en mesure de le faire. Les ondes cérébrales sont asynchrones : on ne peut y discerner aucun rythme. Même si je les convertissais en son (je l'ai fait dans mon laboratoire dans le cadre d'un projet de mise en son du sommeil : c'est assez étrange à écouter), vous ne pourriez pas danser dessus. Ce sont là les traces électriques de la pleine veille : une activité des ondes cérébrales à fréquence rapide et chaotique.

Vous vous figuriez peut-être l'activité générale de vos ondes cérébrales pendant l'éveil comme belle, cohérente et synchrone, suivant le schéma ordonné de votre pensée alors logique (en grande partie). Ce chaos électrique contradictoire s'explique par le fait que les différentes parties de votre cerveau en éveil traitent différents éléments d'informations à différents moments, de différentes façons. Réunies, elles produisent ce qui semble un schéma d'activité perturbé, qu'enregistrent les électrodes placées sur votre tête.

Figure 9. Les ondes cérébrales de la veille et du sommeil

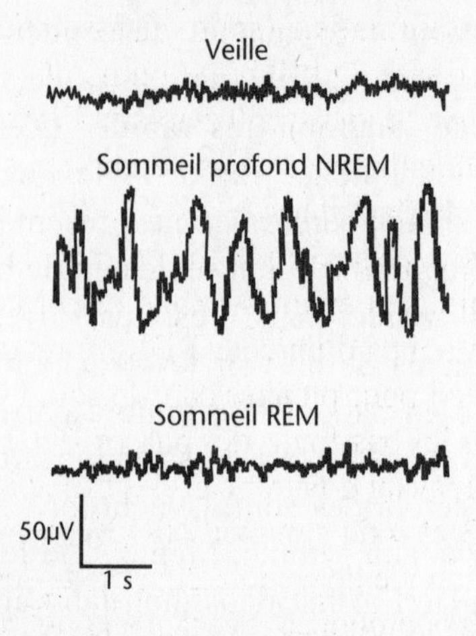

Pour vous faire une idée, imaginez un vaste stade de foot rempli de milliers de fans, au centre duquel pendrait un micro. Les individus présents dans le stade représentent les cellules du cerveau, assis en différents points du stade, comme les cellules sont regroupées dans différentes zones du cerveau. Le micro est l'électrode placée juste au-dessus de votre tête – un dispositif d'enregistrement.

Avant le début du match, toutes les personnes présentes dans le stade s'entretiennent de sujets différents à des moments différents. Elles n'ont pas les mêmes conversations en même temps, tenant au contraire des discussions individuelles désynchronisées entre elles. Par conséquent, le bavardage global enregistré par le micro se révèle chaotique, manquant d'une voix claire et unifiée.

Lorsqu'une électrode est placée sur la tête d'un sujet, comme c'est le cas dans mon laboratoire, elle mesure l'activité globale de tous les neurones se trouvant sous la surface du cuir chevelu, en train de traiter différents courants d'information (sons, visions, odeurs, sentiments, émotions) à différents moments et en divers endroits. Lorsque vous traitez autant d'informations de types si différents, vos ondes cérébrales sont rapides, frénétiques et chaotiques.

Vous êtes installé dans le lit de mon laboratoire du sommeil, lumières éteintes. Vous retournant peut-être de temps en temps d'un côté à l'autre, vous quittez les rives de l'éveil pour plonger dans le sommeil, avançant d'abord dans les bas-fonds des phases 1 et 2 du sommeil NREM léger, avant d'entrer dans les eaux plus profondes des phases 3 et 4 du sommeil NREM, regroupées sous le terme générique de « sommeil à ondes lentes ». Vous comprendrez pourquoi en revenant à la figure 9 représentant les ondes cérébrales, plus précisément à la courbe du milieu. Dans le sommeil profond à ondes lentes, le rythme du va-et-vient de l'activité de vos ondes cérébrales ralentit de façon spectaculaire, peut-être deux à quatre ondes par seconde, vitesse dix fois plus lente que celle, frénétique, de l'activité cérébrale de votre éveil.

Notons également que les ondes lentes du sommeil NREM sont plus synchronisées et régulières que celles de votre activité cérébrale lorsque vous êtes éveillé. Elles sont d'ailleurs si régulières que vous pourriez prédire les barres à venir du chant électrique de votre sommeil NREM en vous fondant sur celles qui précèdent. Si je devais convertir l'activité rythmique du sommeil NREM profond en son et vous le jouer le matin (ce que nous avons également fait avec certaines personnes dans le cadre du projet de mise en son du sommeil), vous pourriez distinguer un rythme et onduler doucement à sa mesure lente et pulsée.

Écoutant cette mise en son et remuant au rythme des pulsations des ondes cérébrales de votre sommeil profond, vous remarquerez un autre élément. De temps à autre, un nouveau son vient se superposer au rythme des ondes lentes. Il est bref, ne dure que quelques secondes, mais se produit toujours sur le temps fort du cycle. Il ressemble à un trille rapide, rappelant le *r* roulé de certaines langues comme l'hindi ou l'espagnol, ou le ronronnement effréné d'un chat bienheureux.

Ce que vous entendez est un fuseau de sommeil : un éclat incisif de l'activité des ondes cérébrales, venant souvent orner la fin des ondes lentes individuelles. Les fuseaux de sommeil apparaissent pendant les diverses phases du sommeil NREM, celles du sommeil profond ou plus léger, même avant que les ondes cérébrales lentes et puissantes du sommeil profond ne commencent à s'élever et prendre le dessus. Entre autres nombreuses fonctions, ces fuseaux opèrent comme des gardiens de nuit, qui défendent le sommeil en protégeant le cerveau des bruits extérieurs. Plus les fuseaux de sommeil d'un individu sont puissants et fréquents, plus le dormeur résiste aux bruits extérieurs qui sinon le réveilleraient.

Revenons aux ondes lentes du sommeil profond : nous avons fait une autre découverte fascinante sur leur site d'origine et la façon dont elles balaient la surface du cerveau. Placez votre doigt entre vos yeux, juste au-dessus de l'arête de votre nez. Faites-le glisser jusqu'à votre front sur environ cinq centimètres. Lorsque vous allez dormir, c'est là que la plupart de vos ondes cérébrales de sommeil profond sont générées, au beau milieu de vos lobes frontaux. C'est l'épicentre, ou le point chaud, qui génère la majeure partie de votre sommeil profond à ondes lentes. Les ondes du sommeil profond ne rayonnent toutefois pas en cercles parfaits. Au contraire, elles voyagent presque toutes vers une seule direction, de l'avant vers l'arrière de votre cerveau. Elles sont comme les ondes sonores émises par un haut-parleur qui se dirigent principalement vers un sens, partant de l'extérieur du haut-parleur (le son est toujours plus fort devant que derrière). Comme un haut-parleur dont le son serait diffusé sur une vaste zone, les ondes lentes que vous générez chaque soir perdent progressivement de leur force au fil de leur trajet vers l'arrière du cerveau, sans relance ni retour.

Dans les années 1950 et 1960, lorsque les scientifiques ont commencé à mesurer ces ondes cérébrales lentes, ils ont fait une hypothèse cohérente : ce rythme électrique calme, semblant presque paresseux, est sans doute le reflet d'un cerveau au repos, voire en train de dormir. C'était une intuition sensée puisque les ondes cérébrales du sommeil NREM les plus profondes et les plus lentes évoquent celles des patients sous anesthésie, voire plongés dans certaines formes de coma. Cette hypothèse était toutefois parfaitement fausse. On ne pouvait en effet être plus loin de la vérité. Ce dont vous faites l'expérience pendant votre sommeil NREM profond est en réalité l'une des manifestations les plus épiques de la collaboration neuronale telle que nous la connaissons. Par une étonnante opération d'auto-organisation, des milliers de cellules cérébrales décident de s'unir pour « chanter », ou faire feu, en mesure.

Je suis toujours empli d'humilité lorsque j'assiste à cette impressionnante synchronie nocturne dans mon laboratoire de recherche : le sommeil est pour moi un véritable objet d'admiration.

Revenons à l'image du micro suspendu au-dessus du stade de foot, considérant la partie de sommeil désormais en train de se dérouler. La foule – ces milliers de cellules cérébrales – cesse ses bavardages individuels d'avant match (état de veille) pour s'unir (sommeil profond). Ses voix s'allient dans un chant synchrone, rappelant un mantra : c'est le chant du sommeil NREM profond. Elles crient toutes en même temps avec exubérance, créant un pic de l'activité des ondes cérébrales, puis retrouvent à nouveau le silence pendant plusieurs secondes, générant le creux profond et prolongé de l'onde. Le micro de notre stade prélève un rugissement clairement défini qui part de la foule, suivi d'une longue pause respiratoire. Lorsqu'ils ont compris que l'incantation du sommeil NREM profond à ondes lentes était en réalité un état d'unité cérébrale hautement actif et soigneusement coordonné, les scientifiques ont été contraints d'abandonner cette idée préconçue selon laquelle le sommeil profond serait un état de semi-hibernation ou de torpeur morne.

Comprendre cette étonnante harmonie électrique ondulant des centaines de fois par nuit à la surface de votre cerveau permet également d'expliquer votre perte de conscience du monde extérieur. Elle démarre sous la surface du cerveau, dans le thalamus. Souvenez-vous que, lorsque nous nous endormons, le thalamus – vanne sensorielle située au beau milieu de notre cerveau – bloque le transfert des signaux perceptifs (sons, images, sensations au toucher, etc.) jusqu'au sommet du cerveau, ou cortex. Coupés de nos liens perceptifs avec le monde extérieur, non seulement nous perdons l'impression d'être conscients (c'est ce qui explique pourquoi nous ne rêvons pas et perdons le fil explicite du temps pendant le sommeil NREM profond), mais laissons également à notre cortex l'occasion de se « détendre », en adoptant son mode de fonctionnement par défaut. Ce mode par défaut est ce que nous appelons le sommeil profond à ondes lentes. C'est un état d'activité cérébrale actif, délibéré, mais hautement synchrone, proche de la méditation nocturne cérébrale, bien que très différent de l'état méditatif en éveil.

Cet état chamanique qu'est le sommeil NREM profond renferme un véritable trésor de bienfaits mentaux et physiques pour votre cerveau et votre corps – richesse que nous explorerons pleinement dans le chapitre 6. L'un des bénéfices pour le cerveau – la conservation des souvenirs – mérite toutefois que l'on s'y attarde dès à présent, car il illustre élégamment les dispositions de ces ondes cérébrales lentes et profondes.

Vous est-il déjà arrivé de prendre la route en voiture pour un long trajet et de remarquer qu'à un certain moment du voyage les stations de radio FM (c'est-à-dire en modulation de fréquence) que vous écoutez commencent à perdre la force du signal, contrairement aux stations de radio AM (en modulation d'amplitude), qui restent stables ? Roulant vers une destination lointaine, vous cherchez ainsi en vain une nouvelle station de radio FM, tandis que plusieurs canaux de diffusion restent disponibles en ondes AM. Ce phénomène s'explique par les ondes elles-mêmes, et leurs différentes vitesses de transmission. La FM utilise des ondes radio à fréquence plus rapide, qui montent et descendent bien plus de fois par seconde que les ondes radio AM. L'un des avantages des ondes radio FM est de pouvoir supporter beaucoup d'informations, plus lourdes et plus riches, donc d'offrir une meilleure qualité de son. Reste un inconvénient de taille : elles s'essoufflent vite, comme un sprinteur aux muscles hypertrophiés ne pouvant courir que sur de courtes distances. Les diffusions AM utilisent une onde radio beaucoup plus lente (longue), comme un coureur mince parcourant de longues distances. Si les ondes radio AM ne peuvent atteindre la qualité musculaire et dynamique de la radio FM, leur rythme plus palpable leur permet de couvrir de longues distances en perdant moins de force. Les ondes lentes de la radio AM et leur diffusion à plus longue portée autorisent ainsi une communication de grande envergure entre des sites géographiques éloignés.

Lorsque votre cerveau passe de l'activité à fréquence rapide de l'éveil au mode plus lent et modéré du sommeil NREM profond, cette communication longue distance devient possible. Les ondes régulières, lentes et synchrones qui se répandent dans votre cerveau pendant le sommeil profond rendent possible la communication entre des zones éloignées du cerveau, leur permettant de collaborer en échangeant leurs stocks d'expériences emmagasinées.

Sur ce point, vous pouvez envisager le sommeil NREM à ondes lentes comme un coursier capable de porter des paquets d'informations entre les différents centres anatomiques du cerveau. Ces trajets des ondes cérébrales du sommeil profond ont l'avantage de permettre un transfert de fichiers. Les ondes cérébrales à longue portée du sommeil profond déplacent ainsi chaque nuit des paquets de mémoire (les expériences récentes), qui passent d'un site de stockage fragile à court terme à un site de stockage sur le long terme, plus permanent et donc plus sûr. C'est pourquoi nous considérons l'activité du cerveau pendant l'éveil avant tout comme un mode de *réception* du monde extérieur sensoriel, tandis que le sommeil NREM profond à ondes lentes s'avère être un état de *réflexion* intérieure, favorisant le transfert d'informations et la diffusion des souvenirs.

Si l'état de veille est le moment de la réception et le sommeil NREM celui de la réflexion, que se passe-t-il alors pendant le sommeil REM – l'état de rêve ? Revenons à la figure 9 : la dernière courbe d'activité des ondes électriques cérébrales représente ce que je vois de votre cerveau dans mon laboratoire du sommeil lorsque vous entrez dans une phase de sommeil REM. Si vous êtes endormi, dans les deux cas, l'activité des ondes cérébrales de cet état ne ressemble en aucun cas à celle du sommeil NREM profond à ondes lentes (la courbe du milieu sur le schéma). Au contraire, l'activité cérébrale du sommeil REM est une réplique presque parfaite de celle qu'on observe pendant une veille attentive et alerte – la courbe du haut sur le schéma. Des études récentes utilisant l'imagerie par résonance magnétique ont démontré que certaines zones du cerveau sont 30 % plus actives pendant le sommeil REM que pendant l'état de veille !

C'est pourquoi l'on nomme le sommeil REM « sommeil paradoxal ». Le cerveau semble éveillé, mais le corps est clairement endormi. Il est souvent impossible de distinguer uniquement à partir de l'activité électrique des ondes cérébrales le sommeil paradoxal de l'état de veille. Le sommeil REM marque un retour des ondes cérébrales à fréquence rapide, une fois de plus désynchronisées. Les milliers de cellules cérébrales de votre cortex unies dans une conversation lente et synchronisée pendant le sommeil NREM profond reprennent le traitement frénétique de divers tronçons d'information, à différentes vitesses et différents moments, dans différentes zones du cerveau – schéma typique de l'état de veille. À ceci près que vous n'êtes pas réveillé. Au contraire, vous êtes profondément endormi. Quelles informations sont alors traitées puisqu'il ne peut s'agir à ce moment-là de celles du monde extérieur ?

Comme c'est le cas lorsque vous êtes réveillé, la vanne sensorielle qu'est le thalamus s'ouvre de nouveau en grand pendant le sommeil REM, mais cette porte est alors d'une nature différente. Ce ne sont pas des sensations venues du monde extérieur qui sont autorisées à entrer pour se rendre vers le cortex. Plutôt, les signaux de vos émotions, motivations ou souvenirs (passés et présents) sont rejoués sur les grands écrans des cortex visuel, auditif et moteur de votre cerveau. Le sommeil REM vous fait ainsi pénétrer toutes les nuits dans un théâtre absurde, au sein duquel vous faites l'objet d'un carnaval de thèmes autobiographiques, étrange et hautement associatif. En termes de traitement de l'information, il faut donc considérer l'éveil principalement comme un état de *réception* (vous faites des expériences et apprenez constamment du monde qui vous entoure), le sommeil NREM comme un état de *réflexion* (vous stockez et consolidez les ingrédients bruts que sont les faits et savoir-faire nouveaux) et le sommeil REM comme une *intégration* (vous mettez en lien ces ingrédients bruts, entre eux mais aussi avec vos expériences passées et, ce faisant, élaborez un modèle d'autant plus précis de fonctionnement du monde, qui renferme des vues innovantes et une capacité à résoudre les problèmes).

Puisque les ondes électriques du sommeil REM et de l'éveil sont similaires, comment puis-je savoir dans quel état vous vous trouvez lorsque vous êtes étendu dans la chambre de mon laboratoire du sommeil, à côté de la salle des commandes ? C'est votre corps, et notamment ses muscles, qui sert d'indicateur.

Avant votre coucher, nous appliquons des électrodes sur votre corps en plus de celles qui sont fixées sur votre tête. Lorsque vous êtes réveillé, même couché et détendu, vos muscles conservent une tension, un tonus d'ensemble. Ce fredonnement musculaire régulier est facilement détecté par les électrodes enregistrant ce qui se passe dans votre corps. Lorsque vous entrez dans le sommeil NREM, certaines de ces tensions musculaires disparaissent, mais beaucoup persistent. Un changement impressionnant se produit toutefois au moment où vous franchissez le cap menant vers le sommeil REM. Quelques secondes avant le début de la phase de rêve, pour toute la durée de cette période, vous vous retrouvez complètement paralysé, sans aucune tonalité dans les muscles volontaires de votre corps. Absolument aucune. Si je devais entrer discrètement dans la pièce pour soulever doucement votre corps sans vous réveiller, il serait totalement mou, comme celui d'une poupée de chiffons. Rassurez-vous, vos muscles *involontaires* – en charge des opérations de contrôle automatique, comme la respiration – continuent d'agir pour vous maintenir en vie pendant votre sommeil. Tous les autres sont relâchés.

Cette caractéristique, que l'on nomme « atonie » (une absence de tonus, renvoyant ici aux muscles), est initiée par un puissant signal de mise hors service, transmis sur toute la longueur de votre moelle épinière depuis votre tronc cérébral. Une fois ce blocage mis en place, les muscles posturaux de votre corps, comme les biceps de vos bras ou les quadriceps de vos jambes, perdent toute tension et toute force. Ils ne répondent plus aux commandes de votre cerveau. Vous devenez un prisonnier de votre corps, un détenu du sommeil REM. Heureusement, une fois votre peine d'emprisonnement acquittée, votre corps se libère à la fin de la phase de sommeil REM. Cette dissociation étonnante pendant l'état de rêve, où le cerveau est hautement actif mais le corps immobilisé, permet aux scientifiques du sommeil de reconnaître facilement – et donc de distinguer – les ondes cérébrales du sommeil REM de celles de l'éveil.

Pourquoi l'évolution a-t-elle décidé de rendre l'activité musculaire hors la loi pendant le sommeil REM ? Parce que l'absence d'activité musculaire vous empêche de mettre en acte votre expérience onirique. Pendant le sommeil REM, les commandes motrices tournoyant dans votre cerveau, qui sous-tendent votre expérience onirique particulièrement riche en mouvements, sont sans cesse empêchées.

Dans sa grande sagesse, Mère Nature vous taille une camisole de force physiologique pour éviter que ces mouvements fictionnels ne deviennent réels, d'autant plus que vous avez cessé de percevoir consciemment ce qui vous entoure. Vous imaginez aisément quel désastre ce serait si vous vous lanciez réellement dans le combat dont vous êtes en train de rêver ou dans un sprint frénétique parce qu'un ennemi se rapproche dans vos songes, tandis que vos yeux sont fermés et que vous n'avez aucune conscience du monde qui vous entoure. Il ne vous faudrait pas longtemps avant de quitter votre patrimoine génétique. Le cerveau paralyse le corps pour que l'esprit puisse rêver en toute sécurité.

Comment savons-nous que ces commandes de mouvement restent présentes sinon parce que le dormeur nous raconte en se réveillant qu'il s'est battu ou qu'il a couru dans ses rêves ? La triste réponse est la suivante : parce que ce mécanisme de paralysie fait défaut à certaines personnes, notamment âgées. Par conséquent, elles convertissent ces pulsions motrices liées au rêve en actions physiques dans le monde réel. Comme nous le lirons dans le chapitre 11, les répercussions peuvent être tragiques.

Pour finir, lorsqu'on dresse le portrait du sommeil REM, il ne faut pas oublier la raison même de son nom : des mouvements rapides des yeux. Vos yeux restent immobiles dans leurs orbites pendant le sommeil NREM profond[1]. Toutefois, les électrodes

1. Étrangement, pendant le passage de l'éveil à la phase 1, légère, de sommeil profond, les yeux vont doucement et très lentement se mettre à rouler dans leurs orbites, en harmonie, comme

que nous plaçons sur et sous vos yeux racontent une histoire oculaire bien différente lorsque vous commencez à rêver : précisément celle qu'ont mise au jour Kleitman et Aserinsky en 1953 au cours de leur observation du sommeil d'un enfant. Pendant certaines phases de votre sommeil REM, vos globes oculaires décrivent des pics marqués de droite à gauche, puis de gauche à droite, etc. Les scientifiques ont d'abord supposé que ces mouvements, comme des roulements de tambour, suivaient la trace de l'expérience visuelle du rêve. Ce n'est pas le cas. En réalité, ils sont intimement liés à la création psychologique du sommeil REM, reflétant un phénomène bien plus extraordinaire que l'appréhension passive d'objets se déplaçant dans l'espace du rêve. Ce phénomène est décrit en détail au chapitre 9.

Sommes-nous les seules créatures à faire l'expérience de ces différentes phases de sommeil ? Les autres animaux ont-il un sommeil REM ? Rêvent-ils ? Allons voir de plus près.

---

deux ballerines oculaires réalisant des pirouettes en synchronie parfaite. C'est là un indicateur typique de l'arrivée inévitable du sommeil. Si vous dormez avec un partenaire, tentez d'observer ses paupières la prochaine fois qu'elles se laissent gagner par le sommeil. Vous verrez ses paupières fermées se déformer tandis que les globes oculaires roulent sous elles. Soit dit en passant, si vous décidez de mener à bien cette suggestion d'observation, soyez attentifs aux effets potentiels. Il n'est sans doute rien de plus inquiétant que d'être interrompu lorsqu'on s'endort et d'ouvrir les yeux pour découvrir le visage de son partenaire penché sur le sien, le regard fixe.

4

Le lit des singes, les dinosaures et la sieste d'une seule moitié de cerveau

Qui dort, comment dormons-nous et combien de temps ?

Qui dort ?

Quand les êtres vivants ont-ils commencé à dormir ? Le sommeil est-il apparu avec les grands singes ? Ou plus tôt, chez les reptiles ou leurs ancêtres aquatiques, les poissons ? Puisque nous ne disposons pas de capsule temporelle, le meilleur moyen pour répondre à cette question reste d'étudier le sommeil d'un point de vue évolutif, à travers les divers embranchements du règne animal, depuis la préhistoire jusqu'à nos jours. Ce type de recherches permet de remonter loin dans le temps et d'évaluer le moment exact où le sommeil a honoré la Terre de sa présence pour la première fois. Comme l'a dit un jour le généticien Theodosius

Dobzhansky : « Rien n'a de sens en biologie, sinon à la lumière de l'évolution. » En ce qui concerne le sommeil, la réponse qui nous illumine est la suivante : son apparition se révèle bien plus ancienne que ce que tout le monde avait imaginé, et ses conséquences bien plus profondes.

Sans exception, toutes les espèces animales étudiées à ce jour dorment ou font quelque chose qui y ressemble beaucoup. Cela comprend les insectes, comme les mouches, les abeilles, les cafards et les scorpions[1], les poissons, de la plus petite des perches au plus imposant des requins[2], les amphibiens, comme les grenouilles, et les reptiles, comme les tortues, les dragons de Komodo et les caméléons. Tous dorment effectivement. Si l'on remonte plus loin sur l'échelle de l'évolution, on constate que tous les types d'oiseaux et de mammifères dorment : depuis la musaraigne jusqu'au perroquet, en passant par les kangourous, les

1. Les preuves de sommeil chez des êtres aussi petits que les insectes, dont l'enregistrement de l'activité cérébrale est impossible, sont constituées par le même ensemble de caractéristiques comportementales que celles qui sont décrites au chapitre 3 et illustrées par l'exemple de Jessica : immobilité, réactions moindres par rapport au monde extérieur et état facilement réversible. Autre critère : si l'on prive l'organisme de ce qui ressemble au sommeil, il en survient un besoin accru lorsqu'on met un terme à cette privation agressive et gênante, se traduisant par un « rebond de sommeil ».

2. On pensait autrefois que les requins ne dormaient pas, notamment parce qu'ils ne fermaient jamais les yeux. Ils présentent de fait des phases actives ou passives distinctes, qui rappellent la veille et le sommeil. Nous savons aujourd'hui que s'ils ne ferment jamais les yeux, c'est parce qu'ils ne disposent pas de paupières.

ours polaires, les chauves-souris et, bien sûr, nous, êtres humains. Le sommeil est universel.

Même les invertébrés piquent parfois un petit somme, qu'il s'agisse des mollusques primitifs et des échinodermes, ou de vers encore plus primitifs. Pendant ces phases affectueusement nommées « léthargiques », ils cessent comme les humains de répondre aux stimuli extérieurs. Et, comme nous, les vers s'endorment plus vite et plus profondément lorsqu'ils sont en manque de sommeil, ce qu'indique leur degré d'insensibilité aux petits coups d'aiguille lors d'expérimentations.

Quel *âge* a donc le sommeil ? Les vers sont apparus lors de l'explosion cambrienne, il y a au moins cinq cents millions d'années. Les vers et par conséquent le sommeil précèdent donc toute vie vertébrée, ce qui inclut les dinosaures, dont on peut alors déduire qu'ils ont dû dormir. Imaginez, des diplodocus et des tricératops confortablement installés pour une bonne nuit de sommeil !

En remontant encore plus loin sur l'échelle de l'évolution, nous avons découvert que les formes les plus simples d'organismes unicellulaires d'une durée de vie de plus de vingt-quatre heures, comme les bactéries, présentent des phases actives et passives correspondant au cycle jour/nuit de la Terre. Nous pensons aujourd'hui que cette caractéristique est le précurseur de notre propre rythme circadien, donc de nos phases d'éveil et de sommeil.

De nombreuses explications du sommeil renvoient à l'idée répandue et peut-être fausse qu'il serait l'état dans lequel nous devons entrer pour réparer ce que l'éveil a dérangé. Et si nous retournions l'argument dans l'autre sens ? Le sommeil est si utile – si physiologiquement bénéfique pour chaque aspect de notre être – que la vraie question est peut-être la suivante : pourquoi la vie a-t-elle pris un jour la peine de se réveiller ? Si l'on pense aux effets biologiques néfastes de l'éveil, c'est là que semble résider la vraie énigme de l'évolution, et non dans le sommeil. Adopter ce point de vue permet d'avancer une théorie bien différente : le sommeil a constitué le premier état de la vie sur la planète, et c'est à partir de lui qu'a émergé l'éveil. C'est une hypothèse qui peut sembler grotesque, manquant de sérieux et infertile, mais que je ne juge pas tout à fait déraisonnable.

Qu'importe laquelle de ces deux théories est vraie, nous savons avec certitude que les origines du sommeil sont très anciennes, puisqu'il est apparu avec les formes de vie les plus primitives de la planète. À l'image d'autres caractéristiques élémentaires, comme l'ADN, le sommeil reste un lien unissant toutes les créatures du règne animal. Un point commun ancestral, certes, mais avec des différences notables d'une espèce à l'autre. En réalité, nous en comptons quatre.

L'une de ces choses n'est pas comme les autres

Les éléphants ont besoin de deux fois moins de sommeil que les humains, puisqu'il ne leur en faut que quatre heures par jour. Les tigres et les lions en dévorent pour leur part quinze heures par jour. La chauve-souris brune surpasse tous les autres mammifères, n'étant éveillée que cinq heures par jour, donc endormie dix-neuf heures sur vingt-quatre. Le *nombre total d'heures de sommeil* est l'une des différences les plus flagrantes selon les organismes.

La raison de ces variations marquées pourrait sembler évidente, mais elle ne l'est pas. Aucune des caractéristiques plausibles (taille du corps, prédateur ou proie, diurne ou nocturne) ne les explique véritablement. La durée du sommeil est sans doute similaire au moins pour les individus d'un même embranchement, puisqu'ils partagent la majorité de leur code génétique. C'est sans doute également vrai d'autres caractéristiques essentielles, comme les aptitudes sensorielles, les méthodes de reproduction, voire le degré d'intelligence. Le sommeil vient toutefois perturber ce modèle fiable. Les écureuils et les dègues font partie de la même famille (les rongeurs) mais présentent des différences notables dans leur besoin de sommeil. L'écureuil dort deux fois plus longtemps que le dègue, avec 15,9 heures contre 7,7 heures. À l'inverse, on trouve des durées de sommeil quasi identiques dans des familles bien différentes. Par exemple, un simple cochon d'Inde et un jeune babouin, issus d'ordres phylogénétiques remarquablement différents et de tailles bien distinctes, dorment exactement le même nombre d'heures : 9,4.

Comment expliquer alors la différence d'heures (et peut-être de besoin) de sommeil d'une espèce à l'autre, ou au sein d'un même ordre génétique ? Nous n'avons pas de certitude. Le rapport entre la taille et la complexité du système nerveux et la masse totale du corps semble un indicateur assez significatif. Plus la complexité cérébrale d'un animal est grande *par rapport* à la taille de son corps, plus il dort. Bien que fragile et manquant de cohérence, ce lien intelligence/taille suggère que le besoin de servir un système nerveux de plus en plus complexe est à l'origine de la fonction évolutive qu'est le fort besoin de sommeil. Au fil des millénaires, l'évolution faisant culminer son accomplissement (en cours) avec la naissance du cerveau, la demande de sommeil n'a fait que s'accroître pour répondre aux besoins de ce dispositif, le plus précieux de tous les dispositifs physiologiques.

Toutefois, je ne vous ai pas tout dit, loin de là. Beaucoup d'espèces s'écartent largement des prévisions de cette règle. Par exemple, l'opossum, ayant presque le même poids que le rat, dort deux fois plus longtemps, jusqu'à dix-huit heures par jour en moyenne. Il n'est qu'à une heure de moins du record d'heures de sommeil dans le règne animal, détenu par la chauve-souris brune qui, comme nous l'avons dit, remporte une victoire spectaculaire en dormant dix-neuf heures par jour.

À un certain moment de l'histoire de la recherche, les scientifiques se sont demandé si la mesure choisie (minutes totales de sommeil) était la meilleure façon d'aborder la question de cette variation marquée entre les espèces. Leur intuition était que, pour élucider ce mystère, il fallait analyser la *qualité* du sommeil plutôt que sa *quantité* (en temps). Les espèces disposant d'une qualité de sommeil supérieure doivent en effet pouvoir accomplir tout ce dont elles ont besoin en moins de temps, et inversement. Il s'agissait là d'une excellente idée, mais nous avons découvert que c'était en réalité l'opposé qui se produisait : ceux qui dorment plus ont un sommeil plus profond, de qualité « supérieure ». En vérité, le mode habituel d'analyse de la qualité de sommeil dans le cadre de recherches scientifiques (degré moindre de réactivité au monde extérieur et continuité du sommeil) est sans doute un indice faible de la véritable mesure biologique de la qualité du sommeil, que l'on ne retrouve toutefois pas chez toutes ces espèces. Quand cette mesure est disponible, ce que nous comprenons de la relation entre la quantité et la qualité de sommeil dans le règne animal permet d'expliquer de façon plausible ce qui semble actuellement un dédale incompréhensible de variations des temps de sommeil.

À ce jour, notre interprétation la plus précise des variations du besoin de sommeil selon les espèces implique un mélange complexe de facteurs, comme le régime alimentaire (omnivore, herbivore, carnivore), l'équilibre entre prédateurs et proies au sein d'un même habitat, la présence et la nature d'un réseau social, le métabolisme et la complexité du système nerveux. Cela renvoie à mon sens au fait que le sommeil a sans doute été modelé par de nombreuses forces au cours de l'évolution, et qu'il implique un exercice d'équilibre particulièrement délicat pour répondre aux besoins de la survie pendant l'éveil (par exemple, chasser les proies ou trouver de la nourriture le plus rapidement possible, minimiser les dépenses d'énergie et les dangers) en même temps qu'aux besoins physiologiques réparateurs pour l'organisme (par exemple, plus le métabolisme est performant, plus les efforts de *nettoyage* pendant le sommeil sont importants), tout en tentant de satisfaire les exigences plus générales de l'organisme dans son ensemble.

Nos équations prévisionnelles les plus élaborées échouent toutefois à expliquer les cas extrêmes qui jalonnent la carte du sommeil : les espèces qui dorment beaucoup, comme les chauves-souris, et celles qui dorment peu, comme les girafes, qui ne dorment que quatre à cinq heures par jour. Il me semble que plutôt que de représenter une nuisance, ces espèces marginales peuvent renfermer certaines clés permettant de résoudre l'énigme du besoin de sommeil. Elles restent une opportunité délicieusement frustrante pour ceux d'entre nous qui cherchent à déchiffrer le code du sommeil au sein du règne animal afin d'y découvrir peut-être des bienfaits encore inconnus et jamais imaginés.

Rêver ou ne pas rêver

Autre différence notable entre les espèces sur le plan du sommeil : sa *composition*. Toutes les espèces ne passent pas par toutes les phases de sommeil. Celles dont nous pouvons observer les diverses phases connaissent toutes le sommeil NREM – au cours duquel nous ne rêvons pas. Les insectes, les amphibiens, les poissons et la plupart des reptiles ne semblent toutefois pas connaître le sommeil REM – associé aux rêves chez les êtres humains. Seuls les oiseaux et les mammifères, apparus plus tard dans l'évolution du règne animal, en font la véritable expérience. Le sommeil du rêve (REM) serait ainsi le petit dernier sur l'échelle de l'évolution, apparu pour épauler le sommeil NREM dans certaines fonctions que celui-ci ne pouvait endosser seul, ou qu'il remplissait plus efficacement.

Une autre anomalie subsiste pourtant, comme souvent avec le sommeil. J'ai affirmé que tous les mammifères connaissaient le sommeil REM, mais un débat persiste quant aux cétacés, ou mammifères marins. Certaines de ces espèces vivant sous l'océan, comme les dauphins ou les orques, font exception à la règle en vigueur chez les mammifères puisqu'elles ne connaissent pas cette phase de sommeil. Si un cas de 1969 laisse penser qu'un globicéphale a connu une phase de sommeil REM pendant six minutes, la plupart de nos analyses n'ont pas permis à ce jour de constater l'existence d'un sommeil REM – ou du moins de ce que beaucoup d'experts considèrent comme tel – chez les mammifères marins. Cela semble logique, en un sens : lorsqu'un organisme entre dans une phase de sommeil REM, le cerveau paralyse le corps, le rendant mou et immobile. La nage est vitale pour les mammifères marins, qui doivent remonter à la surface pour respirer ; s'ils étaient paralysés en dormant, ils se noieraient.

Le mystère grandit lorsqu'on s'attarde sur les pinnipèdes (l'un de mes mots préférés, dérivé du latin *pinna*, qui signifie « nageoire », et *pedis*, qui signifie « pied »), comme les otaries à fourrure. En tant que mammifères partiellement marins, elles partagent leur temps entre la mer et la terre. Sur terre, elles connaissent des phases de sommeil NREM et de sommeil REM, comme les humains, les autres mammifères terrestres et les oiseaux. Lorsqu'elles sont dans l'océan, leurs phases de sommeil REM disparaissent toutefois presque entièrement. Elles ne goûtent plus qu'à une quantité infime de ce type de sommeil, de 5 % à 10 % de la quantité dont elles jouissent sur terre. Les otaries semblent pouvoir vivre jusqu'à deux semaines sous l'eau sans phase REM, leur survie reposant alors sur le sommeil NREM.

De telles anomalies ne remettent pas nécessairement en question l'utilité du sommeil REM, qui représente avec le rêve une adaptation grandement utile aux espèces qui en font l'expérience, comme nous le verrons dans la troisième partie de ce livre. Le fait que le sommeil REM réapparaisse lorsque ces animaux retournent sur terre le prouve, puisqu'il disparaîtrait sinon totalement. Simplement, le sommeil REM ne semble ni possible ni utile pour les mammifères marins lorsqu'ils sont sous l'eau. Nous supposons qu'ils se contentent alors du sommeil NREM, ce qui est sans doute toujours le cas pour les dauphins et les baleines.

Personnellement, je ne crois pas que les mammifères marins, même les cétacés comme les dauphins ou les baleines, ne font jamais l'expérience du sommeil REM (même si plusieurs de mes collègues scientifiques vous diront que j'ai tort). Il me semble plutôt que lorsque ces mammifères sont dans l'océan, ils connaissent une forme de sommeil REM différente et plus difficile à détecter : plus court, à des moments où nous n'avons pas pu l'observer, ou caché sous des formes ou des parties du cerveau que nous n'avons pas encore pu évaluer.

Afin de défendre ce point de vue non conformiste, j'aimerais rappeler que l'on pensait auparavant que les mammifères ovipares (les monotrèmes), comme les échidnés et les ornithorynques, ne connaissaient pas le sommeil REM. Or il s'est avéré que si, ou du moins qu'ils connaissent une version de ce sommeil. La surface extérieure de leur cerveau, ou cortex, que la plupart des scientifiques utilisent pour mesurer les ondes cérébrales du sommeil, ne présente pas le caractère variable et chaotique d'ordinaire observé pendant le sommeil

REM. Toutefois, en y regardant de plus près, les scientifiques ont découvert à la base du cerveau des éclats d'ondes cérébrales typiques du sommeil REM – ondes correspondant parfaitement à celles qui sont observées chez les autres mammifères. Ce qui se produit plutôt, c'est que les ornithorynques génèrent plus ce type d'activité cérébrale REM que n'importe quel mammifère ! Ils connaissent donc bien des phases de sommeil REM, du moins dans une version bêta, d'abord développée chez ces mammifères plus anciens en termes d'évolution. Une version du sommeil REM pleinement opérationnelle et étendue à tout le cerveau semble être apparue chez des espèces de mammifères plus développées, arrivées plus tard au cours de l'évolution. Je considère que, de la même façon, nous finirons par détecter la présence d'un sommeil REM atypique chez les dauphins, les baleines et les phoques lorsqu'ils sont dans l'océan. Après tout, l'absence de preuve n'est pas la preuve d'une absence.

Plus intrigant encore que l'absence de sommeil REM chez ces animaux marins : les oiseaux et les mammifères ont évolué séparément. Il est donc possible que le sommeil REM soit né deux fois au cours de l'évolution : une fois pour les oiseaux, l'autre pour les mammifères. Une même pression évolutive a pu être à l'origine du sommeil REM chez ces deux classes d'animaux, de la même façon que les yeux ont bien souvent évolué séparément et indépendamment dans divers embranchements au cours de l'évolution, dans le même but de voir. Lorsqu'un schéma se répète ainsi au cours de l'évolution, indépendamment chez des espèces totalement différentes, c'est souvent l'indice d'un besoin fondamental.

Un rapport récent suggère toutefois l'existence d'une forme primitive de sommeil REM chez un lézard australien apparu avant les oiseaux et les mammifères sur l'échelle de l'évolution. Si une telle découverte devait se répéter, nous pourrions en conclure que la graine du sommeil REM est apparue au moins cent millions d'années plus tôt que ce que nous avons d'abord pensé. Cette graine commune à certains reptiles pourrait avoir germé jusqu'à devenir la forme complète de sommeil REM telle que nous l'observons aujourd'hui chez les oiseaux et les mammifères, notamment les humains.

Quel que soit le moment où le véritable sommeil REM est né, nous avons vite découvert pourquoi les rêves sont apparus, à quels besoins vitaux ils répondent chez les animaux au sang chaud que sont les oiseaux et les mammifères (comme la santé cardiovasculaire, le rééquilibrage émotionnel, la mémoire associative, la créativité et la régulation de la température corporelle) et si les autres espèces rêvent aussi. Comme nous le verrons plus tard, il semblerait que oui.

Sans chercher à savoir si tous les mammifères connaissent le sommeil REM, un fait demeure incontesté : le sommeil NREM est le premier à être apparu au cours de l'évolution. C'est la forme originelle que le sommeil a prise lorsqu'il a fait son entrée sur la scène créative de l'évolution – un vrai pionnier. Cette ancienneté soulève une autre question fascinante, que l'on me pose d'ailleurs presque à chacune de mes conférences : quel type de sommeil, le NREM ou le REM, est le plus important ? Duquel avons-nous vraiment *besoin ?*

Les réponses à ces questions varient selon les définitions que l'on donne aux termes « importance » et

« besoin ». Le plus simple reste toutefois peut-être de choisir un organisme connaissant ces deux types de sommeil, comme un oiseau ou un mammifère, et de le maintenir éveillé toute la nuit et le jour suivant. L'animal est alors également privé des deux types de sommeil, ce qui crée un besoin équivalent de l'un ou l'autre. Nous posons la question suivante : quel sommeil le cerveau est-il le plus heureux de trouver lorsqu'il peut enfin récupérer pendant une nuit ? Le sommeil NREM et le sommeil REM en proportions égales ? Ou l'un plus que l'autre, ce qui indiquerait lequel est le plus important ?

Cette expérience a désormais été menée bien des fois sur un grand nombre d'espèces d'oiseaux et de mammifères, dont des humains. Deux résultats nets apparaissent. Le premier, sans surprise, est que la durée de sommeil est plus longue pendant une nuit de récupération (dix, voire douze heures chez les humains) que pendant une nuit standard n'ayant pas été précédée par une privation de sommeil (huit heures chez les humains). Nous réagissons au manque en cherchant à rattraper notre sommeil, ce que l'on nomme techniquement un « rebond de sommeil ».

Le deuxième résultat est que les rebonds de sommeil NREM sont plus marqués. Le cerveau consomme en effet une plus grande quantité de sommeil NREM profond que de sommeil REM lors de la première nuit suivant une privation de sommeil, ce qui indique que le besoin n'est pas le même pour les deux sommeils. Le cerveau peut choisir chacun des deux types de sommeil dans le buffet de sa nuit réparatrice, mais il choisit de remplir son assiette avec du sommeil NREM profond. Dans la lutte pour la plus grande importance, le sommeil NREM l'emporte. Mais l'emporte-t-il vraiment ?

Non. Si l'on poursuit l'enregistrement du sommeil au cours d'une deuxième, d'une troisième, voire d'une quatrième nuit de récupération, la tendance s'inverse. Le sommeil REM devient le premier choix du dormeur devant le buffet, même s'il prend aussi un supplément de sommeil NREM. Ces deux phases sont donc essentielles. Nous essayons d'en atteindre une (le sommeil NREM) un peu plus tôt que l'autre (le sommeil REM) mais, ne vous méprenez pas, le cerveau cherche bien à récupérer les deux, dans le but de sauver les pertes occasionnées. Notons en revanche que, quel que soit le nombre de possibilités de récupérer, le cerveau ne retrouve jamais tout le sommeil qu'il a perdu. Cela est vrai pour la durée totale du sommeil comme pour le sommeil NREM et le sommeil REM. C'est l'une des informations les plus importantes à retenir dans ce livre, dont je décrirai les tristes conséquences dans les chapitres 7 et 8 : les humains (comme les autres espèces) ne récupèrent jamais le sommeil qu'ils ont perdu.

Si seulement les humains pouvaient

La troisième variation marquante du sommeil à travers le règne animal est la *façon* dont nous dormons. La diversité est sur ce point remarquable et, dans certains cas, presque incroyable. Prenons pour exemple les cétacés, comme les dauphins et les baleines. Leur sommeil, uniquement NREM, peut être uni-hémisphérique, ce qui signifie qu'ils ne dorment que d'une moitié de cerveau !

En milieu marin, il faut que l'un des hémisphères soit toujours en éveil pour maintenir les mouvements vitaux. L'autre peut toutefois tomber dans les bras merveilleux du sommeil NREM. Des ondes cérébrales profondes, puissantes, rythmiques et lentes s'étendent ainsi dans tout un hémisphère, tandis que l'autre, totalement éveillé, est agité par des ondes cérébrales rapides et frénétiques. Cela se produit même si les deux hémisphères sont étroitement liés par d'innombrables croisements de fibres épaisses, et séparés de seulement quelques millimètres, comme chez les humains.

Bien sûr, et c'est souvent le cas, les deux hémisphères du cerveau du dauphin peuvent être éveillés au même moment, fonctionnant alors à l'unisson. Toutefois, lorsqu'il est temps de dormir, les deux peuvent se désunir et opérer indépendamment. Après que l'un des hémisphères a consommé tout son quota de sommeil, ils échangent, et l'hémisphère ayant travaillé jusque-là peut alors jouir d'un sommeil NREM bien mérité. Y compris avec une moitié de cerveau endormie, les dauphins peuvent accomplir un nombre impressionnant de mouvements et même communiquer vocalement.

La mécanique neuronale et l'architecture complexe qu'exige ce jeu d'interrupteurs des hémisphères du cerveau sont rares. Mère Nature aurait pu trouver un moyen de supprimer totalement le besoin de sommeil sous la pression de ce mouvement aquatique incessant, présent vingt-quatre heures sur vingt-quatre, sept jours sur sept. N'aurait-il pas été plus facile d'imaginer un système compliqué d'activation et de désactivation d'une partie du cerveau, permettant ainsi aux deux hémisphères de fonctionner à l'unisson quand l'animal est réveillé ? Il semblerait que non. Le sommeil est d'une nécessité si vitale que, quelles que soient les exigences de l'organisme en termes d'évolution, Mère Nature n'a pas eu le choix, même face au besoin impérieux de nager sans interruption de la naissance à la mort. Dormez avec les deux hémisphères ou l'un puis l'autre, les deux sont possibles, mais dormez. Le sommeil n'est pas négociable.

Cette capacité à plonger un hémisphère du cerveau puis l'autre dans le sommeil NREM n'est pas spécifique aux animaux marins. Les oiseaux en disposent également, pour une même question de survie, bien qu'un peu différemment : ce phénomène permet aux oiseaux de garder un œil sur leur environnement, assez littéralement. Lorsque les oiseaux sont seuls, un hémisphère du cerveau et son œil correspondant, du côté opposé, doivent rester éveillés pour être à l'affût de toutes les menaces environnantes. L'autre œil peut ainsi demeurer fermé et l'autre hémisphère se reposer.

Le phénomène devient encore plus passionnant lorsque les oiseaux sont en groupe. Dans le cas de certaines espèces, si vous apercevez une nuée d'oiseaux, soyez sûrs qu'un bon nombre d'entre eux sont en train de dormir des deux hémisphères à la fois. Comment se protègent-ils alors des menaces ? La réponse est particulièrement ingénieuse. Les oiseaux se mettent en ligne, et peuvent donc tous dormir de leurs deux hémisphères, sauf ceux qui se trouvent au début et à la fin de cette ligne. Ceux qui sont à l'extrême droite et à l'extrême gauche n'ont pas la chance des autres. Ils entrent dans un sommeil profond avec un seul hémisphère (opposé par rapport aux autres), les oiseaux ayant l'hémisphère droit endormi laissant leur œil gauche grand ouvert, et inversement. Ils offrent ainsi au groupe une vision panoramique leur permettant de détecter toute menace éventuelle et d'optimiser le nombre total d'hémisphères pouvant dormir au sein du groupe. À un moment, les oiseaux se trouvant aux extrémités effectuent une rotation de 180 degrés avant de reprendre leur position de repos, laissant ainsi l'autre hémisphère se reposer à son tour.

Nous, simples humains, comme un certain nombre de mammifères terrestres, semblons bien moins doués que les oiseaux et les mammifères marins, puisque nous sommes incapables de ne faire dormir qu'un seul des hémisphères de notre cerveau pour obtenir notre dose de sommeil NREM. À moins que nous ne le soyons ?

Deux rapports publiés récemment suggèrent que les humains disposent d'une version moins élaborée du sommeil d'un seul hémisphère, une version servant des raisons similaires. Si l'on compare l'activité cérébrale des ondes calmes du sommeil NREM profond d'un hémisphère à celle de l'autre hémisphère, elles sont quasiment identiques lorsque le dormeur dort chez lui. Toutefois, si on emmène cette personne dormir dans un laboratoire, voire dans un hôtel, donc dans des environnements auxquels elle n'est pas habituée, l'un de ses hémisphères a le sommeil plus léger que l'autre, comme s'il montait la garde avec une vigilance accrue parce qu'il se sent moins en sécurité, comme l'a noté son cerveau lorsqu'il était éveillé. Plus l'individu passe de nuits dans ce nouvel endroit, plus les sommeils de ses deux hémisphères sont similaires. C'est certainement la raison pour laquelle bon nombre d'entre nous dorment mal pendant leur première nuit dans une chambre d'hôtel.

Ce phénomène n'a cependant rien à voir avec la distinction parfaite entre état de veille total et véritable sommeil NREM profond chez les oiseaux et les dauphins. Les humains sont obligés de dormir des deux hémisphères dans un certain état de sommeil NREM. Imaginez les possibilités qui s'offriraient à nous si seulement nous pouvions reposer notre cerveau un hémisphère à la fois !

Je me dois de faire remarquer que, qui que vous soyez, le sommeil REM est étrangement immunisé contre ce partage des deux hémisphères. Tous les oiseaux, quel que soit le contexte environnemental, dorment avec les deux hémisphères pendant le sommeil REM. C'est le cas de toutes les espèces faisant l'expérience du sommeil REM, dont les humains. Quelles que soient les fonctions du sommeil REM, et elles semblent nombreuses, elles exigent la participation égale des deux hémisphères en même temps.

Sous pression

La quatrième et dernière variation au sein du règne animal en matière de sommeil est la manière avec laquelle les caractéristiques du sommeil peuvent s'affaiblir dans certaines circonstances rares et spéciales. Il s'agit là d'ailleurs pour le gouvernement américain d'une question de sécurité nationale, pour laquelle il a dépensé des sommes considérables en recherches.

Ce cas rare ne se produit qu'en réaction à certaines pressions et obstacles environnementaux extrêmes.

La famine en est un exemple concret : si vous affamez sévèrement un organisme, vous constatez que son envie de trouver de la nourriture est plus forte que celle de dormir. Le besoin de manger écarte pendant un temps celui de dormir, mais seulement pour une courte durée. Si vous affamez une mouche, elle reste éveillée plus longtemps pour se mettre à chercher de la nourriture. Il en est de même pour les êtres humains. Les personnes jeûnant volontairement dorment moins, parce que leur cerveau a été dupé, soumis à l'idée que la nourriture a subitement manqué.

Autre rareté : la privation de sommeil commune à la femelle orque et à son nouveau-né. L'orque femelle donne naissance à un seul bébé orque (appelé veau) tous les trois à huit ans. La mise bas se déroule habituellement loin des autres membres de la colonie, ce qui rend le petit cétacé incroyablement vulnérable pendant ses premières semaines dans notre monde, surtout lorsqu'il retourne avec sa mère vers leurs congénères, les deux nageant côte à côte. Jusqu'à 50 % des nouveau-nés meurent au cours de ce voyage. C'est une situation si dangereuse qu'il semble que ni la mère ni le veau ne dorment pendant tout ce temps. Observés par des scientifiques, ils n'ont montré aucun signe de sommeil NREM lors de ce trajet. C'est un fait particulièrement surprenant pour le bébé orque, puisque chez toutes les autres espèces vivantes, le plus grand besoin et la plus grande consommation de sommeil ont lieu pendant les premiers jours, voire les premières semaines après la naissance, ce que tous les parents vous diront. Pendant ce long voyage marin, le danger est tel qu'il pousse les bébés orques à inverser une tendance par ailleurs universellement constatée.

La palme de la privation de sommeil délibérée la plus incroyable revient toutefois aux oiseaux effectuant une migration transocéanique. Au cours de ce périple de milliers de kilomètres, lié à des raisons climatiques, des nuées entières volent pour une durée exceptionnellement longue et n'ont par conséquent que peu d'occasions de dormir. Toutefois, même dans ce cas, le cerveau trouve un moyen ingénieux de dormir. En plein vol, les oiseaux migrateurs grappillent de façon remarquable quelques secondes de sommeil, grâce à des siestes superpuissantes suffisant à empêcher que le cerveau et le corps subissent les dégâts irréparables des privations de sommeil prolongées. Si vous vous posez la question, les humains en sont incapables.

Le bruant à couronne blanche est peut-être l'exemple le plus surprenant sur ce point. Ce petit passereau commun dispose d'un don spectaculaire au sujet duquel l'armée américaine a dépensé des millions de dollars en recherches. Face à la privation de sommeil, il fait preuve d'une ténacité inégalée, bien que limitée dans le temps, avec laquelle l'être humain ne pourra jamais rivaliser. Si vous empêchez le bruant de dormir dans un laboratoire pendant la période de migration, donc lorsqu'il est censé être en vol, il ne montre pratiquement aucun signe d'effets secondaires. Toutefois, si l'on prive ce même bruant de la même dose de sommeil *en dehors* de la période migratoire, il subit un véritable tourbillon de dysfonctionnements cérébraux et corporels. Cet humble passereau a développé un don biologique extraordinaire, une ténacité face à la privation de sommeil qu'il ne révèle que lorsque sa survie en dépend. Vous imaginez maintenant pourquoi le gouvernement américain continue de s'intéresser de près à la nature biologique de ce don : il espère ainsi obtenir un soldat opérationnel vingt-quatre heures sur vingt-quatre.

Comment devrions-nous dormir ?

Les humains ne dorment pas comme la nature l'a voulu, la vie moderne étant venue chambouler le nombre d'épisodes, la durée et les moments de sommeil.

Dans les pays développés, la plupart des adultes dorment de manière monophasée, ce qui signifie que nous essayons de dormir en une seule fois, pendant très longtemps, la nuit, avec une moyenne aujourd'hui inférieure à sept heures. Lorsqu'on voyage dans des pays où les populations vivent sans électricité, on découvre que la situation diffère. Les tribus de chasseurs-cueilleurs, comme les Gabbra du nord du Kenya ou les San du désert du Kalahari, dont le style de vie a très peu changé depuis plusieurs milliers d'années, dorment de manière biphasée. Ces deux tribus dorment plus longtemps la nuit, de sept à huit heures, et font une sieste de trente à soixante minutes dans l'après-midi.

Nous avons également constaté que ces deux façons de dormir peuvent se mêler selon la période de l'année. Les tribus préindustrielles, comme les Hadza du nord de la Tanzanie ou les San de Namibie, dorment ainsi de manière biphasée pendant les mois les plus chauds l'été, faisant notamment une sieste de trente à quarante minutes lorsque le soleil est à son zénith. Ils reprennent ensuite un mode de sommeil en grande partie monophasique pendant les mois d'hiver, plus froids.

Même dans le cadre d'un sommeil monophasique, la durée de sommeil observée au sein des cultures préindustrielles n'a pas subi autant de déformations que la nôtre. Ces tribus s'endorment en moyenne deux à trois heures après le coucher du soleil, vers neuf heures du soir, et se réveillent juste avant, ou très peu après le lever du soleil. Ne vous êtes-vous jamais demandé ce que signifiait le terme « minuit » ? Il désigne bien sûr le *milieu de la nuit*, ou plus techniquement du cycle solaire. Il en va de même du cycle de sommeil des peuples de chasseurs-cueilleurs, et vraisemblablement de toutes les cultures qui les ont précédés. Considérez à présent nos normes culturelles de sommeil : *minuit* ne signifie plus le *milieu de la nuit*, mais désigne pour beaucoup d'entre nous le moment où nous allons vérifier nos courriels une dernière fois – et nous savons où cela nous mène bien souvent. Pour ne rien arranger au problème, nous ne compensons pas ces heures de nuit perdues en dormant plus longtemps le matin. Cela nous est impossible. Notre biologie circadienne couplée à la nécessité sans cesse renouvelée de nous lever tôt le matin, imposée par le mode de vie postindustriel, nous prive du sommeil dont nous avons profondément besoin. À une certaine époque, nous nous couchions après le crépuscule pour nous réveiller au chant du coq. Aujourd'hui, beaucoup d'entre nous se réveillent encore au chant du coq, mais le crépuscule n'est plus que le moment où nous sortons du bureau, alors loin d'être prêts à dormir. Nous sommes en outre peu nombreux à pouvoir jouir d'une bonne sieste pendant l'après-midi, ce qui aggrave notre manque de sommeil.

Le sommeil biphasé n'est pas une pratique culturelle, mais bien une caractéristique biologique. Tous les humains, quelles que soient leur culture ou leur situation géographique, sont génétiquement programmés pour ressentir une fatigue en milieu d'après-midi. Cela saute aux yeux de quiconque observe une réunion d'après déjeuner. Comme des marionnettes dont on relâche les ficelles avant de les tirer brusquement, les participants piquent du nez, puis se relèvent soudain. Je suis certain que vous avez déjà été la proie de cet état de somnolence involontaire en plein après-midi, comme si votre cerveau ressentait le besoin d'aller dormir plus tôt.

Vous comme les participants à la réunion êtes les victimes d'un assoupissement inhérent à l'évolution, favorisant la sieste d'après-midi. C'est un phénomène que l'on nomme « vigilance minimale postprandiale » (du latin *prandium*, qui signifie « repas »). Cette brève chute d'un degré d'éveil élevé à un degré de vigilance bas est le signe du besoin inné de faire une sieste l'après-midi plutôt que de travailler. Cela semble une caractéristique normale de notre rythme de vie quotidien. Si vous devez un jour produire une présentation dans le cadre de votre travail, je vous conseille d'éviter de le faire en début d'après-midi, pour votre bien comme pour celui de votre auditoire.

Lorsqu'on prend du recul, il devient évident que la société moderne nous a coupés d'une organisation prédéterminée du sommeil en deux phases, sommeil que notre code génétique tente par ailleurs de raviver chaque après-midi. La scission s'est produite au moment du passage de la vie agraire à la vie industrielle, voire avant.

Certaines études anthropologiques consacrées aux chasseurs-cueilleurs préindustriels ont permis de dissiper un autre mythe populaire quant à la façon dont les humains devraient dormir[1]. Les textes historiques suggèrent qu'au moment où se termine la première période de l'ère moderne (de la fin du XVIIe siècle au début du XVIIIe siècle), les habitants d'Europe occidentale dormaient chaque nuit sur deux longues périodes, séparées par plusieurs heures d'éveil. Entre ces deux périodes de sommeil jumelles, ils lisaient, écrivaient, priaient, faisaient l'amour, voire socialisaient.

Cette pratique est peut-être née à ce moment précis de l'histoire, dans cette région géographique, mais le fait qu'aucune culture préindustrielle étudiée jusqu'à présent ne semble dormir de cette façon, sur deux périodes séparées, suggère que ce n'est pas pour les humains la forme de sommeil naturelle programmée par l'évolution. Cette façon de dormir semble plutôt un phénomène culturel né et popularisé au cours des migrations vers l'Europe occidentale. En outre, il n'existe pas de rythme biologique (activité cérébrale, neurochimique ou métabolique) suggérant un désir humain de se réveiller pendant plusieurs heures au milieu de la nuit. La véritable tendance au sommeil biphasé, dont il existe des preuves anthropologiques, biologiques et génétiques et que l'on peut aujourd'hui évaluer chez tous les êtres humains, consiste plutôt

1. A. R. EKIRCH, *At Day's Close: Night in Times Past*, New York, W. W. Norton, 2006.

à profiter d'une longue période de sommeil continu pendant la nuit, suivie par une sieste plus courte au milieu de l'après-midi.

Considérant que c'est là notre tendance naturelle en matière de sommeil, pourrons-nous un jour savoir avec certitude quels effets cet abandon du sommeil biphasé a causés sur notre santé ? Des traces de sommeil biphasé sont encore visibles dans les sociétés pratiquant la culture de la sieste, notamment en Amérique du Sud et dans l'Europe méditerranéenne. Dans les années 1980, lorsque j'étais enfant, je suis parti en vacances avec ma famille en Grèce : lors de nos promenades et visites dans les rues des grandes villes du pays, les panneaux des vitrines des magasins différaient largement de ceux que j'avais l'habitude de voir en Angleterre : « Ouvert de 9 heures à 13 heures. Fermé de 13 heures à 17 heures. Ouvert de 17 heures à 21 heures. »

Ces panneaux se font rares aujourd'hui dans les vitrines grecques, car la pression pour abandonner la pratique de la sieste s'était déjà renforcée bien avant le tournant du nouveau millénaire. Une équipe de chercheurs de l'école de santé publique de l'université de Harvard a entrepris de mesurer les effets de ce changement radical sur la santé de plus de vingt-trois mille hommes et femmes grecs âgés entre vingt et quatre-vingt-trois ans. Ils se sont attachés plus particulièrement aux conséquences cardiovasculaires, suivant le groupe sur une période de six ans, au cours de laquelle la plupart des participants mirent un terme à leur pratique de la sieste.

Comme dans d'innombrables tragédies grecques, les résultats étaient à vous briser le cœur, mais cette fois de façon dangereusement littérale. Au début de l'étude, aucun des individus étudiés ne présentait d'antécédents de maladie coronarienne ou d'AVC, signe d'une absence de maladie cardiovasculaire. Au cours des six ans de durée de l'étude, le risque de mourir d'une maladie cardiaque a augmenté de 37 % chez les individus ayant cessé de faire la sieste par rapport à ceux qui avaient maintenu cette pratique. Les effets étaient particulièrement nuisibles chez les hommes actifs, dont le risque de mortalité a augmenté de bien plus de 60 % en raison de l'abandon de la sieste.

Cette étude remarquable met en lumière le phénomène suivant : si l'on nous prive de la pratique innée du sommeil biphasé, notre espérance de vie diminue. Il n'est donc pas surprenant que dans certaines petites enclaves grecques où la sieste reste pratiquée, comme sur l'île d'Ikaria, les hommes ont presque quatre fois plus de chances que les hommes américains d'atteindre l'âge de quatre-vingt-dix ans. On désigne parfois ces communautés adeptes de la sieste comme *les lieux où les gens oublient de mourir*. D'après l'ordonnance prescrite il y a bien longtemps par notre code génétique ancestral, pratiquer le sommeil naturel biphasé et suivre un régime alimentaire sain sont les clés de la longévité.

Nous sommes spéciaux

Comme vous vous en rendez compte à présent, le sommeil est une caractéristique commune à tout le règne animal. On distingue toutefois au sein des espèces ou entre elles une variabilité remarquable dans la quantité (par exemple la durée), la forme (un hémisphère, deux hémisphères) et la structure (monophasée, biphasée, polyphasée). Mais notre sommeil à nous, humains, présente-t-il des caractéristiques spécifiques sous sa forme pure, inchangée par la modernité ? Beaucoup de recherches ont été menées sur le caractère unique de l'*Homo sapiens* dans d'autres domaines, comme notre cognition, notre créativité, notre culture ou la taille et la forme de nos cerveaux. Notre sommeil nocturne présente-t-il des traits également exceptionnels ? Ce sommeil unique pourrait-il être la raison cachée des exploits évoqués plus tôt, que nous considérons avec fierté comme propres aux humains et qui justifieraient notre appellation d'hominidés, l'expression latine *Homo sapiens* signifiant « homme savant » ?

De fait, nous, êtres humains, *sommes* spéciaux en ce domaine. Si on le compare à celui des singes de l'Ancien et du Nouveau Monde, mais aussi des grands singes tels que les chimpanzés, les orangs-outans et les gorilles, le sommeil humain se démarque comme le nez au milieu de la figure. Notre temps total de sommeil (huit heures) est largement plus court que celui des autres primates (dix à quinze heures), mais nous jouissons pourtant d'une dose disproportionnée de sommeil REM, pendant lequel nous rêvons. 20 % à 25 % de notre temps de sommeil sont dédiés au sommeil REM, contre 9 % en moyenne chez les autres primates ! Nous constituons donc sur ce point une véritable anomalie par rapport aux singes et grands singes. Si nous voulons comprendre pourquoi et comment notre sommeil est si différent, il nous faut d'abord comprendre le processus évolutif ayant conduit du singe à l'homme, de l'arbre à la terre ferme.

Les humains dorment uniquement par terre – allongés au sol, voire un peu au-dessus, sur un lit –, tandis que les autres primates dorment dans des arbres, sur des branches ou dans des nids. Il leur vient rarement à l'idée de quitter leur arbre pour dormir par terre. Par exemple, les grands singes construisent chaque soir dans un arbre un nouveau nid, ou plateforme. (Imaginez si vous deviez passer plusieurs heures chaque soir après le dîner à assembler un nouveau sommier Ikea avant de pouvoir dormir !)

Dormir dans les arbres était une sage idée de l'évolution, du moins jusqu'à un certain stade. C'était un moyen de disposer d'un lieu sûr pour se protéger des grands prédateurs terrestres, comme les hyènes ou les petits arthropodes suceurs de sang que sont les poux, les puces et les tiques. Il faut toutefois être prudent lorsqu'on dort six à quinze mètres au-dessus du sol. Si vous êtes profondément endormi, un peu trop détendu, avachi sur une branche ou dans un nid avec un membre qui dépasse, il n'en faut pas plus à la gravité pour vous attirer au sol, provoquant une chute mortelle qui vous rayera totalement de la carte du patrimoine génétique. C'est notamment vrai du sommeil REM, pendant lequel le cerveau paralyse tous les muscles volontaires de votre corps, vous laissant tout ramolli – vous n'êtes littéralement plus qu'un sac d'os sans aucune tension dans les muscles. Je doute que vous ayez jamais tenté de poser un sac de courses bien rempli sur la branche d'un arbre, mais je vous assure que la tâche est loin d'être aisée. Même si vous atteignez un équilibre parfait pendant une fraction de seconde, il n'est que de courte durée. Trouver cet équilibre du corps en dormant dans les arbres représentait un défi et un danger pour nos ancêtres les singes, ce qui a visiblement limité leur sommeil.

L'*Homo erectus*, prédécesseur de l'*Homo sapiens*, a été le premier être se devant d'être bipède, capable de marcher librement debout sur deux jambes. Nous pensons que l'*Homo erectus* a également été le premier à dormir sur le sol, ses bras plus courts et sa posture droite ayant rendu très difficiles la vie et le sommeil dans les arbres. Comment l'*Homo erectus* (et par extension l'*Homo sapiens*) a-t-il réussi à survivre lorsqu'il dormait entouré de prédateurs, quand rôdaient les léopards, les hyènes et les tigres à dents de sabre – qui pouvaient tous chasser la nuit –, et que les suceurs de sang terrestres abondaient ? Le feu a été une partie de la réponse. Le débat reste ouvert, mais nombreux sont ceux qui considèrent que l'*Homo erectus* a été le premier à utiliser le feu, l'un des catalyseurs les plus importants, sinon le plus important, nous ayant fait descendre des arbres pour vivre sur la terre. Le feu est aussi l'un des éléments expliquant le mieux comment nous avons réussi à dormir au sol en toute sécurité. Il dissuadait les grands carnivores et servait de fumigène nocturne astucieux pour éloigner les petits insectes toujours désireux de nous mordre.

Mais le feu n'était pas une solution parfaite : il restait risqué de dormir au sol. C'est pourquoi, sous la pression de l'évolution, nous avons développé une façon plus efficace de dormir. Plus l'*Homo erectus* dormait efficacement, plus il avait de chances de survivre à la sélection naturelle. L'évolution s'est chargée de raccourcir en *durée* notre ancienne forme de sommeil tout en renforçant son *intensité*, notamment en augmentant la quantité de sommeil REM emmagasinée pendant la nuit.

Comme c'est souvent le cas avec notre brillante Mère Nature, le problème est devenu en partie la solution. En d'autres termes, dormir sur la terre ferme plutôt que sur une branche d'arbre précaire a poussé le sommeil REM à s'enrichir et se renforcer, et la durée de sommeil à diminuer modestement. Dormir au sol supprime les risques de chute. Pour la première fois dans l'histoire de notre évolution, les hominidés ont pu jouir de tout le sommeil REM immobilisateur dont ils voulaient et rêver sans craindre le piège de la gravité. Notre sommeil s'est alors *concentré* : plus court et plus compact en durée, et regorgeant d'un type de sommeil de grande qualité. Et pas n'importe lequel : un sommeil REM, précipitant le cerveau vers une plus grande complexité et une plus grande richesse de connexions. Certaines espèces totalisent une plus grande durée de sommeil REM que les hominidés, mais aucune autre que l'*Homo sapiens* ne nourrit ni ne prodigue d'aussi grandes quantités de sommeil REM au sein d'un réseau cérébral aussi riche et complexe.

Partant de ces faits, je propose la théorie suivante : cette réorganisation du sommeil depuis les arbres jusqu'au sol a propulsé l'*Homo sapiens* au sommet de la pyramide de l'évolution. Les êtres humains se distinguent des autres primates par au moins deux traits, dont je suis persuadé qu'ils ont été bénéfiques et apportés par le sommeil, notamment par notre degré élevé de sommeil REM en comparaison avec les autres mammifères : en premier lieu, notre degré de complexité socioculturelle ; en second lieu, notre intelligence cognitive. Le sommeil REM et le fait de rêver encouragent les deux.

D'abord, nous avons découvert que le sommeil REM réajuste et perfectionne à merveille les circuits émotionnels du cerveau humain (décrits en détail dans la partie 3 de ce livre). À ce titre, il se peut que le sommeil REM ait précipité la richesse et le contrôle rationnel de nos émotions primitives, évolution dont je pense qu'elle a largement contribué à la domination rapide de l'*Homo sapiens* sur les autres espèces.

Nous savons par exemple que le sommeil REM augmente nos capacités à reconnaître, donc à manier avec succès, le kaléidoscope de signaux socio-émotionnels qui abondent dans nos sociétés humaines, comme les expressions faciales manifestes ou cachées, les gestes du corps petits ou grands, et même le comportement des masses. Il suffit de considérer les troubles du comportement tels que l'autisme pour comprendre à quel point l'existence sociale peut être différente et difficile quand ces capacités émotionnelles sont altérées.

Ce don du sommeil REM favorisant une reconnaissance et une compréhension précises nous permet de prendre des décisions, donc d'agir, plus intelligemment. Notamment, la capacité à réguler chaque jour nos émotions de façon réfléchie – clé de ce que l'on nomme l'intelligence émotionnelle – dépend d'une quantité suffisante de sommeil REM, nuit après nuit. Si en lisant ces lignes vous avez pensé immédiatement à certains collègues, amis ou figures publiques ne disposant pas de cette intelligence, demandez-vous s'ils dorment suffisamment, notamment d'un sommeil REM riche et matinal.

Ensuite, si l'on adopte un œil plus critique, multiplier ces avantages individuels dans mais aussi entre les groupes et les tribus, dont le sommeil REM ne cesse de gagner en intensité et en richesse au fil des millénaires, permet de commencer à comprendre comment ce rééquilibrage nocturne du versant émotionnel de nos cerveaux a pu se renforcer rapidement et de façon exponentielle. De cette intelligence émotionnelle consolidée par le sommeil REM est née une forme nouvelle et bien plus sophistiquée de socio-écologie des hominidés au sein de vastes collectivités, permettant la création de grandes communautés humaines, émotionnellement avisées, stables, très liées et profondément sociales.

J'irai même plus loin, affirmant que c'est là la fonction *la plus* influente du sommeil REM chez les mammifères, et peut-être la plus influente de *tous* les types de sommeil chez *tous* les mammifères, voire le plus grand bénéfice jamais offert par le sommeil à tous les êtres vivants de la planète, de tout temps. Le traitement des émotions complexes entraîne des bienfaits adaptatifs immenses, mais bien souvent négligés. Nous, êtres humains, pouvons intégrer un grand nombre de modèles d'émotions dans notre cerveau, donc en faire l'expérience profonde et même les réguler. Nous sommes en outre capables de reconnaître les émotions des autres et de contribuer à les façonner. Grâce à ces deux processus, intra- et interpersonnels, nous savons créer les alliances coopératives nécessaires à l'établissement de grands groupes sociaux et, au-delà, de sociétés entières riches en structures et idéologies puissantes. Ce qui peut sembler de prime abord un modeste avantage offert par le sommeil REM à chaque *individu* est à mon sens l'un des dons les plus estimables, assurant la survie et la domination de notre espèce sur le plan *collectif*.

La seconde contribution évolutive que vient nourrir le rêve du sommeil REM est la créativité. Le sommeil NREM assure le transfert et la mise en sécurité d'informations récentes dans les zones du cerveau destinées au stockage des informations sur le long terme. C'est toutefois le sommeil REM qui prélève ces nouveaux souvenirs pour les heurter à l'ensemble de nos archives autobiographiques. Ces collisions mnémoniques pendant le sommeil REM suscitent de nouvelles perceptions créatives, puisque de nouveaux liens sont alors créés entre des informations auparavant sans rapport. Un cycle du sommeil après l'autre, le sommeil REM contribue à construire de vastes réseaux associatifs d'informations à l'intérieur du cerveau. Il peut même prendre du recul, pour ainsi dire, et entrevoir les points de vue redondants et ceux qui sont essentiels : système rappelant la culture générale, c'est-à-dire un ensemble d'informations envisagé comme un tout, et pas seulement comme un archivage de faits inertes. Nous pouvons ainsi nous réveiller le lendemain disposant de solutions aux problèmes épineux de la veille, et même regorgeant d'idées nouvelles et originales.

Outre qu'il soutient la structure socio-émotionnelle puissante et riche chez les masses, le sommeil REM apporte donc un second bienfait : la créativité.

Nous devrions vénérer (avec prudence) la supériorité de l'ingéniosité des hominidés sur celle de nos rivaux, primates ou autres. Les chimpanzés – nos plus proches parents parmi les primates encore vivants – sont apparus environ cinq millions d'années avant nous, et certains grands singes nous ont précédés d'au moins dix millions d'années. Malgré ces siècles d'opportunités, aucune espèce ne s'est rendue sur la Lune, n'a construit d'ordinateurs ni créé de vaccins. En toute modestie, nous, humains, l'avons fait. Le sommeil, notamment le sommeil REM et le rêve, est le facteur plausible, bien que sous-estimé, d'un grand nombre de composants de l'ingéniosité et des accomplissements propres aux humains, tels la langue ou les outils (certains éléments prouvent en effet que le sommeil est également à leur origine).

Il faut néanmoins considérer que les bienfaits émotionnels supérieurs accordés au cerveau par le sommeil REM influencent plus largement nos succès d'hominidés que ce deuxième don, celui de la créativité. Elle est certes un outil puissant de l'évolution, mais reste spécifique à certains individus. Si les solutions ingénieuses et créatives ne peuvent être partagées entre les individus au moyen de liens prosociaux émotionnellement riches et de relations coopératives favorisées par le sommeil REM, alors la créativité a plus de chances de concerner un seul individu que de s'étendre aux masses.

Nous sommes à présent en mesure de comprendre ce que je considère comme un cycle évolutif positif, classique et épanouissant. Notre passage des arbres au sol a entraîné chez l'homme une abondance de sommeil

REM plus marquée que chez les autres primates, ayant à son tour entraîné une forte augmentation de la créativité cognitive, de l'intelligence émotionnelle, donc de la complexité sociale. Ce phénomène, en même temps que l'évolution de nos cerveaux de plus en plus denses et riches en connexions, a permis d'améliorer nos stratégies de survie dans la journée (et la nuit). Toutefois, à force d'utiliser ces circuits cérébraux émotionnels et créatifs complexes pendant la journée, nous avons accru notre besoin de les entretenir et de les réajuster en leur fournissant plus de sommeil REM.

Tandis que cette boucle de rétroaction positive se développait de manière exponentielle, nous avons formé, organisé, conservé et façonné délibérément des groupes sociaux de plus en plus larges. Les aptitudes créatives toujours plus développées pouvaient ainsi s'étendre plus rapidement et plus efficacement, voire être améliorées par une quantité toujours croissante du sommeil REM des hominidés, capable de consolider le raffinement émotionnel et social. Le sommeil REM, celui du rêve, représente ainsi un nouveau facteur fiable ayant permis, avec d'autres, pour le meilleur et pour le pire, notre étonnante ascension au pouvoir au sein de l'évolution – l'émergence d'une nouvelle superclasse *sociale* dominant le monde (dopée au sommeil).

5

L'évolution du sommeil au cours de la vie

Le sommeil avant la naissance

Les parents attendant un enfant sont souvent fascinés de pouvoir susciter les coups de pied ou mouvements de leur progéniture *in utero* par des paroles ou des chansons. Ne leur dites pas, mais il y a de fortes chances pour que leur petit soit en réalité profondément endormi. Avant la naissance, l'enfant se trouve quasi constamment dans un état proche du sommeil, dont la majeure partie s'apparente au sommeil REM. Le fœtus endormi n'est donc pas conscient des manœuvres performatives de ses parents : les petits coups de bras ou de jambe ressentis par la mère sont plutôt les conséquences des élans hasardeux de l'activité cérébrale caractéristique du sommeil REM.

Les adultes ne donnent pas de coups de ce type pendant la nuit – du moins ils ne devraient pas –, puisque le mécanisme de paralysie du corps généré par le sommeil REM les en empêche. *In utero*, le cerveau du fœtus n'a pas encore mis en place ce système d'inhibition des muscles, mais d'autres de ses centres profonds sont par ailleurs déjà bien ancrés, notamment ceux qui génèrent le sommeil, puisqu'à la fin du deuxième trimestre de développement (environ vingt-trois semaines de grossesse), la grande majorité des structures et branchements neuronaux nécessaires aux sommeils NREM et REM est installée et en état de fonctionnement. Par ce décalage, le cerveau du fœtus lance pendant le sommeil REM des commandes motrices d'importance, mais que rien ne vient paralyser. Puisqu'elles ne sont pas empêchées, ces commandes se traduisent librement par des mouvements frénétiques du corps, que la mère perçoit comme des coups de pied acrobatiques ou des coups de poing de poids plume.

À ce stade du développement *in utero*, le fœtus consacre la majeure partie de son temps au sommeil. Une période de vingt-quatre heures se compose d'un méli-mélo d'environ six heures de sommeil NREM, six heures de sommeil REM, et douze heures d'un état de sommeil intermédiaire, dont nous ne pouvons affirmer s'il est REM ou NREM, mais dont nous savons avec certitude qu'il n'est pas un plein état de veille. C'est seulement lorsque le fœtus entame le dernier trimestre que naissent les lueurs d'un véritable éveil. Cet éveil est sans doute toutefois bien moindre que celui que vous imaginez, puisque le fœtus n'est éveillé que deux à trois heures par jour.

Si le dernier trimestre voit la durée totale du sommeil décroître, paradoxalement, le sommeil REM augmente et se fait riche en mouvements. Pendant les deux dernières semaines de grossesse, le fœtus accélère sa consommation de sommeil REM, allant jusqu'à presque neuf heures par jour. Une semaine avant la naissance, le sommeil REM atteint un record de douze heures par jour. Avec un appétit presque insatiable, le fœtus humain double donc son besoin de sommeil REM juste avant de faire son entrée dans le monde. Jamais au cours de sa vie – avant la naissance, juste après, à l'adolescence, l'âge adulte ou la vieillesse – cet individu ne connaîtra une évolution aussi spectaculaire de son besoin de sommeil REM, ni ne s'en délectera autant.

Le fœtus rêve-t-il effectivement pendant son sommeil REM ? Sans doute pas de la façon dont la plupart d'entre nous considérons le rêve. Nous savons toutefois que le sommeil REM est vital pour la maturation du cerveau. Un être humain se construit dans l'utérus suivant des étapes distinctes et interdépendantes, un peu comme une maison. On ne peut pas faire trôner un toit sur une maison sans avoir bâti de murs pour le soutenir, et l'on ne peut bâtir de murs sans les asseoir sur des fondations. Comme le toit d'une maison, le cerveau est l'un des derniers éléments construits au cours du développement. Et comme dans le cas d'un toit, c'est un processus nécessitant des sous-étapes – il faut une charpente avant d'ajouter des tuiles, par exemple.

L'élaboration précise du cerveau et de ses divers éléments se fait à un rythme rapide, pendant les deuxième et troisième trimestres du développement – précisément la fenêtre temporelle pendant laquelle la quantité de sommeil REM monte en flèche. Ce n'est pas un hasard. Le sommeil REM agit comme un engrais électrique pendant cette phase essentielle. Les éclats éblouissants de l'activité électrique stimulent l'avancée féconde des circuits neuronaux à travers tout le cerveau en développement, leur fournissant un ensemble solide d'extrémités de connexion, ou boutons synaptiques. Il faut imaginer le sommeil REM comme un opérateur Internet venant installer la fibre optique dans de nouveaux quartiers de votre cerveau, et activer le haut débit en utilisant ces éclairs électriques liminaires.

Cette phase pendant laquelle une foule de connexions neuronales infuse le cerveau se nomme « synaptogenèse », car elle implique la création de millions de raccords entre les neurones, que l'on appelle « synapses ». Suivant un plan délibéré, elle constitue un premier pas frénétique vers l'installation de l'ordinateur central de notre cerveau. Elle engendre de nombreux surplus, car elle met en place un très grand nombre de configurations possibles. Pour reprendre l'analogie du fournisseur d'accès Internet, pendant cette première période, elle installe la fibre dans toutes les maisons de tous les quartiers, dans tous les territoires du cerveau.

Avec une tâche neuro-architecturale si herculéenne – installer les routes neuronales et les rues transversales à l'origine des pensées, des souvenirs, des sentiments, des décisions et des actions –, pas étonnant que le sommeil REM domine une grande partie sinon tout le premier temps du développement. Le fait est avéré pour tous les autres mammifères[1] : c'est quand la

1. Il existe une exception, évoquée dans le chapitre 4, chez les orques nouveau-nés. Ceux-ci semblent ne pas avoir la chance de bien dormir après la naissance, car ils doivent réaliser un trajet

quantité de sommeil REM est la plus importante que le cerveau se construit le plus intensément.

Chose inquiétante, il n'est pas sans conséquences de perturber ou de détériorer le sommeil REM du cerveau en développement de l'enfant, avant ou après terme. Dans les années 1990, des chercheurs se sont mis à étudier les rats nouveau-nés. En bloquant simplement leur sommeil REM, on retarde le progrès gestationnel, quel que soit le temps qui passe. Les deux doivent bien sûr progresser à l'unisson. La privation de sommeil REM chez les bébés rats bloque la construction du toit neuronal – le cortex cérébral. Sans sommeil REM, le travail d'assemblage cesse, figé dans le temps par l'instauration expérimentale du manque de sommeil REM. Jour après jour, la toiture à demi terminée du cortex cérébral en grand besoin de sommeil cesse de se développer.

Le même effet a désormais été démontré chez de nombreuses autres espèces de mammifères, ce qui laisse penser qu'il est sans doute commun à tous les mammifères. Lorsqu'on laisse finalement les bébés rats jouir de leur sommeil REM, l'assemblage de la toiture du cerveau reprend, mais ne s'accélère pas. Il ne rattrape en outre jamais son retard. Le cerveau d'un bébé sans sommeil reste à jamais inadapté.

---

périlleux et long de plusieurs kilomètres pour rejoindre le banc de leurs congénères depuis le lieu de mise bas de leur mère. Ce n'est toutefois qu'une supposition. Il se peut que, comme les autres mammifères, ils consomment *in utero* une grande quantité de sommeil, voire de sommeil REM, juste avant la naissance. Simplement, nous ne le savons pas encore.

On a détecté plus récemment un autre effet du manque de sommeil REM : le développement des troubles du spectre de l'autisme (TSA) – à ne pas confondre avec le trouble du déficit de l'attention avec hyperactivité (TDAH), que nous évoquerons plus loin dans ce livre. L'autisme, dont on connaît plusieurs formes, est une condition neurologique naissant pendant les premiers temps du développement, habituellement autour de deux ou trois ans. Le symptôme premier de l'autisme est le manque d'interactions sociales, les individus souffrant d'autisme ne communiquant ni facilement ni normalement.

Notre connaissance actuelle des causes de l'autisme est incomplète, mais il semble qu'un câblage inapproprié du cerveau pendant les premiers développements, notamment dans la formation et la quantité des synapses, soit au cœur de cette condition : en d'autres termes, il découle d'une synaptogenèse anormale. Le déséquilibre des connexions syntaxiques est commun aux individus autistes : un trop-plein de connexions dans certaines parties du cerveau, une défaillance dans d'autres.

Comprenant cela, les scientifiques ont commencé à observer le sommeil d'individus souffrant d'autisme pour savoir s'il était atypique. C'est le cas. Les schémas ou quantités de sommeil des bébés et jeunes enfants montrant des signes d'autisme, ou diagnostiqués autistes, ne sont pas normaux. Leurs rythmes circadiens sont en outre plus faibles que ceux des non-autistes, avec une courbe de mélatonine plus plate sur vingt-quatre heures, sans montée en puissance le soir ni chute rapide au cours de la journée[1]. D'un point de vue biologique, c'est comme si le jour et la nuit étaient respectivement beaucoup moins lumineux et beaucoup moins sombre pour les autistes. Les signaux indiquant le moment précis de l'éveil et d'un sommeil consistant sont par conséquent plus faibles. En outre, et c'est peut-être lié, la quantité totale de sommeil que les enfants autistes peuvent générer est moindre que celle des enfants non autistes.

Plus remarquable toutefois est le raccourcissement significatif du sommeil REM. Les individus autistes présentent un déficit de 30 % à 50 % de quantité de sommeil REM par rapport aux enfants non autistes[2]. Si l'on considère le rôle du sommeil REM dans l'établissement d'un ensemble équilibré de connexions synaptiques au sein du cerveau en développement, il devient passionnant de se demander si le manque de sommeil REM est un facteur favorisant l'autisme.

Les preuves dont nous disposons chez les humains ne sont toutefois qu'une corrélation. Le simple fait que

---

1. S. Cohen, R. Conduit, S. W. Lockley, S. M. Rajaratman et K. M. Cornish, « The relationship between sleep and behavior in autism spectrum disorder (ASD): A review », *Journal of Neurodevelopmental Disorders*, 6(1), 2011, 44.

2. A. W. Buckley, A. J. Rodriguez, A. Jennison *et al.*, « Rapid eye movement sleep percentage in children with autism compared with children with developmental delay and typical development », *Archives of Pediatrics and Adolescent Medicine*, 164(11), 2010, 1032-1037. Voir aussi S. Miano, O. Bruni, M. Elia, A. Trovato *et al.*, « Sleep in children with autistic spectrum disorder: A questionnaire and polysomnographic study », *Sleep Medicine*, 9(1), 2007, 64-70.

l'autisme et les anomalies du sommeil REM aillent de pair ne signifie pas que l'un est la cause de l'autre. Ce lien n'indique pas non plus le sens de la causalité, si elle existe : est-ce le manque de sommeil REM qui crée l'autisme, ou l'inverse ? Il faut toutefois noter que, curieusement, priver un bébé rat de sommeil REM entraîne des schémas de connexion neuronale, ou synaptogenèse, aberrants[1]. En outre, les rats privés de sommeil REM pendant l'enfance deviennent des rats socialement en retrait et isolés à l'adolescence et l'âge adulte[2]. Au-delà des questions de cause à effet, pister les anomalies du sommeil représente un nouvel espoir de diagnostic précoce de l'autisme.

Que les mères enceintes ne s'inquiètent pas : aucun scientifique ne viendra interrompre le sommeil REM de leur fœtus en développement. L'alcool peut toutefois être à l'origine d'une suppression similaire de sommeil REM. C'est même l'un des suppresseurs de sommeil REM les plus puissants que nous connaissions. Nous expliquerons dans les chapitres suivants comment l'alcool bloque la génération du sommeil REM, et quelles sont les conséquences de ce blocage sur les adultes. Mais concentrons-nous pour l'instant sur l'impact de l'alcool sur le sommeil du fœtus en développement et du nouveau-né.

L'alcool consommé par la mère traverse sans peine la barrière du placenta pour venir pénétrer le fœtus. Sachant cela, les scientifiques ont choisi d'étudier

---

1. G. Vogel et M. Hagler, « Effects of neonatally administered iprindole on adult behaviors of rats », *Pharmacology Biochemestry and Behavior*, 55(1), 1996, 157-161.

2. *Ibid.*

d'abord le scénario extrême : les mères alcooliques ou buvant beaucoup pendant leur grossesse. Peu de temps après la naissance, le sommeil de ces nouveau-nés est évalué au moyen d'électrodes placées délicatement sur leur tête. Les bébés de mère buvant beaucoup dorment beaucoup moins longtemps d'un sommeil REM actif que les bébés du même âge nés de mères qui ne boivent pas pendant leur grossesse.

Les électrodes racontent ensuite une histoire physiologique encore plus inquiétante. Les nouveau-nés de mères buvant beaucoup ne présentent pas la même qualité électrique de sommeil REM. Souvenez-vous du chapitre 3 : le sommeil REM s'illustre dans des ondes cérébrales délicieusement chaotiques – ou désynchronisées : forme vive et saine de l'activité électrique. Toutefois, les enfants de mères buvant beaucoup présentent une réduction de 200 % de cette activité électrique vibrante par rapport aux enfants nés de mères non consommatrices d'alcool. Plutôt, les bébés de mères buvant beaucoup émettent un schéma d'ondes cérébrales bien plus stationnaire sur ce point[1]. Si vous vous demandez si les études épistémologiques démontrent ou non l'existence d'un lien entre la consommation d'alcool pendant la grossesse et l'augmentation pour l'enfant des risques de contracter

1. V. Havlicek, R. Childiaeva et V. Chernick, « EEG frequency spectrum characteristics of sleep states in infants of alcoholic mothers », *Neuropediatrics*, 8(4), 1977, 360-373. Voir aussi S. Loffe, R. Childiaeva et V. Chernick, « Prolonged effects of maternal alcohol ingestion on the neonatal electroencephalogram », *Pediatrics*, 74(3), 1984, 330-335.

une maladie neuropsychiatrique, dont l'autisme, la réponse est oui[1].

Heureusement, la plupart des femmes enceintes aujourd'hui n'ont pas une consommation excessive d'alcool pendant leur grossesse. Mais qu'en est-il du cas plus répandu de la femme enceinte buvant occasionnellement un verre de vin ou deux pendant sa grossesse ? Grâce à une méthode non intrusive de lecture du rythme cardiaque, à laquelle on ajoute une mesure par ultrasons des mouvements du corps, des yeux et de la respiration, nous sommes désormais capables de déterminer les phases basiques du sommeil NREM et REM du fœtus dans le ventre de la mère. Au moyen de ces outils, un groupe de chercheurs a étudié le sommeil de fœtus quelques semaines avant leur naissance. Leurs mères ont été évaluées pendant deux jours consécutifs. Le premier, elles ont bu des liquides sans alcool. Le deuxième, elles ont bu environ deux verres de vin (la quantité totale était calculée en fonction de leur poids). L'alcool a réduit significativement le temps de sommeil REM des fœtus en comparaison de la journée sans alcool.

Cet alcool dégrade également l'intensité du sommeil REM du fœtus, selon la mesure standard du nombre de pics de mouvements rapides des yeux pendant le cycle de sommeil REM. En outre, ces futurs bébés présentent un creux respiratoire marqué pendant le sommeil REM, passant d'une vitesse de respiration de 381 par heure

---

1. A. Ornoy, L. Weinstein-Fudim et Z. Ergaz, « Prenatal factors associated with autism spectrum disorder (ASD) », *Reproductive Toxicology*, 56, 2015, 155-169.

pendant un sommeil naturel à 4 par heure lorsque le fœtus est inondé par l'alcool[1].

Outre la consommation d'alcool pendant la grossesse, il faut mentionner ici la phase d'allaitement. Presque la moitié des femmes allaitant dans les pays occidentaux consomment de l'alcool pendant cette période. L'alcool est facilement absorbé par le lait maternel, les concentrations d'alcool y sont équivalentes à celles qu'on trouve dans le sang de la mère : un degré de 0,08 d'alcool dans le sang d'une mère correspond à environ 0,08 dans le lait maternel[2]. Nous avons récemment découvert quels sont les effets sur le sommeil du bébé de la présence d'alcool dans le lait maternel.

Les nouveau-nés tombent habituellement dans un sommeil REM directement après avoir été nourris. De nombreuses mères le savent déjà : presque aussitôt après qu'il a cessé de téter, parfois même avant, le bébé ferme ses paupières et ses yeux commencent à osciller de gauche à droite sous elles, signe qu'il se nourrit désormais de sommeil REM. On croyait autrefois qu'un bébé dormait mieux si sa mère avait bu une boisson alcoolisée avant de le nourrir : la boisson préconisée par cette ancienne légende était la bière. Amateurs de bière, sachez que ce n'est malheureusement qu'un

---

1. E. J. Mulder, L. P. Morssink, T. van der Schee et G. H. Visser, « Acute maternal alcohol consumption disrupts behavioral state organization in the near-term fetus », *Pediatric Research*, 44(5), 1998, 774-779.

2. Sans parler du sommeil, l'alcool inhibe le réflexe de montée du lait, entraînant une chute temporaire du rendement laitier.

mythe. Plusieurs études ont consisté à ajouter dans le lait maternel des saveurs non alcoolisées comme la vanille, ou un taux contrôlé d'alcool (l'équivalent d'un ou deux verres consommés par la mère). Lorsque les bébés consomment du lait mélangé à de l'alcool, leur sommeil est plus fragmenté, ils passent plus de temps réveillés et peu de temps après perdent 20 % à 30 % de sommeil REM[1]. Souvent, les bébés essaient même de récupérer un peu de ce sommeil manquant une fois qu'ils ont évacué l'alcool de leur système sanguin, mais l'entreprise reste délicate pour leurs systèmes élémentaires.

Toutes ces études montrent que le sommeil REM en début de vie ne doit pas être en option. Il est obligatoire. Chaque heure de sommeil REM compte, comme le prouvent les tentatives désespérées du fœtus ou du nouveau-né de rattraper leur manque de sommeil REM[2]. Malheureusement, nous ne comprenons pas encore

---

1. J. A. Mennella et P. L. Garcia-Gomez, « Sleep disturbances after acute exposure to alcohol in mother's milk », *Alcohol*, 25(3), 2001, 153-158. Voir aussi J. A. Mennella et C. J. Gerish, « Effects of exposure to alcohol in mother's milk on infant sleep », *Pediatrics*, 101(5), 1998, E2.

2. Bien que non directement lié à la quantité ou à la qualité de sommeil, le fait que la mère consomme de l'alcool avant de dormir à côté de son bébé (du lit au canapé) multiplie par six ou sept les risques du syndrome de mort subite du nourrisson (SMSN) par rapport aux cas où les mères n'ont pas bu d'alcool. Voir P. S. Blair, P. Sidebotham, C. Evason-Coombe *et al.*, « Hazardous cosleeping environnements and risk factors amenable to change: Case-control study of SIDS in Southwest England », *BMJ*, 339, 2009, b3666.

pleinement les effets sur le long terme de l'interruption de sommeil REM chez le fœtus ou le nouveau-né déclenchée par l'alcool ou autre. Nous savons seulement que bloquer ou réduire le sommeil REM chez les animaux nouveau-nés entrave ou déforme le développement du cerveau, créant des adultes socialement inadaptés.

Le sommeil de l'enfant

La différence sans doute la plus évidente et la plus troublante (pour les nouveaux parents) entre le sommeil du bébé et celui des jeunes enfants et des adultes est le nombre de phases de ce sommeil. Contrairement au schéma de sommeil simple et monophasique observé chez les adultes des nations industrialisées, le sommeil des bébés et des jeunes enfants est polyphasique : plusieurs courtes phases de sommeil s'enchaînent au cours du jour et de la nuit, ponctuées par de nombreux réveils, souvent sonores.

Rien n'illustre mieux ni plus drôlement ce fait que le court ouvrage de comptines rédigé par Adam Mansbach, intitulé *Go the F**k to Sleep* (« Fais dodo, bordel »), livre de toute évidence destiné aux adultes. Mansbach l'a écrit alors qu'il venait d'être père et qu'il était, comme de nombreux jeunes parents, excédé par les réveils constants de son enfant : le profil polyphasique du sommeil infantile. Devoir sans cesse s'occuper de sa petite fille en l'aidant à se rendormir encore et encore, nuit après nuit, l'a tant exaspéré qu'il lui a fallu trouver un moyen d'exprimer sa tendre rage refoulée. Ses pages blanches ont ainsi accueilli un déferlement de rimes comiques fictivement lues à sa fille, sur des thèmes que connaissent bien les jeunes parents. « Un dernier livre je vais te lire/Si tu me promets, bordel, que tu vas dormir. » (Je vous engage à écouter la version audio du livre, lu à la perfection par l'acteur sensationnel qu'est Samuel L. Jackson.)

Heureusement pour tous les jeunes parents (Mansbach inclus), plus l'enfant grandit, plus ses tronçons de sommeil se réduisent en nombre, et deviennent plus longs et plus stables[1]. C'est le rythme circadien qui explique ce changement. Si les zones du cerveau génératrices de sommeil sont mises en place bien avant la naissance, il faut un temps considérable pour que l'horloge de vingt-quatre heures contrôlant le rythme circadien – le noyau suprachiasmatique – se développe. Il faut attendre l'âge de trois ou quatre mois pour que le nouveau-né montre quelques signes de soumission au rythme journalier. Lentement, le noyau suprachiasmatique commence à se fixer sur la répétition de signaux tels que la lumière du jour, les changements de température et l'alimentation

---

1. Voir leur bébé ou leur jeune enfant être en mesure de faire ses nuits est le souci – ou sans doute, pour le dire mieux, l'obsession absolue – de nombreux jeunes parents. Un nombre incalculable de livres sont consacrés aux meilleures pratiques en matière de sommeil du bébé et de l'enfant. Si cet ouvrage ne cherche pas à donner une vision globale sur cette question, je vous recommande de toujours coucher votre enfant lorsqu'il est somnolent plutôt qu'une fois qu'il est endormi. Les bébés comme les enfants sont ensuite ainsi bien plus à même de savoir se calmer seuls le soir et se rendormir sans avoir besoin de la présence des parents.

(si l'organisation des repas est structurée), établissant un rythme de vingt-quatre heures plus marqué.

À l'âge clé d'un an, l'horloge du noyau suprachiasmatique de l'enfant a pris les rênes directionnelles du rythme circadien. L'enfant passe donc désormais la majeure partie de la journée éveillé, faisant de nombreuses siestes, mais il est aussi, heureusement, endormi la majeure partie de la nuit. Les tronçons hasardeux de sommeil et d'éveil autrefois éparpillés entre le jour et la nuit ont en grande partie disparu. À quatre ans, c'est le rythme circadien qui ordonne principalement le sommeil, avec une longue phase de sommeil pendant la nuit, habituellement augmentée d'une seule sieste dans la journée. L'enfant passe à cette étape d'un schéma de sommeil polyphasique à un schéma de sommeil biphasique. À la fin de l'enfance, le schéma moderne monophasique est enfin en place.

Cet établissement progressif d'une rythmicité stable dissimule une lutte de pouvoir haletante entre les sommeils NREM et REM. Si la quantité de sommeil décline progressivement à partir de la naissance, en même temps que ce sommeil devient de plus en plus stable et solide, le rapport du temps passé en sommeil NREM et en sommeil REM ne décline pas avec la même stabilité.

Sur les quatorze heures journalières de sommeil d'un bébé de six mois, la moitié est consacrée au sommeil NREM et l'autre au sommeil REM. Or un enfant de cinq ans partage ses onze heures de sommeil quotidiennes entre 70 % de sommeil NREM et 30 % de sommeil REM. En d'autres termes, la proportion de sommeil REM *baisse* au début de l'enfance, tandis que celle de sommeil NREM *augmente*, même si la quantité générale de sommeil se réduit. La baisse de la phase de sommeil REM et la hausse de sommeil NREM se poursuivent au cours des petites et moyennes enfances. L'équilibre finit par se stabiliser sur un rapport 80/20 entre NREM et REM à la fin de l'adolescence, et se maintient du début à la moitié de l'âge adulte.

Sommeil et adolescence

Pourquoi dormons-nous autant de temps d'un sommeil REM dans le ventre de notre mère et pendant les premiers moments de notre vie, alors qu'à la fin de l'enfance et au début de l'adolescence nous passons sous la domination du sommeil NREM ? C'est le même schéma qui apparaît lorsque nous mesurons l'intensité des ondes cérébrales du sommeil profond : baisse d'intensité du sommeil REM pendant la première année de vie, mais augmentation exponentielle de l'intensité du sommeil profond NREM à la moitié et la fin de l'enfance, atteignant son pic juste avant la puberté, puis nouvelle baisse. Qu'y a-t-il de si spécial dans ce sommeil profond à cette période de transition ?

Avant la naissance et peu de temps après, le défi du développement est de créer et d'ajouter un grand nombre de voies et d'interconnexions neuronales pour former le cerveau primitif. Comme nous l'avons dit, le sommeil REM joue un rôle essentiel dans ce processus de multiplication, puisqu'il établit la connectivité neuronale dans les différentes zones du cerveau et active ces passages en leur fournissant une bande passante solide remplie d'informations.

Toutefois, la première phase de branchement étant délibérément trop généreuse, une deuxième phase de remodelage doit avoir lieu. Elle se déroule à la fin de l'enfance et pendant l'adolescence. L'objectif architectural n'est plus ici d'augmenter, mais de réduire, pour atteindre une plus grande efficacité. La période d'ajout de connexions cérébrales à l'aide du sommeil REM est achevée. C'est désormais l'élagage qui est à l'ordre du jour, ou plutôt, devrais-je dire, de la nuit. La main sculpteuse du sommeil NREM fait alors son entrée.

L'image du fournisseur d'accès Internet s'avère de nouveau utile. Lors de la première installation du réseau, chaque maison du nouveau quartier reçoit le même débit de connexion, donc le même potentiel d'utilisation. C'est toutefois une solution inefficace sur le long terme, puisque certaines de ces maisons deviennent avec le temps de grandes consommatrices, tandis que d'autres consomment très peu. Certaines peuvent même rester vides, sans jamais utiliser aucun débit. Pour estimer la demande avec fiabilité, le fournisseur d'accès Internet doit prendre le temps de réunir des statistiques d'utilisation. C'est seulement après un certain laps de temps qu'il peut prendre une décision bien informée sur la façon d'améliorer la structure originelle du réseau mis en place, en diminuant la connexion de certaines maisons qui l'utilisent peu, tout en l'augmentant dans d'autres où la demande est forte. La refonte du réseau n'est pas totale, la majeure partie de la structure originale restant en place. Le fournisseur d'accès Internet ayant déjà réalisé de nombreuses installations, il se fait tout de même une idée sensée de la façon dont doit être établie cette première ouverture du réseau. Mais il faut malgré cela effectuer une restructuration et un élagage en fonction de l'utilisation pour donner au réseau son efficacité maximale.

Le cerveau humain connaît pendant la fin de l'enfance et l'adolescence une transformation similaire, déterminée par l'utilisation que nous en faisons. La majeure partie de la structure d'origine mise en place pendant les premiers moments de la vie est maintenue, car Mère Nature sait aujourd'hui installer dans le cerveau des branchements assez précis, suite aux milliards de tentatives qu'elle a effectuées au cours des milliers d'années d'évolution. Mais en sculptant ce cerveau générique, elle laisse sagement certaines choses en suspens dans le but d'une amélioration personnalisée. Les expériences uniques vécues par l'enfant pendant ses années de formation constituent un ensemble de statistiques d'utilisation personnelle. Tirant parti de l'opportunité qu'offre la nature, ces expériences, ou ces statistiques, fournissent le plan sur mesure de la dernière étape d'amélioration[1] du cerveau. Le cerveau générique, d'une certaine façon, s'individualise en fonction de l'utilisation particulière qu'en fait son propriétaire.

Pour renforcer cette amélioration et cet élagage des connexions, le cerveau a recours aux services du sommeil NREM profond. Parmi les nombreuses fonctions

---

1. Même si le degré de connectivité du réseau neuronal baisse au cours du développement, la taille physique de nos cellules cérébrales, donc de notre cerveau et de notre tête, augmente.

qu'il endosse – dont nous donnerons la liste complète dans le chapitre suivant – figure l'élagage des synapses, proéminent pendant l'adolescence. Par une remarquable série d'expérimentations, le pionnier de la recherche sur le sommeil, Irwin Feinberg, a fait une découverte fascinante sur le déroulement de cet élagage dans le cerveau de l'adolescent, venant confirmer la véracité d'une opinion que vous partagez sans doute : les adolescents disposent d'une version moins rationnelle du cerveau que les adultes, en ce qu'ils prennent plus de risques et savent relativement mal prendre les décisions.

Au moyen d'électrodes placées sur l'ensemble de la tête – à l'avant et à l'arrière, à gauche et à droite –, Feinberg a décidé d'enregistrer le sommeil d'un vaste groupe d'enfants de six à huit ans. Il les faisait entrer tous les six ou douze mois dans son laboratoire pour effectuer de nouvelles mesures, amassant pendant dix ans plus de trois mille cinq cents analyses de nuits entières, pour un total à peine croyable de trois cent vingt mille heures d'enregistrement ! Partant de cela, il a créé une série de photos instantanées décrivant les variations d'intensité du sommeil au fil des différentes étapes de développement du cerveau, pendant la phase souvent étrange du passage de l'adolescence à l'âge adulte. C'est l'équivalent en neuroscience des prises de vues accélérées dans la nature : prendre des images répétées d'un arbre lorsqu'il bourgeonne au printemps (petite enfance), lorsque ses feuilles se déploient à l'été (fin de l'enfance), lorsqu'il prend des couleurs à l'automne (début de l'adolescence), et lorsqu'il finit par perdre ses feuilles en hiver (fin de l'adolescence et début de l'âge adulte).

Pendant la moitié et la fin de l'enfance, Feinberg a observé une quantité modérée de sommeil profond lors des derniers sursauts de formations neuronales, équivalents de la fin du printemps et du début de l'été. Il a ensuite constaté dans ses enregistrements électriques une montée nette de l'intensité du sommeil profond, au moment précis où le développement supprime des connexions cérébrales au lieu d'en ajouter : l'équivalent de l'automne pour les arbres. Au moment du passage de la maturité automnale à l'hiver, quand la suppression est presque complète, les enregistrements indiquent un net recul de l'intensité du sommeil NREM. Le cycle de vie de l'enfance est terminé, et tandis que les dernières feuilles tombent, les neurones des adolescents se retrouvent sur une voie sécurisée, le sommeil NREM profond ayant aidé leur transition vers le début de l'âge adulte.

Selon Feinberg, la hausse et la baisse d'intensité du sommeil profond permettent de mener la maturation à bien dans les hauteurs incertaines de l'adolescence, pour un passage assuré vers l'âge adulte. De récentes découvertes sont venues appuyer cette théorie. Lorsque le sommeil NREM profond apporte au cerveau ses derniers remaniements et raffinements pendant l'adolescence, les capacités cognitives, le raisonnement et la pensée critique connaissent une amélioration proportionnelle au changement de sommeil NREM. On remarque un phénomène encore plus intéressant lorsqu'on observe de plus près les relations temporelles entre les deux. Les changements de sommeil NREM profond précèdent toujours de plusieurs semaines ou mois la phase de développement cognitif cérébral, ce qui indique le sens de l'influence : *c'est le sommeil profond qui est une force motrice pour la maturation du cerveau, pas l'inverse.*

Feinberg a fait une seconde découverte essentielle. La chronologie des variations d'intensité du sommeil profond n'était pas la même selon les diverses électrodes placées sur la tête. Le schéma montée/descente de la maturation commence à l'arrière du cerveau, zone des perceptions visuelle et spatiale, et progresse de manière constante vers l'avant au cours de l'adolescence. Plus frappant encore, le trajet de maturation prend fin à l'extrémité du lobe frontal, foyer de la pensée rationnelle et de la prise de décision critique. Dans cette fenêtre temporelle de développement, l'arrière du cerveau d'un adolescent ressemble donc plus à celui d'un adulte que l'avant, qui reste similaire à celui d'un enfant[1].

Ces découvertes expliquent pourquoi la rationalité est l'un des derniers éléments à se développer chez les

1. À propos de la suppression des synapses dans le cerveau de l'adolescent, je me dois de souligner que de nombreux renforcements s'y produisent toutefois encore (et également dans le cerveau adulte) au sein des circuits restants, par le biais des diverses ondes cérébrales du sommeil, ce que nous évoquerons dans le chapitre suivant. Gardons notamment en tête que la capacité à apprendre et retenir, donc à intégrer de nouveaux souvenirs, se maintient même sur fond de la baisse générale de connexions survenant à la fin du développement. Le cerveau de l'adolescent reste toutefois moins malléable ou plastique que celui des jeunes enfants, en témoigne la facilité avec laquelle ces derniers apprennent une seconde langue, par comparaison avec les adolescents.

adolescents, puisqu'elle réside dans la dernière zone du cerveau à bénéficier de la maturation que soutient le sommeil. Le sommeil n'est sans doute pas le seul facteur de maturation du cerveau, mais il en est un signifiant, pavant la route de la pensée mature et des capacités de raisonnement. L'étude de Feinberg me fait penser au panneau publicitaire d'une grande compagnie d'assurances qui disait : « Pourquoi la plupart des ados de seize ans conduisent-ils comme s'il leur manquait une partie du cerveau ? Parce que c'est le cas. » Il faut un sommeil profond et le temps du développement pour accomplir la maturation neuronale venant combler ce « fossé » du lobe frontal. Vous pouvez donc dire merci au sommeil lorsque vos enfants atteignent finalement vingt-cinq ans et que le prix de votre assurance voiture premium diminue.

La relation entre l'intensité du sommeil profond et la maturation du cerveau décrite par Feinberg a désormais été observée parmi de nombreuses populations d'enfants et d'adolescents du monde entier. Toutefois, comment être certain que le sommeil profond assure effectivement l'élagage neuronal nécessaire à la maturation du cerveau ? Les variations de sommeil et la maturation du cerveau ont lieu au même moment, mais peut-être sont-elles indépendantes ?

La réponse vient d'études réalisées sur de jeunes rats et chats, au stade équivalent de l'adolescence chez les humains. Lorsque les scientifiques privent ces animaux de sommeil profond, ils suspendent l'étape de maturation qui améliore les connexions cérébrales : cela prouve que le sommeil NREM profond est bien en cause dans le passage normal du cerveau à l'âge adulte[1]. Fait inquiétant, administrer de la caféine à de jeunes rats perturbe le sommeil profond, différant de nombreux procédés de maturation dans le cerveau mais aussi le développement de l'activité sociale de l'individu, de son aptitude à faire sa toilette de façon autonome et à explorer son environnement – procédés d'apprentissage motivé[2].

Reconnaître l'importance du sommeil NREM profond chez les adolescents a permis de mieux comprendre les normes du développement et fourni des indications sur ses anomalies. La plupart des grands troubles psychiatriques, tels que la schizophrénie, les troubles bipolaires, la dépression majeure et le trouble du déficit de l'attention avec hyperactivité sont désormais considérés comme les troubles résultant d'un développement anormal puisqu'ils émergent généralement pendant l'enfance et l'adolescence.

Nous reviendrons sur la question du sommeil et des maladies psychiatriques à plusieurs reprises au fil des pages de cet ouvrage, mais la schizophrénie mérite qu'on s'y attarde à ce moment précis. Plusieurs études ont observé le développement neuronal à partir de scanners du cerveau, tous les deux mois, chez une centaine de jeunes adolescents. Une proportion de ces individus a développé une schizophrénie à la fin de

---

1. M. G. Frank, N. P. Issa et M. P. Stryker, « Sleep enhances plasticity in the developing visual cortex », *Neuron*, 30(1), 2001, 275-287.

2. N. Olini, S. Kurth et R. Huber, « The effects of caffeine on sleep and maturational markers in the rat », *PLOS ONE*, 8(9), 2013, e72539.

l'adolescence et au début de l'âge adulte. Ils présentaient un schéma anormal de maturation du cerveau associé à un élagage des synapses, notamment dans les régions du lobe frontal, foyer des pensées rationnelles et logiques – l'incapacité à les mettre en place étant l'un des symptômes majeurs de la schizophrénie. Diverses séries d'études ont également permis d'observer que, chez les individus jeunes, présentant un risque élevé de développer une schizophrénie, ainsi que chez les adolescents et les jeunes adultes schizophrènes, la quantité de sommeil profond NREM est deux à trois fois moins importante. En outre, chez les individus affectés, les ondes cérébrales électriques du sommeil NREM ne présentent ni une forme ni un nombre normaux. L'élagage défaillant des connexions cérébrales chez les schizophrènes lié à des troubles du sommeil représente aujourd'hui un domaine de recherche particulièrement actif et enthousiasmant dans le domaine des maladies psychiatriques[1].

Les adolescents doivent relever deux autres douloureux défis dans leur lutte pour obtenir assez de sommeil au cours du développement de leur cerveau. Le premier est le changement de leur rythme circadien, et le second l'heure matinale du début des cours. J'évoquerai les effets néfastes, voire mortels, de ce point dans le dernier chapitre, mais les complications engendrées par cette précocité des horaires de cours sont intrinsèquement

1. M. F. Profitt, S. Deurveilher, G. S. Robertson, B. Rusak et K. Semba, « Disruptions of sleep/wake patterns in the stable tubule only polypeptide (STOP) null mouse model of schizophrenia », *Schizophrenia Bulletin*, 42(5), 2016, 1207-1215.

liées au premier point, le changement du rythme circadien. Il nous est souvent arrivé pendant notre enfance de vouloir rester éveillé tard pour regarder la télévision ou rester avec nos parents et frères et sœurs plus âgés, quelle que soit leur activité pour la soirée. Lorsqu'on nous y autorisait, le sommeil l'emportait pourtant souvent sur nous, dans le canapé, le fauteuil, ou parfois à même le sol. Nos proches restés éveillés nous portaient alors jusqu'au lit, endormi et inconscient. Ce n'est pas simplement parce que les enfants ont besoin de plus de sommeil que leurs parents ou leurs frères et sœurs, c'est aussi que le rythme circadien d'un jeune enfant suit un programme décalé. Les enfants s'endorment et se réveillent donc plus tôt que leurs parents.

Les adolescents ont un rythme circadien différent de celui de leurs jeunes frères et sœurs. À la puberté, la temporalité du noyau suprachiasmatique se décale progressivement vers l'avant : c'est une évolution commune à tous les adolescents, quelles que soient leur culture ou leur situation géographique. Elle se décale tellement, en réalité, qu'elle dépasse même celle de leurs parents.

Le rythme circadien d'un enfant de neuf ans l'amène à s'endormir vers neuf heures du soir, la montée de mélatonine se produisant à ce moment. Lorsque le même individu a atteint l'âge de seize ans, les cycles de son rythme circadien connaissent une avancée spectaculaire. La montée de mélatonine indiquant qu'il fait noir et que le sommeil arrive a lieu bien plus tard. Par conséquent, l'adolescent de seize ans n'a aucune envie de dormir à neuf heures. Il connaît au contraire à cette heure un pic d'*éveil*. Quand les parents commencent à ressentir la fatigue puisque leurs rythmes circadiens sont plus précoces, recevant les instructions de sommeil de la mélatonine vers dix ou onze heures du soir, leurs adolescents peuvent être toujours pleinement réveillés. Il faut encore quelques heures avant que le rythme circadien du cerveau adolescent perde de sa vivacité pour laisser place à un sommeil sûr et solide.

C'est bien sûr une source d'angoisse et de frustration pour les différentes parties impliquées quand arrive la fin du sommeil. Les parents veulent que leur adolescent se réveille à une heure « raisonnable » mais, de l'autre côté, les adolescents ne pouvant s'endormir que plusieurs heures après leurs parents peuvent se trouver en plein dans le creux du rythme circadien. Comme un animal que l'on arrache prématurément à l'hibernation, l'adolescent a besoin de plus de sommeil et de plus de temps pour achever son cycle circadien et pouvoir agir efficacement, avec les idées claires.

Ce décalage reste déroutant pour les parents, mais il est possible de l'envisager et peut-être de l'apprécier autrement : du point de vue du rythme circadien, exiger de votre adolescent ou votre adolescente qu'il ou elle aille dormir à vingt-deux heures revient à vous demander à vous, parents, d'aller au lit à sept ou huit heures du soir. Vous avez beau donner l'ordre en haussant la voix et votre adolescent désirer vous obéir sagement, malgré toute la bonne volonté de chacune des parties, le rythme circadien de l'adolescent ne se laisse pas amadouer par miracle. En outre, demander à ce même adolescent de se réveiller à sept heures le matin suivant pour se comporter avec intelligence, grâce et bonne humeur revient à vous demander à vous, parent, de le faire à quatre ou cinq heures du matin.

Malheureusement, ni la société ni notre attitude en tant que parents ne sont faites pour considérer ou accepter que les adolescents ont besoin de plus de sommeil que les adultes, et qu'ils sont biologiquement programmés pour trouver ce sommeil à un autre moment que leurs parents. Il est très compréhensible que des parents se sentent frustrés sur ce point, puisqu'ils considèrent que les schémas de sommeil de leurs enfants sont les reflets de choix conscients et non de lois biologiques. Ce sont pourtant des schémas non volontaires, non négociables et vigoureusement biologiques. En tant que parents, nous serions sages d'accepter ce fait, de l'encourager et de le louer, de peur que nos enfants souffrent d'anomalies du développement cérébral ou augmentent leur risque de développer une maladie mentale.

Les choses ne seront pas toujours ainsi pour les adolescents. Lorsqu'ils passent du début au milieu de l'âge adulte, leur programme circadien recule petit à petit dans le temps. Il ne retrouve pas totalement la temporalité de l'enfance, mais effectue un retour à un planning précédent, ce qui, ironiquement, mène ces mêmes (désormais) adultes aux mêmes frustrations et mécontentements avec leurs propres enfants. À cette étape, ces parents ont oublié (ou choisi d'oublier) qu'eux aussi ont été des adolescents voulant se coucher bien plus tard que leurs parents.

Vous vous demandez peut-être pourquoi le cerveau adolescent commence par avancer son rythme circadien, restant éveillé tard et refusant de se lever tôt, pour revenir à l'âge adulte à un rythme de sommeil et d'éveil suivant un timing plus précoce. Si l'étude de la question est toujours en cours, je propose une explication selon une perspective socio-évolutive.

Le passage de la dépendance à l'indépendance par rapport aux parents est l'objectif central du développement de l'adolescent, qui doit également apprendre à gérer les complexités des relations et interactions avec ses pairs. Il se peut que Mère Nature ait aidé les adolescents à se détacher de leurs parents en faisant avancer dans le temps leur rythme circadien, le décalant par rapport à celui de leurs parents. Cette astuce biologique permet ingénieusement aux adolescents de vivre une phase tardive pendant laquelle ils se retrouvent à agir indépendamment durant plusieurs heures – en même temps que leurs pairs. Ils ne sont pas soustraits aux soins de leurs parents pour toujours ni totalement, mais c'est une tentative sécurisée de dérober en partie ces futurs adultes au regard de leurs mère et père. Le risque existe, bien sûr, mais le passage doit se faire. Or le moment de la journée où ces adolescents indépendants déploient leurs ailes pour leur premier vol en dehors du nid parental est en réalité un moment de la nuit, en raison de cette fuite en avant du rythme circadien.

Nous continuons à en apprendre sur le rôle du sommeil dans le développement, mais il ne serait pas absurde de défendre le temps de sommeil des adolescents plutôt que de le dénigrer en le considérant comme un signe de paresse. En tant que parents, nous considérons souvent trop uniquement ce dont le sommeil prive nos adolescents, sans prendre le temps de réfléchir à ce qu'il leur apporte. La caféine est également remise en question. La politique éducative autrefois en vigueur aux États-Unis était la suivante : « Aucun enfant à la traîne. » En considérant les preuves scientifiques, ma collègue le Dr Mary Carskadon suggère avec pertinence de fonder une nouvelle politique : « Aucun enfant n'a besoin de caféine. »

Le sommeil vers la quarantaine et chez les personnes âgées

Comme vous, lecteur, l'avez sans doute appris à vos dépens, le sommeil des personnes âgées est plus problématique et perturbé. Les effets de certains médicaments parmi les plus consommés chez les adultes, mais également l'état de santé, font que les personnes âgées sont en moyenne moins capables que les jeunes adultes de trouver le sommeil, ou de dormir d'un sommeil réparateur.

L'idée que les personnes âgées ont tout simplement moins *besoin* de sommeil est un mythe. Elles semblent nécessiter autant de sommeil que les personnes de quarante ou cinquante ans, mais sont simplement moins capables de le générer (même s'il est par ailleurs nécessaire). De grands sondages ont affirmé et démontré que même si elles dorment moins, les personnes âgées confient qu'elles ont *besoin* et qu'elles *essaient* de fait d'obtenir autant de sommeil que les jeunes adultes.

D'autres découvertes scientifiques affirment que les personnes âgées ont autant besoin d'une pleine nuit de sommeil que les jeunes adultes. Je les évoquerai brièvement, mais permettez-moi auparavant de décrire les grandes détériorations du sommeil liées à l'âge, et d'expliquer en quoi ces découvertes infirment l'argument selon lequel les personnes âgées auraient besoin de moins de sommeil. Les trois changements clés sont les suivants : (1) quantité et qualité réduites, (2) efficacité réduite, (3) heure du sommeil déréglée.

La stabilisation postadolescence du sommeil NREM profond pendant la vingtaine ne reste pas effective très longtemps. Bientôt – plus tôt que ce que vous n'imaginez ou espérez – vient la grande récession du sommeil, dont le sommeil profond souffre particulièrement. Contrairement au sommeil REM, restant largement stable chez les adultes en milieu de vie, le déclin du sommeil NREM profond est en marche dès la fin de la vingtaine et le début de la trentaine.

Lorsque vous entamez votre quatrième décennie, une réduction nette de la quantité et de la qualité électrique de votre sommeil profond NREM se produit. Vous dormez moins, et les ondes cérébrales du sommeil profond NREM se font plus fines, moins puissantes et moins nombreuses. À la moitié et à la fin de votre quarantaine, vous avez perdu avec l'âge 60 % à 70 % de votre sommeil profond de jeune adolescent. À l'âge de soixante-dix ans, 80 % à 90 %.

Bien sûr, lorsque nous dormons la nuit et même lorsque nous nous réveillons le matin, la plupart d'entre nous ne savons pas estimer avec justesse la qualité électrique de notre sommeil. Ce qui signifie que bien souvent, les seniors vivent leurs dernières années sans avoir pleinement conscience du degré de dégradation de la quantité et de la qualité de leur sommeil profond.

C'est un point important, car il indique que les personnes âgées ne rattachent pas la détérioration de leur santé à celle de leur sommeil, alors que les scientifiques connaissent depuis des décennies les liens de cause à effet entre les deux. Ainsi, les seniors se plaignant de problèmes de *santé* demandent un traitement à leur généraliste, mais rarement de l'aide pour leurs problèmes de sommeil. Les généralistes n'ont par conséquent guère envie d'aborder les questions de sommeil en plus des autres problèmes de santé des personnes âgées.

Pour être clair, tous les problèmes médicaux liés à l'âge ne sont pas imputables à un mauvais sommeil, mais le lien entre les troubles de santé physiques et mentaux se développant avec l'âge et le défaut de sommeil est bien plus important que ce que nous – ou de nombreux médecins – pensons ou envisageons sérieusement. Une fois de plus, j'incite les personnes d'un certain âge soucieuses de leur sommeil à ne pas demander de pilules pour dormir, mais à explorer d'abord les possibilités d'interventions non pharmacologiques efficaces et scientifiquement prouvées que les médecins qualifiés en médecine du sommeil sont en mesure de fournir.

La seconde caractéristique de l'altération du sommeil avec l'âge, dont les personnes âgées sont plus conscientes, est la *fragmentation*. Plus nous vieillissons, plus nos réveils nocturnes sont fréquents. Il existe de nombreuses causes à cela, dont les interactions avec les médicaments et les maladies, mais la principale reste l'affaiblissement de la vessie. Les adultes d'un certain âge se rendent plus souvent aux toilettes la nuit.

Avaler moins de liquide à partir du milieu et de la fin de soirée peut aider, mais ce n'est pas la panacée.

En raison de la fragmentation de leur sommeil, les personnes d'un certain âge souffrent d'un manque d'efficacité de ce sommeil, définie par le pourcentage de temps pendant lequel un individu reste endormi au lit. Si vous passez huit heures au lit en dormant pendant ces huit heures, l'efficacité de votre sommeil est de 100 %. Si vous dormez seulement quatre heures sur ces huit heures, elle est de 50 %.

Les adolescents en bonne santé jouissent d'un sommeil à 95 % efficace. La plupart des médecins du sommeil considèrent qu'un sommeil de qualité doit atteindre une efficacité de 90 % ou plus. Chez les octogénaires, l'efficacité du sommeil baisse souvent en dessous de 70 % ou 80 %. C'est un pourcentage qui peut sembler raisonnable, jusqu'à ce que l'on comprenne ce que cela signifie : sur une période de huit heures passées au lit, l'individu en question reste éveillé pendant pas moins d'une heure à une heure et demie.

Un sommeil inefficace n'est pas anodin, comme en témoignent les études réalisées sur des dizaines de milliers de personnes âgées. Même en contrôlant des facteurs tels que l'indice de masse corporelle, le genre, la race[1], le passé de fumeur, la fréquence de l'exercice physique et le traitement médicamenteux, moins le sommeil d'un individu âgé est efficace, plus les risques de mortalité de cet individu sont élevés. Son état de

1. Très contesté en France, le concept de race reste largement utilisé aux États-Unis pour distinguer les personnes selon la couleur de leur peau. *(N.d.T.)*

santé empire, ses risques de souffrir de dépression augmentent. Il se sent moins énergique et ses fonctions cognitives diminuent. Cas typique : la perte de mémoire[1]. Tous les individus, quel que soit leur âge, présentent des troubles physiques, une santé instable, un degré d'alerte moindre et une mémoire défaillante en cas de troubles chroniques du sommeil. Le problème lorsqu'on vieillit est que les membres de la famille observent ces caractéristiques chez leurs proches âgés pendant la journée et diagnostiquent une démence, sans penser qu'un mauvais sommeil peut également être la cause de ces troubles. Tous les adultes âgés ayant des problèmes de sommeil ne sont pas atteints de démence, mais je décrirai dans le chapitre 7 les preuves montrant clairement comment et pourquoi un sommeil perturbé contribue à la démence en milieu et fin de vie.

Une conséquence plus immédiate mais tout aussi dangereuse de la fragmentation du sommeil chez les personnes âgées mérite d'être ici brièvement évoquée : les visites nocturnes aux toilettes et les risques de chute et fracture associés. Nous sommes souvent groggy lorsque nous nous réveillons pendant la nuit. Outre ce brouillard cognitif, il fait noir dans la pièce. Ajoutez à cela que lorsque vous êtes resté allongé au lit et que

---

1. D. J. FOLEY, A. A. MONJAN, S. L. BROWN, E. M. SIMONSICK *et al.*, « Sleep complaints among elderly persons: An epidemiologic study of three communities », *Sleep*, 18(6), 1995, 425-432. Voir aussi D. J. FOLEY, A. A. MONJAN, S. L. BROWN, E. M. SIMONSICK, R. B. WALLACE et D. G. BLAZER, « Incidence and remission of insomnia among elderly adults: An epidemiologic study of 6 800 persons over three years », *Sleep*, 22 (Suppl. 2), 1999, S366-372.

vous vous levez pour avancer, il arrive que votre sang, encouragé par la gravité, file de votre tête à vos jambes. Vous êtes alors comme étourdi, instable sur vos pieds. Ce dernier point se vérifie particulièrement chez les personnes âgées avec une mauvaise tension artérielle. Tous ces problèmes signifient qu'un individu plus âgé a bien plus de risques de trébucher, de tomber et de se casser les os pendant ses visites nocturnes aux toilettes. Les chutes et fractures augmentent la mortalité, accélérant significativement la fin de vie des personnes âgées. Vous trouverez en note de bas de page une liste d'astuces pour que les personnes âgées connaissent des nuits plus sûres[1].

Le troisième changement de sommeil survenant avec l'âge est celui de la *temporalité circadienne*. À l'inverse des adolescents, les seniors font souvent l'expérience d'une régression dans leur schéma de sommeil, allant se coucher de plus en plus tôt. La cause de ce phénomène est que la diffusion de la mélatonine et son pic interviennent plus tôt, ordonnant un début de sommeil précoce. Les restaurants des maisons de retraite sont conscients de cette évolution depuis bien longtemps, comme l'illustre (et l'exploite) le tarif préférentiel « dîne-tôt » qu'ils proposent.

---

1. Astuces pour un sommeil sécurisé des personnes âgées : 1) placez une lampe de chevet à portée de main, que vous pouvez allumer facilement ; 2) utilisez une lumière tamisée ou actionnée par le mouvement dans les salles de bains et les couloirs pour éclairer votre passage ; 3) supprimez les obstacles ou les tapis sur votre chemin vers la salle de bains, pour éviter de trébucher ou de tituber ; 4) gardez un téléphone à côté de votre lit, avec les numéros d'urgence en numérotation abrégée.

Les changements de rythme circadien liés à l'âge peuvent sembler sans dommage, mais ils sont la cause possible de nombreux troubles du sommeil (et de l'éveil) chez les personnes âgées. Il arrive souvent que ces dernières souhaitent rester éveillées plus tard le soir pour aller au théâtre ou au cinéma, avoir une vie sociale, lire ou regarder la télévision. En agissant ainsi, elles se retrouvent toutefois à se réveiller dans le canapé, sur un fauteuil de théâtre ou dans un siège inclinable, s'étant endormies par inadvertance en milieu de soirée. Le recul dans le temps de leur rythme circadien instruit par la diffusion précoce de mélatonine ne leur laisse pas le choix.

Ce qui pourrait paraître une somnolence sans danger est à l'origine d'une conséquence préjudiciable. Le petit somme de début de soirée suspend le précieux ressenti du besoin de sommeil et annule le pouvoir endormissant de l'adénosine régulièrement élaborée au fil de la journée. Plusieurs heures plus tard, lorsque cette personne âgée va se coucher pour tenter de s'endormir, elle ne ressent plus assez le sommeil pour le trouver vite ou le garder facilement pendant la nuit. Elle peut alors en tirer la conclusion suivante : « J'ai eu une insomnie. » Un somme en cours de soirée, que la plupart des personnes âgées ne considèrent pas comme une sieste, peut être la cause d'un sommeil difficile, mais pas d'une véritable insomnie.

Il s'ensuit le matin un problème aggravant : malgré les difficultés à trouver le sommeil le soir et la dette de sommeil contractée, chez de nombreuses personnes âgées, le rythme circadien – qui, comme vous l'avez appris au chapitre 2, opère indépendamment du système de ressenti du besoin de sommeil – commence sa montée vers quatre ou cinq heures du matin, imposant un avancement de programme typique des seniors. Les personnes âgées sont donc incitées à se réveiller tôt le matin, à mesure que le battement de tambour du rythme circadien se fait plus fort, tandis que, parallèlement, les espoirs de revenir au sommeil s'amenuisent.

Pour couronner le tout, la puissance du rythme circadien et la quantité de mélatonine diffusée pendant la nuit décroissent avec l'âge. Tous ces éléments mis bout à bout sont à l'origine d'un cycle auto-entretenu par lequel les seniors accumulent un manque de sommeil, essaient de rester éveillés tard le soir, s'assoupissent dans la soirée par inadvertance, peinent à s'endormir ou à rester endormis pendant la nuit et se réveillent en outre plus tôt que ce qu'ils souhaitent, en raison du décalage de leur rythme circadien.

Certaines méthodes permettent d'aider à décaler dans le temps le rythme circadien des personnes âgées et à le renforcer. Là encore, il n'existe malheureusement pas de solution parfaite ni totale. Les prochains chapitres traitent notamment de l'influence néfaste de la lumière artificielle sur le rythme circadien de vingt-quatre heures (la lumière claire). Le soir, la lumière annule la montée normale de mélatonine, renvoyant le temps moyen de début du sommeil aux premières heures du matin et empêchant toute possibilité de s'endormir à une heure raisonnable. Cet effet de délai du sommeil peut toutefois être mis à profit chez les personnes âgées s'il est correctement calculé. Puisqu'elles se réveillent tôt, de nombreuses personnes âgées sont physiquement actives le matin, donc exposées à la lumière claire avant tout pendant la première moitié de la journée. Or ce principe n'est pas idéal, car il renforce la précocité du cycle de montée et descente de l'horloge interne de vingt-quatre heures. Les personnes âgées souhaitant se coucher plus tard devraient s'exposer à la lumière claire plutôt en fin d'après-midi.

Je ne suis pas en train de dire que les personnes âgées doivent cesser de s'activer pendant la matinée, car l'exercice améliore le sommeil, surtout chez les plus âgés. Je propose plutôt deux modifications. Premièrement, portez des lunettes de soleil en cas d'activité de plein air le matin, pour réduire la pression de la lumière claire sur votre horloge suprachiasmatique, qui continuera sinon à vous faire vous lever de bonne heure. Deuxièmement, retournez dehors en fin d'après-midi pour vous exposer à la lumière du soleil, cette fois sans lunettes. Assurez-vous de porter une protection solaire quelconque, un chapeau par exemple, mais laissez vos lunettes à la maison. La riche lumière de fin d'après-midi repousse la diffusion de mélatonine, décalant ainsi l'heure du sommeil.

Certaines personnes âgées consultent également leur médecin pour prendre de la mélatonine le soir. Contrairement aux jeunes adultes ou aux adultes d'âge moyen, réceptifs à la mélatonine seulement en cas de décalage horaire, les personnes âgées peuvent l'utiliser pour stimuler leurs rythmes circadien et de mélatonine, par ailleurs affaiblis. C'est un moyen de réduire le temps nécessaire à l'endormissement, de renforcer l'impression d'avoir bien dormi et d'être plus vif pendant la matinée[1].

Les changements de rythme circadien liés au vieillissement, ainsi que les fréquentes visites aux toilettes permettent d'expliquer deux des trois problèmes nocturnes des personnes âgées : début et fin de sommeil précoces et fragmentation du sommeil. Ils n'expliquent toutefois pas le premier changement clé : la perte de quantité et de qualité du sommeil profond. Si les scientifiques sont conscients depuis des décennies de la perte néfaste de sommeil profond avec l'âge, la cause de ce phénomène reste hors d'atteinte : comment le processus de vieillissement prive-t-il si fortement le cerveau de cet état de sommeil essentiel ? Au-delà de la curiosité scientifique, c'est un problème clinique qui s'avère pressant pour les personnes âgées, étant donné l'importance du sommeil profond dans l'apprentissage et la mémoire, sans parler de la santé du corps, depuis les fonctions cardiovasculaires et respiratoires jusqu'à l'équilibre métabolique et énergétique, en passant par les défenses immunitaires.

En travaillant avec une équipe de jeunes chercheurs incroyablement douée, j'ai pu commencer il y a plusieurs années à étudier cette question et y répondre. Je me suis demandé si la cause du déclin du sommeil était liée à la détérioration structurelle complexe du cerveau survenant avec l'âge. Vous avez appris

---

1. A. G. Wade, I. Ford, G. Crawford *et al.*, « Efficacy of prolonged release melatonin in insomnia patients aged 55-80 years: Quality of sleep and next-day alertness outcomes », *Current Medical Research and Opinion*, 23(10), 2007, 2597-2605.

dans le chapitre 3 que les ondes cérébrales puissantes du sommeil NREM profond sont générées dans les régions frontales moyennes du cerveau, plusieurs centimètres au-dessus de l'arrête de votre nez. Nous savions déjà que le cerveau ne se détériore pas uniformément avec l'âge. Certaines parties commencent à perdre des neurones bien avant et beaucoup plus vite que d'autres – processus que l'on nomme « atrophie ». Après avoir effectué des centaines de scanners du cerveau et amassé presque un millier d'heures d'enregistrements de sommeil pendant des nuits entières, nous avons pu élaborer une réponse claire, en trois parties.

Premièrement, les zones du cerveau subissant la détérioration la plus dramatique avec l'âge sont malheureusement celles qui génèrent le sommeil profond : les zones frontales moyennes situées au-dessus de l'arête du nez. Lorsque nous superposons la carte des points chauds de la détérioration du cerveau chez les personnes âgées et celle des zones de génération du sommeil chez les jeunes adultes, elles se recoupent presque parfaitement. Deuxièmement, et sans surprise, les personnes âgées souffrent d'une perte de 70 % de sommeil profond par rapport aux jeunes adultes. Troisièmement, et c'est le plus important, nous avons découvert que ces changements n'étaient pas indépendants, mais significativement liés les uns aux autres : plus la zone spécifique frontale moyenne se détériore chez l'individu âgé, plus la perte de sommeil NREM profond est spectaculaire. Ma théorie se confirme tristement : les zones de notre cerveau responsables du bon sommeil profond sont les mêmes qui dégénèrent ou s'atrophient en premier et le plus sévèrement avec l'âge.

Au cours des années précédant ces recherches, mon équipe ainsi que de nombreuses autres dans le monde ont démontré l'importance du sommeil profond dans la cimentation de nouveaux souvenirs et la conservation de faits nouveaux chez les jeunes adultes. Nous avons par conséquent choisi d'apporter un élément nouveau à notre expérimentation. Plusieurs heures avant le coucher, les seniors étudiés ont appris par cœur une liste de faits nouveaux (associations de mots) pour passer peu de temps après un test de mémoire immédiate permettant d'évaluer les informations qu'ils avaient retenues. Le matin suivant, après avoir enregistré leur sommeil pendant la nuit, nous les avons testés une seconde fois pour déterminer la quantité de souvenirs emmagasinée par chacun pendant sa nuit de sommeil.

Les personnes âgées ont oublié bien plus de faits le matin que les jeunes adultes – la différence est de presque 50 %. En outre, les personnes âgées dont la perte de sommeil profond était la plus marquée étaient celles qui avaient oublié le plus d'éléments pendant la nuit. La baisse de mémoire et celle de sommeil avec l'âge ne sont donc pas fortuites, mais significativement liées. Ces découvertes permettent de porter un regard neuf sur les pertes de mémoire, bien trop communes chez les personnes âgées, comme la difficulté à se souvenir des noms ou d'un rendez-vous à l'hôpital.

Il est important de noter que l'étendue de la détérioration du cerveau chez les personnes âgées explique 60 % de leur incapacité à générer un sommeil profond. C'est une découverte utile, mais je considère que le plus important est d'expliquer les 40 % restants. Travaillant dur en ce sens, nous avons récemment identifié un facteur : une protéine poisseuse et toxique développée dans le cerveau, appelée « bêta-amyloïde », cause clé de la maladie d'Alzheimer – nous évoquerons cette découverte dans les prochains chapitres.

Plus généralement, ces études et d'autres similaires ont confirmé que le manque de sommeil est l'un des facteurs les plus sous-estimés de la santé cognitive et médicale des personnes âgées, notamment des problèmes de diabète, de dépression, de douleurs chroniques, d'attaques et de maladies cardiovasculaires, ainsi que de la maladie d'Alzheimer.

Nous voilà donc dans l'obligation de développer urgemment de nouvelles méthodes capables de restaurer un sommeil profond stable et de qualité chez les personnes âgées. Exemple prometteur : nous avons élaboré des méthodes de stimulation du cerveau, dont la stimulation électrique contrôlée à injection nocturne. Comme une chorale soutenant son soliste, notre but est de chanter (stimuler) électriquement en harmonie avec les ondes cérébrales malades des personnes âgées, amplifiant la qualité de leurs ondes cérébrales profondes pour sauver les bienfaits du sommeil sur la santé et la mémoire.

Nos premiers résultats semblent relativement prometteurs, mais il reste encore beaucoup de travail. Si elles se répètent, nos découvertes peuvent également discréditer la croyance ancienne évoquée plus tôt selon laquelle les adultes âgés auraient moins besoin de sommeil. Cette légende s'est fondée sur des observations qui suggèrent, selon certains scientifiques, qu'un octogénaire, par exemple, a moins besoin de sommeil qu'un cinquantenaire. Leurs arguments sont les suivants : premièrement, si l'on prive une personne âgée de sommeil, son temps de réponse à une tâche basique n'est pas aussi altéré que celui d'un adulte plus jeune. Deuxièmement, les personnes âgées génèrent moins de sommeil que les jeunes adultes, et on peut donc en déduire qu'elles ont moins besoin de sommeil. Troisièmement, les personnes âgées ne connaissent pas de sursaut de sommeil aussi marqué que celui des jeunes adultes après une nuit de privation. Ce qui incite à en conclure que les seniors ont moins besoin de sommeil, puisqu'ils cherchent moins à le récupérer.

Il existe toutefois des explications alternatives. D'abord, il est risqué d'utiliser la performance comme mesure du besoin de sommeil chez les adultes plus âgés, puisque leur temps de réaction est déjà altéré par ailleurs. Pour le dire moins gentiment : en termes de dégradation, les personnes âgées ont moins à perdre. C'est ce que l'on nomme parfois l'« effet plancher », ce qui rend difficile l'évaluation du véritable impact du manque de sommeil sur la performance.

Ensuite, ce n'est pas seulement parce qu'une personne âgée dort moins ou qu'elle ne récupère pas beaucoup de sommeil après en avoir été privée qu'elle en a nécessairement *moins* besoin. Ce phénomène indique peut-être simplement qu'elle ne peut pas physiologiquement *générer* le sommeil dont elle a par ailleurs besoin. Prenez pour exemple comparatif la densité des os, plus faible chez les personnes âgées que chez les jeunes adultes. Nous ne supposons pas que les personnes âgées ont besoin d'os plus faibles parce que leur densité osseuse est réduite. Et si leurs os sont plus faibles, nous ne pensons pas que c'est simplement parce qu'elles ne récupèrent pas leur densité osseuse et ne se remettent pas aussi vite que les jeunes adultes après une fracture ou une cassure. Nous comprenons bien plutôt que leurs os, comme les centres du cerveau générateurs de sommeil, se détériorent avec l'âge, et acceptons que cette dégénérescence soit la cause de nombreux problèmes de santé. Nous leur proposons par conséquent des suppléments alimentaires, des thérapies physiques et des médicaments pour tenter de compenser cette déficience. Il me semble que nous devrions reconnaître et traiter les défauts de sommeil chez les personnes âgées avec un regard et une compassion similaires, en admettant qu'elles ont effectivement besoin d'autant de sommeil que les autres adultes.

Enfin, les premiers résultats de nos études sur la stimulation du cerveau suggèrent que les personnes âgées ont en réalité besoin de plus de sommeil qu'elles ne peuvent en générer naturellement, puisque la qualité de leur sommeil peut être améliorée, bien que par des moyens artificiels. Si les personnes âgées n'avaient pas besoin de plus de sommeil profond, elles seraient déjà rassasiées, et ne profiteraient pas du fait d'en recevoir plus. Or elles tirent vraiment profit de ce sommeil amélioré, ou, pour le dire peut-être mieux, restauré. Les personnes âgées, et notamment celles qui présentent différentes formes de démence, souffrent bien d'un manque de sommeil et nécessitent donc de nouvelles formules de traitement – nous y reviendrons plus loin.

II

Pourquoi faut-il dormir ?

6

Votre mère et Shakespeare le savaient

Les bienfaits du sommeil sur le cerveau

Une découverte sensationnelle !

Les scientifiques ont découvert un nouveau traitement révolutionnaire permettant de prolonger la durée de vie. Il renforce la mémoire et la créativité. Il vous rend plus attirant, vous permet de rester mince et d'éviter les fringales. Il vous protège du cancer et de la démence. Il repousse le rhume et la grippe, diminue les risques de faire une crise cardiaque ou un accident vasculaire cérébral, sans parler du diabète. Vous serez même plus heureux, moins déprimé et moins anxieux. Y a-t-il des intéressés ?

Tout cela peut sembler excessif et pourtant, rien n'est faux dans cette publicité fictive. On serait nombreux à douter de l'existence de ce nouveau médicament, et les convaincus paieraient cher pour en obtenir ne serait-ce qu'une faible dose. Si les essais cliniques venaient à confirmer ces déclarations, le cours de l'action de la compagnie pharmaceutique à l'origine de ce produit grimperait en flèche.

Bien sûr, cette annonce ne décrit pas une nouvelle mixture miracle ou une panacée merveilleuse, mais bien les bénéfices avérés d'une pleine nuit de sommeil. La preuve de ces affirmations est à ce jour fournie par plus de dix-sept mille rapports scientifiques analysés avec soin. Quant au coût de prescription, il est nul. C'est gratuit. Malgré tout cela, nous déclinons trop souvent l'invitation de la nuit à nous procurer une pleine dose de ce remède 100 % naturel – et les conséquences sont terribles.

Par manque d'information, la plupart d'entre nous n'avons pas conscience du remède remarquable qu'est le sommeil. Les trois chapitres suivants ont pour objectif de corriger cette ignorance. Nous y verrons que le sommeil est *le* fournisseur de santé universel, capable de dispenser une ordonnance pour chaque maladie physique ou mentale. J'espère qu'au terme de ces chapitres, même le plus ardent des petits dormeurs changera d'avis.

Après avoir décrit les diverses phases du sommeil, je révèle ici les vertus de chacune. Ironiquement, la plupart des *nouvelles* découvertes du XXIe siècle dans ce domaine ont été merveilleusement résumées par Shakespeare en 1611, dans *Macbeth*, acte II, scène 2, lorsque le héros éponyme déclare prophétiquement que le sommeil est « l'aliment principal du tutélaire festin de la vie[1] ». Il y a fort à parier que votre mère vous a livré un conseil semblable, certes dans une langue moins affectée, vantant les mérites du sommeil qui soigne les blessures sentimentales, aide à apprendre et retenir, apporte des solutions aux problèmes difficiles et prévient les maladies et infections. La science n'a fait que fournir les preuves de ce que votre mère et, semble-t-il, Shakespeare connaissaient déjà des merveilles du sommeil.

Dormir pour le cerveau

Le sommeil n'est pas l'absence d'éveil. Il est bien plus que cela. Notre sommeil nocturne tel que je l'ai décrit plus tôt se compose d'une série extrêmement complexe de phases uniques, métaboliquement actives suivant un ordre délibéré.

S'il vient rétablir et seconder de nombreuses fonctions cérébrales, aucun type de sommeil n'agit sur tout. Chaque phase – sommeil NREM léger, sommeil NREM profond et sommeil REM – livre au cerveau des bénéfices divers à divers moments de la nuit. Aucun type de sommeil n'est donc plus essentiel que l'autre. Il suffit de manquer de l'un pour que le cerveau en pâtisse.

---

1. « Le sommeil qui débrouille l'écheveau confus de nos soucis
Le sommeil, mort de la vie de chaque jour, bain accordé à l'âpre travail,
Baume des âmes blessées, loi tutélaire de la nature,
L'aliment principal du tutélaire festin de la vie. »
(W. SHAKESPEARE, *Macbeth*, traduction de F. Guizot 1864).

Parmi les nombreux bienfaits du sommeil sur le cerveau, ceux qu'il fournit à la mémoire s'avèrent particulièrement impressionnants et sont bien connus. Le sommeil se montre une aide précieuse à la mémoire à plusieurs moments : avant l'apprentissage, pour préparer votre cerveau à intégrer de nouveaux souvenirs, et après, pour consolider ces souvenirs et éviter leur oubli.

Dormir la nuit précédant l'apprentissage

Dormir *avant* d'apprendre permet de raviver notre faculté à établir de nouveaux souvenirs. C'est un phénomène qui se produit chaque nuit. Pendant l'éveil, le cerveau ne cesse d'acquérir et d'absorber de nouvelles informations (intentionnellement ou non). Les divers éléments susceptibles de devenir des souvenirs sont saisis par certaines zones spécifiques du cerveau. Dans le cas des informations factuelles – ce que la plupart d'entre nous considérons comme un savoir scolaire ; par exemple se souvenir des noms, des numéros de téléphone, ou de l'endroit où nous avons garé notre voiture –, une région du cerveau nommée l'hippocampe aide à l'appréhension de ces expériences éphémères, liant entre eux leurs détails. L'hippocampe est une structure longue de la forme d'un doigt, située en profondeur de chaque côté de votre cerveau. C'est un espace de stockage à court terme, une boutique d'informations temporaire permettant l'accumulation de nouveaux souvenirs. Malheureusement, sa capacité est limitée, un peu comme une pellicule photo ou, pour faire un parallèle plus moderne, une clé USB. Une fois la limite de capacité atteinte, on court le risque de ne pas pouvoir ajouter d'information supplémentaire, ou bien, expérience tout aussi néfaste, de recouvrir un souvenir par un autre : désagrément que l'on nomme « oubli d'interférence ».

Comment le cerveau relève-t-il le défi de cette capacité de mémoire limitée ? Il y a quelques années, mon équipe de recherche s'est demandé si le sommeil était en mesure de résoudre la question du stockage grâce à un processus de transfert de dossiers. Nous avons ainsi étudié la capacité de passer les souvenirs récemment acquis vers un espace de stockage au long terme pour libérer nos réserves de mémoire à court terme, nous permettant ainsi de nous réveiller avec une capacité de mémoire toute fraîche, prêts à assimiler de nouvelles informations.

Nous avons testé cette théorie en utilisant d'abord les siestes en journée, recrutant pour cela un groupe de jeunes adultes en bonne santé divisés au hasard en deux sous-groupes, l'un avec sieste, l'autre sans. À midi, tous les participants suivaient une session d'apprentissage rigoureux (cent paires de visages/noms) destinée à mettre à l'épreuve leur hippocampe, zone de stockage des souvenirs à court terme. Comme prévu, les deux groupes ont obtenu des résultats similaires. Peu de temps après, les membres du groupe sieste faisaient une sieste de quatre-vingt-dix minutes dans le laboratoire du sommeil, des électrodes placées sur leur tête pour mesurer leur sommeil. Le groupe sans sieste restait quant à lui éveillé dans le laboratoire pour accomplir des tâches subalternes, comme se promener sur Internet ou faire des jeux de société. Plus tard le même jour, à six heures du soir, tous les participants ont suivi une autre manche d'apprentissage intensif pendant laquelle ils ont tenté d'accumuler un autre ensemble de faits nouveaux dans leurs réserves de mémoire à court terme (de nouveau cent paires de visages/noms). La question que nous nous posions était simple : la capacité du cerveau humain à apprendre décline-t-elle en continu au cours de la journée et, si oui, le sommeil peut-il renverser cet effet de saturation en restaurant la capacité d'apprentissage ?

Les facultés d'apprentissage du groupe resté éveillé toute la journée ont petit à petit décliné, même si leur concentration (mesurée en fonction de l'attention et du temps de réaction aux tests) est demeurée stable. Par contraste, les résultats de ceux qui ont fait une sieste sont bien meilleurs, et leur capacité à mémoriser des faits s'est même améliorée. À dix-huit heures, la différence entre les deux groupes n'avait rien d'anodin : 20 % de capacité d'apprentissage en plus pour ceux qui avaient dormi.

Après avoir observé que le sommeil restaure la capacité d'apprentissage du cerveau en faisant de la place aux nouveaux souvenirs, nous avons cherché quel élément précis du sommeil est à l'origine de cette restauration bienfaisante. La réponse nous a été fournie par l'analyse des ondes cérébrales électriques du groupe avec sieste. La mise à jour de la mémoire est liée à la phase 2, plus légère, du sommeil NREM, notamment aux éclats puissants d'activité électrique évoqués dans le chapitre 3, les fuseaux de sommeil. Plus les fuseaux de sommeil d'un individu sont nombreux pendant sa sieste, plus sa capacité d'apprentissage est restaurée à son réveil. Il est important de noter que ces fuseaux de sommeil ne permettent pas de prédire la capacité naturelle de chacun à apprendre. Le phénomène serait moins intéressant, car il impliquerait simplement que la capacité d'apprentissage innée et les fuseaux de sommeil vont de pair. Ce qu'indiquent ces fuseaux, c'est plutôt le *changement* dans la façon d'apprendre entre avant et après le sommeil, donc le *réapprovisionnement* de la faculté d'apprentissage.

Plus remarquable peut-être, si l'on analyse les éclats d'activité que représentent ces fuseaux, nous observons une boucle de courant électrique étonnamment fiable, pulsant à travers le cerveau toutes les cent ou deux cents millisecondes. Ces pulsations effectuent des allers et retours constants entre l'hippocampe et son espace de stockage limité à court terme, et le site plus lointain du stockage sur le long terme, le cortex (comparable à un disque dur disposant d'une grande capacité de mémoire[1]). Nous avons ainsi compris qu'une transaction électrique a lieu dans le secret du sommeil, faisant passer les souvenirs factuels de la zone de stockage temporaire

---

1. Le lecteur ne doit pas prendre cette comparaison au premier degré et en déduire que le cerveau humain, ni même ses seules fonctions d'apprentissage et de mémoire, opère comme un ordinateur. Certes, les similitudes existent sur le papier, mais les différences, grandes ou petites, sont nombreuses et nettes. Le cerveau n'est pas l'équivalent d'un ordinateur, ni l'inverse. Simplement, quelques parallèles théoriques offrent des analogies utiles permettant de mieux comprendre le fonctionnement de certains processus biologiques liés au sommeil.

(l'hippocampe) à la chambre forte sécurisée sur le long terme (le cortex). Le sommeil procède ainsi à un formidable nettoyage de l'hippocampe, reconstituant pour ce dépositaire à court terme un grand espace libre. Les participants du groupe sieste se réveillent avec une capacité renouvelée à absorber de nouvelles informations dans l'hippocampe, les expériences de la veille ayant été replacées dans un lieu sûr de stockage permanent. L'apprentissage de nouveaux faits peut alors reprendre le jour suivant.

Avec d'autres groupes de recherche, nous avons reproduit l'étude à l'échelle d'une nuit de sommeil entière, parvenant aux mêmes découvertes : plus un individu connaît de sursauts de sommeil pendant la nuit, plus sa capacité d'apprentissage est restaurée le matin.

Nos récents travaux à ce sujet renvoient à la question du vieillissement. Nous avons découvert que les seniors (les individus âgés de soixante à quatre-vingts ans) ne sont pas en mesure de générer autant de fuseaux de sommeil que les jeunes adultes en bonne santé, mais souffrent d'une baisse de 40 % par rapport à ces derniers. Voilà qui nous mène à la prédiction suivante : moins un adulte présente de fuseaux de sommeil au cours d'une nuit, plus il lui est difficile d'accumuler des faits nouveaux dans son hippocampe le lendemain, puisque sa capacité de mémoire à court terme n'a pas été rafraîchie pendant la nuit. C'est précisément ce que l'étude que nous avons menée nous a permis de découvrir : moins une personne âgée produit de fuseaux de sommeil pendant la nuit, moins elle est capable d'apprendre le jour suivant, plus il lui est difficile de mémoriser la liste de faits que nous lui présentons. Ce lien entre sommeil et apprentissage représente pour la médecine une raison supplémentaire de considérer avec plus de sérieux les plaintes des patients âgés quant à leur sommeil, et de contraindre les chercheurs, dont je fais partie, à trouver de nouvelles méthodes non pharmacologiques destinées à améliorer le sommeil des personnes âgées dans le monde entier.

Plus intéressant d'un point de vue social, la concentration de fuseaux de sommeil NREM, prise entre de longues périodes de sommeil REM, s'avère particulièrement riche en fin de nuit. En dormant six heures ou moins, vous privez votre cerveau des bienfaits de la restauration de la faculté d'apprentissage normalement effectuée par les fuseaux de sommeil. Je reviendrai sur les conséquences plus larges de ces découvertes en matière d'éducation dans un chapitre ultérieur, en cherchant notamment à savoir si imposer que les cours commencent tôt le matin, donc empêcher cette phase précise du sommeil riche en fuseaux, est le meilleur moyen d'enseigner à de jeunes esprits.

Dormir la nuit suivant l'apprentissage

Le second bienfait du sommeil sur la mémoire arrive *après* l'apprentissage : il consiste en somme à appuyer sur le bouton « sauvegarde » des fichiers récemment créés. Le sommeil protège ainsi les informations récentes, empêchant le cerveau de les oublier :

c'est une opération que l'on nomme « consolidation ». On sait depuis longtemps que c'est le sommeil qui initie le processus de consolidation de la mémoire, sans doute l'une de ses fonctions les plus anciennes. La première déclaration écrite à ce sujet apparaît chez le rhéteur romain Quintilien (35-100) : « Il est étonnant, et je ne saurais guère en donner la raison, combien une nuit d'intervalle contribue à l'affermir [la mémoire] [...] de sorte que les idées, qui d'abord ne pouvaient se reproduire, se représentent dans leur ordre le lendemain, et que le temps, qui est d'ordinaire une cause d'oubli, ne fait alors que consolider la mémoire[1]. »

Il a fallu attendre 1924, lorsque deux chercheurs allemands, John Jenkins et Karl Dallenbach, ont choisi d'opposer le sommeil et l'éveil, pour découvrir lequel l'emportait sur l'autre en termes de préservation des souvenirs – l'équivalent pour les chercheurs travaillant sur la mémoire du concours Coca/Pepsi. Les participants à leur étude ont commencé par retenir une liste de faits énoncés oralement. Les chercheurs ont noté ensuite combien de temps il fallait aux participants pour oublier ces souvenirs après une période de huit heures, passée éveillée ou à dormir une nuit de sommeil. Le temps passé à dormir a permis de solidifier les éléments d'information récemment stockés pour éviter qu'ils disparaissent. Au contraire, le même temps passé éveillé s'est révélé profondément hasardeux pour les

1. QUINTILIEN, *Institution oratoire*, livre XI, chapitre II, « De la mémoire ».

souvenirs récemment acquis, précipitant leur trajet vers l'oubli[1].

Les résultats des expériences de Jenkins et Dallenbach ont été reproduits à maintes reprises depuis : sur un même temps donné, le sommeil permet de retenir les souvenirs 20 % à 40 % de plus que l'éveil. Ce n'est pas un phénomène anodin si l'on considère ses avantages potentiels dans le cadre de révisions pour un examen, ou à l'échelle de l'évolution, lorsqu'il s'agit de retenir certaines informations vitales, comme les points d'eau ou de nourriture, ou les endroits où se trouvent les alliés ou les prédateurs.

Ce n'est qu'à partir des années 1950, avec la découverte des sommeils NREM et REM, que l'on a commencé à comprendre un peu mieux *comment* – plutôt que simplement *si* – le sommeil permet de consolider les souvenirs récemment acquis. Dans un premier temps, les chercheurs se sont efforcés de comprendre quelle(s) phase(s) du sommeil rendent permanentes les informations que le cerveau imprime pendant la journée, qu'il s'agisse de faits énoncés en salle de classe, de connaissances médicales dans le cadre d'une formation en résidence ou d'un plan de développement pendant un séminaire.

Comme vous l'avez vu dans le chapitre 3, nous recevons la plus grande part de notre sommeil profond NREM tôt dans la nuit et celle de notre sommeil REM (et du sommeil NREM plus léger) plus tard. Une

---

1. J. G. JENKINS et K. M. DALLENBACH, « Obliviscence during sleep and waking », *American Journal of Psychology*, 35, 1924, 605-612.

fois que les participants ont appris des listes de faits, les chercheurs les laissent dormir seulement pendant la première moitié de la nuit ou seulement pendant la seconde. Les deux groupes dorment donc autant (c'est-à-dire peu), mais le premier d'un sommeil riche en sommeil profond NREM et le second d'un sommeil dominé par le sommeil REM. Le décor de ce grand combat entre les deux types de sommeil est en place. La question est la suivante : quelle est la période de sommeil permettant de mieux retenir les souvenirs, celle du sommeil profond NREM ou celle du sommeil REM ? Dans le cas des souvenirs factuels, de type scolaire, le résultat est clair. Le sommeil de début de nuit, riche en sommeil profond NREM, l'emporte sur le sommeil de fin de nuit, riche en sommeil REM.

Des études effectuées au début des années 2000 sont parvenues à la même conclusion, avec une approche légèrement différente. Les participants devaient apprendre une liste de faits avant d'aller se coucher, et étaient autorisés à dormir pendant huit heures pleines, leur sommeil étant enregistré au moyen d'électrodes placées sur leur tête. Ils passaient un test de mémoire le matin suivant. Lorsque les chercheurs ont établi le lien entre les diverses phases de sommeil et le nombre de faits retenus le matin suivant, le sommeil profond NREM a empoché la mise : plus le sommeil profond NREM avait été présent, plus l'individu se souvenait des faits le matin suivant. De fait, si vous participiez à une étude de ce type et que la seule information à ma disposition était votre temps total de sommeil profond NREM pendant la nuit, je serais en mesure de prédire très précisément le nombre d'éléments dont vous vous souviendrez pendant le test proposé au réveil, avant même que vous ne le passiez. C'est dire à quel point le lien entre sommeil et mémoire est déterminant.

Nous avons, depuis, observé en profondeur les cerveaux de participants au moyen d'IRM, pour voir d'où ces souvenirs sont extraits avant et après le sommeil. Il s'avère que ces blocs d'informations reviennent de sites très divers dans le cerveau selon l'un ou l'autre de ces moments distincts. Avant le sommeil, les participants puisent leurs souvenirs dans le site de stockage à court terme qu'est l'hippocampe – entrepôt temporaire, où la vie sur le long terme est dure pour les nouveaux souvenirs. Mais tout est bien différent le matin suivant. Les souvenirs ont bougé. Après une pleine nuit de sommeil, les participants puisent ces informations nouvelles dans le néocortex, au sommet de leur cerveau – zone servant de site de stockage sur le long terme pour les souvenirs factuels, qui peuvent y vivre sereinement, éventuellement pour toujours.

Une véritable transaction immobilière se produit chaque nuit lorsque nous dormons. À l'image des signaux de radio à ondes longues transmettant des informations sur de grandes distances géographiques, les ondes cérébrales lentes du sommeil profond NREM servent de coursier transportant des blocs de souvenirs depuis un lieu de stockage temporaire (l'hippocampe) jusqu'à un foyer plus sûr et permanent (le cortex). Le sommeil permet ainsi aux souvenirs de résister à l'épreuve du temps.

Ces découvertes et celles sur la mémorisation dont j'ai parlé plus tôt permettent de comprendre l'élégante synergie du dialogue anatomique établi au cours du sommeil NREM (au moyen des fuseaux de sommeil et des ondes lentes) entre l'hippocampe et le cortex. Grâce au transfert des souvenirs de la veille du dépôt à court terme qu'est l'hippocampe vers le foyer à long terme du cortex, lorsque vous vous réveillez, les expériences de la veille sont classées en lieu sûr ; vous récupérez votre capacité à stocker de nouveaux souvenirs sur le court terme, pouvant ainsi apprendre tout au long de la journée qui commence. Le cycle se répète de cette façon chaque jour et chaque nuit, venant nettoyer le cache de mémoire à court terme pour imprimer de nouveaux faits, tout en ne cessant d'augmenter le catalogue des souvenirs passés. Le sommeil modifie ainsi constamment pendant la nuit l'architecture des informations stockées dans le cerveau. Même une courte sieste de vingt minutes en journée peut consolider les souvenirs, tant qu'elle contient suffisamment de sommeil NREM[1].

Les études sur les bébés, les jeunes enfants ou les adolescents permettent d'observer les mêmes bienfaits du sommeil NREM sur la mémoire pendant la nuit, parfois de façon encore plus puissante. Chez les personnes âgées de quarante à soixante ans, le sommeil NREM profond aide également le cerveau à retenir de nouvelles informations, malgré le déclin du sommeil NREM profond et la détérioration de la capacité à apprendre et retenir les souvenirs survenant avec l'âge, comme nous l'avons évoqué.

---

1. Ces découvertes justifient sur le plan cognitif la pratique régulière des siestes involontaires en public dans la culture japonaise, nommées *inemuri* (« dormir tout en restant présent »).

La relation entre sommeil NREM et renforcement de la mémoire est donc observée à chaque étape de la vie humaine, mais également chez des êtres non humains. Les études réalisées sur les chimpanzés, les bonobos et les orangs-outans démontrent que ces trois groupes se souviennent mieux des lieux où se trouvent des aliments placés par des expérimentateurs après leur sommeil[1]. Si l'on descend la chaîne phylogénétique jusqu'aux chats, rats et même insectes, on observe que les bienfaits du sommeil NREM sur la mémoire restent assez puissants.

Bien qu'émerveillé par la vision de Quintilien et sa description sans détour de ce que les scientifiques ont prouvé des milliers d'années plus tard, je préfère les mots de deux philosophes de leur temps, tout aussi accomplis : Paul Simon et Art Garfunkel. Avec leur chanson *The Sound of Silence*, que vous connaissez peut-être, ils ont signé en février 1964 des paroles devenues célèbres, résumant les bienfaits du sommeil sur la mémoire. Simon et Garfunkel y racontent qu'ils accueillent leur vieille amie, l'obscurité (le sommeil), évoquant la retransmission des événements de la journée au cerveau pendant le sommeil sous la forme d'une « vision doucement rampante » – un téléchargement des informations en douceur, si vous préférez. Ils illustrent ainsi habilement la façon dont les graines d'expériences fragiles récoltées pendant la journée sont enfoncées (*planted*, « plantées ») dans le cerveau

1. G. Martin-Ordas et J. Call, « Memory processing in great apes: The effect of time and sleep », *Biology Letters*, 7(6), 2011, 829-832.

pendant le sommeil. Grâce à ce processus, les expériences restent présentes le matin suivant. Les paroles de cette chanson résument ainsi parfaitement la façon dont le sommeil rend les souvenirs résistants au futur.

Une preuve récente oblige toutefois à procéder à une modification légère, mais d'importance, des paroles de Simon et Garfunkel. Non seulement le sommeil *maintient* les souvenirs appris avant le coucher (*the vision that was planted in my brain/Still remains*, « la vision plantée dans mon cerveau/se maintient »), mais il récupère aussi ceux qui semblent avoir été perdus juste après l'apprentissage. En d'autres termes, après une nuit de sommeil, vous retrouvez l'accès à des souvenirs que vous n'auriez pas retrouvés avant. Comme avec un disque dur dont certains fichiers auraient été corrompus et rendus inaccessibles, le sommeil offre un service de récupération nocturne. Ayant restauré ces souvenirs ainsi sauvés des griffes de l'oubli, vous vous réveillez le matin en pouvant situer et récupérer des fichiers auparavant indisponibles avec facilité et précision. C'est le « ah oui, ça me revient » dont vous avez sans doute fait l'expérience après une bonne nuit de sommeil.

Une fois précisé le type de sommeil – NREM – responsable du maintien des souvenirs factuels et de la récupération de ceux qui risquaient d'être perdus, nous avons commencé à explorer les moyens de renforcer les bienfaits du sommeil sur la mémoire par l'expérimentation. Le succès est venu sous deux formes : la stimulation du sommeil et la réactivation de la mémoire ciblée. Il suffit de considérer ces deux méthodes dans le cadre de maladies psychiatriques et de troubles neurologiques, comme la démence, pour que leurs conséquences cliniques deviennent claires.

Puisque le sommeil s'exprime en schémas d'activité d'ondes électriques, il convient pour le stimuler d'utiliser la même monnaie : l'électricité. En 2006, une équipe de recherches installée en Allemagne a recruté un groupe de jeunes adultes en bonne santé pour une étude pionnière consistant à appliquer des électrodes sur la tête, le front et le dos de participants. Plutôt que d'enregistrer les ondes cérébrales électriques émises par le cerveau pendant le sommeil, les scientifiques ont fait l'inverse : insérer dans le cerveau de petites quantités de tension électrique. Ils ont ainsi attendu patiemment que chaque participant entre dans la phase la plus profonde de sommeil NREM pour appuyer sur le stimulateur, battant en rythme avec les ondes lentes. Les pulsations électriques étaient si faibles que les participants ne les sentaient pas, ne se réveillaient pas[1], mais leur impact restait mesurable.

Le stimulateur augmentait la taille des ondes électriques lentes ainsi que le nombre de fuseaux de sommeil, par comparaison avec le groupe contrôle non stimulé pendant le sommeil. Avant d'aller au lit, tous les participants apprenaient une liste de faits et étaient testés le matin suivant, après une nuit de sommeil.

---

1. Cette technique, que l'on nomme « stimulation transcrânienne à courant continu » (tDCS), ne doit pas être confondue avec l'électroconvulsivothérapie, destinée à insérer dans le cerveau une tension électrique cent à mille fois plus forte (la performance de Jack Nicholson dans *Vol au-dessus d'un nid de coucou* offre une illustration saisissante de ses effets).

En renforçant la qualité électrique de l'activité des ondes cérébrales du sommeil profond, les chercheurs ont multiplié presque par deux le nombre de faits retenus le jour suivant. En appliquant cette stimulation pendant le sommeil REM ou pendant l'état de veille, dans la journée, les mêmes bienfaits sur la mémoire n'étaient pas obtenus. Seule la stimulation pendant le sommeil NREM, en synchronisation avec le mantra lent du cerveau typique de cette phase, permettait d'améliorer la mémoire.

D'autres méthodes d'amplification des ondes cérébrales du sommeil se développent à grande vitesse, notamment une technologie impliquant des émissions de tons auditifs doux par des haut-parleurs situés à côté du dormeur. Comme un métronome martelant en rythme les ondes lentes individuelles, les tons du tic-tac se synchronisent précisément avec les ondes cérébrales du dormeur, aidant à entraîner leur rythme et renforçant la profondeur du sommeil. Par rapport au groupe contrôle dormant sans sonnerie synchronisée pendant la nuit, la stimulation auditive augmente la puissance des ondes cérébrales lentes et provoque une impressionnante amélioration de la mémoire – 40 % – le matin suivant.

Avant de poser ce livre pour aller installer des haut-parleurs au-dessus de votre lit ou acheter un stimulateur cérébral électrique, laissez-moi vous en dissuader. Il faut appliquer pour ces deux méthodes la sagesse du « ne le faites pas chez vous ». En effet, certaines personnes ont réalisé leurs propres dispositifs de stimulation du cerveau ou acheté des appareils en ligne, dont la sécurité des réglages n'était pas garantie. Des cas de brûlures et de pertes temporaires de la vision ont été rapportés suite à des défauts de fabrication ou de paramétrages de la tension. Il peut sembler sans danger de faire jouer un tic-tac répétitif en tons acoustiques à plein volume à côté de votre lit, mais vous pouvez en réalité vous faire plus de mal que de bien. Lorsque les chercheurs des études citées ci-dessus règlent les tons auditifs, juste un peu à côté des pics naturels de chaque onde cérébrale lente plutôt que précisément sur chaque onde, ils perturbent la qualité du sommeil au lieu de la renforcer.

Comme si la stimulation cérébrale ou les tons auditifs n'étaient pas encore assez étranges, une équipe de recherche suisse a récemment utilisé des cordes pour suspendre un lit au plafond d'un laboratoire de sommeil (restez avec moi). Une poulie rotative fixée sur un côté du lit permettait aux chercheurs de le balancer d'un côté à l'autre à des vitesses contrôlées. Des volontaires ont ensuite fait une sieste dans ce lit, tandis que les chercheurs enregistraient les ondes cérébrales de leur sommeil. Pour la moitié des participants, les chercheurs berçaient doucement le lit au moment où ils entraient dans le sommeil NREM. Le lit restait statique pour l'autre moitié, formant ainsi un groupe contrôle. Les balancements lents ont augmenté la profondeur du sommeil profond, renforcé la qualité des ondes cérébrales lentes, et plus que doublé le nombre de fuseaux de sommeil. On ignore encore si ces modifications du sommeil induites par les balancements renforcent la mémoire, puisque les chercheurs n'ont pas pratiqué ce type de test sur les participants, mais ces découvertes permettent d'expliquer scientifiquement la pratique ancestrale consistant à bercer un enfant d'avant en arrière dans des bras ou un berceau pour qu'il s'endorme profondément.

Les méthodes de stimulation du sommeil sont prometteuses, mais potentiellement limitées, car on ne connaît pas précisément leurs bienfaits sur la mémoire. De façon générale, ce que nous apprenons avant le sommeil est renforcé le jour suivant. Comme dans un restaurant qui proposerait un menu à prix fixe sans choix possible, vous vous verrez servir tous les plats annoncés, que vous les aimiez ou non. La plupart des gens n'aimant pas ce type de service, la majorité des restaurants proposent une carte variée, dans laquelle vous pouvez sélectionner uniquement les éléments que vous désirez.

Et si une telle opportunité était possible avec le sommeil et la mémoire ? Avant d'aller au lit, vous passez en revue les expériences de la journée et ne choisissez que les souvenirs du menu que vous souhaitez améliorer. Vous faites votre commande et allez vous coucher en sachant que vous serez servi pendant la nuit. Le matin suivant, au réveil, votre cerveau n'a été nourri que des éléments spécifiques que vous avez commandés sur la carte autobiographique de votre journée. Vous renforcez ainsi par sélection uniquement les souvenirs précis que vous souhaitez garder. Si cela fait penser à de la science-fiction, le fait est désormais scientifique : c'est la méthode que l'on nomme « réactivation ciblée de la mémoire ». Et, comme souvent, la réalité s'avère plus fascinante que la fiction.

Avant qu'ils n'aillent se coucher, nous montrons à des participants des images d'objets dans différents lieux, sur un écran d'ordinateur : un chat en bas à droite, une cloche en haut au milieu, ou une bouilloire en haut à droite. En tant que participant, vous devez vous souvenir non seulement des éléments que vous avez vus, mais aussi de leur localisation dans l'espace. Les chercheurs vont vous montrer des centaines d'éléments. Après le sommeil, les images réapparaissent sur l'écran, cette fois au centre, certaines que vous avez déjà vues, d'autres non. Vous devez alors dire si vous vous souvenez de l'image ou non, et, si c'est le cas, déplacer l'objet à l'endroit où il est apparu sur l'écran la première fois, au moyen d'une souris. Nous, chercheurs, savons ainsi si vous vous souvenez de l'objet mais aussi de son emplacement précis.

Une particularité intrigante vient s'ajouter à l'expérience. Lorsque vous retenez les images avant d'aller vous coucher, un son correspondant à l'objet présenté sur l'écran est joué. Par exemple, vous entendez « miaou » lorsqu'une photo de chat apparaît, ou « ding dong » pour la cloche. Toutes les images sont reliées, ou « auditivement étiquetées », à un son correspondant sur le plan sémantique. Pendant que vous dormez, notamment d'un sommeil NREM, un expérimentateur rejoue la moitié des sons associés (cinquante sur le total de cent) à votre cerveau endormi, à un volume bas, au moyen de haut-parleurs situés de chaque côté du lit. Comme si cela guidait le cerveau dans un effort ciblé de recherche-et-récupération, nous pouvons déclencher la réactivation sélective des souvenirs individuels correspondants en les faisant bénéficier en priorité du renforcement permis par le sommeil, plus que les autres, non réactivés pendant le sommeil NREM.

Lorsque vous passez les tests le matin suivant, une préférence nette apparaît : vous vous souvenez bien mieux des éléments réactivés pendant votre sommeil au moyen des indices sonores que des autres. Notez que la totalité des cent éléments d'origine traverse le sommeil. Toutefois, en utilisant les indices sonores, nous évitons de renforcer à l'aveugle tout ce que vous avez appris. Comme lorsque vous passez en boucle vos chansons préférées sur une *playlist* pendant la nuit, nous piochons des tranches spécifiques de votre passé pour les renforcer de façon préférentielle au moyen d'indices sonores pendant votre sommeil[1].

Vous imaginez certainement les innombrables applications possibles d'une telle méthode. Cela dit, c'est une perspective qui peut sembler gênante d'un point de vue éthique, en ce qu'elle vous confère le pouvoir d'écrire et de réécrire vos propres souvenirs, ou, plus inquiétant, ceux de quelqu'un d'autre. C'est un dilemme moral renvoyant à un futur assez lointain, mais si de telles méthodes venaient à se peaufiner, nous devrons y faire face.

Dormir pour oublier ?

Nous avons jusqu'à maintenant évoqué le pouvoir du sommeil après l'apprentissage pour renforcer les souvenirs et éviter l'oubli. Toutefois, dans certains cas, la faculté à oublier peut se révéler aussi importante que le besoin de se souvenir, dans la vie de tous les jours (par exemple, oublier à quel endroit on a garé sa

---

1. Cette méthode de réactivation nocturne ne fonctionne que pendant le sommeil NREM, non pendant le sommeil REM.

voiture la veille pour se souvenir de son emplacement du jour) comme sur le plan clinique (supprimer les souvenirs douloureux et handicapants, ou mettre un terme à une envie dans les cas de troubles de l'addiction). En outre, l'oubli ne permet pas seulement de supprimer une information stockée dont nous n'avons plus besoin. Il fait également baisser les ressources du cerveau nécessaires à la récupération des souvenirs que nous voulons retenir, de la même manière que l'on retrouve plus facilement des documents importants sur un bureau bien organisé et rangé. Le sommeil vous aide ainsi à retenir tout ce dont vous avez besoin et rien de ce dont vous n'avez pas besoin, améliorant les facultés mémorielles. Pour le dire autrement, l'oubli est le prix à payer pour se souvenir.

En 1983, le lauréat du prix Nobel Francis Crick, à l'origine de la découverte de la structure hélicoïdale de l'ADN, a choisi de pencher son esprit théorique sur le sommeil, suggérant que la fonction de rêve du sommeil REM est de supprimer les copies d'informations involontaires ou redondantes dans le cerveau : ce qu'il nommait les « souvenirs parasites ». C'était une idée fascinante, mais qui est restée au stade d'hypothèse pendant presque trente ans, sans faire l'objet d'une étude formelle. En 2009, un jeune étudiant de troisième cycle et moi-même avons mis l'hypothèse à l'épreuve et les résultats nous ont livré bien des surprises.

Nous avons de nouveau conçu une expérience à partir des siestes en journée. À midi, nos sujets de recherche étudiaient une longue liste de mots présentés un par un sur un écran d'ordinateur. Après l'affichage de chaque mot apparaissait sur l'écran un large *R* vert ou *F* rouge, indiquant au participant qu'il devait se souvenir (*remember*) des mots suivis d'un *R* mais oublier (*forget*) ceux qui étaient suivis d'un *F*. Un peu à la manière d'un professeur qui délivre une information et fait comprendre qu'il est particulièrement important de la retenir pour l'examen, ou, à l'inverse, qui énonce un fait erroné ou non soumis à l'examen en précisant que vous n'êtes pas obligé de le retenir. C'est ce que nous avons fait avec les différents mots, rattachés aux étiquettes « à retenir » ou « à oublier ».

La moitié des participants pouvait faire une sieste de quatre-vingt-dix minutes l'après-midi, tandis que l'autre moitié restait éveillée. À dix-huit heures, nous avons testé la mémoire de chacun pour tous les mots. Nous avons demandé aux participants de retenir le plus de mots possible, en dépit de l'étiquette accolée à chacun. Notre question était la suivante : le sommeil améliore-t-il l'apprentissage de tous les mots de façon égale, ou obéit-il à l'ordre éveillé de ne se souvenir que de certains pour en oublier d'autres, en fonction des labels apposés à chacun ?

Les résultats étaient clairs. Le sommeil renforce puissamment mais de façon sélective l'apprentissage des mots rattachés à l'ordre de se souvenir, mais il évite activement de renforcer ceux qui sont labellisés « oubli ». Les participants n'ayant pas dormi n'ont pas révélé de façon aussi impressionnante cette capacité d'analyse et de sauvegarde différenciée des souvenirs[1].

---

1. Pour que les rapports ne soient pas biaisés, on peut même payer les participants pour chaque mot dont ils se souviennent correctement : les résultats ne varient pas.

La leçon à retenir est subtile, mais importante : le sommeil est bien plus intelligent que ce que nous imaginions. Contrairement à ce que l'on supposait avant cette expérience, aux XXe et XXIe siècles, le sommeil ne permet pas une protection générale et non spécifique (donc volubile) de toutes les informations retenues pendant la journée. Au contraire, son aide s'avère bien plus éclairée : il choisit selon les préférences quelle information est ou n'est pas renforcée, au moyen de diverses étiquettes signifiantes appliquées aux souvenirs au moment de l'apprentissage, ou potentiellement pendant le sommeil lui-même. De nombreuses études démontrent cette forme d'intelligence dans la sélection des souvenirs, rattachée au sommeil à la fois pendant les siestes en journée et pendant la nuit.

L'analyse des archives de sommeil d'individus ayant fait une sieste permet d'obtenir un nouvel aperçu. Contrairement à la prédiction de Francis Crick, ce n'est pas le sommeil REM qui passe au crible la liste des mots en séparant ceux qui doivent être retenus et ceux qui ne le doivent pas, mais le sommeil NREM, notamment avec les plus rapides des fuseaux de sommeil, qui permet de démêler les courbes du souvenir et de l'oubli. Plus un participant présente de fuseaux pendant son sommeil, plus il est efficace pour renforcer les souvenirs à retenir et éliminer activement ceux qui doivent être oubliés.

La façon précise dont les fuseaux de sommeil accomplissent ce tour habile reste floue. Nous avons fini par découvrir un schéma d'activité du cerveau plutôt convaincant, en boucle, coïncidant avec des fuseaux de sommeil rapides. L'activité cérébrale décrit des cercles entre le site de stockage des souvenirs (l'hippocampe) et les régions (dans le lobe frontal) programmant les intentions du type « c'est important » ou « ce n'est pas important ». Le cycle récurrent d'activité entre ces deux zones (le souvenir et l'intention), qui se produit dix ou quinze fois par seconde pendant les fuseaux, peut permettre d'expliquer l'influence du sommeil NREM sur la mémoire sélective. À l'instar des filtres de recherche sur Internet ou sur une application de shopping, les fuseaux viennent assainir la mémoire en autorisant le site de stockage de votre hippocampe à vérifier les filtres d'intention de vos astucieux lobes frontaux, organisant ainsi la sélection de ce que vous avez besoin de conserver et le rejet de ce qui vous est inutile.

Nous explorons actuellement plusieurs façons d'exploiter cette intelligence remarquable au service du souvenir et de l'oubli sélectifs dans le cas des souvenirs douloureux ou problématiques. C'est une idée qui rappelle celle du film *Eternal Sunshine of The Spotless Mind*, lauréat d'un Oscar, dont les personnages peuvent supprimer des souvenirs dont ils ne veulent pas au moyen d'une machine spéciale capable de passer le cerveau au scanner. Mon espoir pour la vie réelle est plutôt de développer des méthodes précises permettant de raviver ou d'effacer certains souvenirs choisis en cas de besoin clinique avéré, comme dans les cas de traumatisme, d'addiction aux drogues ou de toxicomanie.

Dormir pour d'autres types de souvenirs

Toutes les études que j'ai décrites jusqu'à présent traitent d'un certain type de souvenirs : les souvenirs factuels, que nous associons aux manuels scolaires ou au fait de retenir des noms. Il existe toutefois bien d'autres types de souvenirs dans le cerveau, dont la mémoire des savoir-faire, comme le vélo. Lorsque vous étiez enfant, vos parents ne vous ont pas donné un manuel intitulé *Comment faire du vélo* et demandé de l'étudier en attendant de vous voir rouler tout de suite avec une assurance d'expert. Personne ne peut vous expliquer comment faire du vélo. Ou, du moins, il est possible d'essayer, mais cela ne vous servira à rien. On ne peut apprendre à faire du vélo qu'en en faisant, pas en lisant. Donc en pratiquant. C'est également vrai pour tous les véhicules motorisés, les instruments de musique, le sport, les procédures chirurgicales ou le pilotage des avions.

Le terme de « mémoire du muscle » est impropre. Les muscles en soi n'ont pas de mémoire de ce type : un muscle non connecté au cerveau ne peut accomplir habilement aucune action, de la même façon qu'un muscle ne peut pas renfermer une routine pour effectuer des tâches. La mémoire du muscle est en fait la mémoire du cerveau. Entraîner et renforcer vos muscles peut vous permettre de mieux *exécuter* une routine mémorisée, mais *la routine* en soi – le programme mémoriel – réside fermement et exclusivement dans le cerveau.

Des années avant que je n'explore les effets du sommeil sur l'apprentissage d'éléments factuels et scolaires, j'ai étudié la mémoire des actions motrices.

Deux expériences m'ont fait prendre cette décision. J'ai vécu la première lorsque j'étais jeune étudiant au Queen's Medical Center – vaste centre universitaire hospitalier de Nottingham, en Angleterre, où j'ai effectué des recherches sur les troubles moteurs, notamment les blessures de moelle épinière. Je voulais découvrir des moyens de reconnecter la moelle épinière blessée, pour réunir le cerveau et le corps. Malheureusement, ma recherche a été un échec, mais pendant cette période j'ai beaucoup appris sur les patients victimes de divers troubles moteurs, dont ceux qui ont subi un AVC. Ce qui m'a frappé, c'est que, pour un grand nombre de patients, la récupération était itérative : après l'AVC, ils avaient retrouvé leur fonction motrice étape par étape, qu'il s'agisse des jambes, des bras, des doigts ou du discours. La récupération était rarement complète mais, jour après jour, mois après mois, tous les patients présentaient une amélioration.

J'ai vécu la seconde expérience décisive quelques années plus tard, lorsque j'ai obtenu mon doctorat, en 2000. La communauté scientifique avait déclaré les dix ans à venir « décennie du cerveau », prévoyant un progrès remarquable des neurosciences – l'avenir a montré que cette prémonition était juste. J'ai alors fait une conférence sur le sommeil dans le cadre des célébrations. À l'époque, nous en savions encore très peu sur les effets du sommeil sur la mémoire, mais j'ai mentionné brièvement les germes de certaines découvertes alors disponibles.

Après ma conférence, un homme aimable et élégant s'est présenté à moi, portant une veste en tweed dans des tons subtils de vert et de jaune, dont je me souviens encore nettement. Notre brève conversation a été l'une des plus importantes de ma vie sur le plan scientifique. Après m'avoir remercié pour ma présentation, il m'a raconté qu'il était pianiste, et qu'il avait été intrigué par ma description du sommeil comme état actif du cerveau permettant de passer en revue, voire de renforcer, des éléments appris auparavant. Le commentaire qu'il a fait ensuite m'a laissé chancelant, déclenchant un pan majeur de mes recherches dans les années qui ont suivi. « En tant que pianiste, je vis une expérience bien trop fréquente pour être un hasard. Je travaille un morceau particulier, même tard dans la soirée, mais ne parviens pas à le maîtriser. Souvent, je fais la même erreur au même moment d'un même mouvement. Je vais donc me coucher frustré, mais lorsque je me lève le matin suivant pour m'asseoir au piano, j'arrive à jouer, parfaitement. »

« J'arrive à jouer. » Les mots résonnaient dans ma tête tandis que je cherchais une explication. Je lui ai dit que c'était une idée fascinante, qu'il se pouvait sans doute que le sommeil aide à la virtuosité, permettant de jouer sans erreur, mais que je ne disposais d'aucune preuve scientifique pour soutenir une telle idée. Il a alors souri, imperturbable devant l'absence d'affirmation empirique, me remerciant de nouveau avant de se diriger vers le hall. Je suis de mon côté resté dans l'auditorium, prenant conscience du fait que cet homme venait de porter un coup à la plus ressassée et admise des sentences pédagogiques : « C'est en forgeant qu'on devient forgeron. » Ce ne serait donc peut-être pas le cas. Et si c'était en forgeant *et en dormant* que l'on devenait forgeron ?

Après trois années de recherches suivant cette rencontre, j'ai publié un article du même titre, et rassemblé les preuves ayant finalement permis de confirmer les intuitions merveilleuses du pianiste sur le sommeil. Ces découvertes ont également éclairé la façon dont le cerveau, après une blessure ou un handicap post-AVC, retrouve une certaine habileté à guider des tâches motrices, jour après jour – ou, devrais-je dire, nuit après nuit.

Je commençais à cette époque à travailler à la Harvard Medical School. Avec Robert Stickgold, l'un de mes mentors, désormais collaborateur et ami de longue date, nous avons entrepris de déterminer si et comment le cerveau continue à apprendre en l'absence de toute pratique. Le temps fait son œuvre, assurément, mais il restait à distinguer trois possibilités : est-ce (1) le temps, (2) le temps passé éveillé, (3) le temps passé à dormir, qui permet de parfaire la mémoire pratique ?

J'ai ainsi réuni un grand groupe de droitiers, auxquels j'ai fait apprendre avec la main gauche une séquence de chiffres sur un clavier, du type 4-1-3-2-4, devant être effectuée aussi vite et précisément que possible. Comme lorsqu'on apprend une gamme au piano, les sujets répétaient la séquence de facultés motrices pendant douze minutes au total, avec de courtes pauses tout au long de cette durée. Sans surprise, les participants ont amélioré leur performance pendant la session d'entraînement : c'est en forgeant que l'on est censé devenir forgeron, après tout. Nous avons ensuite testé les participants douze heures plus tard. La moitié d'entre eux avaient appris la séquence le matin, et étaient testés le soir même, après être restés éveillés pendant la journée. L'autre moitié avait appris la séquence le soir et était testée le matin suivant, après un même délai de douze heures, incluant cette fois huit heures de sommeil.

Ceux qui étaient restés éveillés pendant la journée ne montrèrent pas d'amélioration significative de leur performance. Toutefois, en accord avec la description du pianiste, ceux qui avaient effectué le test après le même délai de douze heures mais en ayant passé une nuit de sommeil, avaient présenté une amélioration étonnante, de 20 % en termes de rapidité de la performance et de presque 35 % en termes de précision. Notons que les participants qui avaient appris les facultés motrices dans la matinée – et qui ne présentaient aucune amélioration le soir – avaient également amélioré leurs performances en repassant à nouveau le test après douze nouvelles heures, incluant cette fois pour eux aussi une pleine nuit de sommeil.

En d'autres termes, votre cerveau continue d'améliorer votre mémoire des facultés motrices en l'absence de toute pratique. Presque comme par magie. Cet apprentissage différé, « hors ligne », se produit toutefois exclusivement sur une période de sommeil, et non sur un même temps donné d'éveil, que l'on dorme tout de suite ou non après l'apprentissage. Ce n'est pas en forgeant que l'on devient forgeron. C'est en forgeant et en dormant d'une nuit de sommeil que l'on atteint la perfection. Nous avons ensuite montré que ces bienfaits propulseurs de mémoire se présentent lorsqu'on apprend une séquence motrice très courte (par exemple 4-3-1-2) ou très longue (4-2-3-4-2-3-1-4-3-4-1-4), et lorsqu'on utilise une seule main (unimanuel) ou deux (bimanuel, comme un pianiste).

L'analyse des éléments distincts de la séquence motrice, telle que 4-1-3-2-4, m'a permis de découvrir comment précisément le sommeil parfait les facultés. Même après une longue période d'entraînement initial, les participants doivent systématiquement batailler avec certaines transitions au sein de la séquence. Ces points de difficulté continuent à bloquer, tel un pouce douloureux, lorsque j'observe la vitesse de frappe. La pause est bien plus longue, ou l'erreur constante, à certaines transitions spécifiques. Par exemple, au lieu de taper sans heurt 4-1-3-2-4, 4-1-3-2-4, un participant tape 4-1-3 [*pause*] 2-4, 4-1-3 [*pause*] 2-4. Les participants découpent la routine motrice en morceaux comme si tout faire d'un seul coup était trop difficile. Des personnes différentes présentent des difficultés différentes à différents moments de la routine, mais presque tout le monde rencontre une ou deux difficultés. J'ai évalué tant de participants qu'à la fin je pouvais dire où se trouvait leur difficulté simplement en les écoutant taper pendant leur entraînement.

Lorsque j'ai testé les participants après leur nuit de sommeil, mes oreilles ont toutefois entendu un son bien différent. J'ai su ce qui était advenu avant même d'analyser les données : la maîtrise. Après avoir dormi, les participants tapaient de façon fluide et ininterrompue. Fini le staccato, place à l'automatisme sans heurt, objectif ultime de l'apprentissage moteur : 4-1-3-2-4, 4-1-3-2-4, 4-1-3-2-4, à un rythme rapide et presque à la perfection. Le sommeil avait systématiquement identifié où se situaient les difficultés de transition dans la mémoire motrice et les avait résolues. La découverte a ainsi ravivé les mots du pianiste : « Mais lorsque je me lève le matin suivant pour m'asseoir au piano, j'arrive à jouer, *parfaitement.* »

J'ai ensuite testé les participants en leur faisant passer un scanner du cerveau après leur sommeil, et j'ai pu constater comment ce bienfait merveilleux pour les facultés motrices avait pu s'accomplir. Le sommeil avait de nouveau transféré les souvenirs, mais pour un effet différent de ce qui se produit dans le cas des souvenirs factuels. Plutôt qu'un transfert de la mémoire à court terme vers la mémoire à long terme, nécessaire pour retenir des faits, les souvenirs moteurs étaient passés vers des circuits cérébraux opérant en dessous du niveau de la conscience. Les actions motrices étaient ainsi devenues des habitudes instinctives, sortant aisément du corps, sans sembler demander d'effort ni être le fruit d'une volonté délibérée. Cela signifie que le sommeil aide le cerveau à faire des routines motrices des automatismes, pour qu'elles deviennent une seconde nature – ne demandant pas d'effort –, objectif précis de bien des entraîneurs aux Jeux olympiques désireux de parfaire les capacités de leurs athlètes d'élite.

Ma découverte ultime, au cours de ce qui a représenté presque une décennie de recherches, a permis d'identifier le type de sommeil responsable de ce renforcement des facultés motrices pendant la nuit, livrant ainsi des leçons sur les plans social et médical. Les augmentations de vitesse et de précision soutenues par une automaticité efficace sont directement liées à la somme de sommeil NREM phase 2, notamment dans les deux dernières heures d'une nuit de sommeil de huit heures (de cinq heures à sept heures du matin, si vous vous êtes endormi à vingt-trois heures). En effet, c'est le nombre de ces merveilleux fuseaux de sommeil pendant les deux dernières heures du matin – moment de la nuit le plus riche en ces éclats d'ondes cérébrales – qui est lié au renforcement hors ligne de la mémoire.

Plus frappant encore, l'augmentation de ces fuseaux après l'apprentissage est détectée seulement dans les régions du cuir chevelu situées au-dessus du cortex moteur (juste sous le sommet de votre crâne), et non dans d'autres zones. Plus les fuseaux de sommeil augmentent dans la partie du cerveau que nous avons contrainte à apprendre des facultés motrices de façon exhaustive, meilleure est la performance au réveil. De nombreux autres groupes ont montré un effet similaire de « sommeil local » avec des conséquences sur l'apprentissage. Dans le cas de la mémoire motrice, les ondes cérébrales du sommeil agissent comme une bonne masseuse – massant tout le corps, mais concentrant son travail sur les zones ayant le plus besoin d'aide. De la même façon, les fuseaux de sommeil baignent toutes les zones de votre cerveau, mais accentuent leur attention sur les parties ayant travaillé le plus dur pour apprendre pendant la journée.

Information peut-être encore plus pertinente dans notre monde moderne : nous avons découvert que l'effet diffère selon le moment de la nuit. Nous sommes nombreux à penser pouvoir nous passer précisément de ces deux dernières heures de sommeil, pour pouvoir entamer la journée plus vite, laissant ainsi passer cette fête des fuseaux de sommeil au petit matin. On pense là encore à l'entraîneur des Jeux olympiques, faisant pratiquer ses athlètes en fin de journée pour les réveiller à la première heure afin qu'ils pratiquent à nouveau. Sans doute sans le vouloir, les entraîneurs nient ainsi véritablement une phase importante du développement de la mémoire motrice dans le cerveau – capable de régler avec précision la performance athlétique de haut niveau. Si l'on considère que chez les athlètes professionnels les différences de performance sont très minces entre la médaille d'or et les dernières places, on comprend que tout avantage compétitif, comme celui qu'on offre naturellement le sommeil, peut déterminer que vous entendiez ou non résonner votre hymne national dans tout le stade. Pour le dire franchement, l'avenir appartient à ceux qui se couchent tôt.

Usain Bolt, superstar du cent mètres, a dormi à plusieurs reprises les heures précédant son record du monde, mais aussi avant de remporter sa médaille d'or en finale des Jeux olympiques. Nos études viennent soutenir sa sagesse : les siestes en journée contenant assez de fuseaux de sommeil améliorent elles aussi significativement la mémoire motrice, tout en restaurant la sensation d'être énergique et en réduisant la fatigue musculaire.

Dans les années suivant notre découverte, de nombreuses études ont montré que le sommeil améliore les facultés motrices des athlètes juniors, amateurs et d'élite, dans tous les sports, en tennis comme en basket, en foot comme en aviron. En 2015, le Comité international olympique a ainsi publié une déclaration consensuelle pour souligner l'importance fondamentale et le besoin essentiel de sommeil dans le développement athlétique, tous sports confondus, chez les hommes comme chez les femmes[1].

Les équipes sportives professionnelles prennent note, à juste titre. J'ai ainsi récemment organisé des présentations pour certaines équipes nationales américaines de basket et de foot, également au Royaume-Uni dans le cadre de ce dernier sport. Face au manager, au staff et aux joueurs, j'ai évoqué le plus sophistiqué, efficace et puissant – mais aussi légal – des dopants, capable de leur faire remporter des victoires : le sommeil.

Je fonde mon propos sur des exemples extraits de plus de sept cent cinquante études scientifiques consacrées au lien entre le sommeil et la performance, dont beaucoup concernent spécifiquement les athlètes professionnels et de haut niveau. Voilà ce qui se passe si vous dormez moins de huit heures par nuit, et *a fortiori* moins de six heures : le temps écoulé avant l'épuisement baisse de 10 % à 30 %, et l'aérobie diminue significativement. On observe des défaillances similaires en matière de force d'extension des membres et de hauteur des sauts, avec une baisse de la force musculaire par pics et en continu. Il faut y ajouter les défauts marqués de capacités cardiovasculaires, métaboliques et respiratoires des corps en manque de sommeil, dont l'accumulation plus rapide d'acides lactiques, une réduction de la saturation d'oxygène dans le sang et des montées inverses de dioxyde de carbone

---

1. M. F. Bergeron, M. Mountjoy, N. Armstrong, M. Chia *et al.*, « International Olympic Commitee Consensus statement on youth athletic development », *British Journal of Sports Medicine*, 49(13), 2015, 843-851.

sanguin, en partie liées à une réduction de l'air que les poumons peuvent expirer. Même la capacité du corps à se refroidir pendant l'effort physique au moyen de la transpiration – élément essentiel de la performance de pointe – est victime du manque de sommeil.

En outre, le risque de blessure existe. Il est la plus grande peur de tous les athlètes de compétition et de leurs entraîneurs, mais aussi le souci des managers des équipes professionnelles, pour qui les joueurs représentent un investissement financier de choix. Pour ce qui est de la blessure, il n'y a pas meilleure assurance que le sommeil. Une étude réalisée en 2014[1] sur de jeunes athlètes de compétition montre que le manque chronique de sommeil sur une saison entraîne une forte augmentation du risque de blessure (figure 10).

Figure 10. Manque de sommeil et blessures sportives

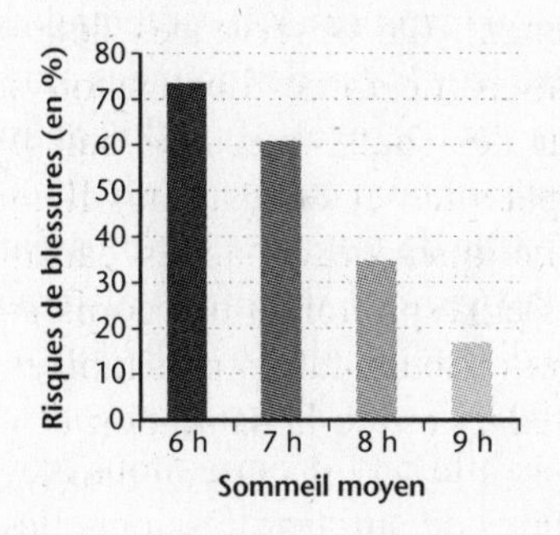

1. M. D. MILEWSKI *et al.*, « Chronic lack of sleep is associated with increased sports injuries in adolescent athletes », *Journal of Paediatric Orthopaedics*, 34(2), 2014, 129-133.

Les équipes sportives paient des millions de dollars pour avoir certains joueurs, et cherchent à accroître leurs capacités en leur prodiguant une foule de soins médicaux et nutritionnels, avant même de se préoccuper de leur confort humain. Or, les bienfaits professionnels souffrent bien souvent du manque du seul élément que certaines équipes échouent à faire passer en priorité : le sommeil de leurs joueurs.

Même les équipes conscientes de l'importance du sommeil avant un match sont surprises de mes déclarations sur le besoin essentiel de se reposer aussi, sinon encore plus, *après*. Dormir après une performance accélère la récupération physique suivant les inflammations communes, stimule la réparation des muscles et aide à restocker l'énergie cellulaire sous la forme du glucose ou du glycogène.

Plutôt que de fournir à ces équipes des recommandations pour un sommeil structuré, pouvant être mises en pratique pour capitaliser le potentiel de leurs athlètes, je préfère leur livrer des données éloquentes de la NBA, fondées sur une évaluation du sommeil d'Andre Iguodala, joueur de mon équipe locale, les Golden State Warriors. À partir de données fournies par un capteur de sommeil, la figure 11 montre la différence entre les performances d'Iguodala lorsqu'il a dormi plus de huit heures ou moins de huit heures pendant la nuit[1].

Bien sûr, la plupart d'entre nous ne jouons pas dans des équipes de sport professionnelles, mais nous sommes nombreux à être physiquement actifs tout au

1. K. Berger, « In multibillion-dollar business of NBA, sleep is the biggest debt » (7 juin 2016). Disponible sur : www.cbssports.com.

long de notre vie et à acquérir en permanence de nouvelles facultés. L'apprentissage moteur et la pratique physique en général font partie de nos vies, sur le plan le plus banal (apprendre à taper sur un nouveau clavier ou à envoyer des textos avec un smartphone de taille différente) comme le plus fondamental, lorsque les chirurgiens chevronnés apprennent une nouvelle procédure endoscopique ou que les pilotes apprennent à voler différemment ou sur un nouvel avion. Nous avons donc toujours besoin de nous appuyer sur le sommeil NREM pour parfaire et préserver nos mouvements. Fait intéressant pour les parents : c'est pendant les cinq premières années de la vie, lorsque nous commençons à tenir debout pour marcher, que l'apprentissage des facultés motrices est le plus spectaculaire. Il n'est donc pas étonnant qu'un pic apparaisse à la phase 2 du sommeil NREM, celle des fuseaux de sommeil, juste au moment où l'enfant cesse de ramper pour marcher.

Figure 11. Performance d'un joueur de la NBA

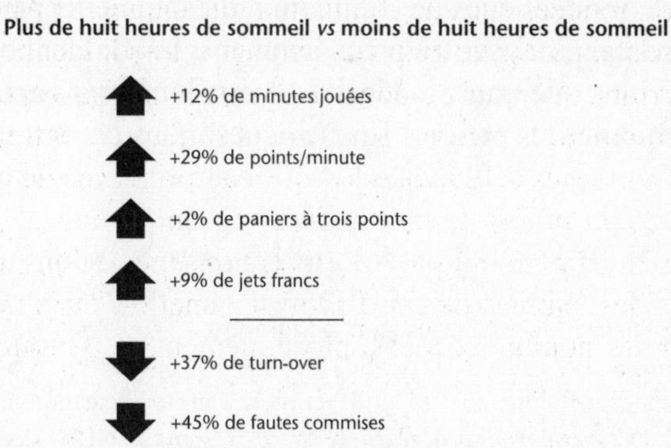

Plus de huit heures de sommeil *vs* moins de huit heures de sommeil

- ↑ +12% de minutes jouées
- ↑ +29% de points/minute
- ↑ +2% de paniers à trois points
- ↑ +9% de jets francs

- ↓ +37% de turn-over
- ↓ +45% de fautes commises

Pour en revenir à mes découvertes sur les dommages du cerveau lorsque je travaillais il y a plusieurs années au Queen's Medical Center, nous savons désormais que le lent retour, jour après jour, des fonctions motrices des patients victimes d'un AVC est en partie dû au travail formidable du sommeil, nuit après nuit. Après un AVC, le cerveau se met à reconfigurer les connexions neuronales restantes et à en produire de nouvelles autour de la zone endommagée. Cette réorganisation plastique et la genèse de nouvelles connexions sous-tendent le retour d'un certain niveau des fonctions motrices. Nous avons désormais la preuve liminaire que le sommeil est un ingrédient fondamental de l'effort de récupération neurologique. La qualité du sommeil en cours prédit le retour graduel de la fonction motrice, déterminant ainsi le réapprentissage de nombreuses facultés[1]. Si de nouvelles découvertes de ce type voient le jour, nous devrons renforcer nos efforts pour faire passer le sommeil en priorité parmi les aides thérapeutiques chez les patients victimes de dommages au cerveau, voire introduire des méthodes de stimulation du sommeil, comme celles que j'ai décrites précédemment. Le sommeil peut bien plus que nous, médecins. Aussi longtemps que le justifieront les preuves scientifiques, nous devons tirer

---

1. K. Herron, D. Dijk, J. Ellis, J. Sanders et A. M. Sterr, « Sleep correlates of motor recovery in chronic stroke: A pilot study using sleep diaries and actigraphy », *Journal of Sleep Research*, 17, 2008, 103 ; C. Siengsukon et L. A. Boyd, « Sleep enhances off-line spatial and temporal motor learning after stroke », *Neurorehabilitation & Neural Repair*, 4(23), 2009, 327-335.

profit du puissant outil de santé qu'il représente, afin d'améliorer la vie de nos patients.

Dormir pour être créatif

Le dernier bienfait du sommeil sur la mémoire est sans doute le plus remarquable de tous : la créativité. Le sommeil est le décor d'un théâtre nocturne au sein duquel votre cerveau teste et élabore des connexions entre de vastes comptoirs d'informations. Cette tâche s'accomplit au moyen d'un algorithme étrange, destiné à créer des associations lointaines et surprenantes, à l'image d'une recherche Google dans les profondeurs d'Internet. Le cerveau du dormeur fusionne des éléments de savoir disparates, comme jamais ne le ferait un cerveau éveillé, favorisant une étonnante capacité à résoudre les problèmes. Si vous considérez le type d'expérience consciente qu'un mélange de souvenirs aussi étrange peut engendrer, vous ne serez pas surpris d'apprendre que c'est pendant le rêve qu'il se produit – au cours du sommeil REM. Nous explorerons pleinement les bienfaits du sommeil REM dans le chapitre suivant consacré au rêve, mais sachez pour le moment que l'alchimie informationnelle créée par le rêve au cours du sommeil REM est à l'origine de l'un des plus grands exploits de l'histoire de la race humaine en matière de pensée révolutionnaire.

7

Trop extrême pour le Guinness des records

Le manque de sommeil et le cerveau

Flanchant sous le poids des preuves scientifiques accablantes, le livre *Guinness des records* a cessé de valider les essais pour le record du monde de privation de sommeil. Souvenez-vous que le *Guinness* juge acceptable qu'un homme (Felix Baumgartner) monte en montgolfière à trente-neuf mille mètres d'altitude aux confins de l'atmosphère, vêtu d'une combinaison spatiale, qu'il ouvre la porte de sa capsule, se tienne au sommet d'une échelle suspendue au-dessus de notre planète et tombe en chute libre jusqu'à la Terre à une vitesse de pointe de 1 358 km/h, franchissant le mur du son tout en créant un bang supersonique rien qu'avec son corps. Mais les risques liés au manque de sommeil sont considérés comme étant bien plus élevés. Tellement, en réalité, que d'après les preuves ils s'avèrent inacceptables.

Quelles sont donc ces preuves incontestables ? Dans les deux chapitres suivants, nous étudierons précisément pourquoi et comment le manque de sommeil a des effets aussi dévastateurs sur le cerveau, faisant le lien avec de nombreuses maladies neurologiques ou psychiatriques (comme la maladie d'Alzheimer, l'anxiété, la dépression, les troubles bipolaires, le suicide, les AVC ou les douleurs chroniques), mais aussi sur chaque système physiologique du corps, engendrant d'innombrables troubles et maladies (comme le cancer, le diabète, les crises cardiaques, la stérilité, la prise de poids, l'obésité et la déficience immunitaire). Aucun aspect du corps humain n'est épargné par le mal incommodant et toxique que provoque le manque de sommeil. Comme vous le verrez bientôt, nous dépendons du sommeil sur le plan social, organisationnel, économique, physique, comportemental, nutritionnel, linguistique, cognitif et émotionnel.

Ce chapitre traite des conséquences terribles et parfois mortelles du manque de sommeil sur le cerveau. Le suivant s'intéresse aux divers effets – tout aussi désastreux et mortels – du manque de sommeil sur le corps.

Faites attention

Le manque de sommeil peut vous tuer de bien des façons. Certaines prennent du temps ; d'autres sont bien plus immédiates. L'une des fonctions cérébrales souffrant même d'un tout petit manque de sommeil est la concentration. Les conséquences sociales les plus évidentes et mortelles du manque de concentration sont celles d'une conduite en état de somnolence : aux États-Unis, une personne meurt chaque heure d'un accident de voiture lié à une erreur commise en raison de la fatigue.

Il existe deux cas principaux d'accidents liés à la fatigue au volant. Le premier est celui des personnes s'endormant complètement en conduisant. Cela reste rare, et il faut en général que la personne manque cruellement de sommeil (qu'elle n'ait pas dormi pendant plus de vingt heures). Le second cas, plus commun, est celui du manque de concentration passager, qu'on appelle microsommeil. Il ne dure que quelques secondes, pendant lesquelles les paupières se ferment partiellement ou totalement. C'est un phénomène qui se produit chez des individus en manque chronique de sommeil, c'est-à-dire qui dorment généralement moins de sept heures par nuit.

Lors d'un microsommeil, votre cerveau devient aveugle au monde extérieur l'espace d'un instant : il ne perd pas seulement la vue, mais aussi tous les autres canaux de perception. La plupart du temps, vous n'avez pas conscience de ce qui se passe. Le plus problématique, c'est que votre pouvoir de décision sur vos actions motrices, comme celles qui sont nécessaires à l'utilisation du volant ou de la pédale de frein, cesse momentanément. Pas besoin, donc, de vous endormir pendant dix à quinze secondes pour mourir au volant. Deux secondes suffisent. Un microsommeil de deux secondes à 50 km/h dans un léger virage suffit pour que votre véhicule se retrouve entièrement déporté, y compris sur la voie de circulation en sens inverse. Si cela se produit à 100 km/h, vous venez de vivre votre dernier microsommeil.

David Dinges, de l'université de Pennsylvanie, géant de la recherche sur le sommeil – et au panthéon de mes héros –, est allé plus loin que n'importe quel autre scientifique de l'histoire pour répondre à la question suivante, fondamentale : « Quel est le taux de recyclage d'un être humain ? » En d'autres termes, combien de temps un être humain peut-il tenir sans sommeil avant que ses performances soient objectivement réduites ? Combien d'heures de sommeil un être humain peut-il perdre chaque nuit, et sur combien de nuits, avant que les fonctionnements essentiels de son cerveau ne s'affaiblissent ? De telles personnes se rendent-elles même compte à quel point elles sont diminuées lorsqu'elles manquent de sommeil ? Combien de nuits à récupérer le sommeil en retard faut-il pour qu'un être humain n'ayant pas assez dormi retrouve ses performances habituelles ?

Les recherches de Dinges s'appuient sur un test d'attention étonnamment simple, destiné à mesurer la concentration. Il s'agit d'appuyer sur un bouton dès qu'apparaît une lumière sur une boîte à boutons ou un écran d'ordinateur, pendant un temps déterminé. La réponse ainsi que le temps de réaction à cette réponse sont mesurés. Ensuite, une nouvelle lumière apparaît, et il faut refaire la même chose. Les lumières apparaissent de façon imprévisible, se succédant parfois rapidement, d'autres fois espacées par un laps de temps aléatoire pouvant durer plusieurs secondes.

Cela semble facile, n'est-ce pas ? Essayez donc de le faire pendant dix minutes sans vous arrêter, chaque jour pendant quatorze jours. C'est ce que Dinges et son équipe de recherche ont fait subir à un grand nombre de sujets, suivis de près dans des conditions strictes de laboratoire. Tous les sujets ont eu l'occasion de commencer par une nuit complète de huit heures la veille du début du test, pour qu'ils puissent être évalués totalement reposés. Les participants ont ensuite été séparés en quatre groupes expérimentaux. Un peu comme pour une étude sur les drogues, chaque groupe avait le droit à une « dose » différente de manque de sommeil. Un groupe est resté éveillé pendant soixante-douze heures d'affilée, ne dormant pas pendant trois nuits consécutives. Le second groupe a dormi quatre heures par nuit. Le troisième groupe six heures chaque nuit. Le quatrième, le plus chanceux, huit heures par nuit.

Trois éléments principaux ont émergé. D'abord, même si ces manques de sommeil à durée variable entraînent un ralentissement du temps de réaction, un phénomène plus parlant encore se produit : pendant de brefs instants, les participants ne répondent plus du tout. Le signe le plus significatif de leur envie de dormir n'est pas la lenteur de leur réponse, mais son absence totale. Dinges a ainsi capté ces laps de temps connus sous le nom de microsommeils : on pourrait les comparer, dans la vie réelle, à l'absence de réaction si un enfant passe en courant devant votre voiture pour récupérer son ballon.

Les descriptions de ces découvertes par Dinges évoquent le bip répété d'un moniteur cardiaque à l'hôpital : *bip, bip, bip*. Pensez au bruit dramatique que l'on entend dans les salles des urgences des séries télévisées, lorsqu'un patient commence à s'éteindre et que les médecins s'agitent pour lui sauver la vie. Dans un premier temps, les battements du cœur sont réguliers – *bip, bip, bip* –, comme votre réaction visuelle quand vous êtes reposé : stable, régulière. Si l'on passe maintenant à votre performance en manque de sommeil, on obtient l'équivalent auditif du patient à l'hôpital faisant un arrêt cardiaque : *bip, bip, biiiiiiiiiiiiiiiiip*. Vos performances sont à plat. Pas de réponse de la conscience, pas de réaction motrice. Un microsommeil. Puis le battement du cœur revient, comme vos performances – *bip, bip, bip* – mais seulement pour un instant. Rapidement survient un autre arrêt : *bip, bip, biiiiiiiiiiiiiiiiip*. Encore des microsommeils.

En comparant jour après jour le nombre de laps de temps, ou microsommeils, des quatre groupes expérimentaux, Dinges a découvert un second élément clé. La performance des individus ayant dormi huit heures par nuit reste stable, presque parfaite, durant les deux semaines. Sans surprise, celle des personnes ayant été privées de sommeil pendant trois nuits de suite diminue drastiquement. Après la première nuit blanche, leurs manques ponctuels de concentration (réponses manquantes) augmentent de 400 %. Le plus surprenant, c'est que ces troubles continuent d'augmenter à la même vitesse folle après une deuxième, puis une troisième nuit sans sommeil, laissant penser qu'elles continueraient à augmenter en puissance si d'autres nuits sans sommeil suivaient, sans aucun signe de stabilisation.

Le message le plus préoccupant de tous est celui des deux groupes partiellement privés de sommeil. Après six nuits de quatre heures, les performances des participants sont tout aussi mauvaises que celles des sujets qui n'ont pas dormi pendant vingt-quatre heures d'affilée, soit une augmentation de 400 % des microsommeils. Après onze jours de ce régime à quatre heures de sommeil par nuit, les performances des participants se dégradent plus encore, rejoignant celles des sujets qui ont passé deux nuits blanches consécutives, soit quarante-huit heures sans dormir.

Le plus inquiétant sur le plan sociétal est le résultat des individus du groupe ayant dormi six heures par nuit – ce qui peut sembler familier à bon nombre d'entre vous. Au bout de seulement dix jours de suite à dormir six heures par nuit, leurs performances sont aussi réduites qu'après vingt-quatre heures consécutives sans sommeil. Et comme pour le groupe totalement privé de sommeil, le renforcement de la dégradation des performances des groupes ayant dormi quatre et six heures par nuit ne se stabilise aucunement. Tous les signes laissent à penser que, si l'on poursuivait l'expérience, la détérioration des performances continuerait à augmenter au fil des semaines ou des mois.

Des résultats quasi identiques ont été publiés vers la même période par une autre étude, menée par le Dr Gregory Belenky de l'Institut de recherche militaire Walter Reed, qui a testé également quatre groupes de participants, mais auxquels étaient accordés neuf, sept, cinq et trois heures de sommeil par nuit pendant sept jours.

On ignore à quel point on manque de sommeil quand on manque de sommeil

La troisième découverte clé, commune aux deux études, est celle que je considère personnellement comme l'effet le plus nuisible de tous. Quand on demande aux participants de dire à quel point ils pensent être diminués, ils sous-estiment largement le niveau de dégradation de leurs performances, donnant un indicateur bien pauvre du point très bas de la qualité réelle et objective de leurs performances. Comme lorsqu'on rencontre dans un bar une personne qui a trop bu, mais qui attrape ses clés de voiture en disant, sûre d'elle : « Je peux rentrer chez moi sans problème. »

Tout aussi problématique, la remise à zéro. Une personne en manque chronique de sommeil pendant des mois ou des années s'habitue à la réduction de ses performances, de sa vivacité, de son degré d'énergie. Ce faible épuisement devient sa norme, ou sa base. Les gens refusent de reconnaître à quel point leur perpétuel manque de sommeil finit par compromettre leurs capacités mentales ou leur vitalité physique, notamment par l'accumulation lente de problèmes de santé. Ils ne font que rarement le lien entre ces deux facteurs. Selon des études épidémiologiques sur le temps moyen de sommeil, des millions de personnes passent sans le savoir plusieurs années de leur vie dans un état de fonctionnement psychologique et physiologique en dessous de leurs capacités, sans jamais maximiser leur potentiel mental ou physique, en raison de leur persistance aveugle à dormir trop peu. Soixante années de recherches scientifiques m'empêchent de croire quiconque affirme *se porter très bien en ne dormant que quatre ou cinq heures par nuit.*

Pour en revenir aux résultats des études de Dinges, peut-être avez-vous pensé que tous les participants retrouvent leur niveau de performance optimal après une longue nuit de sommeil réparateur, comme de nombreuses personnes pensent qu'il suffit de « dormir à fond » le week-end pour récupérer son manque de sommeil de la semaine. Pourtant, même après trois nuits de sommeil réparateur à volonté, les performances ne rattrapent pas le niveau du début d'évaluation, lorsque les participants ont dormi huit heures par nuit de manière régulière. Aucun groupe ne récupère ses heures de sommeil perdues. Comme nous l'avons déjà appris, le cerveau en est incapable.

Dans le cadre d'une étude australienne plus récente, assez perturbante, des chercheurs ont formé deux groupes d'adultes en bonne santé : l'un a dû boire jusqu'à la limite légale autorisée pour conduire (0,08 % d'alcool dans le sang), l'autre n'a pas dormi pendant une nuit. Les deux groupes ont passé le test de concentration permettant d'évaluer leur performance en matière d'attention, plus spécifiquement leur nombre de microsommeils. Après avoir été éveillées pendant dix-neuf heures, les personnes qui n'avaient pas le droit de dormir étaient tout aussi atteintes sur le plan cognitif que celles qui avaient bu jusqu'à la limite légale. En d'autres termes, si vous vous réveillez à sept heures du matin et restez debout toute la journée, puis que vous sortez retrouver des amis jusque tard dans la soirée, sans avoir bu d'alcool, au moment où vous prenez le volant pour rentrer chez vous à deux heures du matin, vos performances cognitives, celles qui vous permettent de faire attention à la route et à ce qui se passe autour de vous, sont aussi réduites que celles d'un conducteur ayant bu jusqu'à la limite légale. En réalité, les performances des participants à l'étude ci-dessus ont commencé à chuter après seulement quinze heures d'éveil (dix heures du soir dans ce scénario précis).

Les accidents de voiture font partie des principales causes de décès dans la plupart des pays industrialisés. En 2016, la Fondation AAA, située à Washington, a publié les résultats d'une vaste étude réalisée sur plus de sept mille conducteurs aux États-Unis, suivis de près sur une période de deux ans[1]. Cette découverte clé, que vous pouvez observer sur la figure 12, montre les effets catastrophiques de la fatigue au volant. Si vous conduisez après avoir dormi moins de cinq heures, vous triplez vos risques d'avoir un accident. Si vous prenez le volant après avoir dormi quatre heures ou moins la nuit précédente, vos risques d'être impliqué dans un accident sont multipliés par 11,5. À noter : le lien entre la baisse du nombre d'heures de sommeil et l'augmentation du risque de décès n'est pas régulier, mais se développe de manière exponentielle. Le risque n'augmente pas progressivement : chaque heure de sommeil perdue amplifie fortement la probabilité d'accident.

Figure 12. Manque de sommeil et accidents de voiture

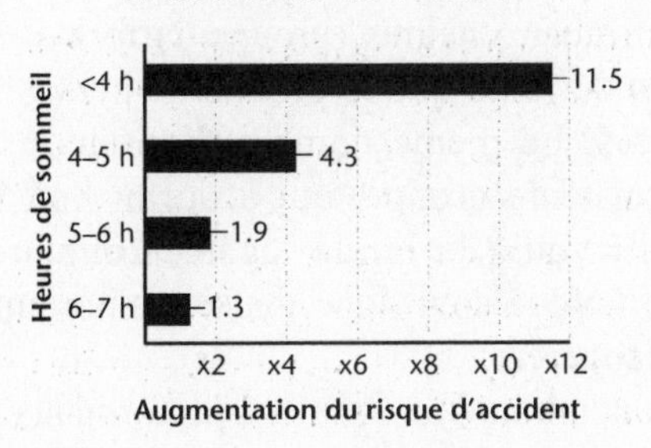

1. Foundation for Traffic Safety, « Acute sleep deprivation and crash risk ». Accessible sur ce site : www.aaafoundation.org.

L'alcool et la fatigue au volant sont chacun mortels, mais que se passe-t-il si l'on combine les deux ? La question est pertinente puisque la plupart des personnes conduisant soûles le font au petit matin et non dans la journée, ce qui signifie que la plupart des conducteurs en état d'ébriété sont également en manque de sommeil.

Nous sommes désormais en mesure d'étudier les erreurs des conducteurs de façon réaliste et sûre, au moyen de simulateurs de conduite. À l'aide de ces machines virtuelles, un groupe de chercheurs a examiné le nombre de sorties de route totales chez des participants placés sous quatre conditions expérimentales distinctes : (1) huit heures de sommeil, (2) quatre heures de sommeil, (3) huit heures de sommeil et alcool jusqu'à la limite légale autorisée, (4) quatre heures de sommeil et alcool jusqu'à la limite légale autorisée.

Ceux qui font partie du groupe ayant dormi huit heures font peu, voire aucune sortie de route. Ceux qui ont dormi quatre heures (groupe 2) font six fois plus de sorties de route que le groupe de personnes sobres et reposées. Le même nombre d'erreurs est commis par le troisième groupe, qui a dormi huit heures en ayant bu jusqu'à la limite légale. Conduire soûl ou conduire fatigué sont donc deux comportements également dangereux.

On s'attendrait à ce que les performances du quatrième groupe reflètent les impacts additionnés de ces deux derniers : quatre heures de sommeil, plus l'effet de l'alcool (c'est-à-dire douze fois plus de sorties de route). C'est bien pire. Les participants de ce groupe accumulent trente fois plus de sorties de route que le groupe sobre et reposé. Le cocktail enivrant du manque de sommeil et de l'alcool n'est pas *additif* mais *multiplicatif*. Les deux s'amplifient l'un l'autre, comme deux drogues dont les effets en soi nuisibles interagissent pour produire des effets absolument désastreux.

Après trente ans de recherches intensives, nous pouvons désormais répondre à un grand nombre des questions posées plus tôt. Le taux de recyclage d'un humain est d'environ seize heures. Après seize heures d'éveil, le cerveau commence à dysfonctionner. Les êtres humains ont besoin de dormir plus de sept heures par nuit pour préserver leurs performances cognitives. Après dix jours à ne dormir que sept heures par nuit, le cerveau est aussi dysfonctionnel que s'il était resté éveillé pendant vingt-quatre heures. Trois nuits de sommeil complètes (c'est-à-dire plus que ce que n'en comporte un week-end) ne suffisent pas à restaurer le niveau normal de performances après une semaine à dormir trop peu. Enfin, l'esprit humain n'est pas véritablement en mesure de sentir à quel point il manque de sommeil quand c'est le cas.

Nous reviendrons sur les conséquences de ces résultats dans les chapitres suivants, mais les conséquences réelles de la fatigue au volant méritent une mention spéciale. Dans le courant de la semaine qui vient, plus de deux millions de personnes s'endormiront au volant de leur véhicule aux États-Unis. Cela représente plus de deux cent cinquante mille personnes chaque jour, ces événements se produisant davantage en semaine que le week-end, pour des raisons évidentes. Plus de cinquante-six millions d'Américains admettent qu'il leur arrive d'avoir du mal à rester éveillés au volant de leur voiture au moins une fois par mois.

De fait, la fatigue est responsable de 1,2 million d'accidents chaque année aux États-Unis. En d'autres termes : depuis que vous lisez ce livre, toutes les trente secondes, un accident de voiture dû à la somnolence a eu lieu quelque part aux États-Unis. Et il est plus que probable que quelqu'un ait perdu la vie dans ce cadre depuis que vous avez commencé la lecture de ce chapitre.

Vous trouvez sans doute surprenant que la fatigue entraîne plus d'accidents de voiture que l'alcool et les drogues *combinés*. De fait, il est pire de conduire fatigué que de conduire soûl. C'est une affirmation qui peut être controversée, ou sembler irresponsable, et je ne souhaite absolument pas banaliser l'acte déplorable que représente la conduite en état d'ivresse. Elle est cependant vraie pour la simple et bonne raison suivante : les conducteurs alcoolisés mettent souvent du *temps* à freiner, et du *temps* à faire des manœuvres approximatives. Mais lorsque vous vous endormez ou plongez dans un microsommeil, *vous cessez totalement de réagir*. Celui qui fait l'expérience du microsommeil ou qui s'endort au volant ne freine pas du tout, et ne fait rien pour éviter l'accident. Par conséquent, les accidents de voiture liés à la fatigue sont bien plus mortels que ceux qui sont dus à l'alcool ou aux drogues. Pour le dire grossièrement, quand vous vous endormez au volant de votre voiture sur l'autoroute, vous devenez un missile d'une tonne se déplaçant à plus de 100 km/h et que personne ne contrôle.

Les conducteurs de voiture ne sont pas les seules menaces. Les camionneurs somnolents sont plus dangereux encore. Environ 80 % des conducteurs de camion aux États-Unis sont en surpoids, et 50 % sont cliniquement obèses. Pour les conducteurs de camion, le risque est donc bien plus élevé d'être victime du trouble que l'on nomme apnée du sommeil, généralement associé à de forts ronflements, engendrant un manque de sommeil sévère et chronique. Les conducteurs de camion ont donc 200 % à 500 % de risques de plus d'être impliqués dans un accident de la route. Et, lorsqu'un conducteur de camion perd la vie dans un accident lié à la fatigue, il emporte en moyenne 4,5 autres vies avec lui.

Je défends en fait l'idée selon laquelle il n'y a pas d'*accidents* causés par la fatigue, les microsommeils ou le fait de s'endormir. Absolument aucun. Il y a des *crashes*. Le *Littré* définit l'*accident* comme « ce qui advient fortuitement ». Les morts liées à la fatigue au volant n'ont rien de fortuit. Elles sont prévisibles et le résultat direct d'un sommeil insuffisant. En tant que telles, elles sont inutiles et évitables. Je trouve honteux que les gouvernements de la plupart des pays industrialisés dépensent moins de 1 % de leur budget pour prévenir le public des dangers de la fatigue au volant alors qu'ils investissent bien plus pour lutter contre la conduite en état d'ivresse.

Même les messages de santé publique bienveillants peuvent se perdre dans le torrent des statistiques. Il faut souvent en venir au récit tragique d'histoires personnelles pour que le message semble concret. Je pourrais vous raconter des milliers d'événements du genre, mais laissez-moi vous en conter un seul, dans l'espoir qu'il vous préserve des dommages de la fatigue au volant.

Union County, Floride, janvier 2006 : un bus scolaire transportant neuf enfants s'arrête à un panneau stop. Une Pontiac Bonneville transportant sept personnes le suit et s'arrête également. À ce moment, un camion dix-huit roues dévale la route à toute allure derrière les deux véhicules. Il ne s'arrête pas. Le camion frappe la Pontiac, lui passe dessus, l'écrasant de tout son poids, puis il emboutit le bus. Les trois véhicules atterrissent dans le fossé et continuent à se déplacer, jusqu'au moment où la Pontiac, déjà implosée, est dévorée par les flammes. Le bus se met à tourner dans le sens inverse des aiguilles d'une montre, continuant son chemin jusqu'à atteindre l'autre côté de la route, en sens inverse. Il continue sur cent mètres, sort de la route et entre en collision avec un épais bosquet d'arbres. Trois des neuf enfants présents dans le bus sont éjectés par les vitres au moment de l'impact. Les sept passagers de la Pontiac sont décédés, ainsi que le conducteur du bus. Le conducteur du camion et les neuf enfants du bus ont été gravement blessés.

Le camionneur était un conducteur qualifié et en droit de conduire. Tous les tests de toxicologie effectués sur son sang se sont révélés négatifs, mais on a découvert plus tard qu'il était resté éveillé trente-quatre heures d'affilée et s'était endormi au volant. Les sept passagers morts de la Pontiac étaient des enfants ou des adolescents. Cinq des sept enfants étaient de la même famille. Le passager le plus vieux était un adolescent, qui conduisait la voiture légalement. Le plus jeune était un bébé de seulement vingt mois.

J'aimerais que les lecteurs retiennent de nombreuses choses à la lecture de ce livre, dont celle-ci est l'une des plus importantes : si vous somnolez au volant, *je vous en prie, arrêtez-vous*. C'est une conduite mortelle. Porter sur vos épaules le poids de la mort de quelqu'un est une chose terrible. Ne vous laissez pas duper par les nombreuses techniques inefficaces supposées vous aider à combattre la somnolence au volant[1]. Nombre d'entre nous pensent pouvoir passer outre la somnolence par la simple force de notre volonté, mais c'est malheureusement faux. Penser le contraire peut mettre en péril votre vie, celle de votre famille ou de vos amis en voiture avec vous, et celle des autres usagers de la route. Il suffit de s'endormir au volant une seule fois pour perdre la vie.

Si vous vous sentez somnolent en conduisant, voire que vous vous endormez, arrêtez-vous pour la nuit. S'il est impératif que vous continuiez – ce que vous avez décidé en sachant pertinemment que cela met votre vie en danger –, quittez la route et garez-vous sur une aire de stationnement sécurisée le temps d'un moment pour faire une sieste rapide (vingt à trente minutes).

Lorsque vous vous réveillez, *ne vous remettez pas* à conduire directement, pour ne pas connaître l'inertie du sommeil – effet dû au passage du sommeil à l'éveil. Attendez vingt ou trente minutes supplémentaires, après une tasse de café si vous y tenez vraiment. Seulement après cela, vous pouvez reprendre le volant.

---

1. Les idées reçues les plus courantes sur les solutions, pourtant inefficaces pour lutter contre la somnolence au volant sont les suivantes : monter le son de la radio, baisser la vitre, souffler de l'air froid sur son visage, s'asperger le visage d'eau froide, parler au téléphone, manger un chewing-gum, se gifler, se pincer, se frapper, et se promettre de se récompenser d'être resté éveillé.

Vous n'irez cependant qu'un peu plus loin sur la route, jusqu'à ressentir de nouveau le besoin d'une pause de ce type, dont les bienfaits diminuent. Au final, cela n'en vaut pas la peine (de mort).

La sieste est-elle utile ?

Dans les années 1980 et 1990, David Dinges et son collaborateur (récent administrateur de la National Highway Traffic Safety Administration), l'ingénieux Dr Mark Rosekind, ont conduit une autre série d'expériences révolutionnaires, examinant cette fois les avantages et les inconvénients de la sieste en cas de manque inévitable de sommeil. Ils ont nommé celle-ci – ou plutôt ont dû la nommer ainsi – *power nap*, ou « sieste énergisante ». La plupart de leurs travaux étant liés à l'industrie de l'aviation, leurs études portaient sur les pilotes de long-courrier.

Le moment le plus dangereux du vol est l'atterrissage, survenant à la fin du voyage, quand le besoin de sommeil augmente. Pensez à votre fatigue et votre envie de dormir à la fin d'un vol transatlantique de nuit, après plus de vingt-quatre heures de trajet. Si vous aviez les compétences requises, vous sentiriez-vous prêt à faire atterrir un Boeing 747 avec quatre cent soixante-sept passagers à bord ? C'est pendant cette phase finale du vol, que l'on nomme également « procédure d'approche » dans le jargon de l'aviation, qu'ont lieu 68 % des pertes de contrôle – euphémisme pour désigner une catastrophe aérienne.

Les chercheurs ont tenté de répondre à la question suivante, posée par la Direction générale de l'aviation civile américaine, la FAA (Federal Aviation Administration) : si un pilote ne peut faire qu'une courte sieste (quarante à cent vingt minutes) sur une période de trente-six heures, quand doit-il la prendre pour minimiser les risques de fatigue cognitive et de manque d'attention : en début de soirée, au milieu de la nuit, ou tard le matin suivant ?

Cela peut de prime abord sembler contraire à l'intuition, mais Dinges et Rosekind ont fait une hypothèse perspicace, fondée sur la biologie : si l'on place la sieste au tout début d'une période sans sommeil, le cerveau est protégé contre les manques de concentration catastrophiques, même de manière temporaire ou partielle.

Ils ont vu juste. Les pilotes sont moins sujets aux microsommeils durant les dernières étapes du vol lorsque les siestes sont prises plus tôt la veille au soir que lorsque ces périodes de sieste sont placées au milieu de la nuit ou tard le lendemain matin, lorsque la fatigue s'est déjà bien accumulée.

Ils ont ainsi découvert l'équivalent en matière de sommeil du paradigme médical opposant prévention et traitement. La première cherche à éviter le problème avant qu'il ne se produise, le second tente d'y remédier une fois qu'il s'est produit. C'est la même chose pour les siestes. Prises tôt, ces courtes périodes de sommeil réduisent en effet également le nombre de fois où les pilotes s'endorment légèrement pendant la période critique des quatre-vingt-dix dernières minutes de vol. On compte alors moins de périodes de sommeil de ce type, mesurées au moyen d'électrodes EEG posées sur la tête.

Quand Dinges et Rosekind ont fait part de leur découverte à la FAA, ils ont recommandé que ces « siestes prophylactiques » – prises tôt pendant les trajets long-courriers – deviennent la règle chez les pilotes, comme beaucoup d'autres autorités aériennes à travers le monde. Tout en reconnaissant ces découvertes, la FAA ne se montra pas convaincue par cette nomenclature, car elle pensait que les pilotes seraient tentés d'utiliser le terme « prophylactique » de manière sarcastique[1]. Dinges proposa alors cette appellation alternative : la « sieste programmée » (*planned napping*). Mais la FAA n'appréciait pas non plus cette proposition, qu'elle estimait faire trop « management » et suggéra le terme de *power nap*, ou « sieste énergisante », qu'elle jugeait plus approprié aux postes de direction – ou fondés sur la domination, certains étant P.D.G. ou cadres militaires. Ainsi naquit la *power nap*.

Un problème se posa toutefois, notamment chez les personnes à ces postes haut placés, qui se mirent à croire qu'une sieste énergisante de vingt minutes leur suffisait à survivre et se trouver en état de perspicacité parfaite, ou du moins correcte. Elles ont considéré, à tort, que les siestes énergisantes de courte durée leur permettaient de se passer de sommeil nuit après nuit, plus encore si elles étaient combinées avec une consommation régulière de caféine.

---

1. *Prophylactic* signifie également « préservatif » en anglais. *(N.d.T.)*

Oubliez ce que vous avez pu lire ou entendre dans les médias grand public, il n'existe aucune preuve scientifique qu'une drogue, un objet, ou une quelconque dose de bonne volonté remplacent le sommeil. Les siestes énergisantes peuvent renforcer momentanément la concentration de base en cas de manque de sommeil, tout comme la caféine, mais jusqu'à un certain point.

Les études menées par la suite par Dinges et bien d'autres chercheurs (y compris moi-même) démontrent bien que ni les siestes ni la caféine ne préservent toutes ces fonctions complexes du cerveau, telles que l'apprentissage, la mémoire, la stabilité émotionnelle, le raisonnement complexe ou la prise de décision.

Un jour, peut-être, nous découvrirons une méthode efficace, mais, pour l'instant, il n'existe aucune drogue dont il a été prouvé que les effets remplacent les bénéfices apportés par le sommeil au cerveau et au corps. David Dinges a invité quiconque prétend pouvoir survivre en dormant peu à venir dans son laboratoire pour une durée de dix jours, afin de placer la personne sous ce régime de sommeil pour mesurer ses fonctions cognitives. Dinges est certain – et il a raison – de pouvoir prouver catégoriquement que les fonctions du cerveau et du corps se dégradent. Aucun volontaire ne s'est pour l'instant montré à la hauteur de ses propres dires.

Nous avons cependant découvert l'existence de certains individus très rares semblant capables de survivre en dormant seulement six heures, avec très peu de conséquences – une élite du sommeil, pour ainsi dire. Même en ayant l'occasion de dormir des heures et des heures dans le laboratoire, sans alarme ni réveil, ils ne dorment naturellement que pendant cette durée, pas plus. Ceci semble s'expliquer en partie par leurs gènes, plus spécifiquement par le sous-type d'un gène appelé BHLHE41 [1]. Les scientifiques essaient actuellement de comprendre l'action de ce gène, et la façon dont il procure cette résistance à si peu de sommeil.

Je suppose que, sachant cela, certains lecteurs pensent appartenir à cette élite. C'est très peu probable. Ce gène est extrêmement rare, et l'on estime que seules quelques personnes à travers le monde sont porteuses de cette anomalie. Je cite pour aller plus loin l'un de mes collègues de recherche, le Dr Thomas Roth, de l'hôpital Henry Ford de Detroit : « Le nombre de personnes pouvant survivre en dormant cinq heures par nuit ou moins sans en subir de conséquences, exprimé en pourcentage de la population et arrondi avant la virgule, est de zéro. »

Moins de 1 % de la population résiste aux effets du manque de sommeil chronique, quelle que soit la fonction du cerveau prise en compte. Vous avez bien plus de chances d'être frappé par la foudre (les probabilités étant de 1 sur 12 000) que d'être capable de survivre au manque de sommeil grâce à un gène rare.

Irrationalité émotionnelle

« J'ai craqué, voilà tout… » On entend souvent ces mots dans les récits tragiques des réactions de soldats face à des civils provocateurs, de médecins face à des patients se croyant tout permis, ou de parents face à leur enfant désobéissant. Ces situations ne font qu'un,

1. Également appelé « DEC2 ».

en ce que la colère et l'hostilité inappropriées naissent chez des personnes fatiguées, en manque de sommeil.

Beaucoup d'entre nous savent l'impact énorme de l'insuffisance de sommeil sur nos émotions. Nous le remarquons y compris chez les autres. Prenez ce scénario classique : un parent tient dans ses bras un enfant en bas âge en train de crier et de pleurer puis, au beau milieu de cette agitation, se retourne vers vous en disant : « C'est juste qu'il n'a pas assez dormi la nuit dernière. » La sagesse parentale universelle reconnaît que le fait de mal dormir la nuit précédente engendre mauvaise humeur et réactivité émotionnelle le jour suivant.

Si le phénomène d'irrationalité émotionnelle suivant un manque de sommeil est répandu sur le plan subjectif et anecdotique, nous ne savons que depuis récemment à quel point le manque de sommeil influence le cerveau émotionnel du point de vue neuronal, outre les ramifications professionnelles, psychiatriques et sociétales. Il y a plusieurs années, pour analyser ce problème, mon équipe et moi avons mené une étude en utilisant des IRM du cerveau.

Nous avons étudié deux groupes de jeunes adultes en bonne santé. L'un des groupes est resté éveillé toute la nuit, en surveillance dans mon laboratoire, tandis que l'autre a dormi normalement. Au moment de réaliser les IRM du cerveau le jour suivant, nous avons montré la même chose aux participants des deux groupes : cent photos allant du contenu émotionnellement neutre (comme un panier ou un morceau de bois flottant) au contenu émotionnellement négatif (comme une maison qui brûle ou un serpent venimeux prêt à attaquer). Au moyen de ces photos à intensité émotionnelle variable, nous avons pu comparer l'augmentation des réponses du cerveau aux éléments de plus en plus négatifs sur le plan émotionnel.

Les analyses des IRM ont offert les résultats les plus importants qu'il m'ait été donné de mesurer dans le cadre de mes recherches à ce jour. Un élément situé des côtés gauche et droit du cerveau, appelé « amygdale » – lieu clé dans le déclenchement des émotions fortes telles que la colère ou la rage, lié à la réaction de lutte ou de fuite – a montré une augmentation de 60 % en termes de réactivité émotionnelle chez les participants manquant de sommeil. Les IRM de ceux qui avaient dormi une nuit entière ont montré au contraire un degré modeste et contrôlé de réactivité dans l'amygdale, alors qu'ils avaient vu exactement les mêmes images. C'est comme si, privé de sommeil, notre cerveau retournait vers un modèle primitif de réactivité incontrôlée. Nous produisons des réactions émotionnelles démesurées, inappropriées, et sommes incapables de replacer les événements dans un contexte général ou connu.

Cette réponse soulève une autre question : pourquoi les centres des émotions du cerveau sont-ils si excessivement réactifs après un manque de sommeil ? D'autres études par IRM, utilisant des analyses plus poussées, nous ont permis d'identifier la raison initiale.

Après une longue nuit de sommeil, le cortex préfrontal – région du cerveau située juste au-dessus de vos globes oculaires, plus développée chez les humains que chez d'autres primates et associée à la pensée rationnelle et logique ainsi qu'à la prise de décision – est fortement lié à l'amygdale, régulant ainsi ce centre des émotions profondes du cerveau grâce à un contrôle inhibitoire. Après une bonne nuit de sommeil, l'équilibre entre notre pédale d'accélérateur (amygdale) et notre frein (cortex préfrontal) est donc bon. Sans sommeil, cet équilibre solide entre les deux régions du cerveau est cependant perdu. Nous ne pouvons plus contrôler nos pulsions ataviques – trop de pédale d'accélérateur sur l'émotion (amygdale) et pas assez de frein sur la régulation (cortex préfrontal). Sans le contrôle rationnel que nous prodigue chaque nuit le sommeil, nous ne sommes plus stables sur le plan neurologique – donc émotionnel.

Des études récentes effectuées au Japon par une équipe de recherche ont atteint les mêmes conclusions, en restreignant le sommeil des participants à cinq heures pendant cinq nuits. Quelle que soit la façon dont vous reposez votre cerveau – d'une traite, la même nuit, ou de façon chronique, en dormant juste un peu chaque nuit – les conséquences sont les mêmes sur le cerveau et ses émotions.

Lorsque j'ai mené ces expériences, les variations d'humeur et des émotions des participants m'ont frappé. D'une seconde à l'autre, les patients manquant de sommeil peuvent devenir irritables et tendus ou complètement étourdis, pour retrouver ensuite un état de négativité violente. Ils traversent des fossés émotionnels étonnants, allant du négatif au positif en passant par le neutre, et inversement, en une période de temps très courte. J'avais de toute évidence manqué quelque chose et devais mener une nouvelle étude, pour explorer cette fois les réponses du cerveau en manque de sommeil à des expériences de plus en plus positives et gratifiantes, comme des images excitantes de sport extrême ou illustrant l'idée de gagner de plus en plus d'argent en remplissant diverses tâches.

Nous avons découvert que plusieurs centres d'émotion profonde situés dans le cerveau juste au-dessus et derrière l'amygdale, appelés « striatum » – centre de l'impulsivité et de la satisfaction, baignant dans la dopamine chimique – deviennent hyperactifs chez les patients en manque de sommeil en cas d'expériences gratifiantes et agréables. Pour ce qui est de l'amygdale, la sensibilité accrue de ces régions hédonistes est liée à une perte du contrôle rationnel par le cortex préfrontal.

Ainsi, le manque de sommeil ne pousse pas le cerveau vers un état d'humeur négative durable. En réalité, le cerveau n'ayant pas assez dormi se balance de façon excessive d'un extrême émotionnel à l'autre, du positif au négatif.

On pourrait penser que ces deux effets se compensent, neutralisant ainsi le problème. Malheureusement, les émotions, et leur façon de nous guider vers les meilleures décisions ou les meilleures actions, ne fonctionnent pas de cette façon. Les extrêmes sont souvent dangereux. La dépression et l'extrême négativité peuvent par exemple donner à quelqu'un un sentiment d'inutilité, et le pousser à remettre en question la valeur de la vie. L'existence de ce problème est aujourd'hui plus avérée. Des études sur les adolescents ont démontré un lien entre la perturbation du sommeil et les idées suicidaires, les tentatives, et malheureusement les actes, de suicide les jours suivants. Raison de plus pour que la société et les parents encouragent les adolescents à dormir pleinement plutôt qu'à moins dormir, notamment lorsqu'on sait que le suicide est la seconde cause de mortalité chez les jeunes adultes des pays industrialisés, après les accidents de voiture.

Un lien a également été fait entre le manque de sommeil et l'agressivité, le harcèlement ou les problèmes de comportement chez des enfants de tous âges. Le même lien a été observé entre le manque de sommeil et la violence chez les adultes en prison – ce lieu, ajoutons-le, se révèle cruellement mauvais pour l'instauration d'un sommeil correct, en mesure de réduire les agressions, la violence, les troubles psychiatriques et le suicide, qui, outre le problème humain, accroissent les coûts pour le contribuable.

Les mêmes problèmes se posent concernant l'extrême bonne humeur, même si les conséquences sont différentes. L'hypersensibilité à des expériences agréables peut engendrer la recherche de sensations, la prise de risque et l'addiction. Les troubles du sommeil sont communément associés à la prise de substances addictives[1].

---

1. K. J. Brower et B. E. Perron, « Sleep disturbance as a universal risk factor for relapse in addictions to psychoactive substances », *Medical Hypotheses*, 74(5), 2010, 928-933 ; D. A. Ciraulo, J. Piechniczek-Buczek et E. N. Iscan, « Outcome predictors in substance use disorders », *Psychiatric Clinics of North America*, 26(2), 2003, 381-409 ; J. E. Dimsdale, D. Norman, D. DeJardin et M. S. Wallace, « The effect of opioids on sleep architecture », *Journal of Clinical Sleep Medicine*, 3(1), 2007, 33-36 ; E. F. Pace-Schott, R. Stickgold, A. Muzur, P. E. Wigren *et al.*, « Sleep quality deteriorates over a binge-abstinence cycle in chronic smoked cocaine users », *Psychopharmacology (Berl)*, 179(4), 2005, 873-883 ; J. T. Arnedt, D. A. Conroy et K. J. Brower, « Treatment options for sleep disturbances

Le manque de sommeil est également déterminant dans le taux de rechute de nombreux troubles de l'addiction, associés à un besoin de reconnaissance extrême et un manque de contrôle du siège social rationnel qu'est le cortex préfrontal[1]. Information importante d'un point de vue préventif : l'impact du manque de sommeil durant l'enfance est significatif sur la prise de drogues et d'alcool à l'adolescence, même lorsqu'on prend en compte d'autres facteurs de risque, tels que l'anxiété, les déficits d'attention ou la consommation de drogues par les parents[2]. Vous comprenez désormais que la responsabilité émotionnelle bidirectionnelle et variable du manque de sommeil est alarmante, et qu'elle ne contrebalance pas les émotions.

Les expériences que nous avons menées en réalisant des IRM sur des individus en bonne santé nous ont donné matière à réfléchir quant à la relation entre le sommeil et les maladies psychiatriques. Aucune maladie psychiatrique majeure ne montre un sommeil normal. C'est le cas pour la dépression, l'anxiété, le stress post-traumatique, la schizophrénie et le trouble bipolaire (anciennement psychose maniaco-dépressive).

---

during alcohol recovery », *Journal of Addictive Diseases*, 26(4), 2007, 41-54.

1. K. J. Brower et B. E. Perron, « Sleep disturbance as a universal risk factor for relapse in addictions to psychoactive substances », *Medical Hypotheses*, 74(5), 2010, 928-933.

2. N. D. Volkow, D. Tomasi, G. J. Wang, F. Telang *et al.*, « Hyperstimulation of striatal D2 receptors with sleep deprivation: Implications for cognitive impairment », *NeuroImage*, 45(4), 2009, 1232-1240.

La psychiatrie reconnaît depuis longtemps l'existence d'un lien entre le manque de sommeil et les maladies mentales. Cependant, l'un des points de vue dominants en psychiatrie était que les maladies mentales étaient responsables de troubles du sommeil – une influence à sens unique. À l'inverse, nous avons prouvé que des personnes en bonne santé pouvaient présenter un schéma neurologique d'activité cérébrale similaire à celui qu'on peut observer chez des patients atteints de maladies psychiatriques, simplement parce que leur sommeil avait été perturbé ou supprimé.

Beaucoup de régions du cerveau souvent touchées par les troubles psychiatriques sont en effet les mêmes à être impliquées dans la régulation du sommeil et touchées par le manque de sommeil. De plus, une grande partie des gènes présentant des anomalies en cas de maladies psychiatriques sont les mêmes que ceux qui aident au contrôle du sommeil et de notre rythme circadien.

La psychiatrie se serait-elle trompée de direction causale ? Ne serait-ce pas la perturbation du sommeil qui serait à l'origine des maladies mentales, et non l'inverse ? Non, il me semble que cette idée est tout aussi fausse et réductrice que la précédente. En réalité, je pense surtout sincèrement que l'interaction entre le manque de sommeil et la maladie mentale est à double sens, le trafic étant plus ou moins fort dans une direction que dans l'autre selon le trouble en question.

Je ne suis pas en train de suggérer que tous les problèmes psychiatriques sont causés par une absence de sommeil, mais bien plutôt que la perturbation du sommeil reste un facteur négligé contribuant à l'instauration et/ou au maintien de nombreuses maladies psychiatriques, possédant un potentiel de diagnostic et de thérapie puissant qu'il nous reste encore à comprendre et à utiliser réellement.

Des preuves plus anciennes (mais irréfutables) commencent à venir appuyer cette théorie. Un exemple est celui du trouble bipolaire, que la plupart des gens connaissent sous son ancienne appellation de « psychose maniaco-dépressive ». Il ne faut pas confondre le trouble bipolaire avec la dépression majeure, faisant pencher les personnes exclusivement vers l'extrémité négative du spectre des humeurs. Les patients atteints de dépression bipolaire vacillent entre les deux extrémités du spectre, faisant ainsi l'expérience de périodes dangereuses de manie (comportement émotionnel excessif fondé sur la récompense) et de périodes de dépression profonde (humeur et émotions négatives). Ces extrêmes sont souvent entrecoupés de périodes durant lesquelles le patient se trouve dans un état émotionnel stable, ni maniaque ni dépressif.

En Italie, une équipe de chercheurs a examiné des patients bipolaires pendant ces périodes stables d'entre-deux. Ensuite, sous une surveillance clinique prudente, ils ont privé ces individus de sommeil pendant une nuit. Presque immédiatement, un grand nombre de personnes sont tombées dans un épisode maniaque ou devenues sérieusement dépressives. S'il me semble que l'expérience s'avère difficile à aborder d'un point de vue éthique, les scientifiques ont ainsi pu prouver que le manque de sommeil est un élément déclencheur d'épisode psychiatrique de manie ou de dépression. Le résultat défend l'existence d'un mécanisme au sein duquel la perturbation du sommeil – précédant presque toujours le passage d'un état stable à un état instable de manie ou de dépression chez les patients bipolaires – pourrait bien être un (le) déclencheur du trouble, et pas uniquement un épiphénomène.

Heureusement, le contraire est également vrai. En améliorant la qualité de sommeil de personnes souffrant de divers troubles psychiatriques au moyen d'une technique que nous évoquerons plus tard, appelée thérapie comportementale et cognitive contre l'insomnie (TCCi), il est possible d'affaiblir la gravité des symptômes et d'augmenter le taux de rémission. Ma collègue de l'université de Californie, à Berkeley, le Dr Allison Harvey, est pionnière en ce domaine.

En améliorant la quantité, la qualité et la régularité du sommeil, Harvey et son équipe ont démontré systématiquement le pouvoir guérisseur du sommeil sur l'esprit de nombreuses populations psychiatriques. Elle a utilisé le sommeil comme outil thérapeutique pour diverses affections telles que la dépression, le trouble bipolaire, l'anxiété ou les envies de suicide, obtenant toujours des résultats très positifs. En régularisant et en augmentant la quantité de sommeil, Harvey a repoussé les troubles psychiatriques de ces patients à la frontière du stade maladif. Elle a ainsi rendu selon moi un service remarquable à l'humanité.

Les variations de l'activité cérébrale émotionnelle observées chez des individus en bonne santé privés de sommeil peuvent également expliquer une découverte qui a rendu la psychiatrie perplexe durant des dizaines d'années. Les patients souffrant de dépression majeure, et s'enfermant exclusivement dans l'extrémité négative du spectre émotionnel, présentent ce qui semble être en premier lieu une réaction contraire à l'intuition après une nuit sans sommeil. Environ 30 % à 40 % de ces patients se sentent *mieux*. Leur manque de repos semble avoir un effet antidépresseur.

Si la privation de sommeil n'est toutefois pas un traitement répandu, c'est pour deux raisons. D'abord, les bienfaits antidépressifs disparaissent dès que ces individus se remettent à dormir. Ensuite, les 60 % à 70 % des patients ne répondant pas de cette façon au manque de sommeil se sentent encore plus mal, et leur dépression augmente. C'est pourquoi la privation de sommeil n'est pas une option thérapeutique réaliste ou exhaustive. Ce phénomène soulève toutefois une question intéressante : comment la privation de sommeil peut-elle être utile à certaines personnes, et néfaste à d'autres ?

Il me semble que l'explication réside dans les changements bidirectionnels observés dans l'activité cérébrale émotionnelle. Contrairement à ce que vous imaginez peut-être, la dépression n'est pas uniquement liée à la présence excessive de sentiments négatifs, mais également à l'*absence* d'émotions positives, particularité que l'on nomme « anhédonie » : l'incapacité à tirer du plaisir d'expériences normalement agréables, telles que l'alimentation, la socialisation ou le sexe.

Le tiers des personnes dépressives réagissant à la privation de sommeil sont peut-être celles qui font l'expérience de l'amplification la plus marquée des circuits cérébraux de la récompense dont j'ai parlé plus tôt, ce qui entraîne chez elles une sensibilité bien plus forte aux déclencheurs positifs gratifiants après une nuit sans sommeil. Leur anhédonie s'en trouve diminuée, et elles peuvent faire l'expérience d'un degré supérieur de plaisir face à des situations quotidiennes plaisantes. Au contraire, les deux autres tiers des personnes dépressives peuvent souffrir plus fortement des conséquences émotionnelles négatives du manque de sommeil : leur dépression empire plus qu'elle ne s'amoindrit. Si nous arrivons à déterminer quels individus répondent et lesquels ne répondent pas, j'ai l'espoir que nous pourrons créer des méthodes personnalisées de lutte contre la dépression.

Nous nous intéresserons de nouveau aux effets du manque de sommeil sur la stabilité émotionnelle et d'autres fonctions cérébrales dans les chapitres suivants, en abordant les conséquences réelles du manque de sommeil sur la société, l'éducation et le lieu de travail. Ces découvertes nous autorisent à nous demander si les médecins en manque de sommeil sont capables de décisions et de jugements émotionnellement rationnels, si les militaires fatigués sont en mesure de garder le doigt sur la détente, si les banquiers et les *traders* surchargés de travail sont en position de prendre des décisions financières raisonnables et sans risques concernant des pensions de retraite durement gagnées, et si les adolescents doivent lutter pour commencer leur journée très tôt alors qu'ils sont en plein développement et plus vulnérables aux troubles psychiatriques. Je résume toutefois pour le moment ce passage par cette citation perspicace de l'entrepreneur américain E. Joseph Cossman sur le sommeil et les émotions : « Le meilleur pont entre le désespoir et l'espoir est une bonne nuit de sommeil[1]. »

---

1. Cossman est à l'origine d'autres perles de sagesse, comme celle-ci : « Le meilleur moyen de retenir la date d'anniversaire de sa femme, c'est de l'oublier une fois. »

Fatigué et étourdi ?

Vous est-il déjà arrivé de passer une « nuit blanche » à rester debout toute la nuit ? L'une de mes grandes passions est d'enseigner la science du sommeil dans une grande classe de jeunes étudiants de l'université de Californie, à Berkeley. J'ai donné un cours similaire sur le sommeil lorsque j'étais à l'université de Harvard. Pour commencer, je mène toujours une enquête sur le sommeil, posant des questions à mes étudiants sur leurs habitudes en ce domaine, comme l'heure à laquelle ils se couchent ou se réveillent durant la semaine et le week-end, combien de temps ils dorment, s'ils pensent que leurs performances universitaires sont liées à leur sommeil.

Dans la mesure où ils disent la vérité (ils remplissent l'enquête en ligne, de manière anonyme, et non en classe), j'obtiens le plus souvent une réponse assez triste. Plus de 85 % d'entre eux passent des nuits blanches. Le plus alarmant, c'est que parmi ceux qui ont répondu « oui » à cette question, près d'un tiers en font tous les mois, toutes les semaines, voire plusieurs fois par semaine. Alors que le cours se poursuit tout au long du semestre, je reviens sur les résultats de l'enquête pour faire le lien entre leurs habitudes de sommeil et la science que nous étudions. J'essaie ainsi de leur montrer les dangers très personnels auxquels ils s'exposent pour leur santé psychologique et physique, et le danger qu'ils représentent pour la société.

La raison principale que me donnent mes étudiants pour justifier leurs nuits blanches est celle des révisions avant un examen. En 2006, j'ai décidé de conduire une étude grâce à des IRM pour savoir s'ils avaient raison ou tort de faire ainsi. Passer une nuit blanche pour réviser, est-ce une bonne idée ? Nous avons séparé en deux un grand groupe d'individus, l'un dormant, l'autre privé de sommeil. Les deux groupes sont restés éveillés normalement la première journée. La nuit suivante, les sujets du groupe dormant se sont reposés toute la nuit, alors que ceux du groupe privé de sommeil sont restés éveillés, sous la surveillance du personnel qualifié de mon laboratoire. Les deux groupes sont ensuite restés éveillés pendant la matinée suivante. Vers minuit, nous avons placé les participants dans un scanner à IRM et leur avons demandé de retenir une liste d'événements, un par un, tout en prenant des photos de leur activité cérébrale. Nous les avons ensuite interrogés pour savoir ce qu'ils avaient appris. Nous ne l'avons toutefois pas fait juste après l'apprentissage, mais après deux nuits de sommeil de récupération, pour être certains que les troubles observés chez le groupe privé de sommeil ne se confondent pas avec leur état de fatigue ou d'inattention, les empêchant de se souvenir de ce qu'ils auraient par ailleurs tout à fait pu apprendre. Ils ne manquaient donc de sommeil qu'au moment d'apprendre, pas de réciter ce qu'ils avaient appris.

Le résultat des comparaisons de l'efficacité d'apprentissage des deux groupes est clair : le groupe privé de sommeil est 40 % moins capable de retenir de nouvelles informations (c'est-à-dire à créer de nouveaux souvenirs) que le groupe ayant dormi toute une nuit. Pour le dire en contexte, c'est la différence entre cartonner à un examen ou le rater lamentablement !

Qu'est-ce qui ne fonctionne pas correctement dans le cerveau pour engendrer de tels déficits ? Nous avons comparé les activités cérébrales des deux groupes pendant l'acte d'apprentissage, en concentrant notre analyse sur la région du cerveau dont nous avons parlé dans le chapitre 6, l'hippocampe – la « boîte de réception » du cerveau, accueillant les faits nouveaux. Il y avait une forte activité d'apprentissage efficace dans l'hippocampe des participants ayant dormi la nuit précédente, mais en observant cette même partie chez les participants privés de sommeil, nous n'y avons trouvé aucune activité d'apprentissage significative, comme si le manque de sommeil avait provoqué la fermeture de la boîte de réception de la mémoire, et que toute information nouvelle était tout simplement rejetée. Il n'est même pas besoin du choc brutal d'une nuit complète sans dormir. Le simple fait de perturber la profondeur du sommeil NREM d'un individu par des bruits irréguliers, empêchant le sommeil profond et maintenant le cerveau dans un état de sommeil superficiel, sans même réveiller la personne, entraîne les mêmes déficits cérébraux et les mêmes problèmes d'apprentissage.

Vous avez peut-être vu *Memento*, film dans lequel le personnage principal souffre d'une lésion cérébrale et qui, dès lors, ne peut plus produire de nouveaux souvenirs. En neurologie, c'est ce qu'on appelle une « amnésie dense ». La partie endommagée de son cerveau est l'hippocampe. C'est cette même structure qu'attaque le manque de sommeil, bloquant ainsi la capacité de votre cerveau à apprendre de nouvelles choses.

Je ne peux vous dire combien d'étudiants sont venus me voir à la fin d'un cours où j'évoquais ces études pour me dire : « Je connais bien ce sentiment. C'est comme si je fixais la page du manuel mais que rien ne rentrait. Je peux retenir certaines choses le jour suivant pour l'examen, mais si vous me faisiez passer le même test un mois plus tard, je crois que je ne me souviendrais de presque rien. »

Cette dernière description renvoie à des faits scientifiques. Les quelques faits que vous êtes en mesure de retenir lorsque vous manquez de sommeil s'oublient bien plus vite dans les heures ou les jours à venir. Les souvenirs formés sans sommeil sont plus faibles, ils s'évaporent rapidement. Des recherches réalisées sur des rats ont révélé qu'il est presque impossible de renforcer, chez les animaux en manque de sommeil, les connexions synaptiques entre les neurones formant normalement un nouveau circuit de mémoire. Imprimer des souvenirs durables dans l'architecture du cerveau devient presque impossible. Cette affirmation est valable aussi bien pour les rats privés de sommeil par les chercheurs pendant vingt-quatre heures d'affilée que pour ceux qui ont perdu seulement quelques heures de sommeil, deux ou trois. Même les éléments les plus élémentaires du processus d'apprentissage – la production de protéines formant les blocs de construction de la mémoire dans ces synapses – sont freinés par le manque de sommeil.

La toute dernière étude sur la question a révélé que le manque de sommeil a même un impact sur l'ADN et les gènes liés à l'apprentissage dans les cellules du cerveau de l'hippocampe. Le manque de sommeil devient une force profondément pénétrante et corrosive affaiblissant le dispositif de fabrication de mémoire de votre cerveau et vous empêchant de construire des traces de mémoire durables. C'est un peu comme construire un château de sable trop près de la ligne de marée – les conséquences sont fatales.

Lorsque j'étais à l'université de Harvard, j'ai été invité à signer ma première tribune libre dans son journal, le *Crimson*. Le sujet était le manque de sommeil, l'apprentissage et la mémoire. On ne m'a plus jamais proposé d'y écrire !

Je parlais dans cet article des études ci-dessus et de leur intérêt, revenant parfois sur le manque de sommeil pandémique chez les étudiants. Au lieu de blâmer les étudiants pour ces pratiques, je pointais un doigt accusateur sur l'université, moi inclus. Je suggérais que si nous, professeurs, avions pour seul but d'enseigner, charger d'examens les derniers jours du semestre était une décision stupide, forçant les étudiants à dormir peu ou à passer des nuits blanches, ce qui s'avérait en opposition directe avec l'objectif de former de jeunes esprits érudits. Je défendais l'idée selon laquelle la logique, appuyée par des faits scientifiques, devait prévaloir, et qu'il était grand temps pour nous de repenser nos méthodes d'évaluation, leur impact contre-éducatif et le comportement malsain qui en découlait chez nos étudiants.

Dire que la réaction de la faculté fut glaciale est un euphémisme. « C'est le choix des étudiants », m'a-t-on répondu dans des courriels catégoriques. Le « manque d'organisation des étudiants irresponsables » fut une autre objection courante de l'université et des administrateurs cherchant à fuir leurs responsabilités. Je n'ai jamais cru qu'une tribune libre permettrait à elle seule d'induire un tournant dans les pauvres méthodes d'examen de ce grand institut d'apprentissage ou d'un autre. Comme beaucoup l'ont dit à propos d'institutions tout aussi stoïciennes : les théories, les croyances et les pratiques meurent d'une génération à l'autre. Mais il faut bien que la conversation et la bataille commencent quelque part.

Vous vous demandez peut-être si j'ai moi-même modifié mes pratiques éducatives et évaluatives. La réponse est oui. Il n'y a pas d'examen final dans ma classe. Au lieu de cela, je découpe mes cours en trois pour que les étudiants n'aient à apprendre que quelques cours à la fois. De plus, les examens ne sont pas cumulatifs. C'est ce que l'on désigne en psychologie comme un effet de la mémoire infaillible, l'apprentissage en masse *vs* l'apprentissage espacé. Comme en alimentation, mieux vaut diviser le repas éducatif en plus petits cours, avec des pauses entre deux pour permettre la digestion, plutôt que d'essayer d'avaler toutes les calories informationnelles en une seule fois.

J'évoque dans le chapitre 6 le rôle crucial du sommeil dans le maintien ou le renforcement des souvenirs récents. Mon ami et collaborateur de longue date à l'École de médecine de Harvard, le Dr Robert Stickgold, a mené une étude brillante qui a eu des implications sur une large échelle. Il a demandé à cent trente-trois étudiants de retenir des informations visuelles à travers la répétition. Les participants sont ensuite retournés dans son laboratoire pour être évalués. Certains sont revenus le lendemain, après une nuit complète de sommeil. D'autres sont revenus deux jours plus tard, après deux nuits complètes de sommeil, d'autres encore après trois nuits complètes de sommeil.

Comme vous pouvez désormais l'imaginer, une nuit de sommeil renforce les souvenirs récents et encourage leur maintien. De plus, plus les participants accumulent de nuits de sommeil avant d'être évalués, plus leur mémoire est bonne. C'est le cas pour tous, sauf un sous-groupe. Comme ceux du troisième groupe, ces participants ont appris la leçon le premier jour, de manière tout aussi efficace. Ils ont ensuite été testés trois nuits plus tard, comme le troisième groupe, à la différence près qu'ils ont été privés de sommeil la première nuit après l'apprentissage, sans être testés le lendemain, puisque Stickgold leur a demandé de dormir deux nuits complètes pour qu'ils puissent récupérer avant d'être testés. Ils n'ont montré aucun signe de renforcement de leur mémoire. En d'autres termes, si vous ne dormez pas la nuit juste après avoir appris quelque chose, vous perdez la chance de consolider ces souvenirs, même si vous enchaînez ensuite les « sommeils réparateurs ». En matière de mémoire, le sommeil n'est donc pas une banque. Vous ne pouvez pas accumuler une dette en espérant la payer plus tard. Pour ce qui est du renforcement de la mémoire, le sommeil est tout ou rien. C'est un résultat alarmant dans le contexte de notre société toujours en mouvement, pressée et impatiente. Je me sens prêt pour une nouvelle tribune…

Le sommeil et la maladie d'Alzheimer

Les deux maladies les plus redoutées dans nos nations industrialisées sont la démence et le cancer. Les deux sont liées à un sommeil inadéquat. Nous discuterons du cancer dans le chapitre suivant, consacré aux effets du manque de sommeil sur le corps. En ce qui concerne la démence, qui a trait au cerveau, le manque de sommeil est en passe d'être reconnu comme un facteur clé déterminant dans le développement de la maladie d'Alzheimer.

Cette maladie, identifiée en 1901 par un médecin allemand, le Dr Aloysius Alzheimer, est devenue l'un des enjeux économiques et de santé publique les plus importants du XXIe siècle. Plus de quarante millions de personnes souffrent de cette pathologie dégénérative. Ce nombre s'est accru avec l'augmentation de la durée de la vie, mais également, il faut le noter, avec la baisse du temps de sommeil. Un adulte sur dix de plus de soixante-cinq ans souffre désormais de la maladie d'Alzheimer. Sans avancée au niveau des diagnostics, de la prévention et des thérapies, ce chiffre continuera d'augmenter.

Le sommeil représente un nouvel espoir concernant ces trois points : le diagnostic, la prévention et la thérapie. Avant de parler du pourquoi, laissez-moi vous expliquer de quelle manière la perturbation du sommeil et la maladie d'Alzheimer sont liées.

Comme nous l'avons appris dans le chapitre 5, la qualité du sommeil – plus particulièrement du sommeil profond NREM – se dégrade avec l'âge. Ce phénomène va de pair avec un déclin de la mémoire. Cependant, lorsqu'on examine un patient atteint de la maladie d'Alzheimer, son sommeil profond est bien plus perturbé. Fait plus parlant peut-être, la perturbation du sommeil précède le déclenchement de la maladie d'Alzheimer de plusieurs années, et pourrait donc être un signe précurseur de la maladie, voire un facteur de contribution. Après le diagnostic, l'ampleur de la perturbation du sommeil progresse proportionnellement à la sévérité des symptômes du patient, suggérant un lien plus fort entre les deux. Pour aggraver le problème, plus de 60 % des patients atteints d'Alzheimer présentent au moins un trouble clinique du sommeil. L'un des plus communs est l'insomnie, comme le savent bien trop ceux qui s'occupent d'un être cher atteint de cette maladie.

Ce n'est toutefois que récemment que le lien entre les troubles du sommeil et la maladie d'Alzheimer s'est révélé être plus qu'une simple association. Même si nombre de points restent à comprendre, on sait désormais que la perturbation du sommeil et la maladie d'Alzheimer interagissent telle une spirale autonome négative pouvant être à l'origine de et/ou accélérer la maladie.

La maladie d'Alzheimer est associée à l'accumulation d'une forme toxique de protéines appelées bêta-amyloïdes, qui s'agglomèrent en touffes ou plaques collantes à l'intérieur du cerveau. Les plaques amyloïdes sont toxiques pour les neurones et tuent les cellules cérébrales environnantes. Ce qui est étrange, c'est toutefois que les plaques amyloïdes n'affectent que certaines parties du cerveau et pas d'autres, pour une raison encore obscure.

Ce qui m'a interpellé dans ce fait inexpliqué, c'est la localisation dans le cerveau de l'accumulation de l'amyloïde au début de la maladie d'Alzheimer, plus sévèrement durant les phases avancées de la maladie. Cet emplacement est le milieu du lobe frontal – qui, vous vous en souvenez, est la région du cerveau essentielle à la génération électrique de sommeil profond NREM chez les individus jeunes et en bonne santé. À l'époque, nous ne comprenions pas si et pourquoi la maladie d'Alzheimer engendrait une perturbation du sommeil, mais savions seulement que les deux se produisaient en même temps. Je me demandais si la raison pour laquelle les patients atteints d'Alzheimer dormaient d'un si mauvais sommeil profond NREM était, en partie, que la maladie abîme la région même du cerveau permettant normalement cette phase clé du sommeil.

J'ai uni mes forces à celles d'une référence dans le domaine de la maladie d'Alzheimer, le Dr William Jagust, de l'université de Californie, à Berkeley. Ensemble, nos équipes se sont mises à tester cette hypothèse. Des années plus tard, après avoir étudié le sommeil de nombreux adultes d'âge mûr avec des degrés divers d'accumulation d'amyloïde dans le cerveau, quantifiée grâce à un modèle spécial de TEP-scan[1], nous avons trouvé la réponse. Plus il y a de dépôt d'amyloïde dans les régions du milieu du globe frontal, plus la qualité du sommeil profond est dégradée chez les personnes âgées. La maladie n'engendre pas seulement une perte générale de sommeil profond, fait commun lorsque nous vieillissons, elle abîme aussi profondément et sans pitié les ondes cérébrales puissantes du sommeil NREM. C'est une distinction importante, puisqu'elle prouve que les troubles du sommeil causés par l'accumulation

1. TEP : tomographie par émission de positons (en anglais, *positron emission tomography*). *(N.d.T.)*

d'amyloïde dans le cerveau sont bien plus qu'un « vieillissement normal ». C'est un fait unique – qui diffère du déclin du sommeil survenant avec l'âge.

Nous cherchons désormais à savoir si cette « brèche » singulière dans l'activité des ondes cérébrales du sommeil est un signe avant-coureur pour les personnes qui présentent un risque élevé de développer la maladie d'Alzheimer, des années en avance. Si le sommeil s'avère un moyen de diagnostic précoce – surtout, un moyen abordable, non invasif, et facile à obtenir par un grand nombre de personnes, contrairement aux IRM ou aux TEP, plus coûteux –, une intervention précoce devient possible.

S'appuyant sur ces découvertes, notre récent travail ajoute une pièce maîtresse au puzzle de la maladie d'Alzheimer. Nous avons découvert un fait nouveau : les plaques amyloïdes pourraient contribuer au déclin de la mémoire plus tard dans la vie. C'est un fait ayant beaucoup manqué à notre compréhension du fonctionnement de cette pathologie. J'ai dit que le dépôt toxique d'amyloïde s'accumule uniquement dans certaines parties du cerveau et non dans d'autres. Alors que la maladie d'Alzheimer est caractérisée par la perte de la mémoire, l'hippocampe – ce réservoir de la mémoire dans le cerveau – n'est mystérieusement pas touché par la protéine amyloïde. Jusqu'ici, cette question a laissé les scientifiques perplexes : comment l'amyloïde peut-elle engendrer une perte de la mémoire chez les patients atteints d'Alzheimer alors qu'elle ne touche pas aux zones de mémoire du cerveau ? D'autres aspects de la maladie pouvaient entrer en jeu, mais il me semblait plausible que nous ayons omis un facteur intermédiaire

– transférant l'influence de l'amyloïde sur la mémoire dans une autre partie du cerveau. Les troubles du sommeil étaient-ils le facteur manquant ?

Afin de mettre cette théorie à l'épreuve, nous avons demandé à des personnes âgées présentant des niveaux variables d'amyloïde – de faible à fort – de retenir une liste de faits dans la soirée. Le lendemain matin, après avoir enregistré leur sommeil pendant la nuit dans le laboratoire, nous les avons interrogées pour savoir si leur sommeil leur avait permis de consolider leurs nouveaux souvenirs, donc de les retenir. Nous avons découvert un effet de réaction en chaîne. Les personnes ayant les plus hauts niveaux de dépôts d'amyloïde dans la région frontale du cerveau étaient celles qui souffraient du manque de sommeil profond le plus sévère, donc celles qui ne parvenaient pas à consolider ces nouveaux souvenirs. Durant la nuit, elles avaient donc *oublié* plutôt qu'elles ne se s'étaient pas souvenues. La perturbation du sommeil profond NREM est un intermédiaire caché, négociant un mauvais contrat entre l'amyloïde et les troubles de la mémoire chez la personne atteinte de la maladie d'Alzheimer. Un chaînon manquant.

Ces découvertes ne forment toutefois que la moitié de l'histoire, et la moins importante en vérité. Notre étude démontre que, dans la maladie d'Alzheimer, les plaques amyloïdes peuvent être associées à la perte de sommeil profond, mais cela fonctionne-t-il dans les deux sens ? Un manque de sommeil peut-il vraiment engendrer l'accumulation d'amyloïde dans le cerveau ? Si c'est le cas, l'insuffisance de sommeil au long de la vie augmenterait significativement le risque de développer cette maladie.

Dans le cadre de ces études, le Dr Maiken Nedergaard, de l'université de Rochester, a fait l'une des découvertes les plus spectaculaires de ces dernières décennies en matière de sommeil. Alors qu'il travaillait sur des souris, il a découvert qu'il existe dans le cerveau une sorte de réseau d'assainissement appelé « système glymphatique ». Ce terme renvoie au système lymphatique, son équivalent pour le corps, mais il se compose de cellules appelées « glies » (du grec *gloios*, signifiant « gluant »).

Les cellules gliales sont distribuées dans tout le cerveau et situées à côté des neurones produisant les impulsions électriques du cerveau. Tout comme le système lymphatique évacue les polluants de notre corps, le système glymphatique collecte et élimine les polluants métaboliques dangereux générés par l'action des neurones dans le cerveau, à l'image de l'équipe entourant un grand athlète.

Si le système glymphatique – l'équipe de soutien – est assez actif pendant la journée, Nedergaard et son équipe ont découvert que c'est pendant le sommeil que ce nettoyage neuronal est le plus dynamique. Avec le rythme cadencé du sommeil profond NREM, l'expulsion des polluants de notre cerveau est multipliée par dix ou vingt. Par ce que nous pourrions appeler un grand nettoyage nocturne, le travail de purification du système glymphatique est accompli par un fluide cérébrospinal baignant le cerveau.

Nedergaard a réalisé une deuxième découverte étonnante, expliquant pourquoi le fluide cérébrospinal est aussi efficace pour supprimer les déchets métaboliques durant la nuit. La taille des cellules gliales du cerveau diminue parfois de 60 % pendant le sommeil NREM, et l'espace entre les neurones devient plus important, permettant au fluide cérébrospinal de nettoyer efficacement les déchets métaboliques laissés par l'activité neuronale de la journée. Imaginez une grande métropole dans laquelle les bâtiments rapetisseraient la nuit pour permettre un accès facile aux équipes de nettoyage municipal venant ramasser les déchets dans les rues, avant un bon traitement au Kärcher dans les moindres recoins. Lorsque nous nous réveillons chaque matin, c'est grâce à ce grand nettoyage que notre cerveau peut de nouveau fonctionner correctement.

Quel est donc le rapport avec la maladie d'Alzheimer ? L'un des déchets toxiques éliminés par le système glymphatique pendant la nuit est la protéine amyloïde – l'élément toxique associé à la maladie d'Alzheimer. D'autres détritus métaboliques dangereux en lien avec la maladie d'Alzheimer sont également évacués durant ce processus de nettoyage nocturne, tels que la « protéine tau » ou les molécules de stress produites par les neurones lorsqu'ils brûlent de l'énergie et de l'oxygène durant la journée. Si vous empêchez une souris d'obtenir du sommeil NREM en la maintenant éveillée, le dépôt d'amyloïde dans son cerveau augmente immédiatement. Sans sommeil, la protéine toxique liée à la maladie d'Alzheimer s'accumule dans le cerveau des souris, ainsi que d'autres métabolites dangereuses. En d'autres termes, peut-être plus simples, l'éveil est une légère lésion cérébrale, tandis que le sommeil est un assainissement neurologique.

Les découvertes de Nedergaard viennent compléter le cercle de connaissances que nos résultats n'avaient pas permis d'achever. Le manque de sommeil et la maladie d'Alzheimer interagissent suivant un cercle vicieux. En cas d'insuffisance de sommeil, les plaques amyloïdes s'accumulent dans le cerveau, notamment dans les régions du sommeil profond, ainsi attaquées et abîmées. Le manque de sommeil profond NREM causé par cette agression diminue la possibilité d'évacuer l'amyloïde du cerveau durant la nuit, engendrant un dépôt d'amyloïde plus important. Plus d'amyloïde, moins de sommeil profond, moins de sommeil profond, plus d'amyloïde, et ainsi de suite.

De cet effet en cascade découle une prévision : ne pas dormir assez pendant sa vie d'adulte augmente considérablement le risque de développer une maladie d'Alzheimer. Ce lien est désormais décrit dans de nombreuses études épidémiologiques, notamment à propos des personnes souffrant de troubles du sommeil tels que l'insomnie ou l'apnée du sommeil[1]. J'ajoute, entre parenthèses et sans fondement scientifique, qu'il m'a toujours semblé curieux que Margaret Thatcher et Ronald Reagan – deux chefs d'État répétant souvent,

1. A. S. Lim *et al.*, « Sleep fragmentation and the risk of incident Alzheimer's disease and cognitive decline in older persons », *Sleep*, 36, 2013, 1027-1032 ; A. S. Lim *et al.*, « Modification of the relationship of the apolipoprotein E epsilon4 allele to the risk of Alzheimer's disease and neurofibrillary tangle density by sleep », *JAMA Neurology*, 70, 2013, 1544-1551 ; R. S. Osorio *et al.*, « Greater risk of Alzheimer's disease in older adults with insomnia », *Journal of the American Geriatric Society*, 59, 2011, 559-562 ; K. Yaffe *et al.*, « Sleep-disordered breathing, hypoxia, and risk of mild cognitive impairment and dementia in older women », *JAMA*, 306, 2011, 613-619.

presque avec fierté, qu'ils ne dormaient que quatre à cinq heures par nuit – aient tous les deux développé cette cruelle maladie. L'actuel président des États-Unis, Donald Trump – qui proclame lui aussi haut et fort ne dormir que quelques heures par nuit – devrait en prendre note.

La prévision inverse et plus radicale découlant de ces découvertes, c'est que nous devrions être capables de réduire les risques de développer la maladie d'Alzheimer en améliorant la qualité du sommeil – ou du moins d'en reculer le commencement. Un soutien timide a été apporté par certaines études cliniques ayant permis de traiter avec succès les troubles du sommeil de personnes âgées et d'âge moyen. Par conséquent, le taux de leur déclin cognitif a baissé significativement, reculant le début de la maladie de cinq à dix ans[1].

Ma propre équipe de recherche tente actuellement de développer un certain nombre de méthodes viables, destinées à augmenter artificiellement le sommeil profond NREM pour rétablir la fonction de consolidation de la mémoire, absente chez les individus âgés présentant un taux élevé d'amyloïde dans le cerveau. Si nous pouvons trouver une méthode efficace et adaptée à un usage répété à l'échelle de la population, ce que je vise reste la

---

1. S. Ancoli-Israel *et al.*, « Cognitive effects of treating obstructive sleep apnea in Alzheimer's disease: A randomized controlled study », *Journal of the American Geriatric Society*, 56, 2008, 2076-2081 ; W. S. Moraes *et al.*, « The effect of donepezil on sleep and REM sleep EEG in patients with Alzheimer's disease: A double-blind placebo-controlled study », *Sleep*, 29, 2006, 199-205.

prévention. Peut-on commencer à compenser la baisse de sommeil profond des membres vulnérables de la société en milieu de vie des décennies avant le tournant vers la maladie d'Alzheimer, afin d'éviter un risque futur de démence ? Il faut bien avouer que l'ambition est grande ; certains diraient même utopique. Mais il vaut la peine de rappeler que nous utilisons déjà cette approche conceptuelle en médecine, en prescrivant des statines pour les quarantenaires ou les cinquantenaires présentant un risque élevé de maladie cardiovasculaire, afin de prévenir ce risque plutôt que de traiter les malades plusieurs dizaines d'années plus tard.

Le manque de sommeil n'est que l'un des nombreux facteurs associés à la maladie d'Alzheimer. Le sommeil en soi n'est pas la solution miracle pour éradiquer la démence, mais on reconnaît aujourd'hui qu'être attentif à la qualité de son sommeil tout au long de sa vie est un facteur clé de la diminution des risques de développer la maladie d'Alzheimer.

8

Cancer, crises cardiaques et vie écourtée

La privation de sommeil et le corps

Avant, j'adorais dire que « le sommeil est le troisième pilier de la bonne santé, avec le régime alimentaire et l'exercice ». Mais, aujourd'hui, j'ai changé de disque. Le sommeil est plus qu'un pilier : il est la fondation sur laquelle reposent les deux autres. Il suffit de s'en priver, ou de l'affaiblir ne serait-ce qu'un peu pour que les régimes précautionneux et l'exercice physique deviennent moins efficaces, comme nous allons le voir.

L'impact insidieux du manque de sommeil est toutefois beaucoup plus profond. Chaque grand système, tissu ou organe de votre corps souffre d'un sommeil écourté. Aucun aspect de votre santé n'est capable de se tirer sans dommage d'un manque de sommeil. Comme l'eau jaillissant d'une canalisation brisée, les effets d'une telle privation s'infiltrent dans les moindres recoins de votre corps, jusque dans vos cellules, allant jusqu'à altérer l'élément le plus essentiel de votre être : votre ADN.

Élargissons notre vision. Plus de vingt études épidémiologiques à grande échelle ont suivi des millions de personnes sur des décennies, arrivant toutes à la même conclusion claire : moins vous dormez, plus votre vie est courte. Dans les pays développés, les causes principales des maladies et des décès – maladies paralysant votre système physique, comme les maladies cardiaques, l'obésité, la démence, le diabète et le cancer – renvoient toutes au manque de sommeil.

Sans prendre de pincettes, ce chapitre décrit comment, de façons diverses et variées, le manque de sommeil s'avère désastreux pour tous les grands systèmes physiologiques du corps humain : cardiovasculaire, métabolique, immunitaire et reproductif.

Perte de sommeil et système cardiovasculaire

À mauvais sommeil, mauvais cœur. Simple et vrai. Prenez les résultats d'une étude de 2011 ayant suivi plus d'un demi-million d'hommes et de femmes d'âges, de races et d'ethnies divers dans huit pays différents. Le raccourcissement progressif du sommeil va de pair avec une augmentation de 45 % des risques de développer et/ou mourir d'une maladie coronarienne dans les sept à vingt-cinq ans qui suivent le début de l'étude. Le même lien a été observé par une étude japonaise réalisée sur plus de quatre mille travailleurs de sexe masculin. Sur une période de quatorze ans, ceux qui dormaient six heures ou moins étaient 400 % à 500 %

plus susceptibles de faire un arrêt cardiaque ou plus que ceux qui dormaient plus de six heures. Dans beaucoup de ces études, on peut noter que le lien entre un sommeil écourté et les insuffisances cardiaques reste fort, même après le contrôle d'autres facteurs de risques cardiaques connus, comme le tabagisme, l'activité physique ou la masse corporelle. Le manque de sommeil suffit à lui seul à entraîner une attaque.

À mesure que nous nous rapprochons de la cinquantaine, que notre corps commence à se détériorer et notre santé à décliner, l'impact du manque de sommeil sur le système cardiovasculaire monte en flèche. Les adultes de quarante-cinq ans ou plus dormant moins de six heures par nuit ont 200 % plus de risques de faire une crise cardiaque ou une attaque dans leur vie que ceux qui dorment sept ou huit heures par nuit. Cette découverte montre à quel point nous devons faire passer le sommeil en priorité en parvenant à cet âge – c'est malheureusement la période où les circonstances familiales et professionnelles nous encouragent à faire l'exact opposé.

Si le cœur souffre autant de la privation de sommeil, c'est notamment en raison de la pression artérielle. Regardez votre avant-bras droit et choisissez une veine. Entourez votre main gauche autour de cet avant-bras, juste sous le coude, serrez et faites-la tourner en tourniquet. Vous voyez les vaisseaux se mettre à considérablement grossir. Plutôt inquiétant, n'est-ce pas ? La facilité avec laquelle une simple petite perte de sommeil peut augmenter la pression des veines dans tout votre corps, étirant et détendant ainsi les parois vasculaires, l'est tout autant. Une forte pression artérielle est un phénomène aujourd'hui si fréquent que nous en oublions les conséquences mortelles. Rien que cette année, l'hypertension va causer la mort de plus de sept millions de personnes, *via* les insuffisances cardiaques, les maladies cardiaques ischémiques, les attaques ou les insuffisances rénales. Le mauvais sommeil est la cause de la perte de bien des pères, mères, grands-parents et amis chers.

Comme pour d'autres conséquences de la perte du sommeil évoquées plus tôt, il n'est nul besoin de ne pas dormir pendant toute une nuit pour en mesurer l'impact sur votre système cardiovasculaire. Une nuit de sommeil modérément réduit – ne serait-ce que d'une heure ou deux – accélère le taux de contraction du cœur, heure après heure, augmentant significativement la pression artérielle systolique[1]. Information peu réconfortante : ces expérimentations ont été menées sur des individus jeunes et en bonne santé, dont le système cardiovasculaire était par ailleurs performant seulement quelques heures avant. Il n'est aucun cas où la santé physique s'accorde avec une courte nuit de sommeil ; elle n'offre aucun moyen de résistance.

Outre qu'il accélère votre rythme cardiaque et augmente votre pression artérielle, le manque de sommeil endommage le tissu des vaisseaux sanguins, notamment ceux qui alimentent le cœur même, les artères coronaires. Ces couloirs de la vie doivent être propres et grands ouverts pour fournir en permanence du sang à votre cœur. Si vous rétrécissez ou bloquez ces

---

1. O. Tochikubo, A. Ikeda, E. Miyajima et M. Ishii, « Effects of insufficient sleep on blood pressure monitored by a new multibiomedical recorder », *Hypertension*, 27(6), 1996, 1318-1324.

passages, votre cœur peut faire une attaque totale et souvent fatale en raison du manque d'oxygène dans votre sang, que l'on nomme familièrement « infarctus ».

L'une des causes du blocage des artères coronaires est l'athérosclérose, un remplissage de ces couloirs du cœur par des plaques durcies contenant des dépôts de calcaire. Les chercheurs de l'université de Chicago ont réalisé une étude sur presque cinq cents adultes d'âge moyen en bonne santé, dont aucun ne souffrait d'une maladie cardiaque ni ne présentait de signes d'athérosclérose. Ils ont analysé la santé des artères coronaires de ces participants pendant plusieurs années tout en évaluant leur sommeil. Les participants ne dormant que cinq à six heures par nuit, ou moins, ont 200 % à 300 % plus de risques de souffrir d'une calcification des artères coronaires au bout de cinq ans que ceux qui dorment sept ou huit heures, ou plus. Le manque de sommeil chez ces participants va de pair avec une fermeture de ces passages essentiels, autrement grands ouverts, venant alimenter le cœur en sang. Le cœur s'affame et le risque d'infarctus augmente.

Si les mécanismes par lesquels le manque de sommeil dégrade la santé cardiovasculaire sont nombreux, ils semblent tous renvoyer à une cause commune, que l'on nomme le « système nerveux sympathique ». Oubliez les notions d'amour et de sereine compassion qu'évoque cette appellation trompeuse. Le système nerveux sympathique est résolument un activateur, un incitateur, voire un agitateur. En cas de besoin, il mobilise le réflexe évolutif ancestral de réponse au stress, « lutter ou fuir », dans tout votre corps et en quelques secondes.

Comme le général chevronné en charge d'une grande armée, le système nerveux sympathique est capable de mobiliser l'activité dans un large ensemble de divisions physiologiques du corps – depuis la respiration, les fonctions immunitaires et les hormones du stress, jusqu'à la pression artérielle et le rythme cardiaque.

Cette réaction précise de tension du système nerveux sympathique, en temps normal mise en place seulement sur de courts laps de temps, quelques minutes à quelques heures, est une adaptation de qualité en cas de menace réelle, comme lors d'une attaque physique. L'objectif étant de survivre, le corps réagit par une action immédiate dans ce seul but. Toutefois, si ce système reste en position « ON » pendant une longue durée, il devient fortement inadapté. En réalité, il peut même tuer.

À quelques exceptions près, ces cinquante dernières années, toutes les expériences ayant étudié l'impact du manque de sommeil sur le corps humain ont noté une hyperactivité du système nerveux sympathique. Aussi longtemps que dure le manque de sommeil, et parfois même après, le corps reste bloqué à un certain degré de cet état de « lutter ou fuir ». Il peut durer des années chez les personnes souffrant d'un trouble du sommeil non traité, lorsque des heures de travail excessives empêchent le sommeil ou altèrent sa qualité, ou simplement parce que l'on néglige son sommeil. Comme un moteur de voiture qui s'emballe et gronde sur des laps de temps prolongés, votre système nerveux sympathique est en surmenage permanent lorsque vous manquez de sommeil. Votre corps subit la pression de la force persistante de l'activation sympathique, devenant la victime de toutes formes de problèmes de santé, comme des pistons ou des joints de culasse défaillants ou un engrenage grinçant dans le cas d'un moteur de voiture trop sollicité.

Par cette voie centrale d'un système nerveux sympathique hyperactif, la privation de sommeil déclenche un effet domino, une vague de problèmes de santé dans tout le corps, à commencer par la suppression du frein de repos empêchant en temps normal votre cœur d'accélérer ses contractions. Une fois ce frein lâché, votre pulsation cardiaque s'emballe.

Tandis que votre cœur privé de sommeil bat plus vite, le volume du sang pompé dans votre système vasculaire augmente, en même temps que la tension artérielle. Dans le même temps, il se produit une augmentation chronique d'une hormone du stress que l'on nomme cortisol, déclenchée par l'hyperactivité du système nerveux sympathique. L'une des conséquences indésirables de ce déluge de cortisol est la contraction des vaisseaux sanguins, à l'origine d'une augmentation encore plus forte de la pression artérielle.

Comme si cela ne suffisait pas, l'hormone de croissance – grande guérisseuse du corps –, habituellement délivrée la nuit, est stoppée par le manque de sommeil. Sans cette hormone destinée à réapprovisionner la paroi de vos vaisseaux sanguins, nommée « endothélium », ces derniers se dépouillent peu à peu de ce qui constitue leur intégrité. Et, pour couronner le tout, la pression hypertensive que le manque de sommeil place sur vos vaisseaux signifie que vous ne pouvez plus réparer efficacement leurs fractures. La dégradation et l'affaiblissement de votre tuyauterie vasculaire dans tout votre corps entraînent systématiquement des risques d'athérosclérose (artères encombrées). Les vaisseaux éclatent.

C'est un baril de poudre de facteurs aggravants, dont l'explosion a pour effets les plus courants les crises cardiaques et les AVC.

Comparez cette avalanche de problèmes et les bienfaits guérisseurs qu'une pleine nuit de sommeil fournit au système cardiovasculaire. Pendant de longues plages nocturnes, du sommeil profond NREM spécifiquement, le cerveau envoie un signal calmant à la branche sympathique du système nerveux du corps, à cet état de « lutter ou fuir ». Le sommeil profond empêche ainsi l'escalade du stress physiologique associé à l'augmentation de la pression artérielle, aux crises et insuffisances cardiaques, et aux AVC. Voyez le sommeil profond NREM comme un gestionnaire naturel de votre pression artérielle pendant la nuit – permettant d'éviter l'hypertension et les AVC.

Lorsque je me retrouve en situation d'expliquer des faits scientifiques au grand public dans le cadre de conférences ou pour la rédaction de livres, je crains toujours d'assommer mes lecteurs ou mes auditeurs d'une liste sans fin de statistiques sur la mortalité ou la morbidité, de peur qu'ils finissent eux-mêmes par ne plus avoir très envie de vivre en face de moi. Il est certes difficile de ne pas le faire étant donné la masse d'études dont nous disposons en ce domaine et pourtant un seul résultat particulièrement étonnant suffit souvent à ce que tout le monde comprenne où je veux en venir. En termes de santé cardiovasculaire, il me semble que la découverte vient d'une « expérimentation globale » par laquelle 1,5 milliard de personnes se retrouvent contraintes de réduire leur sommeil d'une heure ou moins pendant une seule nuit, chaque année. Il est très probable que vous ayez pris part à cette expérience, que l'on connaît sous le nom de passage à l'heure d'été.

Dans l'hémisphère Nord, le passage à l'heure d'été, en mars, fait perdre à la plupart des gens une heure de sommeil. Si l'on compile les millions d'archives quotidiennes des hôpitaux, comme l'ont fait les chercheurs, on observe que cette réduction de sommeil en apparence banale entraîne un pic effrayant de crises cardiaques le jour suivant. Étonnamment, cela marche dans les deux sens. À l'automne dans l'hémisphère Nord, lorsque les horloges avancent et que nous gagnons une heure de sommeil, le nombre de crises cardiaques chute le jour suivant. On observe le même lien dans le nombre d'accidents de la route, prouvant que le cerveau, à travers les pertes d'attention et les microsommeils, s'avère tout aussi sensible que le cœur aux minuscules perturbations de sommeil. La plupart des gens pensent qu'il est tout naturel de perdre une heure de sommeil pendant une nuit, que c'est un phénomène banal et sans conséquences. Il n'en est rien.

La perte de sommeil et le métabolisme : diabète et prise de poids

Moins vous dormez, plus vous êtes susceptible de manger. Votre corps devient en outre incapable de gérer effectivement les calories, notamment les concentrations de sucre dans votre sang. Pour ces deux raisons, dormir moins de sept ou huit heures par nuit augmente vos risques de prendre du poids, d'être en surpoids ou obèse, mais aussi de développer un diabète de type 2.

Trois cent soixante-quinze milliards de dollars sont dépensés chaque année dans le monde entier pour le diabète et deux mille milliards pour l'obésité. Toutefois, pour les personnes en manque de sommeil, le prix à payer en termes de santé, de qualité de vie et de mort précoce est bien plus signifiant. La façon précise dont le manque de sommeil mène au diabète et à l'obésité est aujourd'hui bien connue et incontestable.

Diabète

Le sucre est dangereux. Il l'est certes pour votre régime, mais je me réfère ici à celui qui circule actuellement dans votre sang. Un niveau trop élevé de sucre dans le sang, ou glucose, entretenu pendant plusieurs semaines, voire années, inflige des dommages surprenants aux tissus ou organes de votre corps, aggravant ainsi votre état de santé et raccourcissant la durée de votre vie. Parmi les conséquences d'une hyperglycémie prolongée, on compte certaines maladies oculaires pouvant entraîner la cécité, des maladies nerveuses à l'origine d'amputations et une insuffisance rénale nécessitant une dialyse ou des transplantations, ainsi que de l'hypertension et des maladies cardiaques. Le diabète de type 2 est toutefois le plus communément et immédiatement lié à une glycémie trop élevée.

Chez un individu en bonne santé, l'hormone de l'insuline déclenche l'absorption rapide par les cellules de votre corps du glucose de votre sang lorsqu'il augmente, comme après un repas. Informées par l'insuline, les cellules de votre corps ouvrent des voies spéciales à leur surface, comme des canalisations remarquablement efficaces sur le bas-côté d'une route lors d'une pluie torrentielle. Elles n'ont aucun mal à gérer le déluge de glucose déferlant dans les artères de transit, empêchant ce qui deviendrait sinon une montée dangereuse du taux de sucre dans le sang.

Toutefois, si les cellules de votre corps cessent de répondre à l'insuline, elles ne peuvent pas absorber efficacement le glucose de votre sang. Comme avec des canalisations bouchées ou refermées par erreur, le taux de sucre dans le sang ne peut plus être ramené à un niveau adapté. Le corps entre alors en hyperglycémie. Si un tel état persiste et que les cellules de votre corps restent intolérantes aux niveaux de glucose élevés, vous entrez dans le stade prédiabétique, avant de développer un diabète généralisé de type 2.

Les premiers signes alarmants d'un lien entre manque de sommeil et taux de sucre anormal dans le sang sont apparus lors d'une série de grandes études épidémiologiques réalisées sur plusieurs continents. Des groupes de chercheurs indépendants les uns des autres ont découvert des taux de diabète de type 2 bien plus élevés chez les individus affirmant dormir habituellement moins de six heures par nuit. Le lien reste significatif même lorsqu'on prend en compte d'autres facteurs aggravants, comme le poids du corps, la consommation d'alcool, le tabagisme, l'âge, le genre, la race et la consommation de caféine. Aussi fortes soient-elles, ces études n'informent toutefois pas sur le sens du lien de cause à effet. Est-ce le diabète qui dégrade votre sommeil, ou le manque de sommeil qui dégrade votre capacité à réguler votre glycémie, entraînant le diabète ?

Pour répondre à cette question, les scientifiques ont dû mener des expériences contrôlées avec des adultes en bonne santé, ne présentant ni signe de diabète ni problèmes de glycémie. Dans la première de ces études, les participants étaient contraints de ne dormir que quatre heures par nuit pendant six nuits. À la fin de la semaine, ces participants (jusque-là en bonne santé) étaient 40 % moins efficaces dans l'absorption d'une dose standard de glucose que lors des périodes pendant lesquelles ils étaient pleinement reposés.

Pour vous faire une idée de ce que cela représente, sachez que si les chercheurs avaient montré ces résultats à un médecin de famille non informé, le généraliste aurait classé immédiatement ces individus comme prédiabétiques. Dans ces cas-là, on lance alors un rapide programme d'intervention pour empêcher le développement irréversible d'un diabète de type 2. De nombreux laboratoires scientifiques dans le monde entier ont conclu à cet effet alarmant du manque de sommeil, certains même dans le cas de réductions de sommeil moins spectaculaires.

Comment un manque de sommeil peut-il pirater le contrôle effectif du sucre dans le sang ? En bloquant la diffusion d'insuline pour supprimer l'ordre essentiel envoyé aux cellules d'absorber le glucose ? Ou ces cellules sont-elles elles-mêmes devenues indifférentes au message de l'insuline par ailleurs normalement présent ?

Comme nous l'avons découvert, les deux options sont vraies, même si les preuves les plus évidentes font pencher pour la seconde. À partir de petits échantillons de tissus, ou biopsies, prélevés sur les participants à la fin des expériences évoquées ci-dessus, nous pouvons examiner la façon dont les cellules du corps opèrent. Après une semaine de sommeil restreint à quatre à cinq heures par nuit, les cellules de ces participants fatigués sont devenues bien moins réceptives à l'insuline. Dans cet état de privation de sommeil, les cellules résistaient obstinément au message de l'insuline et refusaient d'ouvrir leurs canaux de surface. Elles repoussaient plus qu'elles n'absorbaient les niveaux de glucose dangereusement élevés. Les canalisations des bas-côtés étaient bouchées, entraînant une marée montante de sucre dans le sang et un état prédiabétique d'hyperglycémie.

Si le grand public considère le diabète comme un problème sérieux, il ne saisit pas assez le véritable fardeau qu'il représente. Outre le coût moyen du traitement de plus de quatre-vingt cinq mille dollars par patient (contribuant aux tarifs élevés des assurances maladie), le diabète réduit l'espérance de vie de sept ans. Le manque de sommeil chronique est désormais reconnu comme l'un des facteurs majeurs de l'escalade vers le diabète de type 2 dans les pays industrialisés. Or c'est une contribution évitable.

Prise de poids et obésité

Lorsque votre sommeil est réduit, vous prenez du poids. De nombreuses forces contribuent à l'augmentation de votre tour de taille. La première renvoie à deux hormones de contrôle de l'appétit : la leptine et la ghréline[1]. La leptine donne la sensation d'être rassasié. Lorsque les niveaux de leptine en circulation sont élevés, votre appétit s'émousse et vous n'avez plus envie de manger. À l'inverse, la ghréline déclenche une forte sensation de faim. Lorsque les niveaux de ghréline augmentent, votre envie de manger grandit aussi. Un déséquilibre de l'une de ces hormones peut faire manger plus, donc prendre du poids. Si l'on perturbe les deux dans le mauvais sens, la prise de poids devient plus que probable.

Ces trente dernières années, ma collègue de l'université de Chicago, le Dr Eve Van Cauter, a mené sans relâche une étude brillante et de grand impact sur le lien entre sommeil et appétit. Plutôt que de priver des participants d'une nuit de sommeil, Van Cauter a choisi une approche plus pertinente, constatant que plus d'un tiers des membres des sociétés industrialisées dorment moins de cinq à six heures par nuit pendant la semaine. Dans une première série d'études réalisées sur de jeunes adultes en bonne santé et présentant un poids parfaitement normal, elle a cherché à savoir s'il suffisait d'une seule semaine marquée par cette réduction de sommeil typique pour perturber les niveaux de leptine ou de ghréline, ou les deux.

Les participants à l'une des études ont fait une expérience revenant à passer une semaine à l'hôtel. Vous avez votre chambre, votre lit, des serviettes, une télévision, un accès à Internet – tout, sinon du thé ou

---

1. Si la leptine et la ghréline ressemblent à des noms de hobbit, le premier vient du grec *leptos*, signifiant « mince », et le second de *ghre*, terme proto-indo-européen désignant la « croissance ».

du café, puisque la caféine n'est pas autorisée. L'un des groupes peut dormir huit heures et demie chaque nuit pendant cinq nuits, des électrodes placées sur la tête. L'autre groupe ne peut dormir que quatre à cinq heures, toujours avec des électrodes sur la tête. Dans les deux cas, vous recevez la même quantité et le même type de nourriture, et votre degré d'activité physique est maintenu constant. On contrôle chaque jour votre sensation de faim et votre apport nutritionnel, ainsi que vos niveaux de leptine et de ghréline en circulation.

Par cette installation expérimentale sur un groupe de participants minces et en bonne santé, Van Cauter a découvert que nous sommes bien plus affamés lorsque nous dormons quatre à cinq heures par nuit. Les participants de ce groupe avaient pourtant reçu la même quantité de nourriture et avaient été soumis à la même activité que ceux de l'autre groupe ; avec huit heures de sommeil ou plus, le degré de faim reste sous contrôle, tranquille. Les crampes d'estomac et l'appétit augmentent rapidement, après seulement deux jours de sommeil moindre.

Dans cette histoire sont en cause la leptine et la ghréline. Le sommeil inadapté fait baisser la concentration de l'hormone qui signale la satiété, la leptine, et augmenter le taux de ghréline, l'hormone à l'origine de la sensation de faim. C'est un cas classique de double mise en danger physiologique. Les participants sont deux fois punis de leur manque de sommeil : une fois parce que leur système ne ressent plus la sensation de satiété, une autre parce que leur sensation de faim augmente. Ils ne trouvent donc plus de satisfaction dans la nourriture lorsqu'ils dorment peu.

Du point de vue métabolique, les participants à l'étude qui étaient soumis à un sommeil restreint ont perdu le contrôle sur leur faim. En octroyant à ces individus, de manière limitée, ce que certains considèrent dans notre société comme une quantité de sommeil « suffisante » (cinq heures par nuit), Van Cauter a causé un déséquilibre profond dans les gradations du désir hormonal de manger. Si l'on fait taire le message chimique « arrête de manger » (leptine) tout en augmentant le volume de la voix hormonale en train de crier « continue à manger » (ghréline), l'appétit reste insatisfait lorsque vous ne dormez pas assez, même après un festin. Comme me l'a élégamment décrit Van Cauter, un corps privé de sommeil crie famine même dans la profusion.

Avoir faim et manger sont toutefois deux choses différentes. Mange-t-on effectivement plus lorsqu'on dort moins ? Votre tour de taille augmente-t-il parce que vous avez plus d'appétit ?

Dans une autre étude ayant fait date, Van Cauter a prouvé que c'était le cas. Les participants à cette expérience étaient de nouveau divisés en deux groupes placés dans des conditions différentes, servant de ligne de contrôle : quatre nuits de huit heures et demie au lit, et quatre nuits de quatre heures et demie au lit. Chaque jour, ils pratiquaient dans les deux cas le même niveau d'activité physique. Chaque jour, ils avaient libre accès à la nourriture. Et les chercheurs mesuraient avec soin la différence de consommation calorique entre les deux groupes.

En cas de sommeil raccourci, les mêmes individus mangeaient trois cents calories de plus par jour – soit bien plus de mille calories avant la fin de l'expérience – que lorsqu'ils dormaient une pleine nuit de sommeil. Les mêmes changements se produisent si l'on accorde cinq à six heures de sommeil sur une période de dix jours. À l'échelle d'une année de travail, en intégrant un mois de vacances au cours duquel le sommeil abonde miraculeusement, vous consommez plus de soixante-dix mille calories en trop. À partir d'estimations caloriques, on peut dire que cela revient à prendre 4,5 à 7 kg par an chaque année (ce qui doit sembler douloureusement familier à beaucoup d'entre nous).

L'expérience suivante de Van Cauter est la plus surprenante (et diabolique) d'entre toutes. Des individus minces et en bonne santé ont subi les mêmes conditionnements que précédemment : quatre nuits à huit heures et demie de sommeil et quatre nuits à quatre heures et demie de sommeil. Un changement a toutefois eu lieu le dernier jour. Les participants se sont vu offrir un buffet supplémentaire sur une période de quatre heures. Face à eux se tenait un assortiment de plats, composé de viande, de légumes, de pain, de pommes de terre, et de salade, mais aussi de fruits et de glaces. Un petit bar d'aliments à grignoter était posé juste à côté, rempli de cookies, de barres chocolatées, de chips et de bretzels. Les participants pouvaient manger tout ce qu'ils souhaitaient pendant ces quatre heures, le buffet étant même réapprovisionné à la moitié du temps. Il est important de noter que les sujets mangeaient seuls, pour limiter l'influence des autres ou la stigmatisation susceptible d'altérer leurs élans alimentaires naturels.

Après le buffet, Van Cauter et son équipe ont comptabilisé de nouveau ce que les participants avaient mangé et en quelles quantités. Bien qu'ayant ingurgité presque deux mille calories pendant le buffet, les participants privés de sommeil se ruaient sur le bar pour grignoter. Ils consommaient trois cent trente calories *additionnelles* en grignotages après un repas complet, par comparaison avec la période où ils dormaient une pleine nuit de sommeil.

Une découverte récente s'avère pertinente pour comprendre ce comportement : la perte de sommeil augmente les niveaux d'endocannabinoïdes en circulation, qui, comme vous l'avez sans doute deviné d'après leur nom, sont des substances produites par le corps semblables au cannabis. Comme la marijuana, elles stimulent l'appétit et augmentent les envies de grignotage, autrement dit, les petits creux.

Ajoutée à l'augmentation d'endocannabinoïdes, les altérations de leptine et ghréline causées par le manque de sommeil entraînent une infusion puissante de messages chimiques menant tous vers une direction : trop manger.

Certains disent que nous mangeons plus lorsque nous manquons de sommeil car nous brûlons plus de calories lorsque nous sommes éveillés. Malheureusement, c'est faux. Dans les expérimentations de restriction de sommeil décrites ci-dessus, le taux de dépenses caloriques ne varie pas d'un état à l'autre. Si, à l'extrême, on prive un individu de sommeil pendant vingt-quatre heures d'affilée, il ne brûle que cent quarante-sept calories en plus par rapport à une période de vingt-quatre heures incluant huit heures pleines de sommeil. Il s'avère que le sommeil est un état métaboliquement très actif pour le cerveau comme pour le corps. Pour cette raison, les théories nous suggérant de dormir pour préserver notre énergie ne sont plus à prendre en considération. Les économies dérisoires de calories ne font pas le poids face aux dangers mortels et aux désavantages que représente le fait de s'endormir pendant la journée car l'on manque de sommeil.

Plus important, les calories que vous ingurgitez en plus lorsque vous manquez de sommeil dépassent largement l'énergie symbolique supplémentaire que vous brûlez pendant l'éveil. Par-dessus le marché, moins un individu dort, moins il se sent énergique, plus il est sédentaire, moins il a envie de faire de l'exercice dans son environnement réel. Rien de mieux qu'un sommeil inadapté pour devenir obèse : on consomme plus de calories, et on en dépense moins.

La prise de poids causée par un manque de sommeil n'est pas uniquement liée au fait de manger plus, mais aussi à la modification du régime alimentaire. À partir de diverses études, Van Cauter a noté que les envies de sucreries (telles que cookies, chocolat et crèmes glacées), d'aliments plutôt riches en glucides (le pain et les pâtes) et de snacks salés (chips, bretzels) augmentent de 30 % à 40 % quand le sommeil est réduit de plusieurs heures chaque nuit. Les aliments riches en protéines sont moins affectés (viande et poisson), ainsi que les produits laitiers (yaourt et fromage) et les aliments gras, avec une augmentation de 10 % à 15 % de préférence chez les participants somnolents.

Pourquoi avons-nous envie de sucres rapides et de glucides lorsque nous manquons de sommeil ?

Mon équipe et moi-même avons entrepris de mener une étude en réalisant des scanners sur les cerveaux de personnes en train de regarder et de choisir des aliments, avant d'évaluer à quel point chaque aliment leur faisait envie. Nous avons émis l'hypothèse que des changements dans le cerveau peuvent expliquer un penchant pour des aliments non sains causé par le manque de sommeil. Une rupture se produit-elle dans les zones de contrôle des pulsions surveillant habituellement notre désir hédonique inné en matière d'alimentation, nous laissant avides de beignets et de pizzas plutôt que de graines et de feuilles vertes ?

Les participants, en bonne santé et de corpulence moyenne, ont été soumis à l'expérience à deux reprises : une fois après une pleine nuit de sommeil, l'autre après avoir été privés de sommeil pendant une nuit. Dans les deux cas, ils visionnaient quatre-vingts images de nourriture, allant de fruits et légumes comme les fraises, les pommes et les carottes, à des aliments riches en calories, comme les crèmes glacées, les pâtes et les beignets. Pour s'assurer que les participants faisaient des choix reflétant leurs véritables envies et pas seulement ce qu'ils pensaient être bon ou approprié, nous avons forcé leur motivation : à leur sortie de l'IRM, nous leur avons servi la nourriture qu'ils annonçaient comme leur faisant le plus envie pendant l'épreuve, en leur demandant poliment de la manger !

En comparant les schémas d'activité cérébrale entre les deux états d'un même individu, nous avons découvert que les zones de surveillance du cortex préfrontal, nécessaires aux jugements réfléchis et aux prises de décision contrôlées, étaient réduites au silence par le manque de sommeil. Par contraste, les structures cérébrales profondes les plus primaires, à l'origine des motivations et des désirs, se déployaient en réaction aux images de nourriture. Cette évolution vers un schéma primitif d'activité cérébrale sans contrôle délibéré allait de pair avec un changement dans les choix de nourriture des participants. Les aliments riches en calories devenaient significativement plus désirables à leurs yeux lorsqu'ils étaient privés de sommeil. Lorsque nous avons considéré les aliments désirés par les participants en manque de sommeil, le total atteignait six cents calories supplémentaires.

La nouvelle encourageante, c'est que dormir assez aide à contrôler le poids du corps. Une pleine nuit de sommeil restaure la communication entre les zones profondes du cerveau émettant les désirs hédonistes et les zones d'ordre supérieur dont la fonction est de réfréner ces fringales. Bien dormir peut donc restaurer le système de contrôle des pulsions de votre cerveau, en appliquant le frein approprié sur les envies de manger potentiellement excessives.

Nous découvrons également qu'un sommeil abondant rend votre ventre plus heureux. Le rôle du sommeil dans le redressement de l'équilibre du système nerveux du corps, notamment pour tempérer la branche sympathique qui mobilise l'état de « lutter ou fuir », est d'augmenter la communauté bactérienne que l'on nomme « microbiome », située dans votre ventre (également appelée « système nerveux entérique »). Comme nous l'avons appris précédemment, avec le manque de sommeil et le stress corporel qui en découle, le système nerveux du « lutter ou fuir » chauffe, entraînant un excès de cortisol en circulation à l'origine des mauvaises bactéries qui viennent se répandre dans tout votre microbiome. Par conséquent, le manque de sommeil empêche l'absorption significative des nutriments, provoquant des problèmes gastro-intestinaux[1].

Bien sûr, l'épidémie d'obésité propagée dans de vastes zones du monde n'est pas uniquement causée par le manque de sommeil. La hausse de consommation des aliments transformés, l'augmentation de la taille des portions et le mode de vie de plus en plus sédentaire sont tous des éléments déclencheurs. Toutefois, ces changements ne suffisent pas à expliquer l'escalade dramatique de l'obésité. D'autres facteurs entrent en jeu.

Si l'on considère les preuves rassemblées ces trente dernières années, l'épidémie de manque de sommeil est très probablement un facteur clé de l'épidémie d'obésité. Les études épidémiologiques ont établi que les gens qui dorment moins sont les plus à même d'être en surpoids ou obèses. En effet, si l'on reporte simplement la réduction du temps de sommeil (courbe en pointillé) au cours de ces cinquante dernières années sur le même graphique que la hausse du taux des cas d'obésité sur la même période (courbe pleine), comme l'illustre la figure 13, les données infèrent clairement la relation.

Actuellement, nous observons ces effets très tôt dans la vie. Les enfants de trois ans ne dormant que dix

1. Je soupçonne que nous découvrirons un jour une relation à double sens, au sein de laquelle le sommeil non seulement affecte le microbiome, mais où le microbiome peut également communiquer avec le sommeil pour l'altérer par diverses voies biologiques.

heures et demie ou moins voient leur risque de devenir obèses à l'âge de sept ans augmenter de 45 % par rapport à ceux qui dorment douze heures par nuit. Quelle bêtise de mettre si tôt nos enfants sur la voie de la mauvaise santé simplement en négligeant leur sommeil.

Figure 13. Perte de sommeil et obésité

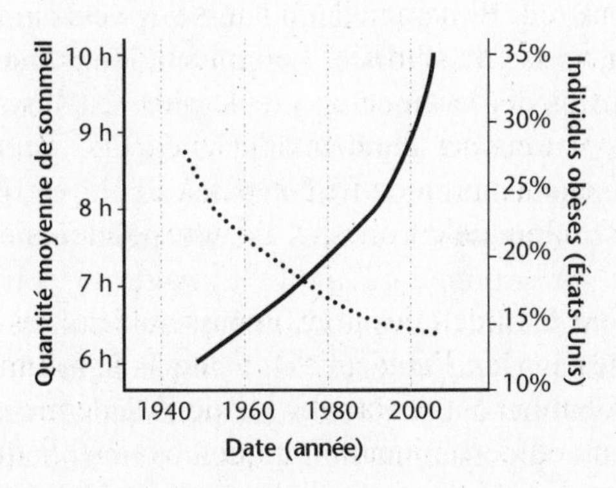

Un dernier commentaire sur les tentatives pour perdre du poids : supposons que vous décidiez d'entamer un régime strict, faible en calories, pendant deux semaines, dans l'espoir de perdre de la graisse, donc de paraître plus svelte et tonique. C'est précisément ce que les chercheurs ont fait avec un groupe d'hommes et de femmes en surpoids, restés dans un centre médical pendant quinze jours. Ils étaient toutefois divisés en deux, un groupe disposant de seulement cinq heures et demie de sommeil par nuit, l'autre de huit heures et demie.

Si la perte de poids est atteinte dans les deux cas, le *type* de poids perdu est bien différent d'un groupe à l'autre. Chez les participants dormant seulement cinq heures et demie, plus de 70 % du poids perdu est du poids de corps dégraissé – du muscle, pas de la graisse. On observe une issue bien plus désirable chez le groupe dormant huit heures et demie, puisque plus de 50 % du poids perdu est de la graisse, les muscles étant ainsi préservés. Lorsque vous n'obtenez pas assez de sommeil, le corps rechigne particulièrement à abandonner sa graisse. À l'inverse, tandis que la graisse est retenue, la masse musculaire s'appauvrit. Vous avez peu de chances de devenir mince et tonique en suivant un régime si vous ne dormez pas assez. Le manque de sommeil est contreproductif dans le cadre d'un régime.

Le résultat de toutes ces études peut se résumer ainsi : un sommeil réduit (à l'image de celui que décrivent habituellement de nombreux adultes vivant dans les pays industrialisés) augmente la faim et l'appétit, compromet le contrôle des pulsions dans le cerveau, augmente la consommation de nourriture (notamment d'aliments riches en calories), fait baisser le sentiment de satiété après avoir mangé, et empêche une perte de poids effective en cas de régime.

La perte de sommeil et le système reproducteur

Si vous espérez vous reproduire, rester svelte ou faire des prouesses, vous feriez bien de dormir pleinement chaque nuit. Charles Darwin aurait sans aucun doute adhéré à ce conseil s'il avait eu la preuve que je m'apprête à vous présenter.

Prenez un groupe de jeunes hommes en bonne santé, minces, dans leur vingtaine, et limitez-les à cinq heures de sommeil pendant une semaine, comme l'a fait une équipe de chercheurs de l'université de Chicago. Si l'on prélève le taux d'hormones en circulation dans le sang de ces participants fatigués on trouve une baisse marquée de testostérone par rapport à leur taux habituel lorsqu'ils sont reposés. L'émoussement de testostérone est tel qu'il « vieillit » effectivement l'homme de dix à quinze ans en termes de virilité. Les résultats expérimentaux indiquent que la plupart des hommes souffrant de troubles du sommeil, notamment d'apnées associées au ronflement, ont des niveaux de testostérone significativement faibles par rapport à ceux du même âge issus des mêmes milieux ne souffrant pas de problèmes de sommeil.

Livrer les résultats de telles études met souvent un terme à toute critique des mâles dominants (*alpha males*) que je rencontre parfois dans le cadre de mes conférences. Comme vous vous en doutez, leur véhémente posture antisommeil vacille quelque peu lorsqu'ils reçoivent de telles informations. Sans aucune malice, j'entreprends alors de les informer que les hommes avouant dormir trop peu – ou mal dormir – disposent de 29 % de spermatozoïdes en moins que ceux qui dorment de pleines nuits de sommeil réparateur, et que leurs spermatozoïdes eux-mêmes présentent davantage de difformités. Je conclus habituellement ma réponse par un coup bas en forme de parenthèse, précisant que les hommes en manque de sommeil ont également des testicules bien plus petits que ceux de leurs homologues reposés.

En dehors de ces rares altercations lors de conférences, le faible taux de testostérone reste un problème clinique avec un fort impact sur la vie quotidienne. Les hommes présentant un faible taux de testostérone se sentent souvent fatigués pendant la journée. Ils trouvent difficile de se concentrer sur des tâches professionnelles, puisque la testostérone a notamment pour fonction d'aiguiser la capacité de concentration. Bien sûr, leur libido est émoussée. Il leur est donc plus difficile de mener une vie sexuelle active, épanouissante et saine. En effet, selon les dires des jeunes hommes ayant participé à l'expérimentation décrite plus haut, leur moral et leur vigueur déclinent progressivement, jusqu'à disparaître, à mesure que leur manque de sommeil augmente et que leur taux de testostérone décline. Ajoutez à cela le fait que la testostérone maintient la densité osseuse et joue un rôle dans l'établissement de la masse musculaire, donc de la force, et vous aurez une idée de l'importance d'une pleine nuit de sommeil – et de la thérapie naturelle de remplacement hormonal qu'elle fournit – sur cet aspect de la santé et de la vie active des hommes de tous âges.

Les hommes ne sont pas les seuls à courir le risque d'une baisse de fertilité liée au manque de sommeil. Dormir régulièrement moins de six heures par nuit entraîne chez les femmes une baisse de 20 % de l'hormone de développement des follicules – élément essentiel de la reproduction féminine, culminant juste avant l'ovulation et nécessaire à la fécondation. Un rapport réunissant les découvertes d'études réalisées ces quarante dernières années sur plus de cent mille femmes en situation d'emploi indique que celles qui travaillent avec des horaires de nuit irréguliers présentent un sommeil de qualité moindre, à l'image des infirmières en travail posté (profession occupée presque exclusivement par des femmes à l'époque de ces premières études), montrant une augmentation de 33 % du taux de cycles menstruels anormaux par rapport à celles qui suivent des horaires classiques. En outre, les femmes ayant des horaires irréguliers ont 80 % plus de chances de souffrir de problèmes de fertilité réduisant leurs chances de tomber enceintes. Les femmes tombant enceintes mais dormant habituellement moins de huit heures par nuit ont également plus de risques de faire une fausse couche au cours du premier trimestre que celles qui dorment huit heures ou plus par nuit.

Combinez ces effets délétères sur la vigueur reproductive d'un couple dont les deux membres manquent de sommeil, et vous comprendrez le lien existant entre l'épidémie de manque de sommeil et l'infertilité ou l'hypofertilité, et pourquoi Darwin trouverait ces résultats tellement importants pour les succès évolutifs à venir.

À ce propos, demandez au Dr Tina Sundelin, mon amie et collègue de l'université de Stockholm, si vous êtes attirant lorsque vous manquez de sommeil – l'expression physique de votre santé intérieure altérant vos chances de vous mettre en couple, donc de vous reproduire : elle vous informera de la dure vérité. Ce n'est pas Sundelin qui donne les points dans ce concours de beauté scientifique, mais elle a mené une expérimentation raffinée permettant aux participants de le faire pour elle.

Elle a pris un groupe d'hommes et de femmes en bonne santé, âgés de dix-huit à trente et un ans, et les a tous photographiés deux fois dans des conditions similaires, en lumière d'intérieur au même moment de la journée (quatorze heures trente), les cheveux lâchés, sans maquillage pour les femmes, sans barbe ni moustache pour les hommes. Ce qui variait d'une photo à l'autre, c'était le temps de sommeil accordé à ces individus avant chaque séance. Pour l'une des séances, les participants n'avaient dormi que cinq heures avant de se retrouver devant l'appareil, tandis que, pour l'autre, ils jouissaient d'une pleine nuit de sommeil de huit heures. L'ordre des deux états était choisi au hasard pour ces mannequins involontaires.

Sundelin a convoqué au laboratoire un autre groupe de participants pour servir de juges indépendants. Ils ne connaissaient pas le véritable objectif de l'expérimentation, ignorant les divers types de sommeil imposés aux personnes représentées sur les photos. Ils visionnaient les deux ensembles de photos dans le désordre et donnaient leur appréciation sur trois points : la santé apparente, l'état de fatigue, le charme.

Ne sachant rien des prémisses de l'étude, opérant donc à l'aveugle, les juges ont livré des conclusions sans ambiguïté. Les visages pris en photo après une courte nuit de sommeil étaient jugés plus fatigués, en moins bonne santé, et significativement moins charmants, par comparaison avec les photos des mêmes personnes ayant dormi huit heures. Sundelin a ainsi révélé le vrai visage de la perte de sommeil, ratifiant par la même occasion le concept ancestral de « sommeil réparateur[1]».

Ce domaine de recherche encore à ses balbutiements nous enseigne que certains aspects fondamentaux du système reproducteur humain sont affectés par le manque de sommeil, chez les hommes comme chez les femmes. Les

---

1. *Beauty sleep*, en anglais. *(N.d.T.)*

hormones et les organes de reproduction, mais aussi le charme physique même, dont le rôle est important pour créer des opportunités de reproduction, pâtissent tous d'un sommeil écourté. Il nous faut donc imaginer Narcisse dormant huit, voire neuf heures par nuit, avec peut-être en prime une sieste l'après-midi, près de son miroir d'eau.

La perte de sommeil et le système immunitaire

Souvenez-vous de votre dernière grippe. Vous vous sentiez pitoyable, n'est-ce pas ? Le nez qui coule, les os douloureux, la gorge sensible, une grosse toux et un manque total d'énergie. Vous n'aviez sans doute qu'une envie, vous blottir au lit pour dormir. Et c'était ce que vous aviez de mieux à faire. Votre corps cherche à se faire dormir, car il existe un lien étroit et bidirectionnel entre votre sommeil et votre système immunitaire.

Le sommeil lutte contre l'infection et la maladie, à travers le déploiement de toutes les armes de votre arsenal immunitaire, et vous apporte une protection. Lorsque vous tombez malade, votre système immunitaire stimule activement le système du sommeil, exigeant que vous restiez au lit pour vous aider à soutenir cet effort guerrier. Il suffit de manquer de sommeil pendant une seule nuit pour que la protection invisible de votre résilience immunitaire soit douloureusement retirée de votre corps.

Sans aller jusqu'à introduire une sonde dans le rectum pour mesurer la température du corps dans le cadre de ses études sur le sommeil, mon cher collègue le Dr Aric Prather, de l'université de Californie à San Francisco, a réalisé l'une des expériences les plus fétides que je connaisse en ce domaine, mesurant le sommeil de plus de cent cinquante hommes et femmes en bonne santé pendant une semaine, au moyen d'un dispositif sous forme de montre au poignet. Il a ensuite placé les participants en quarantaine pour injecter directement dans leur nez une bonne dose de rhinovirus, culture vivante du virus courant du rhume. Notons que les participants étaient au courant, et qu'ils avaient tous étonnamment consenti à ce sévice infligé à leur museau.

Une fois le virus bien diffusé dans les narines des participants, Prather les a gardés dans son laboratoire pendant une semaine, sous haute surveillance. Non seulement il a évalué l'étendue de la réaction immune en prélevant de fréquents échantillons de sang et de salive, mais il a rassemblé également presque chaque goutte de mucus nasal produit. Tel un général militaire, Prather a exigé des participants qu'ils se mouchent pour récupérer chaque goutte dans un sac, dont le contenu était étiqueté, pesé et étudié de près par son équipe. À partir de ces mesures – sur les anticorps immunitaires du sang et de la salive, mais aussi sur la totalité de la morve évacuée –, Prather a pu déterminer si chaque participant avait effectivement contracté le virus du rhume.

Prather avait séparé rétrospectivement les participants en quatre groupes, selon leur durée de sommeil la semaine précédant leur exposition au virus : moins de cinq heures, cinq à six heures, six à sept heures et sept heures ou plus. Il est apparu un lien clair et linéaire entre la durée de sommeil et le taux d'infection. Moins les participants avaient dormi la semaine précédant l'injection du virus, plus ils avaient de chances d'être infectés et d'attraper le rhume. Chez ceux qui avaient dormi cinq heures en moyenne la semaine précédente, le taux d'infection atteignait presque 50 %. Chez ceux qui avaient dormi sept heures ou plus, il était seulement de 18 %.

Sachant que les maladies infectieuses telles que le rhume, la grippe ou la pneumonie comptent parmi les causes principales de mortalité dans les pays développés, les médecins et les gouvernements ont tout intérêt à mettre l'accent sur l'importance essentielle du sommeil en période de grippe.

Peut-être faites-vous partie des personnes responsables qui se font vacciner chaque année contre la grippe, renforçant ainsi votre propre résilience mais aussi l'immunité du troupeau, c'est-à-dire votre communauté. Le vaccin contre la grippe n'est toutefois efficace que si votre corps y réagit véritablement par la production d'anticorps.

Une découverte notable a démontré en 2002 les effets profonds du sommeil sur la réaction à un vaccin standard contre la grippe. De jeunes adultes en bonne santé ont été séparés en deux groupes : pour l'un, le sommeil était limité à quatre heures par nuit pendant six nuits, quand l'autre était autorisé à dormir sept heures et demie à huit heures et demie par nuit. À la fin des six jours, on a injecté à chacun un vaccin contre la grippe. Dans les jours suivants, les chercheurs ont prélevé des échantillons de sang pour déterminer l'efficacité des participants à générer des anticorps, afin de savoir si la vaccination avait été ou non un succès.

Les participants ayant dormi sept à neuf heures la semaine précédant le vaccin ont généré une puissante réaction d'anticorps, reflet d'un système immunitaire en bonne santé. Par contraste, ceux du groupe limité en sommeil ont présenté une réaction insignifiante, produisant moins de 50 % de la réaction immune que leurs homologues reposés avaient été en mesure de mobiliser. Les mêmes conséquences d'un sommeil trop mince ont été constatées dans les cas de vaccins contre l'hépatite A et l'hépatite B.

Peut-être que ces individus privés de sommeil seraient toutefois en mesure de produire une réaction immune encore plus vigoureuse si on leur donnait l'occasion de récupérer ? C'est une idée séduisante, mais fausse. Même si on laisse un individu reprendre un sommeil réparateur pendant deux, voire trois semaines afin qu'il se remette du manque de sommeil dont il a souffert pendant une semaine, il ne développe pas de pleine réaction immunitaire au vaccin contre la grippe. On continue même à observer une diminution de certaines cellules immunitaires un an après une très courte période de restriction de sommeil. Comme avec la mémoire, une fois les bienfaits du sommeil perdus – ici, votre réaction immunitaire pendant la saison des grippes –, vous ne pouvez pas les retrouver simplement en rattrapant le sommeil perdu. Le mal est fait, restant mesurable un an après.

Quelles que soient vos circonstances immunitaires – que vous deviez vous préparer à recevoir un vaccin destiné à renforcer votre système immunitaire ou mobiliser une réaction immune adaptée pour lutter contre une attaque virale –, le sommeil, par nuits complètes, est intangible.

Puisque seules quelques nuits courtes suffisent pour que le corps se retrouve en état de faiblesse immunitaire, la question du cancer se pose ici de manière pertinente.

Les cellules NK (*natural killer cells* ou « cellules tueuses naturelles ») sont une élite, un escadron puissant dans les rangs de votre système immunitaire. Vous pouvez les voir comme des agents secrets de votre corps, dont la mission consiste à identifier les éléments étrangers dangereux pour les éliminer – des agents 007, si vous préférez.

Certaines des entités étrangères ciblées par les cellules NK sont les tumeurs malignes (cancéreuses). Les cellules NK creusent un trou à la surface des cellules cancéreuses pour leur injecter une protéine destinée à détruire leur malignité. Vous avez donc besoin de disposer à tout moment d'un ensemble solide de ces cellules immunitaires à la James Bond. Or c'est précisément ce dont vous manquez lorsque vous dormez trop peu.

Le Dr Michael Irwin, de l'université de Californie à Los Angeles, a réalisé plusieurs études ayant fait date, révélant qu'un manque de sommeil sur une très courte période affecte rapidement et totalement vos cellules immunitaires destinées à lutter contre le cancer. En observant des jeunes hommes en bonne santé, Irwin a démontré qu'une seule nuit de quatre heures de sommeil – lorsqu'on se couche à trois heures du matin pour se réveiller à sept heures – balaie 70 % des cellules NK en circulation dans votre système immunitaire, par comparaison avec une pleine nuit de huit heures. Cet état de déficience immunitaire est dramatique. Or il arrive vite, après seulement une mauvaise nuit de sommeil. Vous imaginez sans mal l'état d'affaiblissement de votre armure de lutte contre le cancer après une semaine à dormir trop peu, sans parler de mois, voire d'années.

Et d'ailleurs, pas la peine d'imaginer. Un grand nombre d'études épidémiologiques concluent que le travail de nuit, entraînant une perturbation du sommeil et des rythmes circadiens, augmente considérablement les risques de développer des formes de cancers diverses et variées. On considère à ce jour que ces perturbations jouent un rôle dans le développement des cancers du sein, de la prostate, de la paroi utérine ou endomètre, et du côlon.

Sous le poids des preuves accumulées, le Danemark est récemment devenu le premier pays à payer une indemnité aux femmes ayant développé un cancer du sein après plusieurs années à travailler de nuit dans le cadre de postes subventionnés par le gouvernement, comme les infirmières ou les hôtesses de l'air. D'autres gouvernements – comme celui de la Grande-Bretagne – ont jusqu'à présent résisté aux revendications similaires, refusant de payer une compensation en dépit des données scientifiques.

Au fil des années de recherche, on rattache de plus en plus de tumeurs malignes au manque de sommeil. Une vaste étude menée en Europe sur presque vingt-cinq mille individus a démontré que dormir six heures ou moins est associé à une augmentation de 40 % des risques de développer un cancer, par rapport à un sommeil de sept heures ou plus. On a découvert des liens similaires dans le cadre d'une étude sur plus de soixante-quinze mille femmes au cours d'une période de onze ans.

La façon précise et la raison pour laquelle le sommeil cause des cancers deviennent également de plus en plus claires. Une partie du problème renvoie à l'influence perturbatrice du système nerveux sympathique, contraint de rester en surchauffe en cas de manque de sommeil. L'accélération de l'activité du système nerveux sympathique dans le corps provoque une réaction inflammatoire inutile et marquée du système immunitaire. Face à une menace réelle, un bref pic d'activité du système nerveux sympathique déclenche souvent une réaction similaire passagère de l'activité inflammatoire – utile pour anticiper la douleur potentielle du corps (dans le cas d'une lutte avec un animal sauvage ou une tribu d'hominidés rivale). Mais l'inflammation a ses mauvais côtés. Maintenu en marche, sans retour naturel à la quiétude, un état non spécifique d'inflammation chronique entraîne de nombreux problèmes de santé, dont ceux qui relèvent du cancer.

On sait que les cancers tirent profit de la réaction inflammatoire. Par exemple, certaines cellules cancéreuses attirent les facteurs inflammatoires dans la tumeur pour aider à lancer la croissance de vaisseaux sanguins venant lui fournir plus de nutriments et d'oxygène. Les tumeurs peuvent également utiliser les facteurs inflammatoires pour aider à attaquer et faire muter l'ADN de leurs cellules cancéreuses, ce qui augmente la force de la tumeur. Les facteurs inflammatoires associés au manque de sommeil peuvent également aider à séparer une partie de la tumeur de ses attaches, autorisant le cancer à lever l'ancre pour partir se répandre dans d'autres endroits du corps. C'est l'état dit « métastasique », terme médical désignant le moment où le cancer crée une brèche au sein de ses tissus originels (ici le site d'injection) pour envahir d'autres zones du corps.

Nous savons désormais que ces processus d'amplification et de diffusion du cancer sont encouragés par le manque de sommeil, comme l'ont montré les études récentes du Dr David Gozal de l'université de Chicago.

L'une d'elles a consisté à injecter des cellules malignes à des souris pour suivre la progression de la tumeur sur une période de quatre semaines. La moitié des souris pouvait dormir normalement, tandis que l'autre voyait son sommeil partiellement perturbé, ce qui réduisait la qualité générale de celui-ci.

Les souris privées de sommeil ont souffert d'une augmentation de 200 % de la vitesse de croissance et de la taille de la tumeur cancéreuse par rapport au groupe reposé. Aussi douloureux soit-il pour moi, il m'arrive régulièrement pendant mes conférences de montrer des images comparatives de la taille des tumeurs de souris dans les deux groupes – sommeil *vs* restriction de sommeil. Infailliblement, ces visions de tumeurs gigantesques développées chez les souris privées de sommeil font naître des suffocations médusées, certains spectateurs portant leurs mains à la bouche par réflexe et d'autres se détournant pour ne plus voir ces images.

Je dois alors évoquer la seule chose pouvant être pire en matière de cancer. En réalisant des études *post mortem* sur les souris, Gozal a découvert que les tumeurs sont bien plus agressives chez les animaux manquant de sommeil. Leur cancer fait des métastases, s'étendant jusqu'à entourer les organes, les tissus et les os. La médecine moderne est de plus en plus experte en matière de traitement contre le cancer lorsqu'il reste en place, mais quand il fait des métastases – état puissamment encouragé par le manque de sommeil –, l'intervention médicale se révèle souvent désespérément inefficace, le taux de mortalité augmentant fortement.

Au cours des années suivant cette expérimentation, Gozal a continué à tirer le voile sur le manque de sommeil, jusqu'à révéler les mécanismes responsables de la malignité. Dans un certain nombre d'études, il a montré que les cellules immunitaires, que l'on nomme « macrophages », sont l'une des causes profondes de l'influence de la perte de sommeil sur le cancer. Il a ainsi découvert que le manque de sommeil fait diminuer la présence de certaines de ces cellules macrophages, les cellules M1, normalement destinées à lutter contre le cancer. Toutefois, le manque de sommeil renforce réciproquement le niveau d'une autre forme de cellules macrophages, les cellules M2, responsables de la croissance des tumeurs. Cette combinaison permet d'expliquer les effets cancérigènes dévastateurs observés sur les souris lorsque leur sommeil est perturbé.

Un sommeil de mauvaise qualité augmente donc le risque de développer un cancer et, une fois le cancer installé, il fonctionne comme un engrais favorable à la croissance rapide et à la propagation des tumeurs. Ne pas dormir assez lorsqu'on lutte contre le cancer peut donc être comparé à verser de l'huile sur un feu déjà agressif. Un tel discours peut sembler alarmiste, mais la preuve scientifique qu'il existe un lien entre la perturbation du sommeil et le cancer est désormais si accablante que l'Organisation mondiale de la santé a classé officiellement le travail de nuit comme « probablement cancérigène ».

Perte de sommeil, gènes et ADN

Si vous ne trouvez pas encore assez inquiétant que le manque de sommeil chronique augmente vos risques de développer la maladie d'Alzheimer, le cancer, le diabète, la dépression, l'obésité, l'hypertension et les maladies cardiovasculaires, sachez qu'il endommage également l'essence même de votre vie : votre code génétique et les structures qui le renferment.

Chaque cellule de votre corps contient un cœur, ou noyau. À l'intérieur de ce noyau réside la majeure partie de votre patrimoine génétique, sous la forme des molécules d'acide désoxyribonucléique (ADN). Les molécules d'ADN forment un bel axe hélicoïdal, comme un grand escalier en spirale dans une demeure somptueuse. Certains segments de ces spirales fournissent les plans d'ingénierie spécifiques ordonnant à vos cellules d'accomplir certaines fonctions particulières. Ces segments distincts se nomment gènes. Comme lorsqu'on double clique sur un fichier Word de l'ordinateur pour ensuite l'envoyer à l'imprimante, lorsque les gènes sont activés et lus par la cellule, un produit biologique est imprimé, tel que la création d'une enzyme aidant à la digestion, ou d'une protéine renforçant un circuit mémoriel de votre cerveau.

Tout élément susceptible de causer un flottement ou un vacillement dans votre stabilité génétique peut avoir des conséquences. Des gènes trop ou pas assez exprimés peuvent entraîner des produits biologiques augmentant vos risques de maladies comme la démence, le cancer, les maladies cardiovasculaires et un dysfonctionnement du système immunitaire. Bienvenue dans la force déstabilisante du manque de sommeil.

La régulation des milliers de gènes de votre cerveau dépend d'un sommeil consistant et suffisant. Si l'on prive une souris de sommeil pendant une seule journée, comme l'ont fait certains chercheurs, l'activité de ces gènes baisse de bien plus de 200 %. Comme un fichier tenace qui refuserait de se faire imprimer, lorsque vous privez les segments ADN de sommeil, ils ne traduisent plus leurs codes d'instructions en actions imprimées destinées à donner à votre corps et votre cerveau ce dont ils ont besoin.

Le Dr Derk-Jan Dijk, directeur du Surrey Sleep Research Center en Angleterre, a montré que les effets du manque de sommeil sur l'activité génétique sont aussi frappants chez les humains que chez les souris. Dans des conditions de surveillance stricte de laboratoire, Dijk et son équipe prolifique ont observé l'expression des gènes d'un groupe de jeunes hommes et femmes en bonne santé, après avoir limité leur sommeil à six heures par nuit pendant une semaine. Il est apparu qu'après cette semaine de sommeil légèrement réduit, l'activité de sept cent onze gènes solides était altérée, par rapport à une semaine pendant laquelle ces mêmes individus avaient dormi huit heures et demie par nuit.

Information intéressante, l'effet allait dans les deux sens : environ la moitié de ces sept cent onze gènes renforçaient anormalement leur expression en cas de perte de sommeil, tandis que l'autre moitié la diminuait, voire la cessait totalement. Les gènes augmentés étaient ceux qui sont liés aux inflammations chroniques, au stress cellulaire, aux divers facteurs à l'origine de maladies cardiovasculaires. Parmi les gènes rejetés, on trouvait ceux qui aident à la stabilité du métabolisme et aux réactions immunitaires optimales. Des études subséquentes ont montré que dormir peu sur une certaine durée perturbe également l'activité des gènes régulateurs du cholestérol. Notamment, un manque de sommeil entraîne une baisse des lipoprotéines de haute densité (*high density lipoproteins*, HDL) – profil directionnel systématiquement rattaché aux maladies cardiovasculaires[1].

Le manque de sommeil fait plus qu'altérer l'activité et la lecture de vos gènes : il attaque la structure physique même de votre patrimoine génétique. Les axes en spirale de l'ADN de vos cellules flottent dans le noyau, mais sont étroitement liés au sein de ces structures nommées chromosomes, à l'image de fils distincts ondulant pour tisser ensemble un lacet vigoureux. Comme sur un lacet, les extrémités des chromosomes doivent être protégées par un capuchon ou une attache. Dans le cas des chromosomes, on nomme cet embout protecteur un télomère. Si le télomère à l'extrémité de vos chromosomes est endommagé, les spirales de votre ADN sont exposées et votre code génétique, désormais vulnérable, ne peut pas fonctionner correctement, comme un lacet s'effile en l'absence d'embout.

---

1. Au-delà du simple manque de sommeil, l'équipe de Dijk a montré que dormir selon des horaires inappropriés, comme en cas de décalage horaire ou de travail de nuit, peut avoir des effets tout aussi importants sur l'expression des gènes humains, car le sommeil est alors inadéquat. En décalant vers l'avant le cycle sommeil/veille d'un individu de quelques heures chaque jour pendant trois jours, Dijk a perturbé un tiers massif de l'activité transcriptrice des gènes chez un groupe de jeunes adultes en bonne santé ; une fois de plus, les gènes impliqués sont ceux qui contrôlent les processus de vie élémentaires, comme l'organisation temporelle du métabolisme, l'activité thermorégulatrice et immunitaire, mais aussi les maladies cardiaques.

Moins un individu dort, ou plus la qualité de son sommeil est faible, plus les télomères qui forment la clé de voûte de ses chromosomes sont endommagés. Ce sont là les découvertes permises par une série d'études récemment menées sur des milliers d'adultes dans leur quarantaine, leur cinquantaine et leur soixantaine, par de nombreuses équipes de recherche indépendantes du monde entier[1].

Reste à déterminer si le rapport entre les deux est un lien de cause à effet. La nature particulière des dommages causés sur les télomères par le manque de sommeil est toutefois désormais claire. Elle semble reproduire les dommages du vieillissement ou d'une décrépitude avancée. Cela revient à dire que deux individus du même âge chronologique semblent ne pas avoir le même âge d'un point de vue biologique, selon l'état de leur télomère quand l'un a dormi régulièrement cinq heures par nuit et l'autre sept heures. Ce dernier semble plus jeune, tandis que le premier vieillit artificiellement, au-delà de ce qu'indique le calendrier.

L'ingénierie génétique appliquée aux animaux et les aliments génétiquement modifiés sont des sujets inquiétants, qui suscitent de nombreuses réactions émotionnelles. Dans l'esprit de nombreuses personnes, libérales ou conservatrices, l'ADN occupe une position transcendante, presque divine. Partant de cette constatation, nous devrions nous sentir tout aussi réticents et

1. On observe un lien significatif entre la réduction de sommeil et l'endommagement ou le raccourcissement des télomères, même lorsqu'on prend en compte d'autres facteurs connus pour dégrader ces télomères, comme l'âge, le poids, la dépression ou le tabagisme.

mal à l'aise face à notre propre manque de sommeil. Dormir trop peu – choix volontaire d'une partie de la population – modifie de façon significative le transcriptome de vos gènes – donc votre essence même, ou du moins vous-même tel que biologiquement défini par votre ADN. En négligeant votre sommeil, vous choisissez de procéder chaque nuit à une modification de votre ingénierie génétique, falsifiant ainsi l'alphabet nucléique en mesure d'écrire chaque jour le texte de votre bonne santé. En laissant la même chose se produire chez vos enfants et adolescents, vous imposez la même expérience à leur ingénierie génétique.

III

Comment et pourquoi nous rêvons

9

La psychose, toujours la psychose

Le rêve pendant le sommeil REM

Cette nuit, vous avez de toute évidence sombré dans la psychose. Et cela se reproduira ce soir. Avant de rejeter ce diagnostic, permettez-moi de vous expliquer le phénomène en cinq points. Premièrement, en dormant cette nuit, vous avez commencé à voir des choses qui n'étaient pas là : vous avez eu des *hallucinations*. Deuxièmement, vous avez cru réelles des choses impossibles : vous étiez donc en train de *délirer*. Troisièmement, vous avez perdu la notion du temps : vous ne saviez pas où vous étiez ni avec qui, vous étiez *désorienté*. Quatrièmement, vous ne saviez pas sur quel pied danser sur le plan émotionnel, état que les psychiatres nomment *émotionnellement labile*. Cinquièmement (le meilleur pour la fin), vous vous êtes réveillé ce matin en ne vous rappelant presque pas, voire pas du tout, de ces rêves bizarres : vous avez été victime d'*amnésie*. Si vous présentez un seul de ces symptômes à l'état d'éveil, il vous faut consulter au plus vite. Pourtant, pour des raisons que nous commençons seulement à comprendre, la phase cérébrale que l'on nomme sommeil REM et l'activité mentale associée, c'est-à-dire le rêve, sont des processus biologiques et psychologiques normaux absolument essentiels, comme nous allons le voir très vite.

Le sommeil REM n'est pas l'unique phase du sommeil pendant laquelle nous rêvons. En effet, dans son sens général, le terme « rêve » désigne toute activité mentale rapportée par le dormeur à son réveil, par exemple : « J'ai pensé à la pluie. » Dans ce cas, techniquement, vous rêvez pendant toutes les phases du sommeil. Si je vous réveille de la phase la plus profonde du sommeil NREM, il y a 0 % à 20 % de chances pour que vous vous rappeliez ce type de pensée anodine. Au moment où vous vous endormez ou quittez le sommeil, ces expériences semblables aux rêves s'appuient souvent sur des éléments visuels ou liés au mouvement. Toutefois, ce que la plupart d'entre nous entendent par « rêves » – des expériences hallucinogènes, motrices, émotionnelles, étranges et riches en rebondissements – naît pendant le sommeil REM, et de nombreux experts en sommeil limitent la définition du véritable rêve à ce qui se produit lors du sommeil REM. Le présent chapitre s'intéresse donc particulièrement au sommeil REM et aux rêves qui en émanent, même si nous y explorons aussi les rêves à d'autres moments du sommeil, puisqu'ils fournissent également des informations importantes sur le sommeil.

Cerveau sur lit de rêves

Dans les années 1950 et 1960, des enregistrements recueillis à l'aide d'électrodes placées sur le crâne des participants ont fourni aux scientifiques une idée du type d'ondes cérébrales produites lors du sommeil REM. Il a toutefois fallu attendre l'arrivée des systèmes d'imagerie cérébrale au début des années 2000 pour pouvoir reconstituer des images magnifiques en trois dimensions de l'activité cérébrale du sommeil REM. Cela valait la peine d'attendre.

Aux côtés d'autres grandes découvertes, cette méthode et ces résultats sont venus ébranler les postulats de Sigmund Freud et sa théorie non scientifique des rêves comme réalisations des désirs, qui ont dominé la psychiatrie et la psychologie pendant un siècle. La théorie de Freud a ses qualités, comme nous le verrons plus tard, mais aussi ses défauts profonds et systémiques, à l'origine du rejet des scientifiques contemporains. Notre vision neuroscientifique et plus informée du sommeil REM a donné naissance à des théories scientifiquement vérifiables sur la *façon* dont nous rêvons (logique/illogique, visuelle/non visuelle, émotionnelle/non émotionnelle) et sur *ce dont* nous rêvons (expériences récentes de l'éveil/expériences spontanées), et nous donne même la chance d'aborder la question sans doute la plus fascinante en matière de sommeil, voire de science en général : *pourquoi* rêvons-nous ? Autrement dit, à quoi servent les rêves du sommeil REM ?

Afin de nous faire une idée de l'avancée permise par les scanners cérébraux dans notre compréhension du sommeil REM et des rêves, au-delà des simples électroencéphalogrammes, revenons à l'analogie du stade de sport utilisée au chapitre 3. En faisant pendre un microphone au-dessus du stade, il est possible de mesurer l'activité de la foule dans son ensemble. Nous ne disposons toutefois pas de données géographiques spécifiques dans ce contexte, puisqu'il reste impossible de déterminer si une partie de la foule chante bruyamment et si l'autre reste relativement moins bruyante, voire totalement silencieuse.

Le même phénomène se produit lorsqu'on mesure l'activité cérébrale au moyen d'une électrode placée sur le crâne. L'imagerie par résonance magnétique (IRM) n'est toutefois pas victime de cet effet de rémanence spatiale lorsqu'elle mesure l'activité cérébrale. Les machines IRM découpent en effet parfaitement le stade (le cerveau) en milliers de boîtes discrètes, comme des pixels sur un écran, pour mesurer l'activité locale de la foule (les cellules cérébrales) à l'intérieur de chaque pixel, distinct des autres pixels d'autres parties du stade. De plus, les appareils d'IRM cartographient l'activité en trois dimensions, couvrant ainsi tous les niveaux du stade/cerveau, inférieurs, intermédiaires et supérieurs.

En plaçant des individus à l'intérieur d'appareils IRM, d'autres scientifiques et moi-même avons pu observer des changements surprenants dans l'activité cérébrale des personnes entrant en sommeil REM et commençant à rêver. Pour la première fois, nous avons pu constater à quel point les structures les plus profondes, auparavant indécelables, prennent vie en plein sommeil REM et en plein rêve.

Au cours du sommeil NREM profond, phase pendant laquelle nous ne rêvons pas, l'activité métabolique dans son ensemble montre une légère baisse par rapport à celle qui se mesure chez un individu au repos mais éveillé. Il se produit toutefois un phénomène bien différent lors du passage du sommeil NREM au sommeil REM, c'est-à-dire lorsqu'une personne commence à rêver. De nombreuses parties du cerveau « s'allument » pendant l'IRM, au moment où le sommeil REM prend la main, signal d'une forte augmentation de l'activité sous-jacente. En réalité, quatre régions principales du cerveau s'activent lorsqu'un individu commence à rêver, entrant dans un sommeil REM : (1) les régions visuo-spatiales, situées à l'arrière du cerveau, à l'origine de la perception visuelle complexe ; (2) le cortex moteur, à l'origine du mouvement ; (3) l'hippocampe et les régions avoisinantes dont nous avons parlé, qui préservent votre mémoire autobiographique ; (4) les centres émotionnels profonds du cerveau, l'amygdale et le cortex cingulaire – ruban de tissu situé au-dessus de l'amygdale tapissant la surface interne du cerveau – qui aident tous deux à générer et gérer les émotions. Ces zones émotionnelles sont en effet jusqu'à 30 % plus actives lors du sommeil REM que pendant notre éveil !

Le sommeil REM étant associé au rêve actif et conscient, il était sans doute prévisible qu'il implique la même augmentation d'activité du cerveau, mais il reste surprenant que les autres régions cérébrales soient significativement *désactivées*, surtout celles qui sont situées aux extrêmes gauche et droite du cortex préfrontal. Pour trouver cette zone, placez vos mains sur les deux côtés de votre front, à cinq centimètres environ au-dessus de vos yeux, comme le font les supporters lorsqu'un joueur manque un but pendant des prolongations de Coupe du monde. Ce sont ces régions qui forment des taches d'un bleu glacial sur les scanners, indiquant que ces territoires neutres sont nettement inactifs pendant la phase par ailleurs très active du sommeil REM.

Comme je l'ai dit au chapitre 7, le cortex préfrontal agit comme un P-DG du cerveau. Cette région, surtout les côtés gauche et droit, est en charge des idées rationnelles et des prises de décision logiques, envoyant les instructions « de haut en bas » aux centres plus primitifs et profonds du cerveau, comme ceux qui génèrent les émotions. C'est cette région dirigeante de votre cerveau, maintenant par ailleurs votre capacité cognitive à émettre des pensées logiques et ordonnées, qui se retrouve temporairement évincée chaque fois que vous entrez dans l'état de rêve du sommeil REM.

Voilà pourquoi le sommeil REM peut être considéré comme une phase caractérisée par une forte activité cérébrale dans les régions des mémoires visuelle, motrice, émotionnelle et autobiographique, et par une désactivation concordante des régions qui contrôlent les pensées rationnelles. Enfin, l'IRM nous a permis de visualiser scientifiquement pour la première fois la totalité du cerveau lors du sommeil REM. Aussi rudimentaire que soit cette méthode, elle a ouvert une nouvelle ère dans la compréhension du *pourquoi* et du *comment* l'homme rêve pendant le sommeil REM, en marge des règles idiosyncratiques et des explications opaques des théories anciennes, comme celles de Freud.

Nous pourrions établir des hypothèses scientifiques simples, susceptibles d'être ratifiées ou non. Après avoir mesuré l'activité cérébrale du cerveau d'un individu lors du sommeil REM, nous avons par exemple pu le réveiller pour obtenir un compte rendu de ses rêves. Toutefois, même sans ce rapport, nous pourrions lire les scans de son cerveau et prédire avec précision la nature de ses rêves avant même qu'il nous les raconte. Une faible activité motrice, mais une activité cérébrale, émotionnelle et visuelle riche indiquent un rêve contenant peu de mouvements mais rempli de scènes et d'objets visuels, fort en émotions – et inversement. Des chercheurs ont mené l'expérience, obtenant les résultats suivants : nous avons pu prédire avec certitude la *forme* des rêves d'une personne, visuels, moteurs, chargés en émotions ou parfaitement irrationnels et bizarres, avant même d'en obtenir le récit par le dormeur.

S'il semble révolutionnaire de prédire la *forme* globale des rêves (émotionnelle, visuelle, motrice, etc.), une question fondamentale reste sans réponse : sommes-nous capables de prédire le *contenu* des rêves, c'est-à-dire *de quoi* rêve un individu (une voiture, une femme, de la nourriture, etc.), en plus d'en prédire simplement la *nature* (s'ils sont visuels ou non) ?

Un groupe de recherche dirigé par le Dr Yukiyasu Kamitani à l'Institut international des recherches avancées en télécommunications de Kyoto a découvert, en 2013, une façon astucieuse d'aborder la question. Cette équipe a cherché à déchiffrer le code des rêves pour la toute première fois, nous entraînant ainsi vers une zone plutôt inconfortable sur le plan éthique.

Fait très important, comme nous allons le voir, les participants avaient consenti à l'étude. Les résultats restent non exhaustifs, puisque l'expérience n'a été menée que sur trois personnes. Ils se sont toutefois avérés d'une importance capitale. Les chercheurs se sont également concentrés sur les rêves de courte durée, ceux que nous faisons au moment où nous tombons dans les bras de Morphée, plutôt que sur les rêves du sommeil REM, même si leur méthode va bientôt s'appliquer également à cette phase du sommeil.

Les scientifiques ont placé chaque participant dans une machine IRM, plusieurs fois en l'espace de plusieurs jours. À chaque fois que le participant s'endormait, ils attendaient un court moment tout en enregistrant son activité cérébrale, puis réveillaient la personne pour obtenir le compte rendu de ses rêves. Ils laissaient ensuite la personne se rendormir, et répétaient la même procédure. Les chercheurs ont poursuivi de cette façon jusqu'à avoir rassemblé des centaines de comptes rendus de rêves ainsi que les clichés d'activité cérébrale correspondants. Voici un exemple de compte rendu de rêve : « J'ai vu une énorme statue de bronze… sur une petite colline, avec à son pied des maisons, des rues et des arbres. »

Kamitani et son équipe ont ensuite classé tous les comptes rendus en vingt grandes catégories selon leurs contenus récurrents, tels les livres, les voitures, les meubles, les ordinateurs, les hommes, les femmes ou la nourriture, etc. Pour voir à quoi ressemble vraiment l'activité cérébrale des participants lorsqu'ils perçoivent réellement, à l'éveil, ces types d'images, les chercheurs ont sélectionné des photos représentant chacune des catégories, c'est-à-dire des images de vraies voitures, d'hommes, de femmes, de meubles, etc. Les individus sont ensuite retournés à l'intérieur de l'IRM pour visionner ces images en étant toujours éveillés, tandis que les chercheurs mesuraient à nouveau leur activité cérébrale. En utilisant les caractéristiques d'activité cérébrale à l'éveil comme référence, Kamitani a ensuite plongé dans l'océan des rêves, pour découvrir les mêmes caractéristiques d'activité. Le concept rappelle celui de la correspondance ADN sur une scène de crime : l'équipe médico-légale prélève un échantillon d'ADN sur la victime, servant de modèle, puis elle recherche la correspondance parfaite parmi la multitude d'échantillons possibles.

Les scientifiques ont été capables de prédire avec une précision significative le contenu des rêves des participants, à chaque moment, uniquement à partir des images IRM et sans jamais avoir recours aux comptes rendus de rêves des participants. En utilisant les données modèles des images IRM, ils ont été en mesure de dire si le participant rêvait d'un homme ou d'une femme, d'un chien ou d'un lit, de fleurs ou d'un couteau. Ils ont ainsi lu dans les pensées, ou plutôt dans les rêves. Les scientifiques ont ainsi brillamment transformé la machine IRM en une version coûteuse des magnifiques attrape-rêves faits main que certains Indiens d'Amérique accrochent au-dessus de leur lit dans l'espoir de capturer leurs rêves.

Cette méthode loin d'être parfaite ne permet actuellement pas de déterminer avec précision quel homme, quelle femme, ou quelle voiture la personne endormie voit dans ses rêves. Par exemple, une superbe Aston Martin DB4 vintage des années 1960 est apparue de façon éhontée dans l'un de mes rêves récents, mais si j'avais participé à cette expérience, vous n'auriez pas pu déterminer aussi précisément le modèle sur les images IRM. Vous auriez su que j'étais en train de rêver d'une voiture et non d'un ordinateur ou d'un meuble, sans savoir de *quelle* voiture il s'agissait. C'est une avancée qui reste néanmoins étonnante, et ne pourra qu'être améliorée, jusqu'à ce que les scientifiques puissent déchiffrer et visualiser nettement les rêves. Nous pouvons aujourd'hui en apprendre plus sur la construction des rêves, et pourrons par la suite venir en aide aux patients souffrant de troubles mentaux pour lesquels les rêves posent problème, comme les terreurs nocturnes des patients souffrant de troubles de stress post-traumatique (TSPT).

En tant qu'être humain, et non en tant que scientifique, je dois avouer me trouver quelque peu mal à l'aise à cette idée. Avant, nos rêves nous appartenaient. Nous étions les seuls à pouvoir décider de les partager ou non avec les autres, et si nous le faisions nous pouvions choisir quelles parties raconter et lesquelles garder pour nous. Les participants à ces études ont tous donné leur consentement. Mais cette méthode dépassera-t-elle un jour le cadre de la science pour entrer dans le royaume du philosophique et de l'éthique ? Un jour peut-être, dans un futur proche, nous pourrons « lire » les rêves avec précision, prendre possession de ce phénomène que peu de personnes maîtrisent volontairement[1]. Lorsque cela arrivera – je suis certain que cela sera le cas –, le dormeur sera-t-il tenu

1. Je dis « peu de personnes », car certaines non seulement savent qu'elles sont en train de rêver, mais sont également capables

pour responsable de ses rêves ? Est-il juste de juger une personne sur ses rêves, puisqu'elle n'en est pas l'architecte conscient ? Et si elle ne l'est pas, qui l'est ? La question est épineuse.

La signification et le contenu des rêves

Les analyses IRM ont aidé les scientifiques à mieux comprendre la nature des rêves, mais aussi à les décoder légèrement. Les résultats de ces scanners cérébraux ont également permis d'établir une hypothèse au sujet de l'une des questions les plus anciennes concernant l'histoire de l'humanité, et sans doute le sommeil : d'où viennent les rêves ?

Avant que les scientifiques modernes ne se penchent sur la question, et avant le traitement non systématique des rêves par Freud, on considérait que leurs sources étaient diverses. Dans l'Égypte ancienne, on pensait que les rêves étaient envoyés du ciel par les dieux. Les Grecs partageaient cette conception, considérant les rêves comme des visites des dieux délivrant des informations célestes. Aristote reste toutefois l'exception confirmant la règle. Trois des sept thèmes de son œuvre *Parva Naturalia* (*Petits Traités d'histoire naturelle*) renvoient au sommeil : *De somno et vigilia* (*Du sommeil et de la veille*), *De insomniis* (*Des rêves*) et *De divinatione per somnum* (*De la divination dans le sommeil*). Gardant comme toujours la tête froide,

---

de prendre le contrôle de leurs rêves. C'est ce que l'on appelle les « rêves lucides », dont nous parlerons plus tard dans cet ouvrage.

Aristote exclut la possibilité que les rêves viennent du ciel, se rattachant fermement à son expérience personnelle pour affirmer que les rêves puisent leurs origines dans les événements récents vécus pendant l'éveil.

Je considère toutefois que c'est Freud qui a fourni la contribution scientifique la plus remarquable en matière de recherche sur le sommeil, que les neurologues contemporains ont à mon sens tendance à trop négliger. Dans son ouvrage phare *L'Interprétation du rêve* (1900), Freud situe incontestablement les rêves dans le cerveau (donc dans l'esprit, puisqu'il n'y a vraisemblablement aucune différence ontologique entre les deux). Cela semble une évidence aujourd'hui, voire une banalité, mais ce n'était pas le cas à l'époque, notamment au regard du passé évoqué plus haut. À lui seul, Freud a arraché les rêves au ciel et à la zone anatomiquement floue qu'est l'âme, faisant ainsi en sorte que les rêves intègrent un domaine concret, investi plus tard par les neurosciences : la terre ferme du cerveau. Sa théorie selon laquelle les rêves émanent du cerveau s'avère juste et inspirée, car elle implique que les réponses en ce domaine ne peuvent être trouvées que par une interrogation systématique du cerveau. C'est à Freud que nous devons ce changement paradigmatique dans notre façon de penser.

Néanmoins, s'il avait raison à 50 %, il avait tort à 100 %. À partir de lui, les choses se sont rapidement dégradées, car sa théorie s'est retrouvée engloutie par le marasme du manque de preuves. En résumé, Freud pensait que les rêves naissent des désirs inconscients non assouvis. Selon sa théorie, les désirs refoulés, qu'il nomme « contenu latent », sont si puissants et choquants que, s'ils étaient exprimés clairement dans les rêves, ils réveilleraient le dormeur. Freud considérait qu'un système de censure, voire de filtre, est mis en place dans notre esprit pour nous protéger, nous et notre sommeil. Les désirs refoulés sont ainsi censés passer à travers un filtre pour reparaître déguisés de l'autre côté. Les désirs et les envies camouflés décrits par Freud comme le « contenu manifeste » deviennent méconnaissables pour le dormeur, étant alors sans danger pour son sommeil.

Freud pensait comprendre le fonctionnement de ce filtre, donc pouvoir déchiffrer les rêves déguisés (le contenu manifeste) pour en dévoiler la véritable signification (le contenu latent), comme avec une manœuvre de cryptage permettant de dissimuler un message à l'aide d'un code. Sans la clé de ce cryptage, le contenu ne peut être lu. Freud croyait avoir découvert la clé des rêves de tout individu, et il a d'ailleurs offert à un bon nombre de ses riches patients viennois des services payants censés lever le voile sur leurs rêves pour en révéler le véritable message.

Le problème, cependant, reste l'impossibilité d'émettre des prédictions claires à partir de cette théorie. Les scientifiques ne peuvent pas imaginer d'expérience capable de la mettre à l'épreuve, pour la valider comme pour la réfuter. Ce qui fait le génie et la perte de Freud, c'est que la science n'a jamais été en mesure de le contredire. C'est aussi pour cette raison que son influence perdure dans le domaine de la recherche sur les rêves. Toutefois, les chercheurs n'ont jamais pu prouver non plus qu'il avait raison. Or la science rejette toujours les théories ne pouvant être ni validées ni récusées. C'est précisément ce qui s'est produit avec Freud et ses recherches psychanalytiques.

Pour prendre un exemple concret, considérons la méthode scientifique de la datation au carbone, utilisée pour déterminer l'âge d'une matière organique telle qu'un fossile. Pour valider cette méthode, les scientifiques ont analysé des fossiles au moyen de diverses machines de datation au carbone opérant d'après le même principe. Si la méthode s'avère solide sur le plan scientifique, chaque machine doit donner le même âge au fossile. Si ce n'est pas le cas, la méthode est défectueuse, car les données sont inexactes et ne peuvent être reproduites.

La méthode de datation au carbone a ainsi été jugée légitime. Ce n'est pas le cas de la méthode psychanalytique d'interprétation du rêve de Freud. Les chercheurs ont demandé à divers psychanalystes freudiens d'interpréter le même rêve d'un même individu. Si la méthode était scientifiquement fiable, présentant des règles et métriques structurées applicables par les thérapeutes, les interprétations du rêve seraient les mêmes, ou du moins relativement similaires. Au lieu de cela, tous les psychanalystes livrent des interprétations bien différentes, sans aucun point commun d'importance d'un point de vue statistique. Cette absence de cohérence rend impossible d'accoler un label de « contrôle qualité » sur la psychanalyse freudienne.

Pour les critiques les plus cyniques, cette dernière souffre donc de « généralite aiguë ». Un peu comme dans les horoscopes, les interprétations fournies sont faciles à généraliser, semblant pouvoir expliquer tout et n'importe quoi. Avant d'évoquer les critiques de la théorie de Freud dans le cadre de mes cours à l'université, je fais souvent l'expérience suivante auprès de mes étudiants, comme une sorte de démonstration (peut-être un peu cruelle) : je demande d'abord à tous mes élèves s'ils acceptent de partager un de leurs rêves pour que je l'interprète là, maintenant, tout de suite, *pro bono*. Quelques mains se lèvent. Je désigne un volontaire et lui demande son nom – appelons-le Kyle. Je demande à Kyle de me raconter son rêve. Il dit :

« Je cours dans un parking souterrain pour essayer de retrouver ma voiture. Je ne sais pas pourquoi je cours, mais j'ai l'impression que j'ai besoin d'être auprès de ma voiture. Je trouve enfin la voiture, mais, euh… ce n'est pas vraiment la mienne, mais dans le rêve je pense que c'est la mienne. J'essaye de la démarrer, mais à chaque fois que je tourne la clé, rien ne se passe. Ensuite, mon téléphone a sonné très fort et je me suis réveillé. »

Après avoir hoché la tête pendant toute la description de son rêve, je lance à Kyle un regard volontairement profond, marquant une pause avant de lui répondre : « Je sais *précisément* de quoi parle ton rêve, Kyle. » Stupéfait, Kyle (comme le reste de mon auditoire), attend ma réponse comme si le temps s'était arrêté. Après une autre longue pause, je clame avec assurance : « Kyle, ton rêve parle du temps, plus particulièrement du fait que tu n'as pas assez de temps pour faire ce que tu veux vraiment dans la vie. » Une vague de reconnaissance proche du soulagement submerge le visage de Kyle, le reste de la classe semblant également convaincu.

Je passe alors aux aveux. « Kyle, j'ai un aveu à te faire. Quel que soit le rêve qu'on me raconte, je donne toujours la même explication, qui semble convenir à tout le monde. » Heureusement, Kyle est bon joueur et ne le prend pas mal, puisqu'il rit avec le reste de la classe. Je m'excuse encore auprès de lui. L'exercice permet de révéler sensiblement les dangers des interprétations génériques, semblant très personnelles et individuelles alors qu'elles n'ont en fait rien de spécifiquement scientifique.

J'aimerais qu'on me comprenne bien, car je ne voudrais pas sembler méprisant. Je ne suggère en aucun cas qu'analyser vos rêves vous-même, voire les partager avec d'autres est une perte de temps. Je trouve au contraire cela très utile, puisque les rêves ont effectivement une fonction, comme nous le verrons dans le chapitre suivant. Il est en effet prouvé qu'écrire vos pensées, vos émotions et vos préoccupations dans un journal lorsque vous êtes éveillé est bénéfique pour votre santé mentale, comme cela semble être le cas avec vos rêves. Une vie riche de sens et saine sur le plan psychologique est une vie analysée, comme Socrate l'a répété à maintes reprises. Toutefois, la méthode psychanalytique fondée sur la théorie de Freud n'est pas scientifique, n'étant pas en mesure de déchiffrer les rêves de façon répétée, fiable ou systématique. C'est de cela dont vous devez être conscient.

En réalité, Freud avait conscience de ces limites, sentant de façon prémonitoire qu'il lui faudrait un jour rendre des comptes à la science. Ce sentiment semble nettement à l'origine de ses propos sur l'origine des rêves dans *L'Interprétation du rêve* : « Une avancée plus en profondeur saura un jour trouver une voie se poursuivant jusqu'au fondement organique du psychique[1]. » Il savait qu'une explication organique

1. S. Freud, *L'Interprétation du rêve* (1900), Paris, PUF, 2003, p. 72. *(N.d.T.)*

(cerveau) finirait par révéler la vérité sur les rêves, vérité manquant à sa théorie.

En effet, quatre ans avant de plonger dans sa théorie psychanalytique non scientifique du rêve en 1895, Freud avait tenté d'établir une explication neurobiologique et scientifique de l'esprit, dans un ouvrage intitulé *Esquisse d'une psychologie scientifique*. On y retrouve les dessins magnifiques de circuits neuronaux connectés par des synapses, réalisés par Freud pour tenter de comprendre le fonctionnement de l'esprit pendant la veille et le sommeil. Les neurosciences étaient malheureusement à leurs débuts. La science n'était tout simplement pas en mesure de disséquer les rêves, l'apparition de postulats non scientifiques tels que ceux de Freud devenant alors inévitable. Si nous ne devons pas lui en vouloir, nous ne devons pas non plus accepter une explication non scientifique des rêves *pour cette raison*.

Les examens IRM du cerveau ont apporté les premiers soupçons de cette vérité organique quant aux sources des rêves. Puisque les zones du cerveau en charge de la mémoire autobiographique, dont l'hippocampe, se révèlent très actives pendant le sommeil REM, nous devrions nous attendre à ce que le moment où l'on rêve contienne des éléments d'expérience récente du dormeur, voire à ce qu'il fournisse des indices quant à la signification de ces rêves, s'il en est une : ce que Freud a décrit élégamment comme le « résidu diurne ». C'était une hypothèse claire, facile à vérifier, dont mon ami et collègue de longue date Robert Stickgold, de l'université de Harvard, a judicieusement prouvé qu'elle était en réalité complètement fausse… ajoutant une mise en garde d'importance.

Stickgold a mis en place une expérience destinée à déterminer dans quelle mesure les rêves sont des rediffusions précises des expériences récentes vécues pendant l'éveil. Pendant deux semaines consécutives, il a demandé à vingt-neuf jeunes adultes en bonne santé de tenir un carnet de bord détaillé de leurs occupations diurnes (leur travail, leurs sorties avec des amis, les aliments qu'ils ont mangés, les sports qu'ils ont pratiqués, etc.), mais aussi de leurs préoccupations émotionnelles du moment. Il leur a également demandé de consigner chaque matin dans un journal les rêves dont ils se souvenaient. Il a ensuite fait appel à des juges extérieurs pour comparer systématiquement les journaux de l'activité diurne et les carnets de rêves, en portant leur attention sur le degré de similitude de caractéristiques clairement définies telles que les lieux, les actions, les objets, les personnes, les thèmes et les émotions.

Sur un total de deux cent quatre-vingt-dix-neuf descriptions de rêves recueillies par Stickgold auprès des participants en quatorze jours, la rediffusion claire d'événements vécus pendant l'éveil, donc le résidu diurne, n'est observée que dans 1 % à 2 % des cas. Les rêves ne sont donc pas une rediffusion complète de nos vies éveillées. Nous ne nous contentons pas de rembobiner la vidéo de ce que nous avons enregistré pendant la journée pour la visionner la nuit sur le grand écran de notre cortex. Si quelque chose comme le résidu diurne existe, sa présence ne représente cependant que quelques gouttes dans nos rêves sinon arides.

Stickgold a toutefois découvert dans les comptes rendus de rêves des signaux prédictifs marqués au cours de la journée : les émotions. 35 % à 55 % des thèmes et préoccupations émotionnels éprouvés par les participants pendant leur éveil refont surface de façon puissante et explicite dans les rêves nocturnes. Les similitudes s'avèrent tout aussi évidentes pour les participants eux-mêmes, dont le jugement est également ferme lorsqu'on leur demande de comparer leurs deux journaux.

S'il est un fil conducteur entre nos vies éveillées et nos vies endormies, c'est celui des préoccupations émotionnelles. Allant à l'encontre des hypothèses de Freud, Stickgold a démontré qu'il n'y a pas de censure, pas de voile, pas d'éléments cachés. Les sources des rêves sont transparentes, assez claires pour que n'importe qui puisse les identifier et les reconnaître sans avoir recours à un interprète.

Les rêves ont-ils une fonction ?

Par la combinaison d'analyses de l'activité cérébrale et d'expériences rigoureuses, nous avons fini par développer notre compréhension scientifique des rêves humains : leur forme, leur contenu et leur(s) source(s) pendant l'éveil. Un élément manque cependant. Aucune des études parmi celles que j'ai décrites ne prouve que les rêves ont une fonction quelconque. Le sommeil REM, d'où émanent les rêves principaux, revêt sans doute plusieurs fonctions, comme nous l'avons dit et le dirons encore, mais les rêves en eux-mêmes, au-delà du sommeil REM, nous sont-ils véritablement utiles ? D'un point de vue scientifique, la réponse est oui.

10

Le rêve, une thérapie nocturne

On a longtemps pensé que les rêves ne sont qu'un épiphénomène du cycle de sommeil (REM) d'où ils émergent. Afin d'illustrer le concept d'épiphénomène, prenons l'exemple d'une ampoule.

Si nous assemblons les divers éléments physiques d'une ampoule – l'enveloppe de verre, le filament intérieur, le plot de contact électrique de la base –, c'est pour créer de la lumière. C'est la fonction de l'ampoule, la raison première pour laquelle ce mécanisme est conçu. Toutefois, l'ampoule produit également de la chaleur. La production de chaleur n'est pas la fonction de l'ampoule, ni la raison pour laquelle on la crée en premier lieu. La chaleur n'est qu'un phénomène se produisant lorsque la lumière est émise de cette façon. C'est un produit dérivé involontaire de cette opération, non sa vraie fonction. Dans cet exemple, la chaleur est un épiphénomène.

De la même manière, l'évolution a permis de construire les circuits neuronaux du cerveau produisant le sommeil REM, mais aussi les fonctions supportées par ce sommeil REM. Cependant, lorsque le cerveau (humain) produit du sommeil REM, il peut également produire ce que l'on nomme les rêves. Comme la chaleur d'une ampoule, les rêves n'ont peut-être aucune fonction. Ils ne sont probablement qu'un épiphénomène sans utilité ni conséquence, un simple produit dérivé involontaire du sommeil REM.

C'est une idée plutôt déprimante, n'est-ce pas ? Je suis certain que vous êtes nombreux à penser que les rêves ont du sens et, quelque part, une utilité.

Pour aborder cette question et découvrir si les rêves, au-delà du cycle de sommeil d'où ils émergent, ont un but réel, les scientifiques ont d'abord défini les fonctions du sommeil REM. Une fois ces fonctions connues, il devient possible d'examiner si les rêves accompagnant le sommeil REM – et leur contenu bien spécifique – jouent un rôle déterminant et crucial par rapport aux avantages fournis par ce sommeil. Si ce dont vous rêvez ne contribue pas à établir les bienfaits du sommeil REM, on peut alors en déduire que les rêves sont des épiphénomènes, et que le sommeil REM se suffit à lui-même. Si vous avez toutefois besoin de dormir d'un sommeil REM *et* de rêver de choses spécifiques pour accomplir ces fonctions, cela signifie que le sommeil REM seul, bien que nécessaire, n'est pas suffisant. Il faut alors la combinaison unique du sommeil REM *et* des rêves – des rêves d'expériences bien particulières –, pour que vous obteniez ces bienfaits nocturnes. Dans ce cas, on ne peut plus considérer les rêves comme de simples produits dérivés, des épiphénomènes du sommeil REM. La science doit au contraire considérer le rêve comme un élément essentiel du sommeil et reconnaître les avantages qu'il offre, au-delà du seul sommeil REM.

Dans ce contexte, nous avons découvert deux bienfaits essentiels du sommeil REM, exigeant qu'en plus de dormir d'un sommeil REM, vous rêviez, et que vous rêviez de choses spécifiques. Le sommeil REM est donc nécessaire, mais pas suffisant. Les rêves ne sont pas la chaleur de l'ampoule – ils ne sont pas des produits dérivés.

La première fonction consiste à prendre soin de notre santé émotionnelle et mentale. C'est le sujet principal de ce chapitre. La seconde consiste à résoudre des problèmes et renforcer la créativité, potentiel que certains tentent de maîtriser plus pleinement par le contrôle de leurs rêves, sujet traité dans le chapitre suivant.

Le rêve : un baume apaisant

On a coutume de dire que le temps guérit toutes les blessures. Il y a quelques années, j'ai décidé de mettre cette croyance ancestrale à l'épreuve de la science, me demandant si elle ne devait pas être légèrement modifiée. Ce n'est peut-être pas le temps qui guérit les blessures, mais le temps que l'on passe à rêver. J'ai ainsi développé une théorie à partir des modèles combinés de l'activité cérébrale et de la neurochimie cérébrale du sommeil REM, pour en tirer une hypothèse spécifique : les rêves du sommeil REM forment une thérapie nocturne. Ils effacent les blessures douloureuses suivant les épisodes émotionnels désagréables, voire traumatisants, vécus pendant la journée, offrant ainsi un pansement émotionnel au réveil.

Cette théorie repose sur l'étonnant changement se produisant dans votre cocktail chimique cérébral pendant votre sommeil REM. La concentration de noradrénaline, substance clé associée au stress, est parfaitement nulle dans votre cerveau au moment où vous entrez dans la phase de sommeil pendant laquelle vous rêvez. En réalité, sur une période de vingt-quatre heures, le sommeil REM est le seul moment où votre cerveau est totalement dépourvu de cette molécule à l'origine du stress. La noradrénaline, également connue sous le nom de norépinéphrine, est l'équivalent pour le cerveau de l'hormone du corps que vous connaissez bien et dont vous avez déjà expérimenté les effets : l'adrénaline (épinéphrine).

D'anciennes études IRM ont établi que les principales structures cérébrales des émotions et de la mémoire sont réactivées pendant le sommeil REM, lorsque nous rêvons : il s'agit de l'amygdale et des zones liées aux émotions dans le cortex, et du centre mnémotechnique clé, l'hippocampe. Ces études suggéraient qu'un traitement mémoriel spécifique aux émotions est possible, voire probable, pendant la phase de rêves ; mais nous comprenons aujourd'hui que cette réactivation de la mémoire émotionnelle se produit dans un cerveau libéré de cette hormone du stress. Je me suis ainsi demandé si le cerveau reproduit des expériences ou thèmes renvoyant à des souvenirs perturbants dans ce contexte des rêves, à la fois calme (taux de noradrénaline bas) et « sûr » d'un point de vue neurochimique. L'état de rêve du sommeil REM est-il un parfait baume nocturne venant apaiser les émotions trop pesantes de la vie quotidienne ? C'est ce que semblaient nous (me) dire la neurobiologie et la neurophysiologie. Si c'est le cas, nous devrions nous sentir mieux au réveil lorsque des événements pénibles sont survenus la veille ou les jours précédents.

C'est là la théorie de la thérapie nocturne, postulant que la phase de rêves du sommeil REM accomplit deux objectifs majeurs : (1) dormir pour *se souvenir* des détails d'expériences précieuses et essentielles pour les intégrer à ses connaissances déjà en place dans une perspective autobiographique, mais aussi (2) dormir pour *oublier*, atténuer la charge émotionnelle viscérale et douloureuse auparavant rattachée à certains souvenirs. La phase de rêves permettrait dans ce cas une sorte d'introspection à des fins thérapeutiques.

Si vous repensez à votre enfance pour tenter de retrouver vos souvenirs les plus marquants, vous notez qu'ils sont presque tous de nature émotionnelle : par exemple l'expérience particulièrement terrifiante d'avoir été séparé de vos parents, ou d'avoir failli vous faire renverser par une voiture dans la rue. Notez également que les détails de ces souvenirs ne sont plus accompagnés du même degré d'émotion qu'au moment où vous les avez vécus. Vous n'avez rien oublié, mais vous vous êtes libéré de la charge émotionnelle du souvenir, ou du moins d'une bonne partie. Vous pouvez donc revivre le souvenir précisément, sans qu'il suscite en vous la même réaction que le jour où l'événement s'est produit[1]. Selon la théorie de la thérapie

1. Le trouble de stress post-traumatique (TSPT) est une exception, dont nous parlerons plus loin dans ce chapitre.

nocturne, nous rêvons pendant le sommeil REM pour permettre cette séparation progressive entre émotion et expérience. Par son œuvre nocturne thérapeutique, le sommeil REM parvient habilement à retirer la peau amère de nos émotions du fruit que forment les informations. Nous pouvons ainsi apprendre et nous souvenir à toutes fins utiles d'événements essentiels de notre vie, sans crouler sous le poids émotionnel des expériences douloureuses.

J'ai en effet défendu l'idée que si le sommeil REM ne jouait pas ce rôle, nos réseaux mémoriels autobiographiques seraient maintenus dans un état de stress chronique ; à chaque souvenir important nous revenant en mémoire, non seulement nous nous rappellerions des détails, mais serions également contraints de revivre la même charge émotionnelle angoissante. Par son activité cérébrale et sa composition neurochimique uniques, la phase de rêves du sommeil REM nous permet d'éviter une telle situation.

Ce sont là la théorie et ses hypothèses, qu'il faut mettre à l'épreuve pour les réfuter ou les confirmer.

Nous avons recruté un groupe de jeunes adultes en bonne santé que nous avons séparés au hasard en deux groupes. Nous leur avons fait visionner un ensemble d'images émouvantes alors qu'ils se trouvaient dans une machine IRM mesurant leur réactivité cérébrale émotionnelle. Douze heures plus tard, nous les avons placés de nouveau dans la machine IRM pour leur présenter les mêmes images, activant leurs souvenirs, tandis que nous mesurions une nouvelle fois leur réactivité cérébrale émotionnelle. Pendant ces deux sessions d'exposition, espacées de douze heures, les participants évaluaient également à quel point ils se sentaient émus par chaque image.

Point d'importance : la moitié des participants visionnaient les images d'abord le matin, puis le soir, restant donc éveillés entre les deux. L'autre moitié regardait les images le soir et le matin suivant, après une pleine nuit de sommeil. Nous avons ainsi pu mesurer objectivement ce que nous disait leur cerveau grâce à l'IRM, et savoir ce qu'eux-mêmes ressentaient de façon subjective lors de ce visionnage renouvelé, après avoir ou non dormi.

Ceux qui avaient dormi entre les deux sessions signalaient une baisse caractéristique du degré d'émotion éprouvée lorsqu'ils voyaient les images la seconde fois. En outre, les résultats des IRM montraient une réduction importante et significative de la réactivité dans l'amygdale, centre des émotions du cerveau à l'origine des sentiments douloureux. On notait également un réengagement du cortex cérébral préfrontal rationnel après le sommeil, dont l'influence continuait à tempérer les réactions émotionnelles. À l'inverse, les participants restés éveillés pendant la journée sans pouvoir dormir ni digérer leur expérience ne présentaient pas ces signes d'atténuation de leur réactivité émotionnelle. Lors du second visionnage, leurs réactions cérébrales émotionnelles profondes étaient aussi fortes et négatives, si ce n'est plus, que lors du premier, et ils déclaraient en outre ressentir les mêmes sentiments douloureux avec autant d'intensité.

Ayant enregistré le sommeil de chaque participant pendant la nuit écoulée entre les deux sessions, nous pouvions répondre à la question suivante : y a-t-il un élément dans le type ou la qualité du sommeil permettant de prédire dans quelle mesure il atténue les émotions du dormeur le jour suivant ?

Comme le prévoyait la théorie, c'est la période de rêves du sommeil REM – et le schéma d'activité électrique spécifique reflétant la baisse de l'hormone du stress pendant la phase des rêves – qui détermine le succès de la thérapie nocturne d'un individu à l'autre. Ce n'est donc pas le temps en soi qui guérit les blessures, mais plutôt le temps passé à rêver qui sert de convalescence émotionnelle. Dormir, peut-être guérir[1].

Le sommeil, plus précisément le REM, est nécessaire à la guérison de nos blessures émotionnelles. Mais rêver pendant le sommeil REM, même de ces événements riches en émotions, est-il nécessaire pour résoudre les problèmes et protéger nos esprits de l'emprise de l'anxiété et de la dépression réactionnelle ? C'est la question sur laquelle le Dr Rosalind Cartwright de l'université Rush de Chicago s'est penchée, à travers une série de travaux réalisés sur ses patients.

Cartwright, selon moi aussi pionnière que Freud dans le domaine de la recherche sur les rêves, a décidé d'étudier le contenu des rêves de personnes présentant des signes de dépression suite à des expériences émotionnelles douloureuses, comme une rupture ou un divorce compliqué. Au moment du traumatisme, elle a compilé les rêves de ces personnes pour les passer au peigne fin, à la recherche de signes sur les mêmes

---

1. En anglais, *To sleep, perchance to heal* fait référence à un vers célèbre d'*Hamlet* de Shakespeare : *To sleep, perchance to dream* (« dormir, peut-être rêver »). *(N.d.T.)*

thèmes émotionnels que ceux de leur vie réelle. Elle a procédé ensuite à une évaluation de suivi pendant plus d'un an, afin de déterminer si la dépression ou l'anxiété des patients suite au choc émotionnel était résolue ou persistait.

Dans une série de publications que je consulte encore aujourd'hui avec admiration, Cartwright a démontré que seuls les patients rêvant expressément des expériences douloureuses au moment même des événements réussissaient à trouver une solution clinique à leur malheur, ayant recouvré leur santé mentale un an après, puisqu'on n'identifiait plus chez eux de dépression. Ceux qui ne rêvaient pas de l'expérience douloureuse à proprement parler ne parvenaient pas à se remettre de l'événement, restant tirés vers le fond par un contre-courant de dépression stagnante.

Cartwright a ainsi démontré qu'il ne suffit pas de dormir d'un sommeil REM, ni même de faire des rêves génériques pour dénouer notre passé émotionnel. Les patients ont besoin de rêver pendant leur sommeil REM, mais de choses spécifiques, notamment des thèmes et sentiments en lien avec les émotions induites par leur traumatisme de l'éveil. Seuls ces rêves au contenu spécifique aboutissent à la rémission clinique, offrant aux patients une clôture émotionnelle leur permettant d'aller de l'avant, vers un nouveau futur émotionnel non asservi à un passé traumatisant.

Les données de Cartwright ont ainsi permis d'affirmer sur le plan psychologique la théorie biologique de la thérapie nocturne, mais il a fallu l'occasion d'une conférence un samedi de mauvais temps à Seattle pour que mes propres recherches et théories puissent passer du laboratoire au patient, aidant ainsi à la résolution de cette maladie psychiatrique handicapante qu'est le trouble de stress post-traumatique (TSPT).

Les patients victimes d'un TSPT, souvent des vétérans de guerre, ont du mal à se remettre d'expériences traumatiques terrifiantes. Au cours de la journée, ils sont fréquemment tourmentés par des flash-backs de ces souvenirs intrusifs et souffrent de cauchemars récurrents. Je me suis demandé si le mécanisme de thérapie nocturne fourni par le sommeil REM découvert chez des individus en bonne santé présentait un dysfonctionnement chez les patients souffrant de TSPT, alors incapables de gérer convenablement leurs souvenirs du traumatisme.

Lorsqu'un vétéran est victime d'un flash-back, parce qu'il entend par exemple un moteur de voiture, il revit de nouveau l'expérience viscérale traumatisante. J'en ai déduit que le souvenir traumatisant n'avait pas été correctement débarrassé de l'émotion correspondante au cours du sommeil. Si l'on interroge des patients atteints de TSPT, ils affirment souvent qu'ils ne peuvent tout simplement pas « se remettre » de leur expérience. Ils décrivent ainsi le fait que leur cerveau n'a pas nettoyé l'émotion du souvenir traumatique : chaque fois que le souvenir est à nouveau vécu (flash-back), l'émotion l'est donc aussi, puisqu'elle n'a pas été efficacement supprimée.

Nous savons que le sommeil, notamment REM, des patients atteints de TSPT est perturbé. Certaines preuves suggèrent également que le système nerveux de ces patients libère plus de noradrénaline que celui de la moyenne des individus. En m'appuyant sur notre théorie de la thérapie nocturne par les rêves au cours du sommeil REM et sur les données qui la soutiennent, j'ai établi une nouvelle théorie, appliquant ce modèle au TSPT. Ma théorie est la suivante : l'un des facteurs contribuant au développement du TSPT est le niveau trop élevé de noradrénaline dans le cerveau, empêchant les patients d'entrer et de se maintenir dans la phase de rêves du sommeil REM normal. Leur cerveau, durant la nuit, ne parvient donc pas à retirer l'émotion associée au souvenir traumatique, l'environnement chimique de stress étant trop élevé.

Les cauchemars à répétition évoqués par les patients souffrant de TSPT me semblaient toutefois encore plus troublants – symptôme si fiable qu'il intègre la liste des caractéristiques nécessaires au diagnostic d'une telle pathologie. Ma théorie suggère que si le cerveau n'est pas en mesure de séparer l'émotion du souvenir durant la première nuit suivant l'expérience traumatique, un nouvel essai a lieu la deuxième nuit, car la force de l'« étiquette émotionnelle » associée au souvenir demeure trop élevée. Si le processus échoue une deuxième fois, un nouvel essai a lieu la nuit suivante, et ainsi de suite, comme un disque rayé. C'est précisément ce qu'il semble se passer dans le cas des cauchemars répétés d'une expérience traumatique chez les patients atteints de TSPT.

On pouvait alors faire l'hypothèse vérifiable suivante : en diminuant le taux de noradrénaline dans le cerveau des patients souffrant de TSPT pendant leur sommeil, pour réinstaurer les conditions chimiques nécessaires à un sommeil thérapeutique, il serait possible de rétablir un sommeil REM sain et de qualité. Cette qualité retrouvée de sommeil REM devrait être accompagnée d'une amélioration des symptômes cliniques du TSPT, puis d'une baisse de la fréquence des cauchemars récurrents douloureux. C'était là une théorie scientifique en quête de preuves cliniques. Et puis, comme par magie, grâce au hasard, un événement s'est produit.

Peu après la publication de mes recherches théoriques, j'ai rencontré le Dr Murray Raskind, un médecin incroyable qui travaillait alors dans un hôpital du Département des anciens combattants des États-Unis, dans la région de Seattle. Lors d'une conférence organisée à Seattle, nous avons tous les deux présenté nos découvertes, n'étant à l'époque ni l'un ni l'autre au courant de nos recherches respectives. Raskind – grand homme au regard bienveillant, à l'air détendu et jovial désarmant, cachant une lucidité à ne pas sous-estimer – est une figure majeure de la recherche dans les domaines du TSPT et de la maladie d'Alzheimer. Lors de cette conférence, Raskind a présenté certaines de ses découvertes récentes qui le laissaient perplexe. Dans sa clinique dédiée au TSPT, il avait traité des patients vétérans avec un médicament générique nommé prazosine, afin de gérer leur tension artérielle élevée. Le médicament était assez efficace pour faire baisser la tension, mais Raskind lui a découvert une vertu pour le cerveau encore plus puissante, bien que totalement inattendue : il calme les cauchemars à répétition des patients TSPT. Ces derniers reviennent à la clinique après seulement quelques semaines de traitement pour annoncer, stupéfaits : « Docteur, il m'arrive une chose vraiment bizarre, je ne fais plus ces cauchemars liés à des événements passés. Je me sens mieux, j'ai moins peur de m'endormir le soir. »

Il s'avère que ce médicament, la prazosine, prescrit par Raskind simplement pour faire baisser la tension artérielle, présente un effet secondaire fortuit, à savoir la suppression de noradrénaline dans le cerveau. C'était aussi génial qu'accidentel : Raskind avait mené l'expérience que j'essayais de concevoir, créant précisément dans le cerveau pendant le sommeil REM la condition neurochimique – une baisse du taux anormalement élevé de la noradrénaline associée au stress – si longtemps absente chez ces patients souffrant de TSPT. La prazosine permet donc la baisse progressive du taux de noradrénaline nocive dans le cerveau, offrant aux patients un sommeil REM plus sain. Avec ce dernier, les symptômes cliniques des patients sont réduits et, surtout, la fréquence de leurs cauchemars diminue.

Raskind et moi avons poursuivi nos interventions et nos discussions scientifiques tout au long de la conférence. Il m'a ensuite rendu visite dans mon laboratoire de l'université de Berkeley les mois suivants. Pendant toute une journée et au dîner, nous avons discuté sans relâche de mon modèle neurobiologique de thérapie émotionnelle nocturne, et de la façon dont il explique parfaitement ses découvertes cliniques sur la prazosine. Cette conversation, sans doute la plus excitante de toute ma carrière, nous a rendus fous. La théorie scientifique n'était plus en quête de sa confirmation clinique. Les deux s'étaient trouvées à Seattle, un jour de mauvais temps.

Grâce au regroupement de nos travaux, à la puissance des recherches de Raskind et à de nombreux autres essais cliniques indépendants menés à grande échelle, la prazosine est ainsi devenue le médicament approuvé par le ministère des Anciens Combattants pour traiter les cauchemars traumatiques répétés. Elle a également reçu depuis l'aval de la Food and Drug Administration, qui lui reconnaît les mêmes avantages.

De nombreuses questions restent à traiter, notamment celle de la reproduction plus indépendante de ces résultats dans le cadre d'autres types de traumatismes, tels que les abus sexuels ou la violence. La prazosine reste en outre un médicament imparfait, car prise à des doses élevées elle entraîne des effets secondaires, et parce que tous les individus ne réagissent pas au traitement avec autant de succès. Mais nous sommes au début. Nous pouvons désormais expliquer scientifiquement cette fonction du sommeil REM et le processus de rêves qui lui est inhérent. Nous avons fait un premier pas vers le traitement de la maladie pénible et handicapante que représente le TSPT, et disposerons peut-être ainsi de pistes de traitement nouvelles dans le domaine du sommeil et d'autres maladies mentales, comme la dépression.

Rêver pour déchiffrer ses expériences vécues

Alors même que je pensais connaître tous les secrets du sommeil REM concernant notre santé mentale, un autre de ses bienfaits pour le cerveau et les émotions est apparu – peut-être même un élément de survie.

Pour être fonctionnels, l'humain et bien sûr la plupart des primates supérieurs doivent savoir lire correctement les expressions et les émotions sur les visages. Les expressions faciales comptent parmi les signaux les plus importants de notre environnement, transmettant l'état émotionnel et l'intention d'un individu, et influençant en retour notre comportement, si on les interprète convenablement. Certaines régions du cerveau ont pour fonction de lire, de décoder la valeur et le sens des signaux émotionnels, notamment ceux du visage. C'est cet ensemble, ou réseau, de régions cérébrales essentielles qui se trouve rééquilibré par le sommeil REM pendant la nuit.

Dans ce rôle à la fois différent et supplémentaire, on peut imaginer le sommeil REM comme un accordeur de piano réajustant l'instrumentation émotionnelle du cerveau pendant la nuit jusqu'à atteindre une précision parfaite, pour qu'au réveil le lendemain matin vous puissiez discerner sans faute les micro-expressions, évidentes ou subtilement dissimulées. Si l'on prive un individu de sa phase de rêves pendant le sommeil REM, la courbe de réglage des émotions dans le cerveau perd de sa précision, comme lorsqu'on regarde une image à travers du verre dépoli, ou que l'on observe une photo floue : un cerveau qui n'a pas assez rêvé voit les expressions faciales déformées, ne peut plus les déchiffrer correctement. Vous commencez à prendre vos amis pour des ennemis.

Voici comment nous avons fait cette découverte. Des participants sont venus dormir une nuit entière dans mon laboratoire. Le lendemain matin, nous leur avons montré de nombreuses photos du visage d'une même personne, qui ne présentait jamais deux fois la même expression. L'expression faciale de la personne évoluait au fil des photos, passant de la gentillesse (léger sourire, ouverture sereine de l'œil, regard accessible) à une dureté menaçante (lèvres pincées, sourcils froncés, regard défiant). Chaque photo différait légèrement de celles qui l'entouraient sur ce spectre émotionnel. Toute une gamme d'intentions était ainsi représentée à travers des dizaines de photos, depuis l'air très social (amical) à l'air fortement antisocial (peu amical).

Les participants regardaient les photos dans un ordre aléatoire, tandis que nous scannions leur cerveau dans une machine IRM, et déclaraient s'ils estimaient le visage sous leurs yeux attirant ou menaçant. Les IRM mesuraient la façon dont leur cerveau, après une pleine nuit de sommeil, interprétait les signes et distinguait les expressions menaçantes des expressions sympathiques. Les participants réitéraient ensuite l'expérience, cette fois après avoir été privés de sommeil, notamment de la phase essentielle du sommeil REM. La moitié des participants passait d'abord la session sans sommeil, puis la session avec sommeil, et inversement. Les photos représentaient une personne différente à chaque session, pour éviter les souvenirs ou l'effet de répétition.

Après une pleine nuit de sommeil, notamment REM, les participants présentaient une courbe très précise de reconnaissance des émotions faciales, en forme de V. Naviguant dans l'abondance d'expressions faciale, leur cerveau parvenait à séparer les émotions habilement et sans difficulté, selon la progression du spectre, comme le confirmait l'exactitude de leurs propres évaluations. Distinguer les signaux amicaux et accueillants des menaces, même mineures, ne leur demandait aucun effort, tandis que la marée émotionnelle se transformait en simple appréhension.

Voilà qui confirme l'importance des rêves : plus la qualité du sommeil REM d'un individu est bonne pendant sa nuit de repos, plus le réseau cérébral de déchiffrage émotionnel est précis le lendemain. Grâce à cet important service nocturne, un sommeil REM de meilleure qualité pendant la nuit permet une compréhension supérieure du monde social le jour suivant.

Toutefois, lorsque ces mêmes participants sont privés de sommeil, donc de l'influence essentielle du sommeil REM, ils ne sont plus capables de distinguer précisément les émotions entre elles. Le réglage en V dans le cerveau change, remontant brutalement vers le haut à partir de la base pour dessiner une ligne horizontale, comme si le cerveau se trouvait dans un état d'hypersensibilité généralisée, incapable de repérer les variations des signaux émotionnels venant de l'extérieur. Il n'est plus capable de lire avec précision les indices révélateurs sur le visage d'un autre. Son système de navigation émotionnelle – boussole qui nous guide d'habitude vers de nombreux avantages évolutifs – a perdu le nord et sa sensibilité.

Sans cette acuité émotionnelle normalement fournie par le sommeil REM, les participants en manque de sommeil perdent leur discernement, biaisé par la crainte, croyant même que des expressions sympathiques – ou plutôt agréables – sont menaçantes. Le monde extérieur devient plus agressif et repoussant quand le cerveau manque de sommeil REM – et ce sans raison réelle. La réalité et la réalité perçue ne sont plus les mêmes pour le cerveau en manque de sommeil. En supprimant le sommeil REM de certains participants, nous avons littéralement supprimé leur aptitude sensée à lire le monde social qui les entoure.

Pensons alors aux métiers qui occasionnent un manque sommeil, aux policiers ou militaires, aux médecins, aux infirmières, aux services d'urgence – sans parler du travail de gardiennage par excellence : celui de jeune parent. Tous ont besoin de lire correctement les émotions des autres pour prendre des décisions importantes, voire vitales, telles que détecter une menace nécessitant l'usage d'une arme, évaluer une gêne ou une angoisse émotionnelle pour modifier un diagnostic, la quantité de médicament palliatif à prescrire contre la douleur, ou encore s'il faut se montrer compatissant ou strict dans tel ou tel cas lorsqu'on est parent. Sans le sommeil REM réglant la boussole émotionnelle du cerveau, ces individus présentent une compréhension sociale et émotionnelle erronée du monde qui les entoure, se retrouvant à prendre des décisions inappropriées et à réaliser des actes aux conséquences graves.

En observant la vie dans son ensemble, nous avons découvert que ce service de recalibrage permis par le sommeil REM se met en place juste avant la transition vers l'adolescence. Avant, les enfants sont surveillés par leurs parents et la plupart des évaluations et décisions sont prises par maman et/ou papa : le sommeil REM ne réaccorde donc pas encore vraiment le cerveau des enfants. Toutefois, pendant les premières années d'adolescence, au point d'inflexion de l'indépendance par rapport aux parents, quand l'enfant doit gérer seul son univers socio-émotionnel, nous voyons son jeune cerveau se régaler des bienfaits de ce recalibrage émotionnel permis pas le sommeil REM. Cela ne veut *pas* dire que le sommeil REM est inutile aux enfants ou aux nourrissons – il l'est, car il assure d'autres fonctions, que nous avons déjà abordées (développement du cerveau) ou dont nous parlerons bientôt (créativité).

Mais cette fonction spécifique du sommeil REM, qui survient à une étape particulièrement importante du développement, permet au cerveau bourgeonnant du préadulte de naviguer en toute autonomie dans les eaux agitées d'un monde émotionnel complexe.

Nous reviendrons sur cette question dans l'avant-dernier chapitre, pour évoquer les ravages des horaires des cours pour les adolescents, qui leur imposent de se lever bien trop tôt. En raison notamment des horaires des bus scolaires, certains adolescents sont privés de sommeil au moment même où leur cerveau en plein développement se nourrit du sommeil REM, indispensable. Nous détruisons ainsi leurs rêves, de multiples façons.

11

Créativité et contrôle des rêves

En plus d'être les sentinelles impassibles qui préservent votre santé et votre bien-être émotionnel, le sommeil REM et le rêve permettent le traitement pertinent des informations, incitant à la créativité et aidant à résoudre les difficultés. C'est pourquoi certaines personnes tentent de contrôler ce processus ordinairement indépendant de la volonté, dans le but de maîtriser leurs propres expériences pendant le rêve.

Le rêve, incubateur de créativité

Comme nous le savons déjà, le sommeil NREM renforce notre mémoire. Le sommeil REM offre quant à lui un autre avantage, considérable et complémentaire, car il fusionne et mêle, de façon abstraite et totalement nouvelle, ces éléments essentiels que sont les souvenirs. Lorsque vous rêvez, votre cerveau brasse de larges pans des savoirs acquis[1] pour en extraire des règles générales et des points communs – disons l'*essentiel*. À notre réveil, le réseau de notre esprit est comme révisé, capable de trouver des solutions à des problèmes auparavant inaccessibles. Le rêve pendant le sommeil REM s'apparente ainsi à une sorte d'alchimie des informations.

De ce processus, que je nomme « idesthésie », sont nées certaines avancées parmi les plus révolutionnaires de l'histoire de l'humanité. Il n'est pas meilleure illustration de cette intelligence du rêve pendant le sommeil REM que la panacée élégante que nous connaissons tous, intimement liée au rêve. Je ne cherche pas ici à être abscons, mais je veux parler du rêve fait par Dmitri Mendeleïev le 17 février 1869, à l'origine du tableau périodique des éléments, classification sublime de tous les composants connus de la nature.

Mendeleïev, chimiste russe à l'ingéniosité distinguée, avait une obsession. Il pressentait qu'une logique devait organiser les éléments connus de l'univers, logique que certains décrivaient euphémiquement comme la quête de l'abaque divin. Preuve de son obsession, il avait réalisé son propre jeu de cartes, dont chacune représentait un élément de l'univers et ses propriétés chimiques et

1. Par exemple, l'apprentissage du langage et la déduction de nouvelles règles grammaticales, chez les enfants, notamment. Ils commencent à utiliser de nouvelles lois grammaticales (comme les conjugaisons, les temps, les pronoms, etc.) bien avant de les comprendre. C'est pendant le sommeil que le cerveau extrait implicitement ces règles à partir des expériences de l'éveil, même si l'enfant n'en a pas explicitement conscience.

physiques uniques. Il restait ainsi assis, chez lui dans son bureau ou lors de longs trajets en train, manipulant frénétiquement le jeu sur la table carte après carte, pour tenter de déduire la règle suprême expliquant l'assemblage de ce puzzle œcuménique. Il a ainsi médité des années durant sur cette énigme de la nature. En vain.

On raconte qu'après trois jours et trois nuits sans dormir, il atteignit le summum de sa frustration. Si l'étendue de ce manque de sommeil semble peu probable, l'échec continu de Mendeleïev à déchiffrer ce code est, lui, bien réel. Exténué, l'esprit empli d'éléments qui continuaient à tourner dans sa tête en se refusant à toute organisation logique, il s'allongea pour dormir et se mit à rêver. Son cerveau rêvant accomplit alors ce que son cerveau éveillé ne parvenait pas à faire. Le rêve prit possession des ingrédients virevoltant dans son esprit et, dans un éclair de génie créatif, les assembla dans une grille divine, dont chaque ligne (période) et chaque colonne (groupe) présentaient la progression logique des caractéristiques atomiques et des électrons périphériques, respectivement. Mendeleïev le raconte ainsi[1] : « J'ai vu en rêve un tableau où chaque élément trouvait sa place. Je l'ai immédiatement reproduit sur un morceau de papier à mon réveil. Je n'ai fait plus tard qu'une seule correction. »

Si certains contestent le caractère intégral de cette solution rêvée, personne ne remet en question le fait

1. Cité par B. M. Kedrov, « On the question of the psychology of scientific creativity (on the occasion of the discovery by D.I. Mendeleev of the periodic law) », *Soviet Psychology*, 3, 1957, 91-113.

que Mendeleïev a trouvé la formulation du tableau périodique en rêvant. C'est bien son cerveau en train de rêver, et non son cerveau éveillé, qui a su percevoir l'organisation ordonnée de tous les éléments chimiques connus. C'est donc le rêve du sommeil REM qui lui a permis de résoudre le puzzle déroutant de l'assemblage de tous les composants connus de l'univers – révélation inspirée de la magnitude cosmique.

Mon propre domaine, la neuroscience, a lui aussi profité de ce type de révélations pourvues par le rêve, la plus tangible étant celle du neuroscientifique Otto Loewi. Loewi a vu en rêve une expérience particulièrement intelligente réalisée sur deux cœurs de grenouille, permettant de savoir comment les cellules nerveuses communiquent entre elles, c'est-à-dire au moyen de substances chimiques (les neurotransmetteurs) diffusées dans les creux étroits les séparant (synapses) et non de signaux électriques directs, qui n'auraient été efficaces que si les cellules se touchaient. Cette découverte née d'un rêve s'avère si profonde qu'elle lui a valu un prix Nobel.

Nous savons également que certaines créations artistiques précieuses sont nées dans les rêves, dont les chansons de Paul McCartney, *Yesterday* et *Let It Be*, lui étant toutes les deux venues pendant son sommeil. À propos de *Yesterday*, McCartney raconte s'être réveillé après un rêve dans une chambre mansardée de sa maison de famille de Wimpole Street, à Londres, pendant le tournage du merveilleux film *Help* :

« Je me suis réveillé avec un air plaisant en tête en me disant : "C'est génial, je me demande ce que c'est." Il y avait un piano droit à côté de moi, à droite du lit, près de la fenêtre. Je me suis levé pour m'asseoir au piano, j'ai trouvé le *sol*, le *fa* dièse mineur. Ça m'a mené au *si*, puis au *mi* mineur, et je suis finalement revenu au *mi*. Tout coulait logiquement. La mélodie me plaisait beaucoup, mais comme je l'avais rêvée, je n'arrivais pas à croire que je l'avais écrite. Je me suis dit : "Ce n'est pas moi, je n'ai jamais rien écrit de tel avant." Et pourtant c'était moi. C'était ça le plus magique ! »

Étant né à Liverpool, où j'ai grandi, je dois confesser ma tendance à exagérer le génie nocturne des Beatles. Mais Keith Richards, des Rolling Stones, n'est pas en reste. C'est sans doute lui qui a vécu la meilleure histoire de rêve inspiré, à l'origine du riff d'introduction de *Satisfaction*. Richards avait pour habitude de garder une guitare et un magnétophone à côté de son lit pour enregistrer les idées qui lui venaient pendant la nuit. Il décrit ainsi son expérience du 7 mai 1965, de retour dans sa chambre d'hôtel à Clearwater, en Floride, après un concert :

« Je vais me coucher avec ma guitare comme d'habitude et me réveille le matin en me rendant compte que la cassette a défilé jusqu'au bout dans le magnéto. Je me dis : "Bon, je n'ai rien fait, j'ai dû appuyer sur le bouton pendant que je dormais." Je la rembobine et appuie sur lecture. Là, j'entends une sorte de version fantôme de… [premières notes de *Satisfaction*]. Il y avait toute une strophe. Après, on m'entend ronfler pendant quarante minutes. Mais l'embryon de la chanson est là. J'ai bien rêvé ce truc. »

La muse créative du rêve est également à l'origine d'un nombre incalculable d'idées littéraires et d'épopées. Prenez Mary Shelley, qui fit un rêve effrayant pendant une nuit de l'été 1816, tandis qu'elle se trouvait dans l'un des domaines de Lord Byron, à côté du lac de Genève – un rêve qui lui apparut presque comme une réalité. Le paysage de son rêve a donné à Shelley le décor et l'histoire de son spectaculaire roman gothique, *Frankenstein*. Il faut aussi citer le poète symboliste français Pierre Paul Roux, dit Saint-Pol Roux, bien au fait de la fertilité créative des rêves puisque chaque nuit avant de se retirer, il accrochait un panneau à la porte de sa chambre indiquant : « Ne pas déranger. Poète au travail. »

Ce sont là des anecdotes plaisantes à raconter, mais qui ne peuvent servir de données expérimentales. Quelle est la preuve scientifique que le sommeil – et en particulier le sommeil REM et les rêves qui l'accompagnent – fournit une forme de traitement des souvenirs par association, capable de favoriser la résolution des problèmes ? Et qu'y a-t-il de si spécial dans la neurophysiologie du sommeil REM expliquant ces bienfaits créatifs et le rêve qui leur est rattaché ?

La logique floue du sommeil REM

Bien sûr, le défi à relever lorsqu'on réalise des expérimentations sur un cerveau endormi, c'est… qu'il est endormi. Les participants ne sont pas en mesure de réaliser des tests informatisés, ni de fournir des réponses utiles – moyens habituellement utilisés par les scientifiques cognitifs pour attester des opérations cérébrales. Si ce n'est par les rêves lucides, que j'évoque à la fin de ce chapitre, les scientifiques spécialistes du rêve manquaient du point de vue des participants aux expériences. Bien souvent, nous nous sommes résignés à observer passivement leur activité cérébrale pendant le sommeil, sans pouvoir leur faire passer de tests, nous contentant de mesurer plutôt leurs performances au moment de l'éveil, avant et après le sommeil, pour déterminer si les phases du sommeil ou le moment du rêve entre les deux pouvaient expliquer les bienfaits observés le jour suivant.

Mon collègue de l'Harvard Medical School, Robert Stickgold, et moi-même avons trouvé une solution à ce problème, bien qu'indirecte et imparfaite. Je décris dans le chapitre 7 le phénomène d'inertie du sommeil – passage de l'état du cerveau endormi à l'éveil, quelques minutes après le réveil, dont nous nous sommes demandé s'il était possible de tirer profit dans le cadre de nos expériences – non pas en réveillant les sujets le matin pour les tester, mais en les réveillant la nuit, pendant les différentes phases du sommeil NREM et du sommeil REM.

Les variations spectaculaires de l'activité cérébrale pendant le sommeil NREM et REM, ainsi que les changements de concentration neurochimique – dignes de marées –, ne s'inversent pas instantanément lorsque vous vous réveillez. Au contraire, les propriétés chimiques et neuronales de ces phases particulières persistent, créant une période d'inertie de plusieurs minutes entre le véritable éveil et le sommeil. Après un réveil imposé, la neurophysiologie du cerveau ressemble bien plus au sommeil qu'à l'éveil. À mesure que les minutes passent, les concentrations caractéristiques de la phase de sommeil au cours de laquelle le sujet a été réveillé disparaissent progressivement du cerveau, tandis que l'éveil refait surface.

Nous avons compris qu'en limitant la durée des tests cognitifs à seulement quatre-vingt-dix secondes, nous pouvions réveiller les participants pour leur faire passer des tests rapides au cours de cette phase de transition, identifiant peut-être ainsi certaines propriétés fonctionnelles de la phase de sommeil concernée, comme on saisit les vapeurs d'une substance pour les analyser et en tirer des conclusions sur ses propriétés.

Et cela a fonctionné. Nous avons conçu des anagrammes en mélangeant les lettres de certains mots, de cinq lettres chacun. Chaque anagramme n'avait qu'une seule solution (EVILR pour LIVRE). Les participants découvraient les mots dans le désordre un par un sur un écran pendant quelques secondes, puis on leur demandait de donner la solution à voix haute, s'ils la trouvaient, avant la fin du temps imparti. L'anagramme suivant apparaissait ensuite à l'écran. Chaque session ne durait que quatre-vingt-dix secondes, et nous enregistrions le nombre de problèmes correctement résolus par les participants pendant cette brève période d'inertie, avant de les laisser se rendormir.

L'exercice était présenté aux sujets avant qu'ils aillent se coucher dans le laboratoire, avec des électrodes placées sur la tête et le visage qui me permettaient de mesurer l'évolution de leur sommeil en temps réel, sur un écran depuis la salle voisine. Les participants passaient également plusieurs épreuves avant leur coucher, pour se familiariser avec l'exercice et son fonctionnement. Une fois qu'ils étaient endormis, je les réveillais quatre fois au cours de la nuit, deux pendant leur sommeil NREM, au début et à la fin de la nuit, deux pendant leur sommeil REM, également en début et fin de nuit.

Lorsqu'ils se réveillaient du sommeil NREM, les participants ne semblaient pas particulièrement créatifs, trouvant la solution de peu d'anagrammes. Mais les choses se passaient bien autrement lorsque je les réveillais de leur sommeil REM, alors qu'ils étaient en train de rêver. Dans l'ensemble, leurs capacités à résoudre les problèmes augmentaient considérablement, les participants résolvant 15 % à 35 % de puzzles de plus lorsqu'ils émergeaient du sommeil REM qu'à leur sortie du sommeil NREM, ou pendant leur éveil !

En outre, la façon dont les participants résolvaient les problèmes après leur sommeil REM différait de celle avec laquelle ils les résolvaient pendant la journée ou lorsqu'ils se réveillaient du sommeil NREM. Un sujet m'a expliqué que les solutions « jaillissaient » après un réveil du sommeil REM, même si, sur le moment, il ignorait qu'il venait de quitter cette phase du sommeil. Les solutions semblaient demander moins d'efforts lorsque le cerveau baignait dans le bien-être que procure le rêve. Si l'on prend pour critère le temps de réponse, les solutions étaient bien plus instantanées après le sommeil REM que celles, plus lentes et très réfléchies, que trouvaient les sujets réveillés de leur sommeil NREM ou en pleine journée. Les vapeurs persistantes du sommeil REM plongent dans un état permettant un traitement de l'information plus fluide, singulier, une plus grande « ouverture d'esprit ».

En utilisant le même type de méthode expérimentale d'éveil, Stickgold a réalisé un autre test particulièrement intelligent, réaffirmant la singularité profonde du mode d'opération du cerveau pendant les rêves du sommeil REM dans le traitement créatif des souvenirs. Il a observé la façon dont les concepts que nous emmagasinons, que l'on nomme également « savoir sémantique », fonctionnent pendant la nuit. C'est ce savoir sémantique en forme d'arbre généalogique pyramidal qui se déploie ici de haut en bas, depuis les liens les plus forts jusqu'aux moins marqués. La figure 14 offre un exemple de ce type de réseaux d'associations tiré de mon propre esprit, à propos de l'université de Californie, à Berkeley, où j'enseigne.

Figure 14. Exemple de réseau de mémoire associative

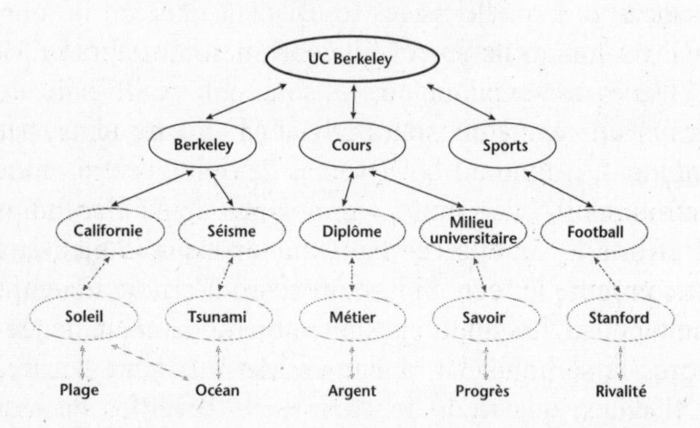

Au moyen d'un test informatisé standard, Stickgold mesure comment ces réseaux d'associations d'informations opèrent pendant les réveils suivant les sommeils NREM et REM, et pendant la journée passée éveillée. Lorsqu'on réveille le cerveau du sommeil NREM ou que l'on mesure la performance pendant la journée, les modes opératoires du cerveau suivent des liens fermés et logiques, comme dans la figure 14. L'algorithme en place est toutefois bien différent si l'on réveille le cerveau du sommeil REM. La connexion associative logique n'est plus hiérarchisée. Le cerveau rêvant pendant le sommeil REM se moque des associations étape par étape, de leurs liens insipides et de leur bon sens. Il crée à la place des raccourcis dans le cas des liens évidents, favorisant les liens entre des concepts éloignés. Les gardiens de la logique quittent le cerveau lorsqu'il dort d'un sommeil REM, et de merveilleux fous éclectiques parcourent alors l'asile de la mémoire associative. Presque tout peut arriver à l'état de rêve du sommeil REM – et, d'après les résultats, plus les associations sont étranges, mieux c'est.

Les deux expériences de résolution d'anagrammes et d'amorce sémantique révèlent la différence radicale des modes opératoires du cerveau en train de rêver, par rapport au sommeil NREM et à l'éveil. Lorsque nous entrons dans le sommeil REM et que le rêve prend le dessus, les souvenirs se mêlent avec inspiration. Nous ne sommes plus contraints de voir des liens classiques et simples entre les unités de souvenirs. Au contraire, le cerveau se met à chercher activement des liens plus distants, non évidents, entre différents ensembles d'informations.

Lorsque notre mémoire s'ouvre de cette façon, c'est comme si l'on regardait à l'autre bout d'un télescope. À l'état d'éveil, si nous voulons atteindre une créativité capable de transformer le réel, nous regardons à travers le mauvais objectif, gardant une vision myope, resserrée, étroite, incapable de saisir l'intégralité du cosmos d'informations disponibles qu'est notre cerveau. Nous ne voyons qu'un ensemble limité des liens pouvant exister entre nos souvenirs. À l'état de rêve, c'est l'opposé qui se produit, lorsque nous commençons à regarder de l'autre côté (le bon) de notre télescope d'inspection des souvenirs. Grâce à l'objectif grand angle du rêve, nous sommes en mesure d'appréhender l'ensemble de notre constellation d'informations stockées et leurs diverses possibilités combinatoires, sous le joug de la créativité.

Mêler les souvenirs dans le fourneau des rêves

Si l'on recoupe ces deux découvertes expérimentales et les cas revendiqués de solutions trouvées en rêve, comme celui de Dmitri Mendeleïev, deux hypothèses susceptibles d'être scientifiquement prouvées apparaissent.

D'abord, si nous présentons à un cerveau éveillé les éléments individuels d'un problème, de nouvelles connexions et des solutions devraient apparaître préférentiellement – sinon exclusivement – après un temps passé à rêver d'un sommeil REM, plutôt qu'après la même durée passée à délibérer pendant l'éveil. Ensuite, le contenu des rêves, en plus du simple fait de rêver pendant le sommeil REM, devrait déterminer le succès de ces résolutions de problèmes reposant sur les associations. Quant aux effets, explorés au chapitre précédent, du sommeil REM sur notre bien-être émotionnel et mental, nous savons qu'il leur est nécessaire, mais pas suffisant. C'est l'acte de rêver associé au contenu des rêves qui détermine le succès créatif.

Voici précisément ce que nous, avec d'autres, avons découvert à plusieurs reprises. Imaginez par exemple que je vous enseigne une relation simple entre deux objets, A et B, où A devra être préféré à B (A > B). Je vous enseigne ensuite une autre relation : l'objet B devra être préféré à l'objet C (B > C). Ce sont là deux prémisses distinctes et isolées. Si, par la suite, je vous montre ensemble A et C vous demandant de choisir l'un ou l'autre de ces deux objets, vous aurez tendance à choisir l'objet A, car votre cerveau aura fait un saut par déduction. Si vous prenez deux souvenirs préexistants (A > B et B > C), en les faisant entrer en relation de manière flexible (A > B > C), vous atteignez une nouvelle réponse à une question auparavant non posée (A > C). C'est le pouvoir du traitement relationnel de la mémoire, l'un de ceux que le sommeil REM accélère et renforce.

Dans une étude que j'ai menée avec mon collègue de Harvard, le Dr Jeffrey Ellenbogen, nous avons donné à des participants plusieurs de ces prémisses individuelles choisies dans une vaste chaîne de connexions. Nous leur avons ensuite fait passer des tests pour vérifier non seulement leur savoir sur ces paires d'informations, mais aussi s'ils connaissaient les liens entre ces informations au sein de la chaîne associative. Seuls ceux qui avaient dormi et obtenu vers le matin un sommeil REM, riche en rêves, s'étaient révélés capables de faire des liens entre les divers souvenirs (A > B > C > D > E > F, etc.) et d'associer des éléments très éloignés (par exemple B > E). On a pu observer le même bienfait en journée, après une sieste de soixante à quatre-vingt-dix minutes incluant du sommeil REM.

C'est le sommeil qui élabore les connexions entre des éléments d'information distincts semblant peu évidents pendant la journée. Nos participants allaient se coucher avec les pièces disparates d'un puzzle qui à leur réveil se trouvait terminé. C'est la différence entre le savoir (détenir des faits individuels) et la sagesse (savoir ce qu'ils signifient lorsqu'on les rassemble). Ou, pour le dire plus simplement, entre apprendre et comprendre. Le sommeil REM permet à votre cerveau de dépasser le stade de l'apprentissage pour atteindre la pleine compréhension.

Certains considèrent ce montage en série des informations comme insignifiant, alors qu'il représente une opération clé, distinguant votre cerveau d'un ordinateur. Les ordinateurs sont capables de stocker des milliers de fichiers individuels avec précision, mais les ordinateurs standard ne font pas de liens intelligents entre ces fichiers suivant des combinaisons nombreuses et créatives. Tandis que les fichiers d'ordinateur sont comme des îles isolées, nos souvenirs humains sont au contraire richement interconnectés par des réseaux d'associations, entraînant un pouvoir flexible et prédictif. C'est au sommeil REM et au rêve que nous devons une large part de ce dur labeur d'invention.

Déchiffrer le code pour résoudre les problèmes

Le rêve du sommeil REM ne se contente pas de mêler les informations de façon créative, il va plus loin, en élaborant un savoir global *abstrait* et des concepts superordonnés à partir d'ensembles d'informations. Imaginez un médecin aguerri capable d'induire intuitivement un diagnostic à partir de dizaines de symptômes variés et subtils observés sur ses patients. Cette capacité d'abstraction s'acquiert après des années d'expérience durement accumulée, mais il suffit d'une nuit au sommeil REM pour savoir extraire l'essentiel.

Exemple merveilleux : les règles grammaticales abstraites et complexes que doivent apprendre les enfants. Nous avons observé, même chez des bébés de dix-huit mois, que les capacités à déduire des structures grammaticales élaborées à partir de nouveaux langages se développent seulement après qu'ils ont dormi une fois les nouvelles structures entendues. Comme vous vous en souvenez, le sommeil REM est particulièrement présent pendant le début de la vie, jouant semble-t-il un rôle fondamental dans le développement du langage. Mais ses bienfaits s'étendent au-delà de l'enfance : on repère des résultats similaires chez les adultes en situation d'apprentissage de nouvelles structures grammaticales et langagières.

Je donne régulièrement des conférences au sein d'entreprises innovantes, technologiques, ou de start-up, pour les aider à donner la priorité au sommeil de leurs employés. La preuve sans doute la plus frappante des visions inspirées par le sommeil que je leur livre vient d'une étude menée par le Dr Ullrich Wagner, de l'université de Lübeck en Allemagne. Croyez-moi, vous feriez mieux de ne pas participer à ce type d'expériences ! Non seulement parce qu'elles imposent une privation de sommeil extrême sur plusieurs jours, mais aussi parce qu'elles vous obligent à résoudre des centaines de problèmes affreusement laborieux intégrant des suites de nombres, presque comme si vous deviez faire de grandes divisions pendant une heure, voire plus. Le terme « laborieux » est un euphémisme. Il se peut que certaines personnes aient eu envie de mourir lorsqu'elles se sont retrouvées assises à devoir résoudre des centaines de ces problèmes numériques ! Je le sais, car j'ai moi-même passé le test !

On vous explique que vous pouvez essayer de résoudre ces problèmes en ayant recours à des règles spécifiques indiquées au début de l'expérience. Mais ce que les chercheurs, sournoisement, ne disent pas, c'est qu'il existe une règle cachée, disons un raccourci commun à tous les problèmes. En comprenant cette astuce, vous pouvez résoudre un nombre bien plus important de problèmes en un temps réduit. Je reviendrai sur ce raccourci dans un instant. Après avoir planché sur des centaines de problèmes, les participants étaient rappelé douze heures plus tard pour travailler de nouveau sur des centaines d'autres, ennuyeux à mourir. À la fin de cette seconde session de tests, les chercheurs leur demandaient s'ils avaient compris la règle cachée. Certains avaient passé ces douze heures éveillés pendant la journée, tandis que d'autres avaient dormi pendant huit heures, la nuit.

Après douze heures d'éveil en journée, même si les participants avaient eu l'occasion de méditer consciemment sur le problème à leur guise, seulement 20 % étaient en mesure de trouver le raccourci. Mais la situation était bien différente pour les participants ayant dormi d'une pleine nuit de sommeil – riche en sommeil REM du matin. Presque 60 % revenaient en faisant retentir un « ah ah ! » lorsqu'ils découvraient l'astuce – le sommeil multiplie par trois les capacités créatives à trouver des solutions aux problèmes !

Voilà qui explique pourquoi vous ne vous êtes jamais entendu dire que vous deviez « rester éveillé sur un problème ». On dit bien au contraire que « la nuit porte conseil ». Il est intéressant de noter que cette expression, ou des versions similaires, existe dans la plupart des langues (on dit en français « dormir sur un problème[1] » et, par exemple, en swahili *kulala juu ya tatizo*), ce qui signifie que les bienfaits du sommeil permettant de résoudre les problèmes sont universels, communs à toute la planète.

La fonction suit la forme : de l'importance du contenu des rêves

John Steinbeck a écrit qu'un problème difficile pendant la nuit est résolu dans la matinée après que le Comité du sommeil y a travaillé. Devrions-nous dire plutôt le Comité des rêves ? Il semble que oui. C'est le contenu des rêves, et non le simple fait de rêver, ni même de dormir, qui détermine le succès de la résolution des problèmes. Si on l'affirme depuis longtemps, il nous a fallu l'avènement de la réalité virtuelle pour que nous en ayons la preuve – et que nous puissions, dans la foulée, étayer les affirmations de Mendeleïev, Loewi et autres dépanneurs de nuit.

C'est ici que mon collaborateur Robert Stickgold fait son entrée. Il a en effet mis en place une expérience particulièrement intelligente, dans laquelle les participants explorent un labyrinthe virtuel sur un ordinateur. Au cours d'une session d'apprentissage initial, il les fait partir de divers points du labyrinthe, leur demandant d'y naviguer au gré de leurs tentatives et erreurs. Pour aider leur apprentissage, Stickgold place des objets uniques, un sapin de Noël par exemple, servant

1. En français dans le texte. *(N.d.T.)*

de points d'ancrage ou d'orientation dans des endroits spécifiques du labyrinthe.

Presque une centaine de participants ont exploré le labyrinthe pendant la première session d'apprentissage. Ensuite, la moitié a fait une sieste de quatre-vingt dix minutes, tandis que l'autre est restée éveillée pour regarder une vidéo, tous étant surveillés par des électrodes placées sur leur tête et leur visage. Pendant les quatre-vingt-dix minutes, Stickgold a réveillé occasionnellement les participants faisant la sieste pour leur demander le contenu de leurs rêves, ou, dans le cas du groupe éveillé, de lui rapporter toutes les pensées qu'ils avaient alors en tête. Au bout des quatre-vingt-dix minutes, et après une nouvelle heure ou plus à se sortir de l'inertie du sommeil dans le cas de ceux qui avaient fait la sieste, tous les participants étaient replongés dans le labyrinthe virtuel pour être de nouveau testés et voir si leur performance s'était améliorée par rapport à leur apprentissage initial.

Vous ne serez pas surpris d'apprendre que les participants ayant fait la sieste ont mieux mémorisé le labyrinthe. Ils situaient sans difficulté les aides à la navigation et trouvaient leur chemin pour entrer et sortir plus vite que ceux qui n'avaient pas dormi. L'expérience a toutefois livré un résultat nouveau : le fait de rêver opère une différence. Les participants ayant dormi et raconté avoir rêvé du labyrinthe ou de thèmes en lien avec leur expérience dans ce labyrinthe avaient multiplié presque par dix leur capacité à gérer cette tâche au réveil par rapport à ceux qui avaient dormi et rêvé autant, mais dont les rêves n'avaient pas concerné précisément leur expérience dans le labyrinthe.

Tout comme lors de ses premières études, Stickgold a découvert que les rêves de ces supernavigateurs n'étaient pas des reproductions précises de l'expérience d'apprentissage initiale de l'éveil. Par exemple, un des participants a déclaré avoir rêvé ceci : « Je pensais au labyrinthe et aux personnes placées dans des postes de contrôle, je crois. Et puis je me suis mis à penser au voyage que j'ai fait il y a quelques années, où nous avons vu ces grottes avec des chauves-souris, qui étaient un peu comme des labyrinthes. » Il n'y avait pas de chauves-souris dans le labyrinthe virtuel de Stickgold, ni d'autres personnes, ni de postes de contrôle. Clairement, le cerveau en train de rêver ne se contentait pas de récapituler ni de recréer exactement ce qui avait eu lieu dans le labyrinthe. Au contraire, l'algorithme du rêve piochait des fragments importants de l'expérience d'apprentissage initiale pour tenter ensuite de les placer dans le catalogue des savoirs existants.

À l'image d'un journaliste perspicace, le rêve choisit d'interroger notre expérience autobiographique récente pour la positionner habilement dans le contexte de nos expériences et de nos succès passés, construisant ainsi un riche maillage de sens. « Comment puis-je comprendre et mettre en lien ce que j'ai appris récemment et ce que je sais déjà et, ce faisant, découvrir de nouveaux liens révélateurs ? » Mais aussi : « Quelles expériences passées sont susceptibles de résoudre à l'avenir des problèmes posés par de nouvelles expériences ? » Il ne s'agit pas ici de consolider les souvenirs – nous savons désormais que c'est le sommeil NREM qui s'acquitte de cette tâche. Le sommeil REM et les rêves prennent ce que nous tirons d'une expérience pour tenter de l'appliquer à d'autres emmagasinées dans notre mémoire.

Il m'est arrivé à plusieurs reprises d'évoquer ces découvertes scientifiques dans le cadre de conférences. Or certaines personnes rejettent leur validité, prenant pour argument les petits dormeurs historiques par ailleurs réputés pour leurs prouesses créatives. On m'objecte ainsi fréquemment la vie de l'inventeur Thomas Edison, dont nous ne saurons jamais vraiment s'il était effectivement le petit dormeur qu'on prétend – et que lui-même revendiquait d'être. Ce que nous savons toutefois, c'est qu'il était amateur de siestes, et qu'il avait compris le talent créatif du rêve : il l'utilisait sans relâche comme un outil et le nommait l'« intervalle de génie ».

On raconte en effet qu'il avait pour habitude de placer un fauteuil à côté de son bureau, sur lequel il déposait un bloc-notes et un stylo. Il prenait ensuite une casserole en métal qu'il installait minutieusement au sol, juste sous l'accoudoir droit de son fauteuil. Pour rendre la situation encore un peu plus étrange, il prenait dans sa main droite deux ou trois boules en acier. Il s'installait enfin dans le fauteuil, la main droite sur l'accoudoir, serrant les boules dans sa main. C'est seulement alors qu'il se laissait aller en arrière, pour être pleinement envahi par le sommeil. Au moment où il commençait à rêver, ses muscles se relâchant, il lâchait les boules qui tombaient dans la casserole et le réveillaient. Il pouvait alors noter dans son carnet toutes les idées créatives qui flottaient dans son esprit en train de rêver. Un génie, non ?

Contrôlez vos rêves : la lucidité

Nul chapitre sur le rêve ne peut s'achever sans qu'ait été abordée la question de la lucidité. Les rêves lucides se produisent lorsqu'un individu devient conscient qu'il est en train de rêver, mais le terme est plus communément utilisé pour décrire la prise de contrôle volontaire d'un rêveur sur le *sujet* de son rêve, et sa capacité à manipuler l'expérience – par exemple, décider de voler en rêve –, voire ses fonctions – par exemple, décider de résoudre un problème.

On considérait autrefois le concept de rêve lucide comme faux, certains scientifiques débattant de son existence même. Un tel scepticisme se comprend. Il semble d'abord assez ridicule d'affirmer que l'on peut contrôler consciemment un processus habituellement non volontaire, surtout dans le cas de l'expérience déjà insensée que nous nommons rêve. Ensuite, comment prouver objectivement une affirmation subjective, *a fortiori* si la personne concernée est endormie pendant l'action ?

Une expérimentation ingénieuse a permis de lever tous les doutes il y a quatre ans, lorsque des scientifiques ont placé des rêveurs lucides dans une machine IRM. Pendant leur éveil, les participants serraient la main gauche, puis la main droite, encore et encore. Les chercheurs prenaient alors en photo leur activité cérébrale pour définir les zones précises du cerveau en charge du contrôle de chaque mouvement de main de chaque participant.

Les participants pouvaient ensuite s'endormir dans le scanner pour entrer dans le sommeil REM, celui des rêves. Pendant le sommeil REM, les muscles volontaires se retrouvent paralysés, empêchant la personne qui rêve de rejouer dans la réalité les expériences mentales qui se déroulent dans son cerveau. La paralysie épargne toutefois les muscles de contrôle des yeux – d'où le terme « frénétique » utilisé pour qualifier ce type de sommeil[1]. Les rêveurs lucides pouvaient tirer profit de cette liberté oculaire pour communiquer avec les chercheurs par des mouvements des yeux. Ces mouvements prédéfinis informaient les chercheurs de la nature du rêve lucide (par exemple, le participant faisait trois mouvements des yeux délibérés à gauche lorsqu'il atteignait le contrôle lucide du rêve, deux avant de serrer la main droite, etc.). Les rêveurs non lucides peinent à croire que de tels mouvements soient possibles pendant le sommeil, mais il suffit d'observer un rêveur lucide en train de les effectuer à plusieurs reprises pour être convaincu.

Lorsque les participants signalaient le début de l'état de rêve lucide, les scientifiques commençaient à prendre des photos IRM de leur activité cérébrale. Peu de temps après, les participants en train de dormir signalent leur intention de rêver qu'ils effectuent un mouvement de la main gauche, puis la main droite, etc., comme ils l'avaient fait pendant leur éveil. Leurs mains ne bougeaient pas physiquement, puisque la paralysie imposée par le sommeil REM les en empêchait, mais elles bougeaient dans leurs rêves.

C'est du moins ce que les dormeurs lucides ont affirmé à leur réveil, et les images IRM ont prouvé

---

1. Rappelons que REM signifie *rapid eye movement* (sommeil aux mouvements d'yeux rapides). *(N.d.T.)*

objectivement qu'ils ne mentaient pas. Les mêmes régions du cerveau qui étaient actives lorsqu'ils effectuaient des mouvements volontaires de la main gauche puis de la main droite lorsqu'ils étaient réveillés s'éclairaient au moment où ils indiquaient qu'ils étaient en train de serrer la main dans leur rêve !

Le doute était levé. Les scientifiques avaient atteint leur objectif : la preuve, fondée sur une observation du cerveau, que les rêveurs lucides sont capables de contrôler le moment où ils rêvent et ce à quoi ils rêvent. D'autres études ayant recours à la communication oculaire ont montré par la suite que les individus peuvent décider d'atteindre un orgasme programmé pendant leurs rêves lucides, issue qui, notamment chez les hommes, peut se vérifier objectivement à partir de mesures physiologiques réalisés par les (courageux) scientifiques.

On ne sait pas encore précisément si les rêves lucides ont un effet positif ou négatif, puisque plus de 80 % de la population ne sont pas des rêveurs lucides naturels. Si le contrôle volontaire des rêves était réellement utile, Mère Nature aurait sans doute accordé cette faculté au plus grand nombre.

Cet argument suppose toutefois à tort que nous avons cessé d'évoluer. Il se peut en effet que les rêveurs lucides représentent la prochaine étape de l'évolution de l'*Homo sapiens*. Peut-être seront-ils les individus retenus pour l'avenir, notamment en raison de leur capacité singulière à orienter ce projecteur de résolution créative des problèmes qu'est le rêve sur les défis qu'eux ou la race humaine doivent relever pendant l'éveil, tirant ainsi délibérément profit de son pouvoir ?

IV

Comment passer des somnifères à une société transformée

12

Rebondissements nocturnes

Le manque de sommeil entraîne des troubles et la mort

Rares sont les domaines de la médecine présentant un spectre de troubles aussi perturbant et surprenant que le sommeil. Et ce n'est pas peu dire, surtout lorsqu'on sait à quel point ces troubles peuvent se révéler tragiques et bouleversants dans d'autres domaines. Il suffit pourtant de considérer les nombreuses étrangetés du sommeil pour y croire : crises de narcolepsie, paralysie du corps, somnambulisme meurtrier, rêves pris pour la réalité, ou certitude d'avoir été enlevé par des extraterrestres. Le plus surprenant de tous est peut-être cette forme rare d'insomnie qui tue le patient en quelques mois, conséquence létale de la privation totale de sommeil établie par certaines études réalisées sur des animaux.

Ce chapitre n'est en aucun cas une analyse complète de tous les troubles du sommeil, dont nous connaissons déjà une bonne centaine. Il n'est pas non plus un guide médical, car je suis un scientifique expert en sommeil, et non un docteur certifié en médecine du sommeil. Je recommande aux lecteurs en quête de conseils de visiter le site Internet de la National Sleep Foundation[1], offrant des informations sur les centres les plus proches.

Plutôt que de tenter d'établir une liste des dizaines de troubles du sommeil, j'ai choisi de me concentrer sur certains – le somnambulisme, l'insomnie, la narcolepsie et l'insomnie fatale familiale – d'un point de vue scientifique, et sur ce que la science peut nous enseigner de signifiant quant aux mystères du sommeil et des rêves.

Le somnambulisme

Le terme « somnambulisme » fait référence à des troubles du sommeil (du latin *somnus*) impliquant un mouvement (« ambulation »). Un individu souffrant de somnambulisme peut, pendant son sommeil, se déplacer, parler, manger, envoyer des messages, faire l'amour, voire, très rarement, commettre un meurtre.

Tout naturellement, de nombreuses personnes pensent que de tels événements se produisent pendant le sommeil REM, lorsque le sujet rêve, jouant ses songes dans la réalité. Pourtant, ces événements naissent pendant la phase la plus profonde du sommeil NREM, au cours de laquelle nous ne rêvons pas. Lorsqu'on réveille une personne souffrant de somnambulisme pour lui demander ce qui se passe dans sa tête, elle est rarement en

1. https://sleepfoundation.org.

mesure de répondre, ne se souvenant de rien, pas même d'un simple rêve.

Si l'on ne comprend pas encore parfaitement la cause des épisodes de somnambulisme, les preuves dont nous disposons suggèrent qu'une augmentation inattendue de l'activité du système nerveux lors du sommeil profond en serait un déclencheur. Imaginons le cerveau comme un ascenseur : cet électrochoc le contraint à passer subitement du niveau -1 (sommeil profond NREM) au dixième étage (éveil), mais il reste bloqué quelque part entre le cinquième et le huitième étage. Piégé entre le monde du sommeil profond et le monde de l'éveil, le sujet se retrouve dans un état de conscience floue, ni éveillé ni endormi. Dans cet état confus, le cerveau agit de façon basique et machinale, marchant par exemple vers une armoire pour l'ouvrir, buvant un verre d'eau, prononçant quelques mots, voire quelques phrases.

Pour que les chercheurs obtiennent l'analyse complète d'un cas de somnambulisme, le patient doit parfois passer une nuit ou deux dans le laboratoire du sommeil d'une clinique. On place des électrodes sur sa tête et son corps afin de mesurer les phases de son sommeil, mais aussi une caméra infrarouge au plafond, pour enregistrer les événements de la nuit, comme avec une lunette monoculaire à vision nocturne. Lorsque la personne se déplace en dormant, la prise de vues de la caméra et l'électroencéphalogramme cessent de coïncider, l'un suggérant que l'autre est en train de mentir. Sur la vidéo, le patient semble clairement *éveillé* et en pleine action. Certains s'assoient simplement sur le rebord du lit et se mettent à parler, d'autres tentent de passer leurs vêtements pour sortir de la pièce. Cependant, si l'on regarde l'activité cérébrale, le patient, ou du moins son cerveau, est endormi. On constate sur l'appareil que cette activité lente est clairement celle du sommeil profond NREM, sans aucun signe de l'activité cérébrale rapide et frénétique généralement constatée au cours de l'éveil.

Le plus souvent, parler ou marcher pendant le sommeil ne relève en aucun cas d'une pathologie. C'est un phénomène assez commun chez les adultes, encore plus chez les enfants. On ne sait d'ailleurs pas vraiment pourquoi les enfants sont davantage atteints de somnambulisme que les adultes, ni pourquoi ces épisodes cessent pour certains à l'âge adulte alors que d'autres les conservent toute leur vie. On l'explique parfois en disant que la phase de sommeil profond NREM est beaucoup plus importante pendant la jeunesse, et que les chances d'être somnambule sont ainsi plus grandes à cet âge.

La plupart du temps, le somnambulisme est sans danger, mais il peut arriver qu'il engendre chez les adultes des comportements extrêmes, comme celui de Kenneth Parks en 1987. Alors âgé de trente-trois ans, il vivait avec sa femme et sa fille de cinq mois à Toronto, et souffrait de sévères insomnies liées au stress, causé par sa situation de chômeur criblé de dettes de jeu. De toute évidence, ce n'était pas un homme violent. Sa belle-mère, avec qui il entretenait une bonne relation, le surnommait le « gentil géant », en raison de son tempérament tranquille, de sa grande taille et de sa forte carrure (1,95 mètre pour 102 kg). Et puis arriva le 23 mai.

Après s'être endormi sur le canapé vers une heure trente du matin, devant la télévision, Parks se leva pour monter dans sa voiture, pieds nus. Selon la route qu'il emprunta, on estime qu'il a parcouru environ vingt-deux kilomètres pour arriver jusqu'à la maison de ses beaux-parents. Il entra, monta à l'étage, poignarda à mort sa belle-mère à l'aide d'un couteau récupéré dans la cuisine, puis étrangla son beau-père inconscient après l'avoir attaqué avec un hachoir. Le beau-père survécut. Kenneth Parks retourna ensuite à sa voiture. Lorsqu'il reprit connaissance, il se rendit au commissariat : « Je pense que j'ai tué des gens… mes mains… » C'est seulement à ce moment-là qu'il prit conscience du fait que le sang coulant le long de ses bras provenait de ses propres tendons fléchisseurs, qu'il s'était sectionnés avec le couteau.

Puisqu'il n'avait que de vagues souvenirs du meurtre (des flashs du visage de sa belle-mère apeurée), aucun mobile et des antécédents de somnambulisme (comme d'autres membres de sa famille), une équipe d'experts de la défense a conclu que Ken Parks était endormi lorsqu'il a commis le crime, ayant été victime d'un cas extrême de somnambulisme. Ils ont ainsi considéré qu'il n'était pas conscient de ses actes, donc non coupable. Le 25 mai 1988, un jury a donné son verdict, proclamant Ken Parks non coupable. De nombreuses personnes ont depuis tenté d'utiliser l'affaire pour leur défense, mais la plupart ont échoué.

L'histoire de Ken Parks est un cas parmi les plus tragiques. Encore aujourd'hui, et à jamais, il porte sur ses épaules le poids de la culpabilité. Je ne la raconte pas pour vous effrayer, ni pour faire du sensationnalisme avec ces événements affreux, mais pour montrer comment les actes involontaires causés par les troubles du sommeil peuvent avoir des conséquences judiciaires, personnelles et sociétales exigeant la participation de scientifiques et de médecins pour parvenir à un jugement plus juste.

J'aimerais aussi faire remarquer aux somnambules se sentant concernés par mes dires que la plupart des épisodes de somnambulisme (marcher, parler) sont bénins et ne nécessitent pas d'intervention. La médecine n'intervient par un traitement que si le patient ou son tuteur, partenaire ou parent (dans le cas d'un enfant), considère que son somnambulisme représente un danger ou un risque pour sa santé. Des traitements efficaces existent, et il est bien triste que Ken Parks n'ait pu en bénéficier avant ce terrible 23 mai.

L'insomnie

Comme s'en désole l'écrivain Will Self, beaucoup de personnes ne savent plus ce que veut dire l'expression « une bonne nuit de sommeil ». L'insomnie, qui est à l'origine de cet état de fait, est le plus fréquent des troubles du sommeil. Les personnes souffrant d'insomnie sont nombreuses, mais peu ont conscience d'être dans ce cas. Avant d'en décrire les caractéristiques et les causes (puis, dans le chapitre suivant, les possibilités de traitement), j'aimerais vous expliquer ce que l'insomnie n'est pas, révélant ainsi ce qu'elle est.

Manquer de sommeil n'est pas être insomniaque. En médecine, le manque de sommeil est considéré comme le fait (1) d'avoir la *capacité adéquate* de dormir, mais (2) de se donner des *occasions inadéquates* de dormir, ce qui signifie que les individus en manque de sommeil pourraient dormir si seulement ils s'en donnaient l'occasion. L'insomnie est le contraire : (1) on souffre d'une *capacité inadéquate* à dormir, malgré (2) les *occasions adéquates* de le faire. Les personnes souffrant d'insomnie sont ainsi incapables de générer du sommeil en quantité et en qualité suffisantes, même si elles s'en donnent le temps (sept à neuf heures).

Avant de passer à la suite, il vaut la peine de s'attarder sur la perception erronée de l'état de sommeil, également connue sous le terme d'« insomnie paradoxale ». Les patients qui en souffrent pensent avoir mal dormi pendant la nuit, voire n'avoir pas dormi du tout. Toutefois, si l'on observe leur sommeil de manière objective à l'aide d'électrodes ou d'autres dispositifs d'analyse fiables, on constate une incohérence. Les enregistrements indiquent que le patient a bien mieux dormi que ce qu'il croit, parfois même qu'il a joui d'une nuit de sommeil complète et parfaitement saine. Les patients souffrant d'insomnie paradoxale ont donc l'illusion ou la fausse impression d'avoir mal dormi quand ce n'est pas le cas. C'est pourquoi on considère ces patients comme hypocondriaques. Si le terme peut sembler péjoratif ou condescendant, les médecins spécialistes du sommeil considèrent l'hypocondrie avec sérieux, et il existe des interventions psychologiques une fois le diagnostic établi.

Pour en revenir à la véritable insomnie, il en existe plusieurs sous-types, comme il existe de nombreuses formes de cancer. Une distinction principale divise l'insomnie en deux types. Le premier est l'insomnie d'*endormissement*, la difficulté à s'endormir, et le deuxième est l'insomnie de *maintien* du sommeil, la difficulté à rester endormi. Comme l'a dit l'acteur et comédien Billy Crystal en décrivant ses propres problèmes d'insomnie : « Je dors comme un bébé : je me réveille toutes les heures. » Les insomnies d'endormissement et de maintien ne sont pas incompatibles : on peut souffrir de l'une ou l'autre, ou des deux à la fois. Dans les deux cas, la médecine du sommeil a établi qu'il faut remplir des conditions spécifiques pour qu'un patient soit diagnostiqué insomniaque. Ces conditions sont à l'heure actuelle les suivantes :

— avoir une quantité ou une qualité de sommeil insatisfaisantes (par exemple des difficultés à s'endormir ou à rester endormi, ou un réveil très matinal) ;

— souffrir de grave anxiété ou de troubles pendant la journée ;

— souffrir d'insomnie au moins trois fois par semaine pendant plus de trois mois ;

— ne souffrir d'aucune maladie ou trouble mental pouvant être la cause de ce qui semble être de l'insomnie.

Ou, formulé de façon plus compréhensible pour les patients : éprouver des difficultés à s'endormir, se réveiller au beau milieu de la nuit, se réveiller trop tôt le matin, difficultés à se rendormir, se sentir épuisé pendant la journée. Si l'une de ces caractéristiques vous est familière et que vous en souffrez depuis *quelques mois*, je vous conseille d'aller voir un médecin du sommeil. Je mets l'accent sur le fait qu'il faut aller voir un spécialiste du sommeil plutôt que votre médecin généraliste car, aussi excellent qu'il puisse être, de manière surprenante, il n'a pas connu beaucoup de bonnes nuits de sommeil au cours de ses études. Bien sûr, certains généralistes peuvent tout à fait prescrire des somnifères, mais c'est rarement la bonne solution, comme nous le verrons dans le chapitre suivant.

Si j'insiste sur la durée des troubles du sommeil – c'est-à-dire plus de trois nuits par semaine durant plus de trois mois –, c'est parce qu'il s'agit d'une donnée importante. Tout le monde connaît un jour des difficultés à s'endormir, juste une nuit ou plusieurs. C'est un phénomène normal. Souvent, une cause évidente existe, telle que le stress dû au travail ou une mauvaise passe dans notre vie sociale ou sentimentale. Le sommeil revient à la normale une fois ces troubles apaisés. Ce type de problèmes graves de sommeil est rarement reconnu comme relevant de l'insomnie chronique, puisque l'insomnie clinique exige une longue période de difficultés à dormir, semaine après semaine.

Toutefois, même avec cette définition délimitée, l'insomnie chronique semble étonnamment commune. Environ un passant sur neuf parmi ceux que vous croisez remplit les critères cliniques stricts de l'insomnie, ce qui signifie que plus de quarante millions d'Américains peinent à garder les yeux ouverts pendant la journée parce qu'ils ne les ont pas fermés de la nuit. Sans que l'on sache vraiment pourquoi, l'insomnie est deux fois plus fréquente chez les femmes que chez les hommes, et il est peu probable que cet écart impressionnant provienne d'une simple réticence masculine à admettre un problème de sommeil. La race et l'origine ethnique sont un autre facteur de la fréquence de l'insomnie, puisque les Afro-Américains et les Hispaniques en souffrent plus que les Caucasiens. Cette découverte a d'ailleurs des répercussions importantes en termes de reconnaissance des disparités de santé dans ces communautés, comme le diabète, l'obésité et les maladies cardiovasculaires, autant de conditions liées au manque de sommeil, comme nous le savons.

En réalité, l'insomnie tend à se répandre et à devenir un problème plus sérieux que ce que suggèrent ces données. Si l'on prête un peu moins d'attention à ces critères rigoureux et si l'on se réfère aux seules données épidémiologiques, il est probable que deux personnes sur trois lisant ce livre rencontrent régulièrement des difficultés à s'endormir ou à rester endormies au moins une nuit par semaine chaque semaine.

Je ne souhaite pas insister davantage sur ce point, mais l'insomnie est l'une des pathologies les plus inquiétantes et les plus fréquentes que rencontre la société moderne. Pourtant, rares sont ceux qui en parlent en ces termes, qui reconnaissent le poids de ce fardeau ou ressentent le besoin d'agir. L'industrie de l'« aide au sommeil » – et sa large gamme de somnifères vendus avec ou sans ordonnance – empoche trente milliards de dollars par an aux États-Unis. Ce montant est une statistique suffisant à elle seule pour montrer l'étendue du problème. Nous sommes des millions d'êtres désespérés prêts à vider leur compte en banque pour une bonne nuit de sommeil.

Mais l'argent ne traite pas la cause des insomnies. La génétique doit jouer son rôle, toutefois elle n'est pas la seule. L'insomnie est en partie héréditaire, le taux de transmission de parent à enfant pouvant atteindre 28 % à 45 %. Dans la majorité des cas, la cause de l'insomnie n'est pas génétique, ni liée aux interactions gènes-environnement (hérédité-milieu).

Nous avons découvert à ce jour de nombreuses origines aux difficultés rencontrées pendant le sommeil, d'ordres psychologique, physique, médical et environnemental (la vieillesse peut également être en cause, comme nous l'avons déjà dit). Les facteurs extérieurs engendrant des troubles du sommeil peuvent être un trop-plein de luminosité pendant la nuit, une mauvaise température ambiante dans la chambre, la consommation de café, de tabac et d'alcool (nous verrons cela en détail dans le chapitre suivant). Toutefois, si l'origine n'est pas à l'*intérieur* de vous, le problème ne vient pas *de* vous. Ce sont plutôt des influences extérieures qui, une fois prises en charge, permettent aux patients de mieux dormir sans avoir pour autant à changer quelque chose en eux.

D'autres facteurs viennent toutefois de l'intérieur. Ce sont les causes biologiques innées de l'insomnie. Indiqués dans les critères cliniques plus haut, ces facteurs ne peuvent pas être les symptômes d'une maladie (comme la maladie de Parkinson) ni les effets secondaires d'un médicament (comme un traitement pour l'asthme). Il faut donc isoler les causes des troubles du sommeil pour pouvoir acter que vous souffrez uniquement et réellement d'insomnie.

Les deux déclencheurs les plus communs d'une insomnie chronique relèvent de la psychologie : (1) les soucis émotionnels, ou les inquiétudes ; (2) la détresse émotionnelle, ou l'anxiété. Dans notre monde moderne ultrarapide et débordant d'informations, l'un des rares moments où nous arrêtons de consommer de l'information en continu pour réfléchir sur nous-même, c'est lorsque nous posons la tête sur l'oreiller. Or il n'y a pas pire moment pour faire cela consciemment. Ce n'est pas étonnant qu'il soit presque impossible de s'endormir ou de rester endormi lorsque notre cerveau se trouve en état d'ébullition émotionnelle et que les événements de la journée nous ont rendu anxieux, que l'on pense à ce que l'on a oublié de faire ou à ce que l'on doit faire dans les jours à venir, ou même dans un futur plus lointain. Il devient alors difficile pour le sommeil de s'immiscer dans le cerveau en douceur, pour vous faire tomber dans les bras de Morphée et passer une bonne nuit.

La détresse psychologique étant le principal déclencheur de l'insomnie, les chercheurs ont porté leur attention sur l'analyse des causes biologiques sous-tendant les troubles émotionnels. Un coupable a été clairement identifié : un système nerveux sympathique hyperactif ; comme nous l'avons montré dans les chapitres précédents, ce mécanisme aggrave l'état de « lutter ou fuir » auquel est soumis le corps. Le système nerveux sympathique entre en activité dans les cas de menace et de stress aigu qui plus tôt dans notre évolution étaient nécessaires à la mobilisation d'une réaction pertinente. Les conséquences physiologiques sont les suivantes : augmentation du rythme cardiaque, du flux sanguin et du taux métabolique, libération d'hormones liées à la gestion du stress telles que le cortisol et hausse de l'activité cérébrale – tous ces phénomènes étant bénéfiques en cas de crise, lorsqu'on se trouve face à une menace ou un danger réels. Mais cette réaction de « lutter ou fuir » n'est pas censée fonctionner sur une durée prolongée. Comme nous l'avons dit dans les chapitres précédents, cette activation chronique du système nerveux entraîne une multitude de problèmes, l'insomnie étant aujourd'hui reconnue comme l'un d'eux.

Si ce système nerveux hyperactif et cet état de « lutter ou fuir » empêchent une bonne nuit de sommeil, c'est pour plusieurs raisons – déjà évoquées pour certaines, et bientôt pour d'autres. Tout d'abord, le taux métabolique élevé déclenché par l'activité du système nerveux de l'état de « lutter ou fuir », que l'on retrouve régulièrement chez les patients insomniaques, engendre une hausse de la température corporelle. Nous l'avons vu dans le chapitre 2, la température de notre corps doit baisser de quelques degrés pour que nous puissions nous endormir. Or cela devient difficile pour les patients insomniaques présentant un taux métabolique et une température corporelle élevés, y compris dans le cerveau.

Il faut considérer ensuite les taux plus élevés de cortisol, hormone augmentant la vigilance, et du duo neurochimique que représentent l'adrénaline et la noradrénaline, trois substances accélérant le rythme cardiaque. En temps normal, notre système cardiovasculaire s'apaise lorsque nous passons d'un sommeil léger à un sommeil profond, mais une activité cardiaque élevée rend la transition plus difficile. Ces trois substances augmentant le taux métabolique, la température du corps monte aussi, renforçant l'activité cardiaque.

Troisièmement, et en raison de ces substances chimiques, on constate une modification de l'activité cérébrale en lien avec le système nerveux sympathique du corps. Des chercheurs ont placé des participants dormant d'un sommeil normal et des participants souffrant d'insomnie dans un scanner pour mesurer les variations d'activité de leur cerveau lorsqu'ils essaient de s'endormir. Chez les personnes dormant d'un bon sommeil, l'activité dans les zones du cerveau responsables des émotions (l'amygdale) et dans celles qui sont liées à la mémoire (l'hippocampe) baisse rapidement au cours de leur endormissement progressif, comme celle des régions de vigilance basique dans le tronc cérébral. Ce n'est pas le cas chez les patients insomniaques, dont les régions cérébrales générant les émotions et les centres d'accueil des souvenirs restent actifs. On constate le même scénario pour les centres de vigilance basique du tronc cérébral, restant tous obstinément éveillés pour monter la garde. Pendant ce temps, le thalamus, barrière sensorielle du cerveau devant impérativement se refermer pour que l'endormissement advienne, reste actif et disponible à l'utilisation chez les patients souffrant d'insomnie.

Pour le formuler simplement, les patients insomniaques présentent fatalement une activité cérébrale changeante, agitée et ressassée. C'est comme lorsque vous baissez l'écran de votre ordinateur portable pour le mettre en veille en vous rendant compte plus tard qu'il est resté allumé, toujours actif, et que les ventilateurs tournent encore. C'est ce qui se produit lorsque certains programmes et routines informatiques restent en activité, empêchant l'ordinateur d'entrer en mode veille.

On constate un problème analogue chez les patients insomniaques lorsqu'on étudie l'imagerie cérébrale. Certains circuits récursifs de programmes émotionnels et certains circuits mémoriels récapitulatifs et prévisionnels continuent de tourner dans le cerveau, l'empêchant d'entrer en mode veille. Il existe donc un lien direct et causal entre la branche « lutter ou fuir » du système nerveux et les régions cérébrales liées aux émotions, à la mémoire et à la vigilance. La ligne de communication bidirectionnelle entre le corps et le cerveau devient un cycle vicieux récurrent empêchant le sommeil.

Enfin, nous avons observé certaines variations dans la qualité du sommeil des patients insomniaques lorsqu'ils finissent par s'endormir. Une fois de plus, ces changements semblent être causés par un état de « lutter ou fuir » hyperactif. Les patients souffrant d'insomnie ont une qualité de sommeil moindre, qui se traduit par des ondes cérébrales moins puissantes et de faible amplitude pendant le sommeil profond NREM. De plus, le sommeil REM de ces patients est plus fragmenté, ponctué de brèves phases d'éveil dont ils ne sont pas toujours conscients, mais qui dégradent la qualité de la phase du sommeil consacrée aux rêves. Pour toutes ces raisons, les patients insomniaques ne se sentent pas revigorés à leur réveil. Ils ne sont pas en mesure de fonctionner correctement pendant la journée, sur le plan cognitif comme émotionnel. L'insomnie est donc un problème de chaque instant, un trouble diurne autant que nocturne.

Vous comprenez désormais la complexité physiologique de cette pathologie sous-jacente et ne vous étonnerez pas que les somnifères, peu efficaces et n'endormant que le cerveau supérieur, ou cortex, ne soient plus recommandés par l'Association médicale américaine comme première approche du traitement de l'insomnie. Nous avons heureusement développé une thérapie non pharmacologique pour cela, évoquée en détail dans le chapitre suivant. Cette thérapie restaure plus efficacement le sommeil naturel des patients insomniaques, ciblant intelligemment chacun des composants physiologiques de l'insomnie. Si vous souffrez d'insomnie, je vous recommande vivement ces nouveaux traitements, que l'on peut considérer avec un véritable optimisme.

La narcolepsie

Je suis prêt à parier que, dans votre vie, vous n'avez mené aucune action importante sans suivre deux règles très simples : éviter de vous faire du mal, et tenter de vous faire du bien. Cette loi de l'approche et de l'évitement dicte en grande partie le comportement des êtres humains et des animaux, dès leur plus jeune âge.

Ce sont les émotions positives et négatives qui nous font agir conformément à cette loi, le terme « émotion » portant en lui-même l'idée de mouvement (il suffit d'en retirer la première lettre pour obtenir « *motion* », qui signifie en anglais « mouvement »). Elles sont ainsi à l'origine de nos réussites les plus marquantes, elles nous poussent à persévérer en cas d'échec, nous protègent des dangers potentiels, nous encouragent à viser les résultats gratifiants et bénéfiques, et nous incitent à cultiver des relations sociales et amoureuses. En bref, si elles sont bien dosées, les émotions font le sel de la vie. Leur présence est saine et vitale, tant sur le plan psychologique que biologique. Si on les supprime, l'existence devient vide et morne, sans hauts ni bas ; vous existez, mais ne vivez pas. Or c'est là la tragédie à laquelle sont confrontées les personnes souffrant de narcolepsie, pour des raisons que nous allons dès à présent expliquer.

En médecine, la narcolepsie est considérée comme un trouble neurologique, car elle trouve ses origines dans le système nerveux central, notamment dans le cerveau. Cette maladie apparaît généralement entre dix et vingt ans. Elle est en partie génétique, mais pas héréditaire. La cause génétique semble être une mutation, la maladie ne se transmettant pas du parent à l'enfant. Les mutations génétiques, du moins dans le sens où on les comprend aujourd'hui, dans le contexte de cette maladie, n'expliquent toutefois pas tous les cas de narcolepsie. D'autres déclencheurs restent à identifier. Il faut noter en outre que la narcolepsie ne concerne pas uniquement les êtres humains, puisqu'on a pu l'observer chez de nombreux autres mammifères.

Au moins trois symptômes principaux révèlent la présence de cette maladie : (1) l'hypersomnolence diurne ; (2) la paralysie du sommeil ; (3) la cataplexie.

Le premier symptôme, l'hypersomnolence diurne, est celui qui occasionne le plus de gêne et de problèmes aux patients narcoleptiques dans la vie de tous les jours. Ils subissent en effet des crises de sommeil au cours de la journée : une envie irrépressible de dormir alors que l'on devrait rester éveillé, lorsqu'on est au bureau, au volant, ou en train de manger avec des amis ou en famille. Vous vous dites sans doute après avoir lu ceci que vous êtes narcoleptique ! J'en doute ; il est bien plus probable que vous souffriez d'un manque de sommeil chronique. Environ une personne sur deux mille souffre de narcolepsie, ce qui en fait une maladie aussi courante que la sclérose en plaques. Les crises de sommeil caractéristiques de l'hypersomnolence sont généralement le premier symptôme à apparaître. Si vous voulez vous faire une idée, elles sont l'équivalent du degré de somnolence ressenti lorsqu'on a passé trois à quatre jours sans dormir.

Le deuxième symptôme est la paralysie du sommeil : la perte terrifiante de toute capacité à parler ou à bouger lors de l'éveil, comme si l'on était bloqué dans son propre corps. La plupart de ces événements surviennent au cours du sommeil REM. Comme vous vous en souvenez, le cerveau paralyse alors le corps pour vous empêcher d'agir sous l'influence de vos rêves. En temps normal, lorsque nous nous réveillons d'un rêve, le cerveau libère le corps de sa paralysie en parfaite synchronie, au moment même où la conscience s'éveille. Toutefois, en de rares occasions, la paralysie de l'état REM perdure même quand le cerveau a atteint la fin de sa phase de sommeil, un peu comme le dernier invité d'une soirée refusant d'admettre qu'elle est terminée et qu'il doit partir. Vous commencez alors à vous réveiller, mais restez incapable d'ouvrir les paupières, de vous retourner, de crier ou de bouger les muscles contrôlant vos membres. La paralysie du sommeil REM finit toutefois par se dissiper, et vous reprenez le contrôle de votre corps, notamment de vos paupières, vos bras, vos jambes et votre bouche.

Ne soyez pas inquiet si vous vivez un jour un épisode de paralysie du sommeil : le phénomène n'est pas exclusif à la narcolepsie. Environ une personne en bonne santé sur quatre fait l'expérience de la paralysie du sommeil, aussi commune que les crises de hoquet. Je l'ai moi-même vécue à plusieurs reprises, et ne souffre pas de narcolepsie. Les patients narcoleptiques vivent toutefois l'expérience bien plus souvent et fortement que les autres. La paralysie du sommeil est donc un symptôme associé à la narcolepsie, mais elle n'est pas inhérente à la maladie.

Il est temps à présent de faire un aparté pour évoquer un fait d'un autre monde. Les personnes victimes d'un épisode de paralysie du sommeil ont tendance à l'associer à un sentiment de terreur et à l'impression qu'un intrus se trouve dans leur chambre. Cette peur naît de l'incapacité à agir face à la menace perçue, par exemple être incapable de crier, de se lever et de quitter la pièce, ou de se défendre. Nous pensons aujourd'hui que ces caractéristiques de la paralysie du sommeil expliquent en grande partie les allégations de certaines personnes qui affirment avoir été enlevées par des extraterrestres. On entend rarement dire qu'un extraterrestre a abordé un homme en pleine journée, devant des témoins stupéfaits du kidnapping se déroulant sous leurs yeux. La plupart des prétendus enlèvements par des extraterrestres ont en effet lieu la nuit, comme dans les films hollywoodiens que sont *Rencontres du troisième type* ou *E.T.* Les victimes affirment en outre souvent avoir senti la présence, ou s'être trouvées en présence, de quelqu'un (un *alien*) dans leur chambre. Enfin – et c'est là l'élément clé –, la victime présumée raconte souvent avoir reçu une injection d'« agent paralysant ». La victime explique ainsi qu'elle a voulu se battre, s'enfuir ou crier à l'aide, en vain. L'agresseur n'est donc bien sûr pas un alien, mais la persistance de la paralysie du sommeil REM au moment du réveil.

Le troisième symptôme principal de la narcolepsie, également le plus étonnant, est la cataplexie. Le terme vient du grec *kata*, qui signifie bas, et *plexis*, qui signifie attaque ou crise – c'est donc une chute de crise. Une attaque cataplectique n'est toutefois pas réellement une crise, mais plutôt une perte soudaine de contrôle des muscles, pouvant aller de la simple faiblesse pendant laquelle la tête s'affaisse, le visage tombe, les mâchoires pendent et l'élocution devient difficile, aux genoux qui cèdent, ou à la perte soudaine et immédiate de tout tonus musculaire, entraînant une chute totale et immédiate.

Peut-être êtes-vous assez âgé pour vous souvenir de ce jouet pour enfants en forme d'animal, souvent un âne, monté sur petit socle tenant dans la main et sous lequel est placé un bouton. L'objet rappelle les marionnettes à fils, à la différence que les ficelles ne sont pas attachées aux membres extérieurs, mais insérées à l'intérieur et connectées au bouton. Lorsqu'on appuie sur celui-ci, la tension des ficelles intérieures se relâche et l'âne s'écroule en tas. Si on relâche le bouton, les ficelles intérieures se tendent et l'âne reprend sa position, fier et droit. La perte du tonus musculaire qui survient lors d'une attaque cataplectique généralisée et entraîne un écroulement total du corps ressemble beaucoup à ce jouet. Ses conséquences ne prêtent toutefois pas à rire.

Comme si cela ne suffisait pas, une autre conséquence néfaste de la maladie vient bouleverser la qualité de vie du patient. Les attaques de cataplexie n'ont pas lieu au hasard, puisqu'elles sont déclenchées par des émotions modérées ou fortes, positives ou négatives. Lorsque vous racontez une histoire drôle à un patient narcoleptique, il peut littéralement s'écrouler devant vous. Si vous le surprenez en entrant dans une pièce, éventuellement au moment où il coupe de la nourriture avec un couteau tranchant, il peut faire une mauvaise chute. Le simple fait de se trouver debout sous une douche chaude peut s'avérer une expérience assez agréable pour que ses jambes cèdent, provoquant une chute potentiellement dangereuse, car la cataplexie lui fait perdre l'usage de ses muscles.

Nous pouvons à présent extrapoler, imaginant les dangers que représente le fait de conduire une voiture si l'on est surpris par un klaxon retentissant, ou de passer un moment agréable à jouer avec ses enfants vous sautant dessus et vous chatouillant, ou de ressentir une joie intense, d'avoir les larmes aux yeux, pendant leur récital à l'école de musique. Ces situations peuvent suffire à envoyer le narcoleptique avec cataplexie dans la prison paralysante de son corps. Vous pouvez aussi imaginer combien il est difficile d'avoir une relation sentimentale et sexuelle plaisante avec un partenaire narcoleptique. La liste est sans fin, et les conséquences à la fois prévisibles et déchirantes.

Sauf s'ils sont prêts à accepter ces attaques et ces chutes – option difficilement envisageable –, les patients peuvent abandonner tout espoir de mener une vie affective épanouie. Le patient narcoleptique est ainsi condamné à une existence monotone, faite d'émotions neutres. Il doit faire une croix sur toutes les émotions relativement intenses, dont nous nous nourrissons tous à un moment ou à un autre. Pour comparer avec l'alimentation, c'est comme si vous vous retrouviez contraint de manger tous les jours le même bol de porridge tiède et insipide. On perd facilement l'appétit.

Un patient atteint de cataplexie qui s'écroule donne l'impression d'être totalement inconscient ou de dormir profondément. Il n'en est rien. Les patients sont éveillés, continuant à percevoir le monde qui les entoure. En réalité, l'émotion forte déclenche une paralysie totale (ou partielle) du corps liée au sommeil REM, mais pas l'état de sommeil REM. La cataplexie est donc un fonctionnement anormal du système de circuits du sommeil REM dans le cerveau, par lequel l'une de ses caractéristiques – atonie des muscles – se déploie de façon inappropriée alors que le patient est éveillé et actif, et non endormi et en train de rêver.

Le phénomène peut bien sûr être expliqué au patient adulte, ce qui permet de minimiser son anxiété, de lui faire comprendre ce qui lui arrive et de l'aider à maîtriser, voire à éviter les ascenseurs émotionnels, dans le but de réduire la fréquence de ses crises de cataplexie. Cela s'avère toutefois beaucoup plus difficile avec un enfant de dix ans. Comment expliquer à un enfant atteint de narcolepsie ce symptôme si terrible et les troubles qui lui sont liés ? Et comment empêcher les enfants d'apprécier les montagnes russes émotionnelles dont ils font l'expérience, et qui sont partie intégrante et naturelle d'une vie et d'un cerveau en développement ? On pourrait aussi bien dire : comment empêcher un enfant d'être un enfant ? Nous n'avons aucune réponse évidente à ces questions.

Nous sommes toutefois en train de découvrir les bases neurologiques de la narcolepsie et, conjointement, d'en apprendre plus sur ce qu'est un sommeil sain. J'ai décrit dans le chapitre 3 les parties du cerveau jouant un rôle dans le maintien d'un état d'éveil normal : les régions du tronc cérébral, qui donnent l'alerte et s'activent, et le portail sensoriel du thalamus situé au-dessus, ensemble ressemblant presque à une boule de glace (le thalamus) posée sur un cône (le tronc cérébral). La nuit, lorsque le tronc cérébral s'éteint, il cesse d'avoir une influence stimulante sur le portail sensoriel qu'est le thalamus. Quand le portail sensoriel se referme, nous arrêtons de percevoir le monde extérieur et nous nous endormons.

Je ne vous ai toutefois pas expliqué comment le tronc cérébral sait qu'il est temps d'éteindre la lumière, pour ainsi dire, et de mettre un terme à l'état d'éveil pour lancer le sommeil. Il faut qu'un élément fasse cesser l'activation des régions du tronc cérébral pour que le sujet commence à dormir. Cet interrupteur – un bouton éveil/sommeil – se situe juste en dessous du thalamus, au centre du cerveau, dans la région que l'on nomme hypothalamus. C'est la même zone, et cela n'est sans doute pas surprenant, que celle de la grande horloge biologique fonctionnant vingt-quatre heures sur vingt-quatre.

Le bouton éveil/sommeil situé dans l'hypothalamus communique directement avec les régions produisant de l'énergie dans le tronc cérébral. Comme avec un interrupteur, on peut appuyer sur marche (éveil) ou sur arrêt (sommeil), le bouton éveil/sommeil libérant un neurotransmetteur appelé « orexine ». Imaginez l'orexine comme le doigt chimique venant faire pression sur l'interrupteur pour le mettre en position « marche » et passer à l'état d'éveil. Une fois l'orexine libérée dans le tronc cérébral, l'interrupteur reste clairement en position « marche », activant ainsi les centres générateurs de l'état d'éveil. Le tronc cérébral ouvre alors les portes du portail sensoriel du thalamus, et le monde perceptif peut inonder votre cerveau, vous faisant ainsi passer à un état d'éveil stable et total.

C'est le contraire qui se produit la nuit. Le bouton éveil/sommeil cesse de libérer de l'orexine dans le tronc cérébral. Le doigt chimique pousse l'interrupteur sur la position « arrêt », faisant ainsi cesser la grande influence des centrales électriques sur le tronc cérébral. Une fois le portail fermé, le sensoriel est coupé du thalamus : nous perdons tout contact perceptif avec le monde extérieur et nous nous endormons. Marche, arrêt, marche, arrêt – c'est le travail neurobiologique du bouton éveil/ sommeil dans l'hypothalamus, contrôlé par l'orexine.

Les ingénieurs vous expliqueront que, parmi les caractéristiques essentielles d'un interrupteur électrique de base, l'une est nécessaire : le bouton doit être entièrement enfoncé. Il doit être soit totalement sur la position « marche », soit totalement sur la position « arrêt » – c'est un système binaire. Le bouton ne peut pas flotter de façon indécise entre les deux. Autrement, le système électrique n'est ni stable ni prévisible. C'est malheureusement ce qui se produit dans les cas de troubles narcoleptiques, en raison d'anomalies marquées de l'orexine.

Les scientifiques ont observé de près les cerveaux de patients narcoleptiques après leur mort et ont découvert dans le cadre de ces autopsies une perte de presque 90 % des cellules productrices d'orexine. Pire encore, les régions ou récepteurs qui accueillent l'orexine et couvrent la surface de la centrale électrique du tronc cérébral sont fortement réduites chez les patients narcoleptiques, par comparaison avec les individus normaux.

À cause de ce manque d'orexine, aggravé par le nombre réduit de récepteurs capables de recevoir le peu d'orexine libéré, l'état d'éveil/ sommeil du cerveau narcoleptique est instable, un peu comme avec un interrupteur défectueux passant d'une position à l'autre. Jamais vraiment en position « marche » ou « arrêt », le cerveau du patient narcoleptique est en équilibre instable, oscillant autour d'un point central, entre l'éveil et le sommeil.

Ce manque d'orexine au sein du système éveil/sommeil est la cause principale du premier symptôme – le principal – de la narcolepsie, c'est-à-dire d'une envie de dormir excessive pendant la journée et d'attaques surprises de sommeil pouvant survenir n'importe quand. Sans le doigt puissant de l'orexine pour pousser le bouton éveil/sommeil jusqu'à la position « marche », les patients narcoleptiques ne peuvent demeurer toute la journée dans un véritable état d'éveil. Pour les mêmes raisons, ils dorment très mal la nuit, s'endormant et se réveillant de façon très variable. Comme pour un interrupteur défectueux relié à une lampe dont la lueur vacillante ne cesse de briller et s'éteindre, de jour comme de nuit, les périodes d'éveil et de sommeil du patient narcoleptique sont irrégulières et variables sur chaque période de vingt-quatre heures.

Malgré le travail incroyable de beaucoup de mes collègues, sur le plan de l'efficacité des traitements, la narcolepsie reste aujourd'hui un échec de la recherche sur le sommeil. Si nous savons intervenir efficacement sur d'autres troubles du sommeil, comme l'insomnie ou l'apnée du sommeil, nous accusons un sérieux retard en ce qui concerne les traitements contre la narcolepsie. Cet état de fait est en partie lié à la rareté de la maladie : les entreprises pharmaceutiques ne trouvent pas assez d'intérêt à financer des travaux de recherche. Or l'intérêt financier est bien souvent le moteur des progrès rapides des traitements en médecine.

Concernant le premier symptôme de la narcolepsie – les attaques de sommeil en plein jour – le seul traitement a longtemps été la prescription d'une dose importante d'amphétamine, médicament permettant de rester en éveil. L'amphétamine est toutefois fortement addictive. C'est en outre un médicament « sale », c'est-à-dire agissant sur les systèmes chimiques du cerveau et du corps, entraînant ainsi de graves effets secondaires. On utilise désormais un nouveau médicament plus « propre » appelé Provigil pour aider les patients narcoleptiques à se maintenir dans un état stable d'éveil pendant la journée, avec moins d'effets secondaires. Son efficacité reste toutefois relative.

Les antidépresseurs sont souvent prescrits pour lutter contre les deuxième et troisième symptômes de la narcolepsie – la paralysie du sommeil et la cataplexie – car ils suppriment le sommeil REM, qui en est responsable. Les antidépresseurs ne font toutefois que réduire la fréquence de ces deux symptômes, mais ne les font pas disparaître.

Dans l'ensemble, les perspectives de traitement pour les patients narcoleptiques sont peu réjouissantes. Aucun nouveau remède n'apparaît encore à l'horizon. L'avenir des traitements est entre les mains des chercheurs universitaires progressant doucement, plutôt qu'entre celles des grandes entreprises pharmaceutiques, aux progrès plus rapides. Les patients doivent pour l'instant se contenter d'essayer de composer avec ce trouble, en vivant du mieux qu'ils le peuvent.

Certains d'entre vous se disent peut-être la même chose que plusieurs firmes pharmaceutiques lorsqu'elles ont découvert le rôle de l'orexine dans la narcolepsie : ne pourrions-nous pas repenser la maladie à l'envers ? Au lieu d'augmenter la quantité d'orexine chez les patients narcoleptiques pour leur garantir un éveil plus stable pendant la journée, pourquoi ne pas tenter de supprimer l'orexine libérée la nuit et d'assurer ainsi leur sommeil ? Les entreprises pharmaceutiques tentent actuellement de développer des combinaisons permettant de bloquer l'orexine pendant la nuit, donc d'appuyer sur le bouton « arrêt » pour permettre un sommeil plus naturel que celui qu'engendrent les sédatifs utilisés aujourd'hui et qui pose plusieurs problèmes. La première de ces drogues, le suvorexant (connu sous son nom de marque, le Belsomra), s'est révélée moins efficace que ce que l'on espérait. Les patients ayant passé les essais cliniques se sont endormis seulement six minutes plus vite que ceux qui avaient pris un placebo. Si de nouvelles formules peuvent s'avérer plus efficaces, les méthodes non pharmaceutiques pour traiter l'insomnie, que j'évoque dans le prochain chapitre, restent la meilleure option pour les patients qui en souffrent.

L'insomnie fatale familiale

Michael Corke est devenu l'homme qui ne pouvait pas dormir… au prix de sa vie. Avant ses insomnies, Corke était un homme actif et efficace, un mari dévoué, professeur de musique dans un lycée de New Lexon au sud de Chicago. À l'âge de quarante ans, il a commencé à rencontrer des problèmes pour dormir. Il a d'abord cru que les ronflements de sa femme étaient responsables de ses maux, et cette dernière décida alors d'aller dormir sur le canapé pendant dix jours. Mais les insomnies de Corke ne cessaient pas. Au contraire, elles empiraient. Après des mois à mal dormir, il comprit que la cause était ailleurs et demanda de l'aide aux médecins. Aucun des médecins ayant examiné Corke en premier lieu ne fut capable d'identifier la cause de son insomnie. Certains diagnostiquèrent des troubles non liés au sommeil, notamment une sclérose en plaques.

L'insomnie de Corke finit par progresser au point qu'il devint totalement incapable de dormir, ne fermant jamais l'œil. Aucun médicament doux ni sédatif lourd ne put arracher son cerveau à l'étreinte de l'éveil permanent. Il suffisait de regarder Corke à l'époque pour comprendre son envie de dormir. Ses yeux vous donnaient instantanément envie de fermer les vôtres pour plonger dans le sommeil. Il les clignait douloureusement et si lentement que ses paupières semblaient vouloir rester fermées pendant des jours. Il donnait l'impression d'avoir une envie désespérée de dormir.

Après huit semaines consécutives sans dormir, ses facultés mentales se dégradèrent rapidement. Le déclin cognitif allait de pair avec une détérioration rapide de son corps. Ses capacités motrices étaient si touchées que même la marche coordonnée lui devenait difficile. Il dut un soir diriger un concert de l'orchestre de l'école et mit plusieurs minutes à réussir avec peine (héroïquement) à effectuer les quelques mètres le séparant de l'orchestre pour grimper sur l'estrade avec une canne.

Au bout de presque six mois sans dormir, Corke, cloué au lit, était proche de la mort. Malgré son jeune âge, son état neurologique était celui d'une personne âgée en phase terminale de démence sénile. Il n'était plus capable de se laver ni de s'habiller seul, délirait et hallucinait régulièrement. Sa capacité à générer du langage avait presque disparu. Il devait se résigner à communiquer à l'aide de mouvements de tête élémentaires et de quelques rares déclarations inarticulées, lorsqu'il trouvait l'énergie nécessaire. Quelques mois plus tard, Corke avait perdu toutes ses facultés mentales et physiques. Peu après ses quarante-deux ans, il décéda d'un trouble génétique rare que l'on nomme l'insomnie fatale familiale (IFF). Il n'existe aucun traitement contre ce trouble, ni de remède. Aucun patient atteint de l'IFF n'a vécu plus de dix mois. C'est l'une des maladies les plus mystérieuses des annales de la médecine, nous ayant enseigné une leçon bouleversante : le manque de sommeil tue l'être humain.

La cause sous-jacente de l'IFF est de mieux en mieux connue, en grande partie grâce à la compréhension des mécanismes générateurs du sommeil des individus en bonne santé que nous avons évoqués. En cause, l'anomalie d'un gène appelé PrNP, ou protéine prion. Tous les cerveaux contiennent des protéines prions, qui présentent des fonctions très utiles. Une version non désirée de cette protéine peut toutefois être générée en raison d'un défaut génétique, dont la version mutée se répand comme un virus[1]. Au sein de cette configuration génétique anormale, la protéine détruit, au fur et à mesure de sa diffusion, certaines parties du cerveau, accélérant ainsi sa dégénérescence.

L'une des régions victimes de cette protéine malfaisante, qui l'attaque sous tous ses angles, est le thalamus,

1. L'insomnie fatale familiale intègre la famille des maladies de la protéine prion, comprenant entre autres la maladie de Creutzfeldt-Jakob (également connue sous le nom de maladie de la vache folle), même si cette dernière entraîne la destruction de régions différentes du cerveau, moins rattachées au sommeil.

portail sensoriel du cerveau devant se refermer pour que l'éveil cesse et que débute le sommeil. Au cours des autopsies réalisées par les scientifiques sur les cerveaux des premiers malades de l'IFF, on a découvert que le thalamus présentait de nombreux trous, un peu à l'image d'un morceau de gruyère. Les protéines prions creusent le thalamus, dégradant l'intégrité de sa structure. C'est particulièrement vrai de ses couches extérieures, les portes sensorielles devant se fermer chaque nuit.

En raison des trous percés par les protéines prions, le portail sensoriel qu'est le thalamus se retrouve bloqué, constamment en position « ouvert ». Les patients ne peuvent empêcher leur perception consciente du monde extérieur, ni donc s'endormir pour trouver le sommeil dont ils ont tant besoin. Aucune quantité de somnifères ni d'autres médicaments ne peut fermer ce portail. En outre, les signaux envoyés par le cerveau au corps pour préparer le sommeil – ralentissement du rythme cardiaque, de la tension et du métabolisme, et baisse de la température corporelle globale – doivent passer par le thalamus avant d'atteindre la moelle épinière, pour être envoyés dans les différents tissus et organes du corps. Puisqu'ils sont déviés par les dommages causés sur le thalamus, l'incapacité des patients à dormir augmente.

Les recherches de traitement sont rares aujourd'hui. Les chercheurs se sont intéressés à un antibiotique nommé « doxycycline », qui semble faire baisser le taux de protéines indésirables dans d'autrescas de troubles de la protéine prion, comme la maladie de Creutzfeldt-Jakob. Des essais cliniques sur cette thérapie potentielle sont actuellement en cours.

Outre cette course au traitement et au remède, une question d'ordre éthique émerge concernant cette maladie. Puisque l'IFF est génétique, nous pouvons retracer rétrospectivement son héritage au fil des générations. La lignée remonte jusqu'en Europe, notamment en Italie, où on recense un certain nombre de familles touchées par la maladie. Des recherches minutieuses ont permis de remonter plus loin, jusqu'à un médecin vénitien de la fin du XVIIIe siècle qui semblait être atteint par ce trouble. Le gène remonte assurément au-delà, mais prédire l'avenir de cette maladie reste plus important que de retracer son histoire. La certitude génétique soulève une question eugénique complexe : si l'on pouvait deviner par l'observation de vos gènes que vous seriez un jour frappé par cette incapacité mortelle à dormir, voudriez-vous le savoir ? Et, connaissant votre sort, n'ayant pas encore d'enfants, décideriez-vous de ne pas en faire pour empêcher une nouvelle étape de transmission de la maladie ? Il n'existe pas de réponse simple à cette question ni aucune que la science pourrait (ou devrait) offrir. C'est là un autre tour cruel de cette terrible maladie.

Manque de sommeil vs *manque de nourriture*

L'IFF est la plus grande preuve dont nous disposons pour affirmer que le manque de sommeil tue l'homme. D'un point de vue scientifique, elle reste toutefois contestable et peu concluante, car d'autres maladies entrent peut-être en compte dans l'issue fatale de ce trouble, difficiles à distinguer du manque de sommeil. On connaît plusieurs cas de mort suite à un manque total de sommeil prolongé, dont celui de Jiang Xiaoshan, prétendument resté éveillé pendant onze jours pour regarder tous les matchs du championnat d'Europe de football 2012 en continuant à aller travailler. Le douzième jour, sa mère l'a retrouvé mort dans son appartement, un décès apparemment lié au manque de sommeil. On compte aussi la mort tragique d'un stagiaire de la Bank of America, Moritz Erhardt, victime d'une crise d'épilepsie mortelle après un manque de sommeil lié à une surcharge de travail, si répandue et prévisible dans ce type d'entreprises, notamment chez les jeunes actifs. Ce ne sont toutefois que des cas particuliers, difficiles à attester et vérifier scientifiquement une fois qu'ils se sont produits.

Des recherches réalisées sur des animaux ont toutefois fourni une preuve indéniable de l'issue fatale du manque total de sommeil en l'absence d'autres maladies mortelles. L'étude la plus spectaculaire, la plus perturbante et la plus choquante du point de vue éthique a été publiée en 1983 par une équipe de recherche de l'université de Chicago. La question expérimentale était simple : faut-il dormir pour vivre ? Les chercheurs ont ainsi fait subir un horrible calvaire à des rats en les privant de sommeil plusieurs semaines, atteignant une réponse sans équivoque : les rats meurent en moyenne après quinze jours sans dormir.

Deux résultats supplémentaires ont vite découlé de cette expérience. D'abord, la mort arrive aussi vite après une privation totale de sommeil qu'après une privation totale de nourriture. En outre, les rats perdent la vie presque aussi vite lorsqu'on les prive uniquement de sommeil REM que lorsqu'on les prive totalement de sommeil. L'absence totale de sommeil NREM se révèle tout aussi fatale, mais la mort survient un peu plus tard – au bout de quarante-cinq jours en moyenne.

Un problème subsiste toutefois. Dans le cas du manque de nourriture, les raisons de la mort sont faciles à identifier, mais les chercheurs ne parviennent pas à déterminer pourquoi les rats meurent après avoir été privés de sommeil, malgré leur mort rapide. Certains indices sont apparus suite à des analyses réalisées au cours de l'expérience et, plus tard, sur les cadavres des rats.

D'une part, même s'ils mangent plus que leurs homologues bien reposés, les rats en manque de sommeil perdent rapidement du poids. D'autre part, ils ne sont plus capables de réguler leur température corporelle. Plus ils manquent de sommeil, plus ils sont froids, jusqu'à atteindre la température ambiante de la pièce. C'est un état dangereux. Tous les mammifères, y compris les êtres humains, vivent au bord d'une falaise thermique. Leurs processus physiologiques ne sont opérationnels que lorsque leur température se tient dans un écart de variation très faible. Dès que la température tombe au-dessous ou monte au-dessus du seuil thermique vital, s'ouvre une voie rapide vers la mort.

Ce n'est pas un hasard si les conséquences métaboliques et thermiques surviennent au même moment. Quand la température corporelle baisse, les mammifères réagissent en augmentant la vitesse de leur métabolisme. Brûler de l'énergie permet de créer une chaleur réchauffant le cerveau et le corps pour qu'ils repassent au-dessus du seuil thermique critique, évitant ainsi la mort. Cet effort est toutefois vain pour les rats en manque de sommeil. Comme avec un vieux poêle à bois dont on aurait laissé l'aération principale ouverte, quelle que soit la quantité de combustible ajoutée, la chaleur s'échappe toujours par le haut. En réaction à leur hypothermie, les rats faisaient eux-mêmes varier leur métabolisme de l'intérieur.

La troisième conséquence du manque de sommeil, sans doute la plus parlante, touche la peau. La privation de sommeil râpe littéralement les rats. Des plaies apparaissent sur leur peau, ainsi que des blessures aux pattes et à la queue. Leur métabolisme implose, mais leur système immunitaire également[1]. Ils ne sont plus en mesure de se défendre contre les infections les plus simples, sur ou sous leur épiderme, comme nous allons le voir.

Ces signes extérieurs de déclin de la santé sont choquants, mais les dégâts internes révélés par la dernière

---

1. Après avoir publié ses découvertes, Allan Rechtschaffen, le scientifique confirmé qui a mené ces études, a été contacté par un célèbre magazine de mode féminin. L'auteur de l'article souhaitait savoir si la privation totale de sommeil pouvait devenir un nouveau moyen, génial et efficace, pour les femmes de perdre du poids. Rechtschaffen eut le plus grand mal à comprendre l'audace de cette demande, à laquelle il tenta toutefois de répondre. Apparemment, il admit que la privation forcée de sommeil chez les rats engendrait une perte de poids, et que donc, oui, la privation aiguë de sommeil plusieurs jours d'affilée pouvait entraîner une perte de poids chez l'être humain. L'auteur de l'article était très enthousiaste à l'idée de publier l'information désirée, mais Rechtschaffen ajouta une note : outre la perte de poids spectaculaire, les rats présentent des blessures cutanées avec liquide lymphatique et plaies ouvertes sur les pieds, une décrépitude faisant penser à un vieillissement accéléré, parallèle à l'effondrement catastrophique (et fatal) des organes internes et du système immunitaire, « juste au cas où vos lectrices s'intéresseraient également à leur apparence et à leur durée de vie ». L'entretien semble avoir pris fin peu de temps après.

autopsie sont tout aussi épouvantables. Les chercheurs ont découvert une détresse physiologique totale, les complications allant de la présence d'un fluide dans les poumons et d'hémorragies internes à des ulcères trouant la paroi de l'estomac. Certains organes, comme le foie, la rate ou les reins, perdent de leur poids et de leur taille. D'autres, comme les glandes surrénales réagissant aux infections et au stress, grossissent nettement. Le taux en circulation de l'hormone liée à l'anxiété, la corticostérone libérée par les glandes surrénales, augmente chez les rats en manque de sommeil.

Quelle est donc alors la cause de la mort ? C'est là que réside le problème : les scientifiques n'en ont aucune idée. Tous les rats ne souffrent pas des mêmes signes pathologiques de décès. Leur seul point commun est la mort elle-même (ou sa forte probabilité, dans le cas où les chercheurs euthanasient les animaux).

Les années qui ont suivi, d'autres expériences – les dernières de ce type car, sur le plan éthique, les scientifiques sont un peu mal à l'aise (à juste titre) avec ces tests et leurs conséquences – ont enfin permis de résoudre le mystère. Le coup fatal est la septicémie – infection bactérienne toxique généralisée (touchant tout l'organisme) du système sanguin des rats, qui vient dévaster tout le corps jusqu'à la mort. Ce n'est donc pas une infection vicieuse venue de l'extérieur, mais une simple bactérie dans le ventre des rats qui inflige leur mort – bactérie qu'un système immunitaire sain élimine sans mal grâce à la force qu'il obtient par le sommeil.

La scientifique russe Marie de Manacéïne avait en réalité noté ces mêmes conséquences mortelles du manque de sommeil dans la littérature médicale du siècle dernier, ayant remarqué que les jeunes chiens meurent après quelques jours lorsqu'ils sont privés de sommeil (je dois admettre qu'il m'est douloureux de lire ces études). Plusieurs années après les études réalisées par Manacéïne, certains chercheurs italiens ont rapporté que le manque total de sommeil chez les chiens entraîne les mêmes conséquences mortelles, ajoutant qu'ils ont observé grâce à l'autopsie une dégénérescence du cerveau et de la moelle épinière.

Il fallut encore cent ans après les expériences menées par Manacéïne, ainsi que la précision accrue des études menées en laboratoire, pour que les scientifiques de l'université de Chicago découvrent enfin pourquoi la vie cesse si vite lorsqu'on ne dort pas. Vous avez sans doute déjà aperçu la petite boîte en plastique rouge accrochée au mur dans les espaces de travail particulièrement dangereux, sur laquelle on peut lire : « Briser la vitre en cas d'urgence. » Si l'on prive un organisme de sommeil, qu'il s'agisse d'un rat ou d'un humain, l'état d'urgence est effectivement déclaré. On retrouve l'équivalent biologique de cette vitre brisée dans tout le cerveau et le corps, et les conséquences sont fatales. Nous l'avons enfin compris.

C'est bon, attendez : vous n'avez besoin que de 6,75 heures de sommeil !

Réfléchir aux conséquences mortelles du manque chronique de sommeil sur le long terme et de son manque total sur le court terme nous permet d'aborder une polémique récente, que beaucoup de journaux, et bien sûr de scientifiques, n'appréhendent pas de façon adéquate. L'étude concernée a été menée par des chercheurs de l'université de Californie à Los Angeles et portait sur les habitudes de sommeil chez des tribus préindustrielles spécifiques. En utilisant des bracelets pour enregistrer l'activité des participants, les chercheurs ont suivi le sommeil de trois tribus de chasseurs-cueilleurs demeurées largement intouchées par la modernisation industrielle : le peuple Tsimané en Amérique du Sud, et les tribus San et Hadza en Afrique, dont nous avons déjà parlé. En étudiant leur nombre d'heures de sommeil et d'éveil jour après jour pendant de nombreux mois, ils ont découvert ceci : les membres de ces tribus dorment en moyenne 6 heures en été, et 7,2 heures en hiver.

Des organes de presse reconnus ont vanté ces découvertes, les présentant comme une preuve que l'être humain n'a pas besoin de dormir huit heures par nuit. Certains ont ajouté que nous pourrions survivre en dormant six heures ou moins par nuit. L'un des journaux les plus importants des États-Unis a notamment titré ceci : « Une étude sur le sommeil de chasseurs-cueilleurs des temps modernes réfute l'idée que nous avons besoin de dormir huit heures par jour. » D'autres ont affirmé que les sociétés modernes n'ont besoin que de sept heures de sommeil par nuit. L'information est fausse en soi, mais ils se sont ensuite demandé si nous avions même besoin de dormir autant : « Avons-nous réellement besoin de dormir sept heures par nuit ? »

Comment des médias aussi prestigieux et respectés peuvent-ils en arriver à de telles conclusions, surtout après les faits scientifiques présentés dans ce chapitre ? Revenons sur ces découvertes avec attention, pour voir si nous en tirons la même conclusion.

D'abord, en lisant l'étude, on découvre que les membres de ces tribus s'offrent en réalité un créneau de sommeil de 7 à 8,5 heures par nuit. De plus, le bracelet enregistreur, qui n'est ni un modèle de mesure en la matière ni un outil précis, rapporte que 6 à 7,5 heures sont passées à dormir. Le temps que ces tribus consacrent à dormir est donc presque identique à ce que la National Sleep Foundation et les centres de contrôle et de prévention des maladies recommandent pour les adultes : sept à neuf heures par nuit.

Ce qui pose problème, c'est que certaines personnes confondent le temps passé à dormir et le temps passé au lit. Nous savons que beaucoup de personnes dans le monde moderne s'offrent un créneau de sommeil de 5 à 6,5 heures, n'obtenant que 4,5 à 6 heures de sommeil réel. Ces découvertes ne prouvent donc pas que le sommeil des tribus de chasseurs-cueilleurs est le même que le nôtre à l'ère postindustrielle. Leur créneau de sommeil est plus important.

Deuxièmement, si l'on part du principe que les mesures prises par le bracelet sont correctes et que ces tribus dorment en moyenne 6,75 heures par nuit sur une année, il reste faux d'en conclure que les hommes n'ont naturellement besoin que de 6,75 heures de sommeil. Voilà le *hic*.

En reprenant les gros titres des journaux que j'ai cités, on remarque qu'ils utilisent le terme de « besoin ». Or de quel *besoin* parlons-nous ? Le présupposé (faux) est le suivant : le sommeil obtenu par ces tribus correspond à celui dont tout homme a *besoin*. C'est un raisonnement erroné pour deux raisons. Le *besoin* n'est pas défini par le sommeil obtenu (ce que révèle le trouble de l'insomnie) : il s'agit plutôt de savoir si la quantité de sommeil obtenue est suffisante pour que le dormeur jouisse des bienfaits du sommeil. Le *besoin* le plus évident est donc de vivre, et en bonne santé. Nous découvrons maintenant que l'espérance de vie moyenne de ces chasseurs-cueilleurs n'est que de cinquante-huit ans, même s'ils sont physiquement bien plus actifs que nous, rarement obèses et préservés de la nourriture industrielle causant des ravages sur notre santé. Certes, ils sont privés de l'hygiène et de la médecine modernes, deux raisons pour lesquelles bon nombre des habitants des pays industrialisés ont une espérance de vie excédant la leur de plus de dix ans. Mais les données épidémiologiques tendent à montrer, de manière éloquente, qu'un adulte dormant en moyenne 6,75 heures par nuit ne dépasse pas la soixantaine, espérance de vie proche de l'espérance de vie moyenne de ces tribus.

Ce qui tue généralement les membres de ces tribus comporte toutefois un aspect encore plus prémonitoire. Dès lors qu'ils survivent au fort taux de mortalité infantile et passent l'adolescence, les adultes meurent souvent d'infections. Or nous savons qu'un système immunitaire faible est la conséquence d'un manque de sommeil, comme nous l'avons vu en détail. Il faut également ajouter que l'une des failles les plus répandues du système immunitaire, tuant les membres de ces clans de chasseurs-cueilleurs, est l'infection intestinale, coïncidant étrangement avec les infections mortelles du système intestinal en cause dans la mort des rats en manque de sommeil dans l'étude évoquée plus haut.

Dès lors que l'on reconnaît que leur espérance de vie est plus courte, en accord avec les quantités moindres de sommeil que les scientifiques disent avoir mesurées, l'erreur de logique récurrente par la suite renvoie à la question suivante : *pourquoi* ces tribus dorment-elles en apparence trop peu, partant du savoir que nous avons acquis grâce à des milliers d'études ?

Nous ne connaissons pas encore toutes les raisons, mais un facteur semblant contribuer au manque de sommeil apparaît dans le nom même que nous donnons à ces tribus : « chasseurs-cueilleurs ». L'un des moyens universels de forcer un animal de quelque nature que ce soit à dormir moins que la normale est de le priver de nourriture, pour lui imposer une forme de famine. Quand la nourriture se fait rare, le sommeil l'est aussi, car les animaux tentent de rester éveillés pour trouver de quoi manger. L'une des raisons pour lesquelles ces chasseurs-cueilleurs ne sont pas obèses est qu'ils recherchent constamment leur nourriture, qui ne reste jamais longtemps abondante. Ils passent ainsi la majeure partie de leur vie éveillés, recherchant et préparant leurs repas. Certains jours, les Hadza obtiennent par exemple mille quatre cents calories ou moins, ingurgitant généralement trois cents à six cents calories de moins que nous qui vivons dans les sociétés occidentales modernes. Ils passent donc une grande partie de l'année dans un état de famine léger, les poussant à emprunter une voie biologique définie qui réduit leur temps de sommeil, alors même que leur *besoin* de sommeil reste plus élevé que celui qu'ils obtiendraient si la nourriture était abondante. En conclure que l'homme, qu'il mène une vie moderne ou préindustrielle, a *besoin* de moins de sept heures de sommeil semble donc un vœu pieux, un mythe pour tabloïds.

Dormir neuf heures par nuit, est-ce trop ?

Certaines preuves épidémiologiques poussent à croire que la relation entre le sommeil et le risque de mortalité n'est pas linéaire, c'est-à-dire que plus nous dormons, plus le risque de mortalité est faible (et inversement). Le risque de mortalité prend en réalité la forme d'un crochet vers le haut dès lors que la quantité de sommeil moyenne dépasse les neuf heures, comme un J penché et à l'envers.

Il est utile sur ce point d'évoquer deux éléments. D'abord, lorsqu'on observe en détail ces recherches, on découvre que les causes de décès des personnes dormant neuf heures ou plus intègrent les infections (par exemple, la pneumonie) et les cancers activateurs du système immunitaire. Nous savons grâce aux preuves que nous avons évoquées dans ce livre que les maladies, notamment celles qui occasionnent une réaction immunitaire puissante, entraînent un sommeil plus important. Les personnes malades doivent ainsi dormir plus longtemps pour combattre la maladie, en utilisant l'ensemble des outils nécessaires à une bonne santé qu'offre le sommeil. Toutefois, certaines maladies comme le cancer peuvent s'avérer trop puissantes, même pour la force énorme que représente le sommeil, quelle qu'en soit la quantité obtenue par le patient. On en déduit alors illusoirement que trop dormir entraîne une mort prématurée, au lieu de conclure de manière plus rationnelle que la maladie est simplement trop puissante, malgré les efforts fournis par le corps pour bénéficier d'un sommeil prolongé. Je dis bien que c'est une conclusion plus rationnelle, et non également rationnelle, car nous n'avons découvert aucun mécanisme biologique prouvant que le sommeil peut être dangereux d'une quelconque manière.

Deuxièmement, il est important de ne pas extrapoler mes arguments. Je n'affirme pas que dormir dix-huit ou vingt-deux heures par jour, si cela est physiologiquement possible, vaut mieux que dormir neuf heures par nuit. Il reste peu probable que le sommeil fonctionne de façon aussi linéaire. Souvenez-vous que les faits sont les mêmes avec la nourriture, l'oxygène et l'eau, également liés au taux de mortalité en forme de J inversé. Manger trop réduit l'espérance de vie. Boire trop peut entraîner une augmentation mortelle de la tension artérielle, donc des AVC ou des crises cardiaques. Un taux trop élevé d'oxygène dans le sang, nommé hyperoxie, s'avère toxique pour les cellules, surtout celles du cerveau.

Tout comme la nourriture, l'eau et l'oxygène, le sommeil en quantité excessive augmente peut-être les risques de mortalité. Après tout, la durée d'éveil nécessaire a varié selon l'évolution, comme celle du sommeil. Le sommeil et l'éveil offrent ainsi des avantages synergiques essentiels à la survie, bien que différents. Il s'agit de trouver entre les deux l'équilibre le mieux adapté à l'évolution. Or il semblerait qu'il soit chez les humains d'environ seize heures d'éveil et huit heures de sommeil par jour pour un adulte moyen.

13

iPads, réveils et derniers verres

Qu'est-ce qui vous empêche de dormir ?

Nous sommes nombreux à nous trouver dans un état de fatigue extrême. Pourquoi ? Pour quelle raison précise la modernité a-t-elle tant perverti nos cycles de sommeil pourtant instinctifs, nous privant de notre liberté de dormir et de notre aptitude à dormir d'un sommeil profond pendant la nuit ? Pour ceux d'entre nous qui ne souffrent d'aucun trouble du sommeil, les raisons de ce manque peuvent sembler difficiles à identifier – ou sont fausses, quand elles paraissent claires.

Outre le temps plus long des trajets entre le lieu de travail et le domicile et la « procrastination du sommeil », liée à la télévision ou à la pratique de loisirs numériques jusque tard dans la soirée – deux activités qui ont à voir avec la fragmentation de notre temps de sommeil et de celui de nos enfants –, il existe cinq facteurs ayant fortement modifié la quantité et la qualité de notre sommeil : (1) la lumière électrique constante ; ainsi que la lumière LED ; (2) la température régularisée. (3) la caféine (évoquée dans le chapitre 2) ; (4) l'alcool ; (5) le pointage dans les entreprises. C'est en raison de l'ensemble de ces contraintes sociales que beaucoup de personnes pensent à tort souffrir d'insomnie.

Le côté obscur de la lumière moderne

Le 255-257 Pearl Street, situé au sud de Manhattan, non loin du pont de Brooklyn, est sans doute le lieu où s'est produit le changement le plus modeste mais aussi le plus cataclysmique de l'histoire de l'humanité. C'est là en effet que Thomas Edison a construit la première centrale électrique, dans le but de subvenir aux besoins d'une société électrifiée. L'espèce humaine avait alors pour la première fois le moyen de se soustraire au cycle naturel de jour et de nuit de vingt-quatre heures de notre planète. La possibilité saugrenue de contrôler l'éclairage de notre environnement, donc nos phases d'éveil et de sommeil, était née, en un claquement de doigts. Nous sommes désormais en mesure de décider, nous et non le mécanisme rotatif de la Terre, quand il fait « nuit » ou « jour », et sommes la seule espèce ayant réussi à éclairer la nuit. Les conséquences sont spectaculaires.

Les êtres humains sont avant tout des créatures visuelles. Plus d'un tiers de notre cerveau est dédié au traitement de l'information visuelle, ce qui représente bien plus que la part consacrée aux sons ou aux odeurs, au langage ou au mouvement. Les premiers *Homo sapiens* cessaient la plupart de leurs activités après le coucher du soleil. Ils ne pouvaient faire autrement puisqu'ils agissaient en fonction de leur vision, permise par la lumière du jour. L'arrivée du feu et de son halo restreint a permis d'étendre les activités après le coucher du soleil, mais les effets étaient modestes. Chez les tribus de chasseurs-cueilleurs comme les Hadza et les San, on a pu observer en début de soirée des activités sociales autour du feu, comme chanter ou raconter des histoires. Les limites pratiques de l'éclairage par le feu ont toutefois empêché toute influence significative sur le modèle éveil/sommeil et sa durée.

Les lampes à gaz et à huile, ainsi que leurs précurseurs, les bougies, ont eu une influence plus forte sur le maintien d'activités nocturnes. Il suffit d'observer un tableau de Renoir représentant la vie parisienne au XIXe siècle pour remarquer l'étendue plus large de la lumière artificielle. Les lanternes à gaz se répandent à l'extérieur des maisons et dans les rues, éclairant des quartiers entiers. L'influence de la lumière créée par l'homme commence alors à transformer le modèle du sommeil, et ne fait ensuite que s'amplifier. Des sociétés entières – et pas seulement de personnes ou de familles isolées – se sont vite retrouvées soumises à la lumière pendant la nuit, et les êtres humains ont ainsi commencé à se coucher de plus en plus tard.

Pour le noyau suprachiasmatique – la grande horloge de vingt-quatre heures du cerveau –, le pire restait à venir. La centrale électrique d'Edison à Manhattan a permis l'adoption massive de la lumière incandescente. Ce n'est pas Edison qui a créé la première ampoule à incandescence – l'honneur revient au chimiste anglais Humphry Davy, en 1802 –, mais, au milieu des années 1870, sa compagnie d'électricité a développé une ampoule fiable pour le grand public. Les ampoules à incandescence, puis quelques dizaines d'années plus tard les ampoules fluorescentes ont permis à l'homme moderne de ne plus passer la majeure partie de sa nuit dans le noir, comme cela avait été le cas pendant des millénaires.

Cent ans après Edison, nous comprenons aujourd'hui les mécanismes biologiques par lesquels les ampoules électriques viennent perturber la quantité et la qualité naturelles de notre sommeil. Le spectre de lumière visible – perceptible par nos yeux – est large, allant des longueurs d'onde courtes (environ trois cent quatre-vingt nanomètres) comme les violets et les bleus, plus froids, aux longueurs d'onde longues (environ sept cents nanomètres) comme les jaunes et les rouges, plus chauds. La lumière du soleil contient un mélange puissant de ces couleurs et des nuances d'entre-deux (comme le met en lumière – pour ainsi dire – la pochette mythique de l'album des Pink Floyd, *Dark Side of the Moon*).

Avant Edison et les lampes à gaz et à huile, le soleil couchant emportait avec lui, loin de notre regard, les couleurs offertes par la lumière du jour, détectées par l'horloge de notre cerveau (le noyau suprachiasmatique, décrit dans le chapitre 2). La perte de la lumière du jour informe notre noyau suprachiasmatique que la nuit est venue, qu'il est temps de relâcher la pédale de frein de la glande pinéale pour lui permettre de libérer les grandes quantités de mélatonine signalant au cerveau et au corps qu'il fait sombre et qu'il est temps d'aller au lit. Chez l'homme, la fatigue adéquate programmée, puis le sommeil doivent ainsi survenir quelques heures après le coucher du soleil.

La lumière électrique est venue mettre un terme à cet ordre naturel, redéfinissant le sens du terme « nuit » pour les générations futures. La lumière nocturne artificielle, même de faible force (nombre de lux réduit), piège votre noyau suprachiasmatique en lui faisant croire que le soleil n'est pas encore couché. Le frein sur la mélatonine, censé être relâché au crépuscule, reste enclenché dans votre cerveau, sous la contrainte de la lumière électrique.

La lumière artificielle baignant nos intérieurs actuels bloque donc la progression de l'heure biologique logiquement signalée par la montée nocturne de mélatonine. Chez l'homme moderne, le sommeil est ainsi retardé par la suppression du décollage nocturne, censé avoir lieu naturellement entre huit et dix heures du soir, comme nous l'avons vu à propos des tribus de chasseurs-cueilleurs. À cause des lumières artificielles de nos sociétés modernes, nous confondons donc la nuit et le jour, en raison d'un mensonge physiologique.

La lumière électrique nocturne fait largement reculer notre horloge journalière interne, de deux à trois heures par nuit en moyenne. Pour vous donner une idée, imaginons que vous êtes en train de lire ce livre à onze heures du soir à New York, après avoir baigné toute la soirée dans la lumière électrique. Votre réveil vous indique qu'il est vingt-trois heures, mais l'omniprésence de la lumière artificielle a mis sur pause le tic-tac de votre horloge interne, faisant obstacle à la libération de mélatonine. D'un point de vue biologique, c'est donc comme si vous aviez voyagé à l'est du continent : votre horloge interne est à l'heure de Chicago (vingt-deux heures), voire de San Francisco (vingt heures).

La lumière artificielle du soir ou de la nuit peut ainsi se déguiser en insomnie de début de nuit – c'est-à-dire en incapacité à s'endormir vite une fois au lit. Retardant la libération de mélatonine, la lumière artificielle nocturne rend plus compliqué de s'endormir à une heure raisonnable. Lorsque vous finissez par éteindre votre lampe de chevet, il vous est bien plus difficile de trouver rapidement le sommeil. Il faut du temps avant que l'augmentation du taux de mélatonine submerge votre cerveau et votre corps grâce aux fortes concentrations permises par l'obscurité – en d'autres termes, avant que vous ne soyez biologiquement capable d'organiser le départ d'un sommeil stable et solide.

Qu'en est-il de la petite lampe de chevet ? Quelle influence peut-elle avoir sur votre noyau suprachiasmatique ? Une grande influence, à vrai dire. Il a été démontré que même un soupçon de lumière faible – huit à dix lux – retarde la libération nocturne de mélatonine chez les êtres humains. La plus faible des lampes de chevet en émet deux fois plus : entre vingt et quatre-vingt lux. Dans un salon subtilement éclairé, où la plupart des gens passent quelques heures avant d'aller se coucher, l'éclairage est d'environ deux cents lux. Même si cela ne représente que 1 % à 2 % de la puissance de la lumière du jour, le niveau ambiant d'éclairage domestique à incandescence peut être responsable de 50 % des effets de la suppression de mélatonine dans le cerveau.

Alors que les choses semblaient ne pas pouvoir aller plus mal pour le noyau suprachiasmatique, une nouvelle invention est venue aggraver la situation en

1997 : celle des diodes électroluminescentes bleues, ou LED bleues. Shuji Nakamura, Isamu Akasaki et Hiroshi Amano ont reçu le prix Nobel de physique en 2014 pour cette invention, d'une prouesse incroyable. Les lampes à LED bleues offrent des avantages considérables par comparaison aux lampes à incandescence, car elles nécessitent moins d'énergie et disposent d'une durée de vie plus importante. Il se peut toutefois qu'involontairement elles réduisent la nôtre.

Les récepteurs lumineux de l'œil indiquant la « lumière du jour » au noyau suprachiasmatique sont plus sensibles aux lumières à courtes longueurs d'onde du spectre bleu – au point où les LED bleues sont les plus puissantes. Par conséquent, l'impact des lumières à LED bleues du soir pèse deux fois plus sur la suppression de la mélatonine nocturne que la lumière jaune plus chaude des ampoules à incandescence, pour la même intensité en lux.

Bien sûr, peu d'entre nous fixent aveuglément l'éclat d'une lampe à LED tous les soirs, mais nous regardons les LED des écrans d'ordinateur portable, des téléphones et des tablettes, parfois pendant des heures. Or, souvent, ces appareils ne sont qu'à quelques dizaines de centimètres, voire moins, de notre rétine. Une étude récente réalisée auprès de plus de mille cinq cents adultes américains a montré que 90 % des gens utilisent de façon régulière un appareil portable électronique soixante minutes ou moins avant de dormir. L'impact est lourd sur la libération de mélatonine, donc sur votre capacité à lancer votre nuit de sommeil.

L'une des premières études a montré que l'utilisation d'un iPad – tablette électronique utilisant la lumière à LED bleue – même deux heures avant le coucher bloque l'augmentation habituelle du taux de mélatonine de 23 %. Un rapport plus récent a mené plus loin la conclusion. Des adultes en bonne santé ont vécu dans un laboratoire sous contrôle strict pendant deux semaines, divisées en deux phases expérimentales : (1) cinq nuits à lire un livre sur iPad pendant plusieurs heures avant de dormir (aucune autre utilisation de l'iPad, telle que les courriels ou Internet, n'était autorisée) ; (2) cinq nuits à lire un livre sur papier pendant plusieurs heures avant de dormir, les participants faisant l'expérience des deux conditions dans un ordre aléatoire.

Par comparaison avec la lecture d'un livre papier, la lecture sur iPad fait diminuer de moitié la libération nocturne de mélatonine, décalant l'augmentation du taux de mélatonine jusqu'à trois heures par rapport à l'augmentation naturelle chez les mêmes individus lisant un livre sur papier. Avec la lecture sur iPad, leur pic de mélatonine, donc le signe qu'ils doivent dormir, ne se produit pas avant le petit matin, au lieu de survenir avant minuit. Sans surprise, les participants ont besoin de plus de temps pour s'endormir après avoir lu sur iPad plutôt qu'après avoir lu sur papier.

Le fait de lire sur iPad a-t-il toutefois modifié la quantité/qualité de sommeil, outre l'heure d'arrivée de la mélatonine ? Oui, et de trois façons inquiétantes. Premièrement, après avoir lu sur tablette, les individus perdent une quantité importante de sommeil REM. Deuxièmement, les sujets se sentent moins reposés et plus fatigués tout au long de la journée suivant l'utilisation nocturne de l'iPad. Troisièmement, un effet secondaire perdure, car les participants sont victimes du décalage de quatre-vingt-dix minutes de l'augmentation nocturne du taux de mélatonine plusieurs jours après avoir utilisé l'iPad pour la dernière fois – une sorte de gueule de bois digitale, en somme.

L'utilisation en soirée d'appareils à LED impose un effet négatif au rythme naturel de notre sommeil, à sa qualité et à notre attention pendant la journée. Les conséquences sociétales et publiques, évoquées dans l'avant-dernier chapitre, ne sont pas sans importance. Comme beaucoup d'entre vous, j'ai vu de jeunes enfants utiliser des tablettes électroniques dès que l'occasion se présentait, tout au long de la journée… et de la soirée. Ces appareils sont de véritables bijoux techniques qui enrichissent la vie et l'éducation des jeunes, mais cette technologie nourrit également leurs yeux et leurs cerveaux d'une puissante lumière bleue aux effets néfastes sur leur sommeil – sommeil dont les jeunes cerveaux en développement ont tant besoin pour s'épanouir[1].

---

1. À ceux qui se demandent pourquoi la lumière bleue et froide est la plus forte du spectre de lumière visible pour ce qui concerne la régulation de la libération de mélatonine, je réponds que l'explication se trouve dans notre passé. Les êtres humains, comme c'est sans doute le cas de toutes les formes d'organismes terrestres, sont nés de la vie marine. Or l'océan agit comme un filtre supprimant la majeure partie de la lumière à grandes longueurs d'onde, la jaune et rouge. Il ne reste donc que la lumière à plus courtes longueurs d'onde, la lumière bleue. C'est la raison pour laquelle l'océan, et notre vision sous sa surface, semblent bleus. La plus grande partie de la vie marine – y compris la vision aquatique – a ainsi évolué dans le spectre de lumière visible bleue. Notre sensibilité biaisée à la lumière froide bleue est donc un héritage archaïque de nos ancêtres marins. Malheureusement, ce coup du sort dans notre évolution revient nous hanter sous la forme d'une nouvelle

Parce qu'elle est omniprésente, les solutions pour limiter notre exposition à la lumière artificielle du soir sont difficiles à trouver. Vous pouvez pour commencer créer un éclairage plus faible dans les pièces où vous passez la soirée. Évitez les plafonniers puissants, et privilégiez les lumières d'ambiance. Certaines personnes portent même des verres teintés à l'intérieur pendant l'après-midi et la soirée pour filtrer au maximum la lumière bleue supprimant la mélatonine.

Il est tout aussi essentiel de maintenir une obscurité totale pendant la nuit, au moyen de simples rideaux occultants. Vous pouvez également installer des logiciels sur votre ordinateur, votre téléphone et votre tablette, permettant de désaturer la lumière à LED bleue au fur et à mesure de la soirée.

Non au digestif[1] *: l'alcool*

Avec les somnifères, l'alcool est l'« aide au sommeil » la plus mal comprise. Beaucoup de personnes pensent que l'alcool aide à s'endormir, voire qu'il permet un sommeil plus profond. Ce sont deux croyances résolument fausses.

L'alcool intègre la catégorie de médicaments que l'on nomme sédatifs, puisqu'il entre en connexion avec les récepteurs du cerveau empêchant les neurones de

---

lumière bleue à LED troublant notre rythme de mélatonine, donc notre modèle éveil/sommeil.

1. *Nightcap*, en anglais, qui signifie à la fois « bonnet de nuit » et « digestif ». *(N.d.T.)*

lancer leurs impulsions électriques. Les gens sont souvent déconcertés lorsqu'on leur annonce que l'alcool est un sédatif, puisque en quantité modérée il égaie et rend plus sociable. Comment un sédatif peut-il égayer ? Votre sociabilité accrue naît en fait de la sédation d'une partie de votre cerveau, le cortex préfrontal. C'est l'un des premiers effets secondaires de l'alcool. Comme nous l'avons vu, cette région du lobe frontal du cerveau humain nous aide à contrôler nos pulsions et à maîtriser notre comportement. L'alcool immobilisant d'abord cette partie du cerveau, nous nous « détendons », nous nous contrôlons moins et devenons plus extravertis. Il s'agit toutefois bien d'une sédation qui touche le cerveau sur le plan anatomique.

Si vous donnez à l'alcool un peu plus de temps, il attaque d'autres parties du cerveau, les entraînant vers un état de stupéfaction, comme avec le cortex préfrontal. Plus la torpeur de l'ivresse s'installe, plus vous vous sentez mou. Votre envie et votre capacité à demeurer conscient sont de plus en plus faibles, et vous pouvez perdre connaissance plus facilement. J'évite toutefois délibérément d'employer le terme « dormir », car la sédation n'est pas une aide au sommeil. L'alcool vous met sous sédatif et vous éloigne de l'état d'éveil, mais ne provoque pas un sommeil naturel. L'état de vos ondes cérébrales électriques sous alcool n'est pas le même que pendant votre sommeil naturel : il s'assimile plutôt à une forme d'anesthésie légère.

Ce n'est toutefois pas le pire effet produit par les verres d'alcool nocturnes sur votre sommeil. Outre leur influence sédative artificielle, ils défont le sommeil de deux autres façons.

Premièrement, l'alcool fragmente le sommeil, ponctuant la nuit de réveils brefs. Le sommeil sous alcool n'est pas continu, donc pas réparateur. Malheureusement, le dormeur n'a généralement pas conscience de ces réveils nocturnes, car il ne s'en souvient pas. Les personnes ne réussissent pas à faire le lien entre leur consommation d'alcool de la soirée et leur sensation de fatigue le jour suivant, pourtant liée à une perturbation non perçue du sommeil. Gardez l'œil sur la coïncidence entre ces deux faits chez vous et/ou chez les autres.

Deuxièmement, l'alcool est l'un des suppresseurs de sommeil REM les plus puissants que l'on connaisse. Quand le corps métabolise l'alcool, il fabrique des produits chimiques dérivés que l'on nomme aldéhydes et cétones. Les aldéhydes, notamment, empêchent le cerveau de générer du sommeil REM. C'est un peu comme la version cérébrale d'un arrêt cardiaque, qui bloque les pulsations des ondes cérébrales devant générer le sommeil de rêves. Consommer de l'alcool, même en quantité limitée, dans l'après-midi et/ou dans la soirée revient donc à se priver de rêves.

Une preuve triste et très parlante de ce phénomène a été observée auprès de personnes alcooliques qui, après avoir bu, ne disposent que d'une très faible dose de sommeil REM identifiable. Passer autant de temps sans rêver engendre une accumulation énorme ainsi qu'un retard de la pression de sommeil REM. Tellement énorme, en réalité, que les conséquences en sont effrayantes puisque les rêves viennent alors s'infiltrer avec agressivité pendant l'éveil. La pression refoulée du sommeil REM jaillit puissamment dans la conscience, causant des hallucinations, des délires et de fortes désorientations. Le terme technique utilisé pour décrire cet état psychotique terrifiant est *delirium tremens*[1].

Si une personne dépendante de l'alcool entame un programme de désintoxication et s'abstient d'en boire, son cerveau se met à s'abreuver de sommeil REM. Il se goinfre dans un effort désespéré de récupérer ce dont il a été longtemps privé – on appelle cet effet le rebond de sommeil REM. Les mêmes conséquences dues à une pression excessive de sommeil REM sont observées chez les personnes ayant tenté de battre le record du monde de privation de sommeil (avant l'interdiction de cet exploit dangereux).

Il n'est toutefois pas besoin de consommer de l'alcool en quantités excessives pour souffrir de ces conséquences nocives et perturbatrices sur le sommeil REM, comme l'atteste l'étude suivante. Souvenez-vous que l'une des fonctions du sommeil REM est d'aider à l'intégration et l'association des souvenirs, type de traitement d'informations nécessaire au développement des règles grammaticales dans l'apprentissage d'une nouvelle langue, ou à la synthèse d'un grand nombre de faits connexes dans un ensemble interconnecté. Les chercheurs ont ainsi recruté un large groupe d'étudiants en université pour mener une étude sur sept jours. Les participants subissaient l'une des trois conditions expérimentales prédéfinies. Le premier jour, tous devaient apprendre une nouvelle grammaire artificielle, comme un langage de code sur ordinateur ou une forme

1. V. ZARCONE, « Alcoholism and sleep », *Advances in Bioscience and Biotechnology*, 21, 1978, 29-38.

d'algèbre, typiquement le genre de tâche mémorielle permise par le sommeil REM. Tout le monde apprenait ces nouvelles informations avec un grand niveau de précision le premier jour – environ 90 % d'exactitude. Une semaine plus tard, les participants étaient testés pour savoir quelle quantité d'information avait été solidifiée par les six nuits de sommeil intermédiaires.

Ce qui distinguait les trois groupes était le type de sommeil obtenu. Dans le premier – le groupe de référence – les participants avaient le droit de dormir naturellement et totalement pendant toutes les nuits intermédiaires. Dans le deuxième groupe, les chercheurs donnaient un peu d'alcool aux étudiants avant qu'ils ne s'endorment la première nuit suivant l'apprentissage de la journée. Ils donnaient aux participants deux ou trois doses de vodka mélangée à du jus d'orange, homogénéisant le taux d'alcool dans le sang en fonction du genre et du poids. Dans le troisième groupe, ils permettaient aux participants de dormir naturellement la première et même la deuxième nuit après l'apprentissage, puis leur donnaient la même quantité d'alcool avant qu'ils ne se couchent la troisième nuit.

Notez que les trois groupes étaient sobres lorsqu'ils apprenaient le contenu le premier jour et lorsqu'ils étaient évalués le septième jour. La différence de mémorisation entre les trois ne pouvait donc pas s'expliquer par les effets directs de l'alcool sur la formation de la mémoire ou les souvenirs ultérieurs, mais bien par la perturbation du soutien à la mémoire produite entre-temps.

Le septième jour, les participants du groupe de référence se souvenaient de tout ce qu'ils avaient appris à l'origine, montrant même une amélioration de l'abstraction et de la rétention de la connaissance par rapport à leurs niveaux d'apprentissage initiaux, comme nous savons que le permet un sommeil solide. En revanche, ceux dont le sommeil avait été arrosé d'alcool la première nuit après l'apprentissage souffraient de ce que l'on peut appeler, avec prudence, une amnésie partielle, ayant oublié plus de 50 % de leur savoir initial au bout de sept jours. Cela correspond bien aux faits dont nous avons parlé plus tôt : le cerveau a besoin de dormir la première nuit après l'apprentissage pour permettre le traitement mémoriel.

La vraie surprise est survenue avec les résultats du troisième groupe. Même s'ils avaient dormi naturellement pendant deux nuits entières après l'apprentissage, le fait que leur sommeil ait été arrosé d'alcool la troisième nuit a entraîné un degré d'amnésie presque équivalent – 40 % des connaissances durement acquises le premier jour étaient oubliées.

L'alcool interfère avec le travail nocturne du sommeil REM, qui permet normalement l'assimilation et la mémorisation des connaissances complexes. Plus surprenant encore : le cerveau n'a pas fini de traiter les connaissances après la première nuit de sommeil, les souvenirs demeurant dangereusement vulnérables à toute perturbation de celui-ci (notamment par l'alcool), même jusqu'à trois nuits après l'apprentissage, et malgré les deux nuits complètes de sommeil naturel ayant suivi ce dernier.

Plus concrètement, imaginons que vous êtes étudiant, en révision pour un examen ayant lieu le lundi suivant. Assidu, vous étudiez toute la journée du mercredi.

Vos amis vous invitent à sortir boire des verres ce soir-là, mais comme savez à quel point il est important de dormir, vous déclinez l'invitation. Le jeudi, vos amis vous proposent de nouveau de sortir boire quelques coups dans la soirée, mais, par précaution, vous refusez et dormez profondément une deuxième nuit d'affilée. Le vendredi arrive – la troisième nuit après votre apprentissage –, tout le monde se prépare à boire et faire la fête. Bien sûr, après tant de sérieux et deux nuits passées à bien dormir après vos révisions, vous pouvez vous détendre en sachant que vos connaissances sont bien gardées, parfaitement traitées par la banque de votre mémoire. Ce n'est malheureusement pas le cas. Même à ce moment-là du processus, consommer de l'alcool balaie la majorité de ce que vous avez appris et êtes en mesure de théoriser, en bloquant votre sommeil REM.

Combien de temps faut-il pour que de nouvelles connaissances se retrouvent enfin en sécurité ? Nous ne le savons pas vraiment, même si certaines études en cours annoncent plusieurs semaines. Ce que nous savons, c'est que le sommeil n'a toujours pas totalement traité les nouveaux souvenirs au bout de trois nuits. J'ai subi les grognements plaintifs de mes étudiants lorsque je leur ai présenté ces découvertes. Le conseil politiquement incorrect que je (ne) donne (bien sûr jamais) est le suivant : allez boire des coups au bar pendant la matinée. De cette façon, l'alcool aura été évacué de votre système lorsque vous irez vous coucher.

Conseil désinvolte mis à part, quelle recommandation faut-il offrir en matière de sommeil et d'alcool ? Il est difficile de ne pas paraître puritain, mais les preuves des effets néfastes de l'alcool sur le sommeil sont trop flagrantes pour que l'on puisse suggérer que boire ne dessert ni vous ni la science. Nombreux sont ceux qui aiment boire un verre de vin au dîner, voire prendre un digestif par la suite, mais il faut plusieurs heures à votre foie et vos reins pour dégrader et expulser l'alcool, même si vos enzymes décomposent rapidement l'éthanol. Boire de l'alcool le soir perturbe votre sommeil : le meilleur conseil que je puisse vous donner, et le plus honnête bien qu'agaçant, est donc de vous abstenir.

Offrez-vous un rafraîchissement nocturne

L'environnement thermique, notamment la température enveloppant votre corps et votre cerveau, est sans doute le facteur le plus sous-estimé de la facilité avec laquelle vous vous endormez et de la qualité de votre sommeil. La température ambiante dans la chambre, vos draps et votre pyjama déterminent l'enveloppe thermique de votre corps pendant la nuit. La température ambiante de la chambre a beaucoup pâti de la modernité, évolution différenciant fortement les pratiques de sommeil de l'homme moderne de celles des cultures préindustrielles et des animaux.

Pour que vous dormiez d'un sommeil correct, tel que nous l'avons décrit dans le chapitre 2, votre température corporelle doit baisser d'environ un degré. Pour cette raison, il est toujours plus facile de s'endormir dans une chambre où il fait trop froid que dans une chambre où il fait trop chaud, puisque cela permet au moins de faire évoluer la température de votre cerveau et de votre corps vers la bonne direction (le bas).

La baisse de la température corporelle est détectée par un groupe de cellules thermosensibles situées au centre du cerveau, dans l'hypothalamus. Ces cellules vivent à côté de l'horloge journalière du noyau suprachiasmatique, et ce pour une bonne raison. Une fois la température corporelle descendue sous un certain seuil au cours de la soirée, les cellules thermosensibles se dépêchent de livrer un message à leur voisin, le noyau suprachiasmatique. Ce message vient s'ajouter au déclin de la lumière naturelle et informe le noyau suprachiasmatique qu'il peut commencer à augmenter le taux de mélatonine nocturne, lui donnant en même temps l'ordre programmé du sommeil. Votre niveau de mélatonine nocturne est ainsi contrôlé non seulement par la perte de la lumière au moment du passage du jour au crépuscule, mais également par la baisse de température coïncidant avec le coucher du soleil. La lumière et la température environnementales dictent donc de manière synergique bien qu'indépendante le taux nocturne de mélatonine, permettant l'établissement d'un sommeil idéalement réglé.

Votre corps n'est toutefois pas passif lorsqu'il se laisse endormir par la fraîcheur de la nuit : il participe activement. Vous contrôlez notamment sa température en utilisant la surface de votre peau. La majeure partie de ce travail thermique est effectuée par trois parties de votre corps : vos mains, vos pieds et votre tête. Ces trois zones sont riches en vaisseaux sanguins entrecroisés, que l'on nomme « anastomoses artérioveineuses », situées près de la surface de la peau. Comme avec des vêtements suspendus sur une corde à linge, ces vaisseaux permettent au sang de se diffuser sur une grande surface de la peau, au contact proche de l'air les entourant. Les mains, les pieds et la tête apparaissent ainsi comme des systèmes de rayonnement étonnamment efficaces, se débarrassant de la chaleur corporelle juste avant le début du sommeil, lors d'une séance d'évacuation thermique massive destinée à faire baisser la température de votre corps. Avoir les mains et les pieds chauds permet de refroidir la température du corps, donc de s'endormir vite et bien.

Ce n'est pas un hasard de l'évolution si nous, êtres humains, avons développé un rituel de pré-coucher consistant à asperger d'eau l'une des parties du corps les plus vascularisées – notre visage – au moyen d'une autre des surfaces fortement vascularisées, nos mains. Vous pensez peut-être que c'est la sensation d'avoir le visage propre qui vous aide à mieux dormir, mais elle ne change pourtant rien au sommeil. Ce sont les propriétés de l'acte en soi qui aident à dormir, car l'eau chaude ou froide aide à évacuer la chaleur de la surface de votre peau en s'évaporant, faisant ainsi baisser votre température interne.

Ce besoin de faire baisser la température de nos extrémités explique également pourquoi vous sortez sans doute parfois vos mains et vos pieds de sous les couvertures pendant la nuit : c'est que votre température devient trop élevée, la plupart du temps sans que vous en ayez conscience. Si vous avez des enfants, vous avez probablement déjà observé ce phénomène en allant vérifier que tout va bien en fin de soirée : leurs bras et jambes pendent du lit de façon amusante (et adorable), dans une position bien différente de celle dans laquelle vous les avez soigneusement mis sous les draps. Cette rébellion des membres permet de conserver la fraîcheur du corps, donc de trouver le sommeil et de le garder.

Sur le plan de l'évolution, l'interdépendance entre le sommeil et le refroidissement du corps est liée aux fluctuations de température sur une période de vingt-quatre heures. Les *Homo sapiens* (donc les schémas de sommeil actuels) ont évolué dans les régions orientales équatoriales de l'Afrique. Même si les fluctuations de température moyennes n'étaient que modestes pendant l'année (+/– 3 °C), ces régions connaissaient des écarts de température importants entre le jour et la nuit, en hiver (+/– 8 °C) comme en été (+/– 7 °C).

Les sociétés préindustrielles, telles que la tribu nomade Gabbra au nord du Kenya ou les chasseurs-cueilleurs des tribus Hadza et San, sont restées en harmonie thermique avec ce cycle jour-nuit, dormant de leur naissance jusqu'à la mort dans des huttes poreuses sans climatisation ni chauffage, avec peu de draps, à moitié nus. Cette exposition aux fluctuations de la température ambiante est un facteur majeur (avec l'absence de lumière artificielle le soir) de la qualité de leur sommeil, à la fois sain et bien programmé. Sans contrôle de la température intérieure, sans couverture épaisse ni trop de vêtements, ils bénéficient d'une sorte de libéralisme thermique venant soutenir, plutôt que combattre, les besoins inhérents au sommeil.

En revanche, les cultures industrialisées ont détruit leur lien avec ces hausses et baisses naturelles de la température environnementale. Dans nos maisons au climat contrôlé par le chauffage ou la climatisation, par l'utilisation de couettes et de pyjamas, nous avons créé dans nos chambres un environnement thermique à peine variable, voire constant. Privé de la baisse naturelle de température le soir, notre cerveau ne reçoit pas dans l'hypothalamus les instructions de refroidissement facilitant la libération naturellement réglée de mélatonine. De plus, notre peau a du mal à « expirer » la chaleur pour baisser la température corporelle et faire la transition vers le sommeil, suffoquant en raison de l'indication de chaleur constante due au contrôle des températures en intérieur.

Une température de 18,3 °C dans la chambre est idéale pour le sommeil de la plupart d'entre nous, avec du linge de lit et des habits standard. C'est une information surprenante pour beaucoup de personnes, car cela semble un peu trop froid pour être agréable. Bien sûr, cette température spécifique varie selon la physiologie unique de chaque individu, son genre et son âge. Toutefois, comme pour les recommandations en matière de calories, c'est un bon objectif à atteindre pour l'être humain moyen. Nous sommes nombreux à régler la température de notre maison et/ou de notre chambre plus chaudement que ce que serait la température optimale pour un sommeil correct, contribuant sans doute à une quantité et/ou qualité de sommeil moindre par rapport à celle que nous pourrions obtenir. Dormir à moins de 12,5 °C peut être plus nocif que bénéfique, sauf si vous utilisez des couvertures ou des vêtements chauds. La plupart d'entre nous tombons toutefois dans l'excès inverse, réglant trop fort la température de notre chambre, à 21 ou 22 °C. Les médecins du sommeil qui traitent les patients insomniaques les questionnent en général sur la température de leur chambre et leur conseillent de la baisser de deux à trois degrés.

Quiconque refuse de croire en l'influence de la température sur le sommeil peut découvrir les étranges expériences réalisées en ce domaine dans divers comptes rendus de recherches. Certains scientifiques ont par exemple réchauffé doucement les pieds ou les corps de rats pour inciter leur sang à remonter à la surface de leur peau pour émettre de la chaleur et faire baisser la température de leur corps. Les rats se sont alors assoupis bien plus vite que la normale.

Dans une version humaine plus excentrique de cette expérience, les scientifiques ont créé une combinaison thermique rappelant les combinaisons de plongée. L'expérience impliquait l'utilisation d'eau, mais les participants prêts à risquer leur dignité en revêtant la tenue n'ont heureusement pas été mouillés. La doublure était constituée d'un réseau complexe de tubes fins, ou veines. Sillonnant le corps comme une carte routière détaillée, ces veines artificielles traversaient les quartiers principaux que sont les bras, les mains, le buste, les jambes et les pieds. Comme lorsque les différentes régions d'un pays gèrent les routes locales de manière indépendante, chaque territoire corporel recevait ainsi sa propre alimentation en eau. Les scientifiques pouvaient alors choisir de façon délicate et sélective vers quelles parties du corps ils faisaient passer l'eau, contrôlant la température de la surface de la peau sur les diverses parties du corps – pendant que les participants restaient tranquillement au lit.

Le fait de réchauffer juste un peu les pieds et les mains (d'environ 0,5 °C) provoquait un afflux sanguin dans ces régions, permettant d'évacuer la chaleur au centre du corps, où elle restait bloquée. Voici le résultat de tant d'ingéniosité : le sommeil gagnait les participants plus rapidement. Ils mettaient 20 % de temps en moins à s'endormir que d'habitude, même s'ils étaient jeunes, en bonne santé et qu'ils avaient l'habitude de s'endormir vite[1].

Non contents de cette réussite, les scientifiques se mirent au défi d'améliorer le sommeil de deux groupes bien plus problématiques : des adultes âgés ayant souvent plus de mal à s'endormir, et des patients insomniaques au sommeil particulièrement coriace. Comme dans le cas des jeunes adultes, les adultes plus âgés mirent 18 % moins de temps à s'endormir que d'habitude avec l'assistance thermique de la combinaison. L'amélioration était plus impressionnante encore chez les insomniaques, avec une réduction de 25 % du temps d'endormissement.

Mieux encore, quand les chercheurs continuaient à refroidir la température corporelle pendant la nuit, le temps de sommeil stable augmentait et que le temps de veille baissait. Avant cette thérapie de refroidissement du corps, les participants avaient 58 % de chances de se réveiller pendant la dernière moitié de la nuit et peinaient à se rendormir – symbole classique de l'insomnie avec éveils nocturnes. Avec l'aide de la combinaison, ce risque chutait à seulement 4 %. Même la qualité électrique du sommeil – particulièrement des ondes cérébrales profondes et puissantes du sommeil

1. R. J. Raymann et E. J. Van Someren, « Diminished capability to recognize the optimal temperature for sleep initiation may contribute to poor sleep in elderly people », *Sleep*, 31(9), 2008, 1301-1309.

NREM – était améliorée par la manipulation thermique, chez tous les participants.

Peut-être sans le savoir, vous avez sans doute vous aussi manipulé la température de votre corps pour vous aider à dormir. Pour bon nombre d'entre nous, le luxe est de se faire couler un bain chaud dans la soirée pour y plonger son corps avant le coucher. Nous avons la sensation que cela nous aide à nous endormir plus rapidement. C'est peut-être vrai, mais pour la raison inverse de celle que la plupart imaginent. Vous ne vous endormez pas parce que vous êtes chaud de l'intérieur. En réalité, le bain chaud appelle votre sang à monter à la surface de votre peau, ce qui vous fait rougir. Lorsque vous sortez du bain, les vaisseaux sanguins dilatés à la surface de votre peau vous aident à libérer rapidement votre chaleur intérieure, faisant chuter votre température corporelle. Vous vous endormez donc plus vite, parce que votre corps est plus froid. Prendre un bain chaud avant le coucher peut également entraîner 10 % à 15 % de sommeil NREM en plus chez les adultes en bonne santé.[1]

---

1. J. A. Horne et B. S. Shackell, « Slow wave sleep elevations after body heating: Proximity to sleep and effects of aspirin », *Sleep*, 10(4), 1987, 383-392 ; J. A. Horne et A. J. Reid, « Night-time sleep EEG changes following body heating in a warm bath », *Electroencephalography and Clinical Neurophysiology*, 60(2), 1985, 154-157.

Un fait alarmant

Outre les effets nocifs de l'éclairage nocturne et de la constance de température, l'ère industrielle a infligé un autre coup à notre sommeil : les réveils forcés. L'avènement de l'ère industrielle et l'émergence des grandes entreprises ont lancé un défi. Comment garantir l'arrivée massive de la main-d'œuvre au même moment, notamment en début de journée ?

La solution a pris la forme d'une sonnerie d'usine – sans doute la première version (la plus bruyante) du réveille-matin. Le son aigu du sifflet retentissant dans tout le village avait pour but de tirer un grand nombre de travailleurs hors du sommeil à la même heure tous les matins. Un second coup signalait généralement le début de la période de travail elle-même. Ce messager du réveil invasif s'est plus tard frayé un chemin dans la chambre, sous la forme du réveille-matin des temps modernes (et le second coup de sifflet a été remplacé par la routine du pointage).

Aucune autre espèce ne pratique cet acte prématuré et artificiel d'interruption du sommeil[1], et ce pour de bonnes raisons. Comparez l'état physiologique du corps après qu'il a été douloureusement tiré du sommeil par une sonnerie à celui qu'on observe après un réveil naturel. Les participants artificiellement arrachés au sommeil sont victimes d'un pic de tension et d'une accélération immédiate du rythme cardiaque, causés par l'explosion de l'activité dans la branche

1. Pas même les coqs, puisqu'ils ne chantent pas seulement à l'aube mais toute la journée.

du système nerveux responsable de l'état de « lutter ou fuir[1] ».

Bon nombre d'entre nous ignorent que le réveille-matin cache un danger plus grand encore : celui de la répétition d'alarme. Comme si le fait d'alarmer son cœur, littéralement, ne suffisait pas, la fonction de répétition d'alarme lui inflige une agression de façon itérative sur une courte période. Lorsqu'on pense que le phénomène se répète au moins cinq jours par semaine, on comprend tous les mauvais traitements subis par notre cœur et notre système nerveux au cours de notre vie. Se réveiller à la même heure tous les jours, en semaine ou le week-end, permet de maintenir des horaires de sommeil stables en cas de difficultés à dormir. C'est l'un des moyens les plus cohérents et les plus efficaces d'aider les personnes souffrant d'insomnie et c'est pourquoi certaines personnes doivent nécessairement utiliser un réveille-matin. Si c'est votre cas, annulez sa fonction de répétition pour prendre l'habitude de ne vous réveiller qu'une seule fois, épargnant à votre cœur la réitération du choc.

J'ajoute en guise d'aparté que l'un de mes passe-temps favoris est de collectionner les réveille-matin les plus innovants (donc les plus absurdes) dans l'espoir de lister les moyens les plus pervers que nous, êtres humains, utilisons pour faire quitter le sommeil à notre cerveau. L'un d'entre eux est en forme de blocs géométriques s'emboîtant dans des trous sur un autre bloc.

---

1. K. KAIDA, K. OGAWA, M. HAYASHI et T. HORI, « Self-awakening prevents acute rise in blood pressure and heart rate at the time of awakening in elderly people », *Industrial Health*, 43(1), 2005, 179-185.

Le matin, quand l'alarme sonne, le réveil laisse non seulement échapper un son perçant, mais fait aussi jaillir les blocs à travers la chambre. L'alarme ne cesse pas avant que vous ayez récupéré et repositionné tous les blocs dans leurs trous respectifs.

Mon préféré reste toutefois le déchiqueteur, consistant à prendre un billet, disons de vingt euros, pour le glisser à l'avant du réveil au moment du coucher. Quand l'alarme sonne le matin, vous disposez d'un temps limité pour vous réveiller et éteindre le réveil avant qu'il ne commence à déchiqueter le billet. Dan Ariely, brillant économiste comportemental, a imaginé un système encore plus diabolique, par lequel votre réveil se retrouve connecté par Wi-Fi à votre compte en banque. À chaque seconde où vous restez couché, le réveil envoie dix euros à une organisation politique… que vous méprisez totalement.

Le fait que nous ayons mis au point des moyens aussi créatifs – voire douloureux – de nous réveiller le matin en dit long sur le manque de sommeil dont souffrent nos cerveaux. Pris au piège des nuits trop éclairées et des réveils matinaux, privés de nos cycles thermiques de vingt-quatre heures, la caféine et l'alcool déferlant dans notre corps en quantités variables, nous sommes nombreux à nous sentir à juste titre fatigués, brûlant d'envie d'obtenir ce qui nous semble hors de portée : une nuit complète, reposante, de sommeil profond et naturel. Et ce n'est pas dans les environnements intérieurs et extérieurs dans lesquels nous évoluons au XXIe siècle que nous pouvons nous allonger pour nous reposer. Pour reprendre un concept agricole développé par le fantastique écrivain et poète Wendell Berry[1], la société moderne a pris une solution parfaite de la nature (le sommeil) pour la diviser en deux problèmes : (1) un manque de sommeil pendant la nuit, résultant en (2) une incapacité à demeurer pleinement éveillé pendant la journée. Ces problèmes ont poussé de nombreuses personnes à se tourner vers la prescription de somnifères. Est-ce une attitude sage ? J'apporterai dans le prochain chapitre des réponses à partir de faits scientifiques et médicaux.

---

1. « The genius of American farm experts is very well demonstrated here: they can take a solution and divide it neatly into two problems », (W. Berry, *The Unsettling of America: Culture & Agriculture*, 1996, p. 62).

14

Meurtrir votre sommeil ou l'aider

Somnifères vs *thérapie*

Au cours du mois dernier, presque 10 millions de personnes aux États-Unis ont consommé une forme quelconque d'aide au sommeil. Plus significatif encore, et c'est le thème central de ce chapitre : l'utilisation (l'abus) de somnifères sur ordonnance. Les somnifères n'entraînent pas un sommeil naturel. Ils peuvent altérer votre santé et augmentent les risques de maladies mortelles. Nous examinerons les alternatives existantes permettant d'améliorer le sommeil et de lutter contre l'insomnie.

Dois-je en prendre deux avant d'aller me coucher ?

Dans le passé comme aujourd'hui, aucun médicament censé faire dormir vendu légalement (ou non) ne plonge dans un sommeil naturel. Ne vous méprenez pas : je ne suis pas en train de dire que vous ne dormez pas après avoir pris vos somnifères, mais il serait également faux d'affirmer qu'ils vous permettent de faire l'expérience d'un sommeil naturel.

Les anciens somnifères – appelés « sédatif-hypnotiques », comme le diazépam – étaient devenus des outils émoussés, fonctionnant surtout comme des sédatifs. Nombreux sont ceux qui confondent les deux, ce que l'on comprend aisément. La plupart des nouveaux somnifères offrent le même service, mais leurs effets sédatifs sont légèrement moins lourds. Les somnifères, anciens ou nouveaux, ciblent le même système cérébral que l'alcool – les récepteurs empêchant la mise en action des cellules de votre cerveau –, et intègrent donc la même catégorie générale de médicaments, les sédatifs. De fait, les somnifères mettent K-O les régions les plus élevées de votre cortex.

Par comparaison avec l'activité naturelle des ondes cérébrales du sommeil profond, pour celle qui est induite par les somnifères modernes, comme le zolpidem (commercialisé par exemple sous le nom d'Ambien ou de Stilnox) ou l'eszopiclone (Lunesta), on remarque que la signature électrique, ou qualité, est défaillante. La nature électrique du « sommeil » produit par ces médicaments est absente des ondes cérébrales les plus larges et les plus profondes[1]. Il faut ajouter à ce phénomène un certain nombre d'effets secondaires involontaires, dont un état d'engourdissement le matin, des étourderies pendant la journée, l'accomplissement pendant la nuit d'actions dont vous n'avez pas conscience (ou du moins que vous avez partiellement oubliées au réveil), et un temps de réaction rallongé pendant la journée, pouvant entacher vos facultés motrices, telles que la conduite.

Ces symptômes, également présents avec les somnifères modernes à court terme vendus sur le marché, sont à l'origine d'un cercle vicieux. Un réveil embrumé peut entraîner une plus grande consommation de café ou de thé au cours de la journée ou de la soirée, et la caféine rend en retour plus difficile l'endormissement du soir, faisant empirer l'insomnie. En réaction, les patients prennent souvent un demi-somnifère, voire un somnifère de plus le soir, mais cela ne fait qu'amplifier leur sensation d'engourdissement le jour suivant. On consomme alors encore plus de caféine, et la spirale infernale se poursuit.

Une autre caractéristique profondément désagréable des somnifères est le rebond d'insomnie. Lorsqu'on cesse de prendre ces médicaments, il arrive fréquemment que la qualité de sommeil empire, pouvant devenir encore plus mauvaise que celle qui avait incité à la prise des somnifères au début. La cause de ce rebond d'insomnie est un type de dépendance par lequel le

1. E. L. Arbon, M. Knurowska et D. J. Dijk, « Randomised clinical trial of the effects of prolonged release melatonin, temazepam and zolpidem on slow-wave activity during sleep in healthy people », *Journal of Psychopharmacology*, 29(7), 2015, 764-776.

cerveau altère l'équilibre de ses récepteurs en réaction à l'augmentation de la dose de drogue, pour tenter d'y devenir moins sensible et contrer la présence de l'élément chimique étranger. C'est ce que l'on nomme la tolérance à la drogue. Mais, lorsque la consommation de cette drogue cesse, un processus de manque se met en place, impliquant notamment un pic inconfortable de l'insomnie.

Cela ne vous surprend sans doute pas. La majorité des somnifères sur ordonnance entrent après tout dans la catégorie des drogues à addiction. La dépendance augmente avec une consommation continue et le manque s'ensuit dans l'abstinence. Bien sûr, lorsque les patients cessent d'en prendre pour une nuit et dorment mal en raison du rebond d'insomnie, ils choisissent souvent de reprendre directement le médicament la nuit suivante. Rares sont ceux qui comprennent que cette nuit d'insomnie sévère et le besoin de reprendre le somnifère sont partiellement ou totalement causés par l'utilisation persistante du médicament à l'origine.

L'ironie, c'est que de nombreux individus ne connaissent qu'une légère augmentation de leur « sommeil » avec ces médicaments, dont le bienfait est plus subjectif qu'objectif. Une équipe de médecins et chercheurs de premier plan a récemment examiné toutes les études publiées à ce jour consacrées aux somnifères sédatifs modernes les plus consommés[1]. Ils ont

1. T. B. HUEDO-MEDINA, I. KIRSCH, J. MIDDLEMASS *et al.*, « Effectiveness of nonbenzodiazepine hypnotics in treatment of adult insomnia: meta-analysis of data submitted to the Food and Drug Administration », *BMJ*, 345, 2012, e8343.

ainsi analysé soixante-cinq études sur divers placebos, englobant presque quatre mille cinq cents individus. Dans l'ensemble, les participants ont la sensation de s'endormir plus rapidement et de dormir d'un sommeil plus profond, avec moins de réveils nocturnes lorsqu'ils prennent un somnifère, par rapport au placebo. Ce n'est toutefois pas ce que montre l'enregistrement de leur sommeil effectif, égal dans les deux cas. Le placebo comme les somnifères réduisent le temps d'endormissement (de dix à trente minutes), mais il n'y a aucune différence statistique entre les deux. En d'autres termes, les somnifères ne présentent aucun bénéfice objectif par rapport au placebo.

Pour résumer ces découvertes, le comité a déclaré que les somnifères ne produisent que de « légères améliorations du sommeil, sur les plans polysomnographique et subjectif » – c'est-à-dire une amélioration du temps d'endormissement. Le comité a conclu le rapport en disant que l'effet des médicaments actuels censés faire dormir est « plutôt faible et son importance sur le plan clinique douteuse ». Même les médicaments les plus récents, que l'on nomme suvorexant (commercialisés sous le nom Belsomra), s'avèrent d'une efficacité minime, comme nous l'avons dit dans le chapitre 12. Les versions futures de ces médicaments permettront peut-être des améliorations significatives du sommeil, mais pour le moment les données scientifiques suggèrent que les somnifères prescrits ne sont sans doute pas un moyen d'atteindre un bon sommeil lorsqu'on tente de le trouver par soi-même.

Somnifères – la brute, la brute et le truand

Les somnifères actuels vendus sur ordonnance ne sont pas d'une grande aide, mais peuvent-ils même être nocifs, voire mortels ? De nombreuses études fournissent des informations sur ce plan, même si le grand public reste peu au fait de leurs découvertes.

Comme nous l'avons appris, le sommeil profond naturel permet de renforcer nos nouvelles connaissances, nécessitant notamment pour cela le renforcement actif des connexions entre les synapses du circuit mémoriel. Des études récentes sur les animaux ont cherché à savoir en quoi cette fonction essentielle de stockage nocturne est affectée par un sommeil sous médicaments. Après une période d'apprentissage intensif, les chercheurs de l'université de Pennsylvanie ont donné à des animaux soit une dose de zolpidem adaptée à leur poids, soit un placebo, avant d'examiner les changements produits dans les deux groupes au moment où leur cerveau se reconnecte après l'éveil. Comme on pouvait s'y attendre, le sommeil naturel renforce les connexions mémorielles du cerveau pour le groupe placebo formé pendant la phase d'apprentissage initiale. Le sommeil sous zolpidem échoue non seulement à atteindre les mêmes bienfaits (même si les animaux dorment plus longtemps), mais il entraîne un *affaiblissement* (déconnexion) de 50 % des connexions entre les cellules originellement formées pendant l'apprentissage. De ce fait, le sommeil sous zolpidem efface la mémoire plus qu'il ne la renforce.

Si des découvertes similaires continuent d'apparaître, notamment chez les humains, les compagnies pharmaceutiques devront peut-être reconnaître que même si les utilisateurs de somnifères peuvent s'endormir théoriquement plus vite le soir, ils doivent s'attendre à se réveiller avec peu (moins) de souvenirs de la veille. C'est un point particulièrement important si l'on considère que la moyenne d'âge des personnes sous ordonnance de somnifères baisse à mesure que les plaintes concernant le sommeil et les insomnies infantiles augmentent. Dans ce cas, les médecins et parents devront rester vigilants face à la tentation de l'ordonnance, pour que les jeunes cerveaux, dont les connexions restent en cours d'établissement jusqu'à vingt ans, ne soient pas obligés de relever le défi déjà difficile du développement neuronal et de l'apprentissage sous l'influence subversive des somnifères[1].

Plus problématiques encore que la reconnexion du cerveau, les effets médicaux des somnifères sur le corps, malheureusement peu connus. Les plus controversés et alarmants sont ceux qui ont été mis en lumière par le Dr Daniel Kripke, médecin à l'université de Californie, à San Diego. Kripke a découvert que les individus utilisant des somnifères prescrits présentent un risque

1. Autre problème lié à celui-ci : l'utilisation de somnifères par les femmes enceintes. Un compte rendu scientifique récent sur l'Ambien (zolpidem) rédigé par une équipe d'experts mondiaux de premier plan a déclaré : « L'utilisation de zolpidem devrait être évitée pendant la grossesse. On pense que les enfants nés de mères ayant consommé des somnifères sédatifs tels que le zolpidem risquent de devenir physiquement dépendants et de présenter des symptômes de manque pendant la période postnatale. » (J. MacFarlane, C. M. Morin et J. Montplaisir, « Hypnotics in insomnia: the experience of zolpidem », *Clinical Therapeutics*, 36(11), 2014, 1676-1701).

significativement plus élevé de mourir et de développer un cancer que ceux qui n'en consomment pas[1]. Il me faut souligner pour commencer que Kripke (tout comme moi) ne possède aucune part d'aucune compagnie de produits pharmaceutiques, et qu'il n'a donc aucune chance de gagner ou perdre de l'argent par un examen des liens entre somnifères et santé – bonne ou mauvaise.

Au début des années 2000, le taux d'insomnie a considérablement augmenté, et le nombre de somnifères prescrits a connu une hausse spectaculaire. Cela signifie que nous disposons pour cette période de bien plus de données que pour les périodes précédentes. Kripke a donc commencé à observer ces vastes bases de données épidémiologiques, afin de déterminer s'il existe un lien entre l'utilisation de somnifères et les troubles pathologiques ou le risque de mortalité. C'est le cas. Les analyses livrent régulièrement le même message : les consommateurs de somnifères ont significativement plus de risques de mourir pendant la période des études (en général quelques années) que ceux qui n'en consomment pas ; nous évoquerons plus tard les raisons de ce phénomène.

Il était toutefois délicat de mener une comparaison exacte avec ces données anciennes, car les participants aux études n'étaient pas assez nombreux ni les facteurs de mesure assez contrôlables pour que Kripke puisse véritablement déterminer l'effet précis des somnifères. Mais les conditions étaient réunies en 2012, permettant à Kripke et ses collègues d'établir une juste

---

1. D. F. Kripke, R. D. Langer et L. E. Kline, « Hypnotics' association with mortality or cancer: a matched cohort study », *BMJ Open*, 2(1), 2012, e000850.

comparaison par l'analyse de plus de dix mille patients consommateurs de somnifères – du zolpidem (Ambien ou Stilnox) pour une large majorité, du temazepam (Restoril ou Normison) pour certains – et de vingt mille individus correspondants, de même âge, race, genre et milieu, ne prenant pas de somnifères. Kripke a pu en outre contrôler de nombreux autres facteurs susceptibles de contribuer accidentellement à la mortalité, tels que l'indice de masse corporelle, l'histoire de l'exercice, du tabagisme et de la consommation d'alcool de chacun. Il a ainsi observé les risques de maladie et de mort au cours d'une période de deux ans et demi, comme l'illustre le schéma 15[1].

Les personnes prenant des somnifères avaient 4,6 fois plus de chances de mourir sur cette courte période de deux ans et demi que celles qui n'en consommaient pas. Kripke a découvert par la suite que le risque de mort montait en flèche avec une utilisation fréquente. Ces individus considérés comme de gros consommateurs, c'est-à-dire prenant cent trente-deux cachets par an, avaient 5,3 fois plus de risques de mourir au cours de l'étude que les participants du groupe contrôle n'en consommant pas.

Le risque de mortalité s'avère plus alarmant chez les personnes ayant testé les somnifères. Même les utilisateurs occasionnels – définis comme ne consommant que dix-huit pilules par an – ont 3,6 fois plus de risques de mourir sur la période considérée que les autres. Kripke n'est pas le seul chercheur à avoir découvert de tels liens. Il existe désormais plus de quinze études réalisées sur

1. *Ibid.*

divers groupes dans le monde entier montrant un taux élevé de mortalité chez les consommateurs de somnifères.

Quelles sont les causes de la mort des utilisateurs de somnifères ? C'est une question à laquelle il est plus difficile de répondre à partir des données disponibles, même si les sources sont bien sûr nombreuses. Cherchant à trouver des réponses, Kripke et d'autres groupes de chercheurs indépendants ont désormais évalué les données d'études incluant presque tous les somnifères communs, dont le zolpidem (Ambien ou Stilnox), le temazépam (Restoril ou Normison), l'eszopicone (Lunesta), le zalepon (Sonata) et d'autres sédatifs tels que le triazolam (Halcion) et le flurazépam (Dalmane).

Figure 15. Risque de mort selon la consommation de somnifères[1]

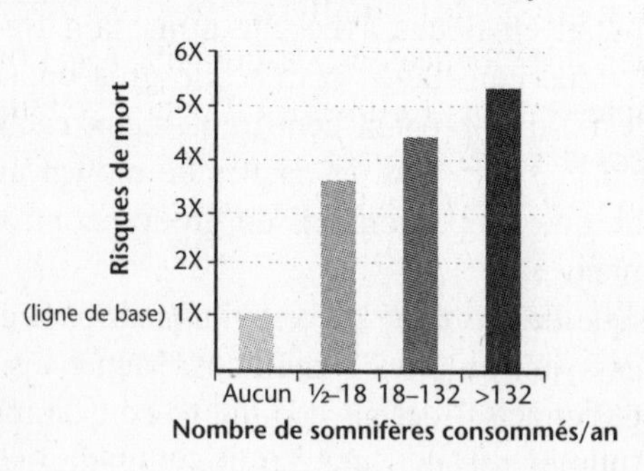

1. Source : D. F. Kripke, *The Dark Side of Sleeping Pills: Mortality and Cancer Risks, Which Pills to Avoid & Better Alternatives*, mars 2013. Disponible sur : www.darksideofsleepingpills.com.

L'une des causes fréquentes de mortalité semble être un taux anormalement élevé d'infections. Comme nous l'avons également dit dans les chapitres précédents, le sommeil naturel est l'un des plus puissants amplificateurs du système immunitaire, aidant à repousser les infections. Pourquoi des personnes consommant des somnifères censés « améliorer » leur sommeil souffrent-elles d'une augmentation du taux de diverses infections, quand l'inverse serait attendu ? Il est possible que le sommeil induit par les médicaments ne fournisse pas les mêmes bienfaits restaurateurs pour le système immunitaire que le sommeil naturel, fait troublant pour les personnes âgées, plus susceptibles de souffrir d'infections. Elles sont avec les nouveau-nés les personnes les plus vulnérables de nos sociétés sur le plan immunitaire. Les personnes âgées sont également les plus grandes consommatrices de somnifères, représentant plus de 50 % des ordonnances en ce domaine. Si l'on prend en compte ces faits fortuits, il est peut-être temps pour la médecine de réévaluer la fréquence des prescriptions de somnifères chez les personnes âgées.

Une autre cause de mort liée à l'utilisation de somnifères est le risque accru de mourir dans un accident de voiture, sans doute causé par le sommeil non réparateur que de tels médicaments induisent et/ou par l'état d'endormissement dont souffrent certaines personnes, laissant les conducteurs somnolents lorsqu'ils conduisent le lendemain matin. Le risque élevé de chutes pendant la nuit est un autre facteur de mortalité, notamment chez les personnes âgées. On compte parmi les autres effets indésirables des taux élevés d'AVC et de crises cardiaques.

Vient ensuite le cancer. Des études anciennes ont noté un lien entre les médicaments du sommeil et le risque de mourir d'un cancer, mais les comparaisons établies n'étaient pas assez contrôlées. L'étude de Kripke a permis d'approfondir ces travaux, y incluant le zolpidem (Ambien ou Stilnox), somnifère récent plus approprié. Les personnes consommant des somnifères sont 30 % à 40 % plus susceptibles de développer un cancer dans les deux ans et demi observés par l'étude, par rapport à celles qui n'en consomment pas. Les anciens somnifères, tels que le temazépam (Restoril ou Normison) avaient des effets encore plus forts, les personnes en consommant des quantités faibles ou modérées présentant 60 % plus de risques de développer un cancer. Celles prenant une dose plus élevée de zolpidem (Ambien ou Stilnox) restent vulnérables, avec 30 % de plus de risques de développer un cancer sur les deux ans et demi de durée de l'étude.

Il est intéressant de noter que les expériences conduites sur des animaux par les sociétés pharmaceutiques elles-mêmes évoquent également ce danger cancérigène. Si les données de ces compagnies soumises au site de la Food and Drug Administration (FDA) sont quelque peu obscures, il semble qu'un taux élevé de cancer est apparu chez les rats et les souris auxquels on a fait consommer ces somnifères communs.

Ces découvertes prouvent-elles que les somnifères causent le cancer ? Non. Du moins pas en eux-mêmes. Il existe des explications alternatives. Par exemple, il se peut que le mauvais sommeil dont souffrent les participants avant de prendre les médicaments – à l'origine de l'ordonnance – les prédispose à la maladie, plus que les somnifères en eux-mêmes. Il se peut aussi que plus une personne a du mal à dormir, plus elle consomme de somnifères par la suite, illustrant ainsi la relation observée par Kripke et les autres entre la mortalité, le cancer et la dépendance aux somnifères.

Mais il est tout aussi possible que les somnifères causent la mort et le cancer. Pour obtenir une réponse définitive, nous devons consacrer des essais cliniques expressément destinés à observer ces risques particuliers de morbidité et de mortalité. Ironiquement, un tel essai pourrait bien n'être jamais mené, si un comité éthique estimait que les risques de cancer et de mort déjà apparents liés aux somnifères étaient trop élevés.

Les compagnies pharmaceutiques ne devraient-elles pas être plus transparentes quant aux preuves actuelles et aux risques encourus par l'utilisation de somnifères ? On sait malheureusement que Big Pharma[1] peut être particulièrement inflexible en ce qui concerne la révision des indications médicales. C'est notamment le cas une fois qu'un médicament a été approuvé par les tests basiques de sécurité, et plus encore lorsque le profit devient exorbitant. Il a fallu plus de quarante ans au *Star Wars* original – l'un des films les plus lucratifs de tous les temps – pour réunir trois milliards de dollars de bénéfices et seulement vingt-quatre mois à l'Ambien pour amasser quatre milliards de dollars, sans compter le marché noir. Ce sont des sommes conséquentes, dont

1. Référence au *Big Brother* du roman *1984* de George Orwell, qui désigne aujourd'hui par extension une institution ou une pratique portant atteinte à la vie privée et aux libertés fondamentales. *(N.d.T.)*

je ne peux que penser qu'elles influencent les prises de décision des industries pharmaceutiques à tous les niveaux.

La conclusion sans doute la plus prudente et la moins litigieuse que l'on peut tirer des preuves en présence est qu'aucune étude n'a montré à ce jour que les somnifères sauvent des vies. Or n'est-ce pas après tout le but de la médecine et des traitements médicamenteux ? De mon point de vue scientifique, *bien que non médical*, je crois que les preuves en présence justifient une éducation bien plus transparente des patients envisageant de prendre des somnifères, à tout le moins. De cette façon, chacun peut apprécier les risques et prendre des décisions informées. Par exemple, envisagez-vous de modifier votre consommation de somnifères après avoir lu ce que je viens de vous dire ?

Soyons clairs, je n'ai rien contre les médicaments. Au contraire, je souhaite désespérément qu'un médicament aide un jour les gens à trouver naturellement le sommeil. De nombreux scientifiques qui travaillent pour les industries pharmaceutiques créant des somnifères le font avec de bonnes intentions et un désir honnête d'aider ceux dont le sommeil pose problème. Je le sais, car j'en ai rencontré beaucoup au cours de ma carrière. En tant que chercheur, je suis désireux d'aider la science à explorer de nouveaux traitements médicamenteux dans le cadre d'études indépendantes soigneusement contrôlées. Si un tel médicament – dont les données scientifiques semblent démontrer des bienfaits dépassant largement tout risque pour la santé – est finalement développé, je le soutiendrai. Simplement, il n'existe aucun médicament de ce type à l'heure actuelle.

N'en prenez pas, essayez plutôt ça

Si la recherche de médicaments du sommeil plus sophistiqués se poursuit, une nouvelle vague particulièrement enthousiasmante de méthodes non pharmaceutiques destinées à améliorer le sommeil est arrivée. Au-delà des méthodes de stimulation électrique, magnétique et auditive dont j'ai déjà parlé (toujours au stade embryonnaire de leur développement), on compte de nombreuses méthodes comportementales efficaces améliorant le sommeil, notamment pour les personnes souffrant d'insomnie.

La plus efficace actuellement se nomme thérapie comportementale et cognitive de l'insomnie, ou TCCi, vite accueillie par la communauté médicale comme traitement de première intention. Travaillant avec un thérapeute pendant plusieurs semaines, les patients se voient fournir un ensemble de techniques sur mesure destinées à mettre un terme à leurs mauvaises habitudes de sommeil et à les aider à gérer les angoisses qui les empêchent de dormir. La TCCi se fonde sur des principes d'hygiène de base que je décris en annexe, agrémentée de méthodes individualisées selon les problèmes de chaque patient, son mode de vie. Certains principes sont évidents, d'autres moins, d'autres encore s'avèrent contraires à l'intuition.

Les méthodes les plus évidentes entraînent une réduction de la prise de caféine et d'alcool, la suppression des écrans dans la chambre, et une température fraîche dans cette même pièce. Le patient doit en outre : (1) établir un planning de coucher et de lever régulier, même le week-end ; (2) se coucher uniquement lorsqu'il commence à s'endormir et éviter de dormir sur le canapé en début ou milieu de soirée ; (3) ne jamais rester allongé au lit pendant une durée significative ; (4) éviter les siestes en journée s'il a du mal à dormir la nuit ; (5) réduire les pensées et soucis générateurs d'angoisse en s'exerçant à la décélération mentale avant le coucher ; (6) supprimer les horloges visibles dans la chambre pour empêcher les angoisses nocturnes lorsqu'on les regarde.

L'une des méthodes de la TCCi les plus paradoxales utilisées pour aider le sommeil des insomniaques consiste à restreindre leur temps passé au lit, ne serait-ce qu'à six heures, voire moins, pour commencer. En maintenant les patients éveillés plus longtemps, nous établissons une forme de pression de sommeil – une abondance plus marquée d'adénosine. Sous ce lourd fardeau, les patients s'endorment ensuite plus vite, atteignant une forme de sommeil plus stable et solide au cours de la nuit. De cette façon, un patient peut retrouver sa confiance psychologique en sa capacité à générer lui-même du sommeil et atteindre un sommeil sain, rapide et profond, nuit après nuit : élément absent de leur vie depuis des mois, sinon des années. Une fois la confiance des patients rétablie en ce domaine, on augmente leur temps passé au lit.

Si une telle méthode semble tirée par les cheveux, voire douteuse, les lecteurs sceptiques, ou ayant une tendance naturelle à se tourner vers les médicaments, doivent évaluer les bienfaits avérés de la TCCi avant de la congédier totalement. Les résultats, désormais reproduits par de nombreuses études cliniques dans le monde entier, démontrent que la TCCi est plus efficace que les somnifères quant aux nombreux aspects problématiques du sommeil chez les insomniaques. La TCCi aide systématiquement à s'endormir plus vite le soir, à dormir plus longtemps, et à atteindre une meilleure qualité de sommeil en faisant baisser significativement le temps passé réveillé pendant la nuit[1]. Plus important, les bienfaits de la TCCi persistent sur le long terme, même après que les patients ont cessé le travail avec leur thérapeute, ce qui contraste fortement avec les rebonds d'insomnie dont les patients font l'expérience après avoir cessé de prendre des somnifères.

La preuve de la supériorité de la TCCi sur les somnifères est si puissante à tous les niveaux, et les risques associés (contrairement à ce qui se passe pour les somnifères) si limités, voire inexistants, que l'American College of Physicians a formulé en 2016 une recommandation ayant fait date. Un comité de médecins du sommeil et scientifiques distingués a évalué les aspects de l'efficacité et la sécurité de la TCCi comparativement aux somnifères standard. Publiée dans le journal prestigieux *Annals of Internal Medicine*, la conclusion de cette évaluation de toutes les données existantes est la suivante : la TCCi doit être utilisée comme *le* traitement de première intention chez toutes les personnes souffrant d'insomnie chronique, plutôt que les somnifères[2].

---

1. M. T. Smith, M. L. Perlis, A. Park *et al.*, « Comparative meta-analysis of pharmacotherapy and behavior therapy for persistent insomnia », *American Journal of Psychiatry*, 159(1), 2002, 5-11.

2. Ces comités appliquent également un grade à leurs recommandations cliniques (faible, fort, ou modéré), afin d'orienter et

Vous trouverez plus de ressources sur la TCCi, ainsi qu'une liste des centres qualifiés, sur le site de la National Sleep Foundation[1]. Si vous souffrez, ou pensez souffrir, d'insomnie, s'il vous plaît, utilisez ces ressources avant de vous tourner vers les somnifères.

Pratiques générales pour un bon sommeil

Ceux d'entre nous ne souffrant pas d'insomnie ni d'autre trouble du sommeil disposent d'un grand nombre de méthodes pour s'assurer une meilleure nuit de sommeil, en utilisant ce que nous appelons des pratiques de bonne « hygiène de sommeil », dont on trouve une liste de douze astuces clés sur le site du National Institute of Health, également disponible dans cet ouvrage, en annexe[2]. Les douze suggestions forment des conseils merveilleux, mais si vous ne pouvez en appliquer qu'un seul tous les jours, suivez celui-ci : allez au lit et réveillez-vous tous les jours à la même heure, quoi qu'il arrive. C'est peut-être le seul moyen efficace de vous aider à améliorer votre sommeil, même si cela implique d'avoir recours au réveil.

---

d'informer les médecins généralistes du pays quant à la pertinence de l'application de chaque règle. Le grade appliqué par le comité à la TCCi est : « Fortement recommandé ».

1. https://sleepfoundation.org. Voir aussi *(N.d.T.)*, en français, le site de l'Institut national du sommeil et de la vigilance : www.institut-sommeil-vigilance.org.

2. *12 tips for better sleep, NIH* (« Astuces pour une bonne nuit de sommeil »), *NIH Medicine Plus*. Disponible sur : www.nlm.nih.gov/medlineplus.

Enfin, et surtout, deux des questions les plus fréquentes du public à propos de l'amélioration du sommeil concernent l'exercice et le régime alimentaire.

Le sommeil et l'exercice physique entretiennent une relation bidirectionnelle. Beaucoup d'entre nous connaissent un sommeil profond et sain après une activité physique soutenue, comme une randonnée de plusieurs heures, une longue promenade à vélo, ou même une journée épuisante passée à jardiner. Certaines études scientifiques des années 1970 viennent soutenir cette sagesse subjective, mais sans doute pas aussi fortement que vous ne l'espérez. L'une de ces premières études, publiée en 1975, montre que l'augmentation progressive de l'activité physique chez les hommes en bonne santé entraîne une augmentation progressive de la quantité de sommeil NREM obtenue les nuits suivantes. Une autre étude compare toutefois les coureurs et les non-coureurs du même âge et du même genre : si les coureurs présentent des taux élevés de sommeil profond NREM, la différence entre eux et les non-coureurs ne s'avère pas significative.

Des études plus larges et plus soigneusement contrôlées offrent quelques meilleures nouvelles, avec toutefois une nuance intéressante. Chez les adultes jeunes et en bonne santé, l'exercice augmente fréquemment le temps de sommeil total, notamment le sommeil profond NREM. Il renforce également la qualité du sommeil, ce qu'atteste une activité des ondes cérébrales plus puissante. On trouve des améliorations similaires, voire plus grandes, du temps et de l'efficacité du sommeil chez les adultes d'âge moyen ou plus âgés, dont ceux qui se présentent comme des petits dormeurs ou diagnostiqués insomniaques.

Typiquement, ces études impliquent l'évaluation sur plusieurs nuits de la ligne de sommeil de base de chacun, après quoi les participants sont placés sous un régime d'exercice sur plusieurs mois. Les chercheurs examinent alors si des améliorations se produisent. En moyenne, c'est le cas. La qualité subjective de sommeil s'améliore, ainsi que la quantité totale de sommeil atteinte. En outre, les participants mettent moins de temps à s'endormir et rapportent se réveiller moins souvent la nuit. Dans l'une des plus longues études réalisées à ce jour, les personnes âgées insomniaques dorment presque une heure de plus chaque nuit, en moyenne, à la fin de la période de quatre mois de l'augmentation de leur activité physique.

Étonnamment, on remarque toutefois un manque de lien étroit entre l'exercice et le sommeil d'un jour à l'autre. En d'autres termes et contrairement à ce qu'on pourrait penser, les sujets ne dorment pas systématiquement mieux la nuit lorsqu'ils ont fait du sport dans la journée, par comparaison avec les jours où ils ne font pas d'exercice. De manière peut-être moins surprenante, on note la relation inverse entre le sommeil et l'exercice *du lendemain* (plus que l'influence de l'exercice sur le sommeil la nuit correspondant). Lorsque le sommeil est pauvre pendant la nuit, l'intensité de l'exercice et sa durée sont bien moins élevées le jour suivant. Lorsque le sommeil est bon, les niveaux d'exercice physique augmentent largement le jour suivant. En d'autres termes, le sommeil a plus d'influence sur l'exercice que l'exercice n'en a sur le sommeil.

C'est bien une relation bidirectionnelle, avec toutefois une tendance significative à l'amélioration du sommeil à mesure que le niveau d'activité physique augmente, et une forte influence du sommeil sur l'activité physique dans la journée. Les participants se sentent également plus alertes et énergiques à mesure que leur sommeil s'améliore, et leurs signes de dépression baissent proportionnellement. De toute évidence, la sédentarité n'aide pas à trouver un bon sommeil : nous devrions tous tenter de pratiquer un exercice régulier pour maintenir non seulement la santé de nos corps, mais aussi la quantité et la qualité de notre sommeil. En retour, le sommeil renforce notre forme physique et notre énergie, initiant un cycle positif auto-entretenu de plus grande activité physique (et santé mentale).

Un bref avertissement concernant l'activité physique : tentez de ne pas faire de l'exercice avant votre coucher. La température du corps peut rester élevée pendant une heure ou deux après l'exercice. Or, si cela se produit trop près de l'heure du coucher, il peut devenir difficile de faire baisser la température corporelle de façon suffisante pour initier le sommeil, car l'exercice active votre métabolisme. Mieux vaut pratiquer au moins deux ou trois heures avant d'éteindre les lumières (pas des LED, j'espère).

Pour ce qui concerne le régime alimentaire, des recherches limitées tentent de savoir comment la nourriture que vous ingurgitez et votre schéma d'alimentation ont un impact sur le sommeil. Une restriction calorique sévère, de seulement huit cents calories par jour pendant un mois, rend l'endormissement plus difficile et fait baisser la quantité de sommeil profond NREM pendant la nuit.

Ce que vous mangez semble également avoir un effet sur votre sommeil pendant la nuit. Une alimentation riche en glucides et pauvre en graisses pendant deux jours réduit la quantité de sommeil profond NREM pendant la nuit, mais augmente celle de sommeil REM et des rêves, par rapport à un régime de deux jours riche en glucides et en graisses. Dans le cadre d'une étude hautement contrôlée sur des adultes en bonne santé, on a découvert qu'un régime de quatre jours riche en sucres et autres glucides, mais pauvre en fibres, entraîne moins de sommeil profond NREM et plus de réveils nocturnes[1].

Il est difficile de donner des recommandations définitives valables pour un adulte moyen, notamment parce que le large éventail d'études épidémiologiques existant n'a pas révélé de lien constant entre la consommation de groupes spécifiques d'aliments et la quantité ou la qualité du sommeil. Pour obtenir un sommeil sain, les preuves scientifiques suggèrent néanmoins qu'il est important d'éviter d'aller au lit le ventre trop plein ou en ayant trop faim, et de fuir les régimes excessifs centrés sur les glucides (plus de 70 % de l'apport énergétique total), notamment le sucre.

---

1. M. P. St-Onge, A. Roberts, A. Shechter et A. R. Choudhury, « Fiber and saturated fat are associated with sleep arousals and slow wave sleep », *Journal of Clinical Sleep Medicine*, 12, 2016, 19-24.

15

Sommeil et société

Là où la médecine et l'éducation se trompent ; là où Google et la NASA ont raison

Il y a cent ans, moins de 2 % de la population dormait six heures ou moins par nuit aux États-Unis. C'est aujourd'hui le cas de presque 30 % des adultes du pays.

Une enquête menée en 2013 par la National Sleep Foundation a mis en avant ce manque de sommeil[1] : plus de 65 % de la population adulte des États-Unis ne parvient pas à obtenir les sept à neuf heures de sommeil recommandées par nuit pendant la semaine. La situation ne va pas mieux si l'on navigue autour du globe. Au Royaume-Uni et au Japon, respectivement 39 % et 66 % des adultes déclarent dormir moins de sept heures. Les habitants des nations développées négligent fortement le sommeil, et c'est pourquoi

---

1. National Sleep Foundation, *2013 International Bedroom Poll*. Disponible sur : https:// sleepfoundation.org.

l'Organisation mondiale de la santé reconnaît maintenant le manque de sommeil dans nos sociétés comme une menace sanitaire mondiale. Dans l'ensemble, tous pays développés confondus (environ huit cent millions de personnes), un adulte sur deux n'obtiendra pas le sommeil dont il a besoin pendant la semaine à venir.

Il est important de noter que la plupart de ces individus ne déclarent pas avoir *envie* ou *besoin* de moins dormir. Les statistiques du nombre d'heures de sommeil dans les pays industrialisés sont bien différentes concernant les week-ends. Ce ne sont pas seulement 30 % des adultes qui dorment huit heures ou plus en moyenne, mais bien près de 60 % qui tentent de « faire le plein » en dormant huit heures ou plus. De nombreuses personnes essaient désespérément le week-end de payer la dette de sommeil accumulée pendant la semaine. Comme nous l'avons vu à maintes reprises au cours de ce livre, le sommeil n'est toutefois pas un système de crédit ni une banque. Le cerveau ne récupère jamais le sommeil dont il a été privé. Nous ne pouvons pas accumuler cette dette sans payer d'agios, ni par un versement tardif.

Outre l'intérêt de chacun, en quoi la société devrait-elle se soucier de ce problème ? Une modification de nos habitudes et une augmentation de notre quantité de sommeil engendreraient-elles une différence dans la vie collective des êtres humains, dans nos métiers, nos sociétés, notre productivité, nos salaires, l'éducation de nos enfants, voire notre nature morale ? Que vous soyez chef d'entreprise ou employé, directeur d'hôpital, médecin en exercice ou infirmier, membre du gouvernement ou militaire, responsable politique ou agent sanitaire, simple particulier recevant des soins médicaux, ou parent, la réponse est un grand « oui », pour bien plus de raisons que ce que vous imaginez.

J'évoque dans ce chapitre quatre exemples, aussi divers que parlants, de la façon dont le manque de sommeil affecte la structure de la société humaine : le sommeil au travail, la torture (oui, la torture), le sommeil dans le système éducatif et le sommeil dans les domaines de la médecine et de la santé.

Le sommeil au travail

Le manque de sommeil dégrade un grand nombre de facultés nécessaires à la plupart des métiers. Pourquoi alors surévaluer les employés qui dévaluent le sommeil ? Nous glorifions les cadres à hautes responsabilités qui rédigent des mails jusqu'à une heure du matin et arrivent au bureau à cinq heures quarante-cinq. Nous faisons l'éloge du « guerrier » de l'aéroport qui, en seulement huit jours, a traversé cinq fuseaux horaires en sept vols.

De nombreuses cultures du travail défendent avec une forme d'arrogance, illusoire mais réelle, l'inutilité du sommeil. C'est un phénomène étrange lorsqu'on sait à quel point le monde professionnel se soucie de la santé, de la sécurité et de la conduite de ses employés. Comme l'a souligné mon collègue de Harvard, le Dr Czeisler, de nombreuses politiques ont été mises en place sur les lieux de travail concernant la cigarette, les substances illicites, le comportement éthique et la prévention des blessures et des maladies, mais le manque de sommeil – autre facteur dangereux et potentiellement mortel – est communément toléré, voire lamentablement encouragé. Cette mentalité persiste en partie parce que certains chefs d'entreprise ont cru, à tort, que le temps passé à travailler était autant de temps d'efficacité et de productivité. Cette idée était déjà fausse à l'époque du travail à la chaîne. Fausse et, qui plus est, coûteuse.

Une étude menée dans quatre grandes entreprises américaines a prouvé que le manque de sommeil coûte près de deux mille dollars par an par employé en termes de perte de productivité. Ce chiffre atteint trois mille cinq cents dollars par employé pour ceux qui souffrent du plus grand manque de sommeil. C'est une somme qui peut sembler insignifiante, mais les comptables concernés vous diront qu'elle représente pour ces entreprises une perte nette de capital de cinquante-quatre millions de dollars par an. N'importe quel conseil d'administration se mettrait vite et unanimement d'accord pour corriger un problème faisant perdre à son entreprise plus de cinquante millions de dollars par an.

Un rapport indépendant de la RAND Corporation sur le coût économique du manque de sommeil offre aux P-DG et aux DAF un signal d'alarme donnant matière à réflexion[1]. Les personnes qui dorment moins de sept heures par nuit en moyenne représentent un coût fiscal impressionnant pour leur pays, comparées aux employés qui dorment plus de huit heures par nuit. Comme vous pouvez le constater sur la figure 16A, le manque de sommeil coûte aux États-Unis et au Japon, respectivement, quatre cent onze et cent trente-huit milliards de dollars

---

1. RAND Corporation, *Lack of Sleep Costing UK Economy Up to £40 Billion a Year*. Disponible sur : www.rand.org.

par an. Viennent ensuite le Royaume-Uni, le Canada et l'Allemagne.

Ces chiffres sont bien sûr faussés par la taille du pays. Une façon plus habituelle d'observer l'impact du manque de sommeil est de considérer le produit intérieur brut (PIB) – mesure générale destinée à calculer la production d'un pays, ou sa santé économique. La situation semble encore moins réjouissante de ce point de vue, comme vous le voyez sur la figure 16B. Le manque de sommeil prive la plupart des pays de plus de 2 % de leur PIB – équivalent du coût total de l'armée de chacun de ces pays, et presque autant que le budget qu'ils consacrent chacun à l'éducation. Imaginez simplement ceci : en supprimant la dette nationale de sommeil, nous pouvons presque doubler le pourcentage du PIB dédié à l'éducation de nos enfants. Défendre un sommeil abondant fait donc sens également au plan financier, et devrait être encouragé au niveau national.

Figure 16. Coût économique global du manque de sommeil

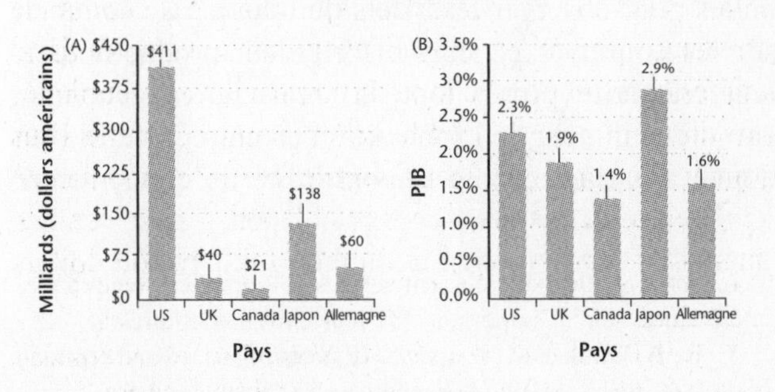

Pourquoi les individus coûtent-ils autant à leurs entreprises et à l'économie nationale lorsqu'ils ne dorment pas assez ? La plupart des entreprises du *Fortune 500*[1] dans lesquelles je donne des conférences s'intéressent aux indicateurs clés de performance (ICP), instruments de mesure tels que le revenu net, la vitesse de réalisation des objectifs ou le succès commercial. Divers traits de caractère des employés permettent de déterminer ces mesures, incluant communément : la créativité, l'intelligence, la motivation, l'effort, l'efficience, l'efficacité à travailler en groupe, mais aussi la stabilité émotionnelle, la sociabilité et l'honnêteté. Tous ces points sont systématiquement affectés par le manque de sommeil.

Des études antérieures ont prouvé qu'une moindre quantité de sommeil entraîne un taux de travail moins élevé et une vitesse d'accomplissement des tâches basiques plus faible. Les employés fatigués sont donc des employés peu productifs. Les personnes en manque de sommeil trouvent également moins de solutions aux problèmes rencontrés au travail, et des solutions moins adaptées[2].

Nous avons depuis conçu plus de tâches professionnelles pour observer les effets du manque de sommeil sur les employés et leurs efforts, leur productivité et leur créativité. Après tout, la créativité est reconnue comme le moteur de l'innovation en entreprise. Si l'on donne aux participants la possibilité de choisir entre

---

1. *Fortune 500* est le classement des 500 premières entreprises américaines, selon l'importance de leur chiffre d'affaires. *(N.d.T.)*

2. W. B. Webb et C. M. Levy, « Effects of spaced and repeated total sleep deprivation », *Ergonomics*, 27(1), 1984, 45-58.

différentes tâches exigeant des efforts variables, de la plus facile (écouter des messages vocaux) à la plus difficile (aider à mettre au point un projet complexe exigeant la résolution d'un problème et une planification créative), on découvre que les personnes ayant le moins dormi les jours précédents sont les mêmes qui choisissent les problèmes les moins difficiles. Elles optent pour la solution de facilité, offrant ainsi moins de solutions créatives.

On peut bien sûr penser que les personnes décidant de dormir moins sont aussi celles qui n'aiment pas être mises au défi, et que les deux ne sont pas directement liés. Ce n'est pas parce que deux éléments sont associés que l'un est la cause de l'autre. Toutefois, si l'on prend les mêmes individus pour répéter l'expérience après qu'ils ont dormi toute une nuit et après qu'ils ont été privés de sommeil, on remarque que la paresse découlant du manque de sommeil est la même si chaque personne représente son propre niveau de référence[1]. Le manque de sommeil est donc un facteur déterminant.

Les employés qui ne dorment pas assez ne font donc pas avancer votre entreprise par leurs innovations productives. Comme lorsqu'on fait du vélo d'appartement, on pédale, mais le paysage ne change jamais. L'ironie dont les employés n'ont pas conscience, c'est qu'à l'état de manque de sommeil, le travail est moins productif.

---

1. M. Engle-Friedman et S. Riela, « Self-imposed sleep loss, sleepiness, effort and performance », *Sleep and Hypnosis*, 6(4), 2004, 155-162 ; et M. Engle-Friedman, S. Riela, R. Golan *et al.*, « The effect of sleep loss on next day effort », *Journal of Sleep Research*, 12(2), 2003, 113-124.

Il vous faut donc plus de temps pour accomplir une tâche. Vous devez ainsi travailler plus longtemps et plus tard, rentrer tard chez vous, vous mettre au lit tard et vous réveiller plus tôt : c'est un cercle vicieux. Pourquoi tenter de faire bouillir une casserole d'eau avec un feu moyen si on peut atteindre le même résultat plus vite avec un feu vif ? Les gens me disent souvent qu'ils n'ont pas le temps de dormir car ils ont trop de travail. Je leur réponds, sans aucune agressivité, que s'ils ont toujours autant de travail en fin de journée, c'est peut-être précisément parce qu'ils ne dorment pas assez pendant la nuit.

Il est intéressant de noter que les participants aux études ci-dessus ne perçoivent pas qu'ils font moins d'efforts pour accomplir les tâches qui leur sont assignées, ni qu'ils sont moins efficaces lorsqu'ils manquent de sommeil, alors que les deux sont vrais. Ils ne semblent pas conscients que leurs efforts et leur performance au travail sont plus faibles – nous avons abordé plus tôt dans cet ouvrage la question de la mauvaise perception de ses propres capacités. Même la routine quotidienne basique ne demandant que peu d'efforts, comme s'habiller correctement ou à la mode pour aller au travail, est affectée après une nuit où le sommeil a manqué[1]. En outre, les gens aiment moins leur travail quand ils manquent de sommeil – sans doute, et cela n'est pas étonnant, en raison de l'effet dépressif du manque de sommeil.

Les employés en manque de sommeil ne sont pas seulement moins productifs, moins motivés, moins

1. *Ibid.*

créatifs, moins heureux et plus paresseux, mais aussi plus immoraux. La réputation d'une entreprise peut faire son succès ou causer sa perte. Avoir des employés qui ne dorment pas assez rend plus vulnérable au risque de mauvaise réputation. J'ai déjà parlé des preuves issues d'expériences menées grâce à des IRM montrant que le lobe frontal, essentiel au contrôle de soi et à la maîtrise des pulsions émotionnelles, est mis hors service par le manque de sommeil. Les participants sont plus lunatiques et plus impulsifs sur le plan émotionnel au moment de faire des choix ou de prendre une décision lorsqu'ils sont en manque de sommeil. On peut prédire un résultat similaire dans des sphères plus élevées du travail.

Des études réalisées sur des lieux de travail ont démontré que les employés dormant six heures ou moins sont plus déviants et prompts à mentir le jour suivant, comparés à ceux qui dorment six heures ou plus. Le travail précurseur du Dr Christopher Barns, chercheur à la Foster School of Business de l'université de Washington, a démontré que moins une personne dort, plus elle est prompte à créer de faux reçus et de fausses demandes de remboursement, plus elle est prête à mentir pour obtenir des billets de tombola gratuits. Barns a également découvert que les employés en manque de sommeil sont plus disposés à accuser leurs collègues de leurs propres erreurs, et même à s'attribuer le mérite du succès d'un autre : ce n'est pas vraiment la recette pour développer l'esprit d'équipe ou créer un environnement de travail harmonieux.

Les écarts moraux liés au manque de sommeil apparaissent également sur la scène professionnelle sous une autre forme, que l'on nomme « paresse sociale ». Le terme désigne l'acte d'une personne décidant de faire moins d'efforts lorsqu'elle travaille en groupe que lorsqu'elle travaille seule, dans le cadre d'évaluations des performances par groupe. C'est ainsi l'occasion de se laisser porter, de se cacher derrière le travail collectif acharné des autres. Le paresseux social réalise lui-même moins de tâches, et son travail a tendance à être incorrect ou de moins bonne qualité que celui qu'il fournit lorsqu'il est évalué seul. Lorsqu'ils travaillent en équipe, les employés manquant de sommeil choisissent la solution la plus égoïste, celle de la moindre résistance, se la coulant douce en jouant la carte malhonnête de la paresse sociale[1]. Non seulement la productivité de groupe est plus faible, mais dans de nombreux cas, un tel comportement entraîne également, on le comprend, une forme de ressentiment et d'agressivité entre les membres de l'équipe.

Fait d'importance pour les actifs, beaucoup de ces études soulignent les effets nocifs sur les revenus de l'entreprise d'une réduction même modeste de la quantité de sommeil de chacun, vingt à soixante minutes de différence suffisant à distinguer un employé honnête, créatif, innovateur, collaboratif et productif d'un employé qui ne l'est pas.

Le phénomène est le même lorsqu'on observe les effets du manque de sommeil sur les P-DG et les responsables. Le manque d'efficacité du dirigeant

---

1. C. Y. HOEKSEMA-VAN ORDEN, A. W. GAILLARD et B. P. BUUNK, « Social loafing under fatigue », *Journal of Personality and Social Psychology*, 75(5), 1998, 1179-1190.

d'une organisation peut entraîner de multiples effets sur les personnes qu'il influence. Nous avons tendance à penser qu'un chef demeure bon ou mauvais jour après jour, comme si c'était un état stable. C'est faux. Les différences de performance en matière de direction fluctuent grandement d'un jour à l'autre et sont bien plus importantes que la différence moyenne d'un dirigeant à l'autre. Comment expliquer ces hauts et ces bas dans la faculté d'un chef à diriger efficacement, jour après jour ? La quantité de sommeil est un facteur net.

Une étude d'une grande simplicité mais menée avec intelligence a observé le sommeil de certains responsables de manière suivie, sur plusieurs semaines, et l'a confronté à leurs performances de direction sur leur lieu de travail, en interrogeant leurs employés (ces derniers ne savaient pas si leur patron avait bien dormi ou non, pour que l'expérience ne soit pas faussée). D'une nuit à l'autre, plus la qualité de sommeil rapportée par le responsable était mauvaise, moins il savait se contrôler le lendemain, multipliant les abus dans ses rapports avec ses employés, comme le rapportaient les employés eux-mêmes.

Un autre résultat s'est révélé tout aussi intrigant : les jours suivant la nuit pendant laquelle le responsable avait mal dormi, bien que reposés, les employés eux-mêmes se montraient de moins en moins investis dans leur travail au fil de la journée. On observait ainsi une réaction en chaîne : le manque de sommeil d'un chef d'entreprise se transmettait comme un virus, contaminant même les employés reposés qui se désinvestissaient et réduisaient leur productivité.

Nous avons depuis découvert que cette réciprocité est d'autant plus forte que les managers et P-DG qui dorment trop peu sont moins charismatiques et ont plus de mal à transmettre à leurs équipes l'inspiration et la volonté. Malheureusement pour les patrons, un employé en manque de sommeil a une vision faussée de son responsable bien reposé, le trouvant moins motivant et moins charismatique qu'il ne l'est en réalité. On imagine aisément les conséquences sur la réussite d'une entreprise d'un surmenage et d'un manque de sommeil des responsables et des employés.

Il faut autoriser et encourager les employés, les responsables et les dirigeants à se présenter bien reposés au travail, pour que, au lieu d'avoir l'air occupés tout en étant inefficaces, ils soient productifs, honnêtes, utiles, s'inspirant mutuellement, se soutenant, s'aidant les uns les autres. Une once de sommeil pour une tonne de travail.

Les employés ont également un intérêt financier à dormir plus longtemps. Plus on dort, plus on gagne d'argent en moyenne. C'est ce qu'ont découvert les économistes Matthew Gibson et Jeffrey Shrader en réalisant une étude sur les travailleurs et leurs salaires à travers les États-Unis. Ils ont examiné des communes du même fuseau horaire et de même réputation socio-éducative et professionnelle, mais situées aux extrémités est et ouest du pays, donc recevant une quantité bien différente de lumière du jour. Les travailleurs des régions les plus à l'ouest recevaient du soleil jusque tard dans la soirée, et se mettaient donc au lit une heure plus tard en moyenne que ceux qui vivaient à l'est. Les travailleurs de ces deux régions devaient toutefois se réveiller à la même heure le matin, puisqu'ils étaient sur le même fuseau horaire, soumis au même programme. Les travailleurs habitant à l'ouest dormaient donc moins que les travailleurs habitant à l'est.

Excluant de nombreux autres facteurs et influences potentiels (la richesse de la région, le prix des maisons, le coût de la vie, etc.), ils ont découvert qu'une heure de sommeil supplémentaire offrait un salaire plus élevé de 4 % à 5 %. Vous n'êtes peut-être pas convaincu par le retour sur investissement de ces soixante minutes de sommeil, mais cela n'a pourtant rien d'anodin ! L'augmentation moyenne du salaire aux États-Unis est de 2,6 %, et la plupart des travailleurs la guettent avec impatience, se contrariant lorsqu'ils ne l'obtiennent pas. Imaginez-vous doubler cette augmentation non pas en travaillant plus, mais en dormant plus !

Le problème, c'est que la plupart troquent leur sommeil pour un salaire plus élevé. Une étude récente menée par l'université Cornell a interrogé des centaines de travailleurs américains pour savoir s'ils préfèrent (1) gagner quatre-vingt mille dollars par an en suivant des horaires de travail normaux tout en pouvant dormir huit heures par nuit environ, ou (2) gagner cent quarante mille dollars par an, en faisant beaucoup d'heures supplémentaires et en ne dormant que six heures par nuit. Malheureusement, la majorité des personnes préfère la seconde option, un salaire plus élevé allié à moins de sommeil. C'est absurde, puisqu'il est possible d'avoir les deux, comme nous venons de le découvrir.

L'esprit d'entreprise consistant à crier haut et fort que ne pas dormir est un modèle de succès se trompe, à tous les niveaux d'analyse. Un sommeil sain pour une entreprise saine. De nombreuses entreprises demeurent toutefois délibérément antisommeil, dans la structure même de leurs pratiques. Comme avec des mouches figées dans de l'ambre, une telle attitude gèle leurs affaires, les plaçant dans un état de stagnation : elles manquent d'innovation et de productivité, apportent aux employés malheur, insatisfaction et maladies.

De plus en plus d'entreprises regardent toutefois vers l'avenir dans l'idée de changer leurs pratiques professionnelles, en réaction à ces découvertes. Elles ont même ouvert leurs portes à des scientifiques comme moi-même, pour enseigner et vanter les mérites d'une augmentation de la quantité de sommeil à leurs dirigeants et responsables. Procter & Gamble et Goldman Sachs offrent par exemple à leurs employés des cours gratuits d'« hygiène du sommeil ». Des éclairages coûteux et de grande qualité ont été installés dans certains de leurs bâtiments pour aider les travailleurs à réguler leur rythme circadien en prolongeant la libération de mélatonine.

Nike et Google ont adopté une approche plus souple vis-à-vis des horaires de travail, permettant aux employés de compter leurs heures chaque jour pour respecter leur rythme circadien et leur chronotype, selon qu'ils sont plutôt du soir ou du matin. C'est un changement d'état d'esprit si radical que les multinationales autorisent même les employés à dormir sur leur lieu de travail. Disséminées çà et là au siège de l'entreprise, des salles de relaxation mettent des « coins sieste » à disponibilité. Les employés peuvent s'offrir le plaisir de se reposer n'importe quand dans la journée dans ces zones silencieuses, ce qui augmente leur productivité et leur créativité tout en améliorant leur bien-être et en réduisant l'absentéisme.

De tels changements marquent un tournant avec notre époque intraitable, où les employés trouvés en train de piquer un somme sont réprimandés, punis, voire virés. La plupart des P-DG et des managers ne reconnaissent malheureusement pas toujours l'importance d'avoir des employés bien reposés, pensant que ces pratiques sont une « approche douce ». Mais ne vous méprenez pas : les entreprises telles que Nike et Google sont aussi perspicaces que rentables, elles reconnaissent la valeur du sommeil parce que son intérêt financier a été prouvé.

Il existe une organisation qui a pris conscience des bienfaits professionnels du sommeil depuis bien plus longtemps que les autres. Au milieu des années 1990, la NASA s'est intéressée à la science du sommeil au travail pour le bienfait de ses astronautes. Elle a découvert que des siestes de seulement vingt-six minutes offrent une amélioration des performances de 34 % ainsi qu'une augmentation de la vigilance générale de plus de 50 %. Ces résultats ont permis d'instaurer la culture de la sieste à la NASA, étendue même aux employés au sol.

Quels que soient les indicateurs utilisés pour déterminer le succès d'une entreprise – marges de profit, domination/importance sur le marché, efficacité, créativité des employés ou satisfaction et bien-être des travailleurs –, il faut considérer la mise en place des conditions nécessaires au bon sommeil des employés pendant la nuit ou sur leur lieu de travail dans la journée comme une forme nouvelle de capital-risque, physiologiquement injecté.

Utilisation inhumaine du manque de sommeil dans notre société

Le lieu de travail n'est pas le seul endroit où le manque de sommeil et l'éthique entrent en confrontation. On découvre des problèmes plus scandaleux encore au sein des gouvernements et des armées.

Atterré par le mal mental et physique qu'entraîne la privation prolongée de sommeil, le *Guinness des records* a cessé dans les années 1980 de reconnaître les tentatives de battre le record du monde du nombre de jours sans sommeil. De peur d'encourager les futurs actes d'abstinence délibérée de sommeil, il a même supprimé les records en ce domaine de ses éditions précédentes. Pour des raisons similaires, les scientifiques ne disposent que de peu de preuves des effets du manque total de sommeil sur le long terme (plus d'une nuit ou deux). Il semble en effet moralement inacceptable d'imposer une telle chose à un humain – et de plus en plus, à n'importe quelle espèce.

Certains gouvernements ne partagent pas ces valeurs morales, et choisissent de pratiquer une torture consistant à priver certaines personnes de sommeil. Il peut sembler étrange d'aborder dans ce livre ces pratiques déplorables sur le plan éthique et politique, mais je le fais parce qu'elles illustrent bien à quel point l'humanité doit revoir son point de vue sur le sommeil, au plus haut de la structure sociétale – le gouvernement – et montrent qu'en respectant le sommeil plutôt qu'en le maltraitant, il est possible de façonner une civilisation de plus en plus admirable.

Un rapport de 2007 intitulé *Leave No Marks: Enhanced Interrogation Techniques and the Risk of Criminality* (« Ne laisser aucune trace : techniques d'interrogation améliorée et risques de criminalité ») livre un compte rendu inquiétant de ces pratiques à l'heure actuelle. Le document a été établi par les Physicians for Human Rights, lobby souhaitant mettre un terme à la torture. Comme le nom du rapport l'indique, de nombreuses techniques de torture modernes sont conçues sournoisement pour ne laisser aucune preuve d'agression physique. La privation de sommeil en est une illustration parfaite, et à l'heure où j'écris ce livre elle est toujours utilisée comme technique d'interrogation dans des pays tels que la Birmanie, l'Iran, l'Irak, les États-Unis, Israël, l'Égypte, la Libye, le Pakistan, l'Arabie Saoudite, la Tunisie ou la Turquie.

En tant que scientifique familier du fonctionnement du sommeil, je recommande fortement l'abolition de cette pratique, m'appuyant sur deux faits évidents. Le premier, le moins important, est une simple question de pragmatisme. Dans le contexte d'un interrogatoire, priver une personne de sommeil n'est pas une bonne idée si l'on souhaite obtenir des renseignements exacts, donc recevables. Comme nous l'avons vu, un manque de sommeil, même modéré, dégrade les facultés mentales nécessaires à l'obtention d'informations valides. Cela inclut la perte de la mémoire exacte, l'instabilité émotionnelle empêchant la pensée logique, et même la compréhension verbale de base. Pire encore, le manque de sommeil accroît les comportements déviants, augmentant le taux de mensonges et de propos malhonnêtes[1]. Comme avec un court coma, la privation de sommeil place l'individu dans un état cérébral inutile dans le cadre d'une recherche de renseignements vraisemblables : d'un esprit en désordre naissent de fausses confessions – ce qui peut bien sûr être le but de certains ravisseurs. Une étude scientifique récente a livré des preuves qu'une nuit sans sommeil multiplie par deux, voire par quatre, la probabilité qu'un individu généralement intègre confesse avoir commis un acte qu'il n'a pas perpétré. On peut donc modifier l'attitude et le comportement d'un individu, voire ses croyances les plus profondes, en le privant simplement de sommeil.

L'ancien Premier ministre d'Israël, Menahem Begin, le confirme de manière claire mais inquiétante dans son autobiographie *Les Nuits blanches : mes souvenirs des camps soviétiques*. Dans les années 1940, longtemps avant d'arriver au pouvoir en 1977, Begin fut capturé par les Soviétiques puis torturé en prison par le KGB. L'une des tortures utilisées consistait à le priver de sommeil de manière prolongée. À propos de cette expérience (que les gouvernements décrivent simplement comme une pratique de « gestion du sommeil du prisonnier »), il écrit : « Dans la tête d'un prisonnier interrogé, un brouillard commence à se former. Son esprit est fatigué à en mourir, ses jambes flageolent, et il n'a qu'un unique désir : dormir, dormir juste un peu, ne pas se lever, se coucher, se reposer, oublier… Toute personne qui connaît cette envie sait aussi qu'il n'y a de comparaison possible ni

---

1. C. M. Barnes, J. Schaubroeck, M. Huth et S. Ghumman, « Lack of sleep and unethical conduct », *Organizational Behavior and Human Decision Processes*, 115(3), 2011, 169-180.

avec la faim ni avec la soif… J'ai connu des prisonniers qui ont signé ce qu'ils étaient obligés de signer, seulement pour avoir ce que l'interrogateur leur avait promis. Il ne leur avait pas promis la liberté. Il leur avait promis – s'ils signaient – de pouvoir dormir sans être interrompus ! »

Le second argument, plus percutant, en faveur de l'abolition de la privation forcée de sommeil, c'est la douleur physique et mentale permanente qu'elle provoque. Malheureusement, même si cela arrange les interrogateurs, le mal infligé n'est pas visible de l'extérieur. Sur le plan mental, le manque de sommeil sur le long terme, pendant plusieurs jours, provoque une augmentation des idées suicidaires et des tentatives de suicide, deux phénomènes plus fréquents chez les prisonniers que dans la population générale. Le manque de sommeil engendre le développement des états handicapants et permanents que sont la dépression et l'anxiété. Sur le plan physique, un manque de sommeil prolongé augmente les risques d'accidents cardiovasculaires, tels que les crises cardiaques ou les AVC, affaiblit le système immunitaire, encourage les cancers et les infections, et provoque la stérilité.

Plusieurs tribunaux fédéraux américains condamnent également ces pratiques, ayant acté que la privation de sommeil constitue un viol du huitième et du quatorzième amendement de la Constitution des États-Unis, qui protègent contre les châtiments cruels et inhumains. Leur argument est solide et indéniable : le sommeil doit être considéré comme un « besoin fondamental », ce qu'il est sans conteste.

Le département de la Défense des États-Unis a toutefois saboté cette décision en autorisant les interrogatoires de vingt-quatre heures sur les détenus de la baie de Guantánamo entre 2003 et 2004. À l'heure où j'écris ces lignes, de tels traitements sont toujours permis, puisque la révision du manuel de terrain de l'armée américaine (*US Army Field Manual*) établit à l'annexe M que le sommeil des détenus peut être limité à seulement quatre heures toutes les vingt-quatre heures, et ce pendant quatre semaines. J'ajoute qu'il n'en a pas toujours été ainsi, puisqu'une édition bien plus ancienne de cette même publication, datant de 1992, affirme que le manque de sommeil prolongé est un exemple clair et inhumain de « torture mentale ».

Priver un être humain de sommeil sans son consentement et sans un suivi médical adapté est un instrument de torture barbare, sur le plan psychologique comme physique. Si l'on mesure son impact mortel sur le long terme, le manque de sommeil est à mettre au même niveau que la famine. Il est grand temps de clore ce chapitre sur la torture, notamment sur l'utilisation de la privation de sommeil, pratique inacceptable et inhumaine que nous regarderons je pense avec beaucoup de honte dans les années à venir.

Sommeil et éducation

Dans plus de 80 % des lycées publics aux États-Unis les cours débutent avant huit heures quinze. Près de 50 % commencent avant sept heures vingt. Pour arriver à l'école avant sept heures vingt, les bus débutent généralement le ramassage scolaire vers cinq heures quarante-cinq. Par conséquent, certains enfants et adolescents doivent se réveiller à cinq heures trente, cinq heures quinze, voire plus tôt, et ce cinq jours sur sept, pendant des années. C'est de la folie.

Pourriez-vous vous concentrer et apprendre quoi que ce soit en vous réveillant si tôt ? Gardez à l'esprit que cinq heures quinze pour un adolescent n'est pas cinq heures quinze pour un adulte. Nous avons parlé précédemment du fait que le rythme circadien des adolescents avance fortement, d'une à trois heures. Alors, si vous êtes un adulte, je vous pose la question suivante : pourriez-vous vous concentrer et apprendre quoi que ce soit après avoir été forcé de vous réveiller à trois heures quinze, et ce jour après jour ? Seriez-vous d'humeur joyeuse ? Trouveriez-vous facile de vous entendre avec vos collègues et de vous comporter avec grâce, tolérance, respect, et d'avoir un comportement agréable ? Bien sûr que non. Dans ce cas, pourquoi demandons-nous aux millions d'enfants et adolescents des nations industrialisées de le faire ? Ce modèle n'est clairement pas un modèle d'éducation optimal. Et il ne prend pas soin non plus de la santé physique et mentale de nos enfants et adolescents.

Cet état de manque de sommeil chronique entraîné par les heures matinales de début d'école s'avère particulièrement inquiétant lorsqu'on sait que l'adolescence est la période où l'on est le plus susceptible de développer des maladies mentales chroniques, telles que la dépression, l'anxiété, la schizophrénie, ou des idées suicidaires. Perturber inutilement le sommeil d'un adolescent peut faire toute la différence, le faire vaciller du point critique entre bien-être psychologique et maladie psychiatrique à vie. C'est une affirmation lourde de conséquences, mais je la livre sans désinvolture, et avec des preuves. Dans les années 1960, lorsque les fonctions du sommeil, étaient encore mal connues, des chercheurs ont sélectionné de jeunes adultes pour les priver de sommeil REM, donc de rêves, pendant une semaine, tout en leur autorisant du sommeil NREM.

Les malheureux participants à cette étude ont passé tout ce temps dans un laboratoire, des électrodes placées sur la tête. La nuit, dès leur entrée dans la phase de sommeil REM, un assistant de recherche venait les réveiller. Tout ensommeillés, les participants devaient alors résoudre des problèmes mathématiques pendant cinq à dix minutes, pour ne pas retomber dans un sommeil REM, celui des rêves. Dès que les participants retombaient dans le sommeil REM, la même procédure se répétait. Heure après heure, jour après jour, toute une semaine. Le sommeil NREM était laissé largement intact, mais la quantité de sommeil REM était réduite à une très petite portion de sa quantité habituelle.

Les effets sur la santé mentale se sont manifestés bien avant la fin des sept nuits de privation de sommeil de rêves. Au bout du troisième jour, les participants montraient des signes de psychose. Ils devenaient anxieux, lunatiques et commençaient à halluciner. Ils entendaient et voyaient des choses qui n'existaient pas. Ils devenaient également paranoïaques. Certains croyaient que les chercheurs s'alliaient pour comploter contre eux en essayant de les empoisonner, par exemple. D'autres étaient convaincus que les scientifiques étaient des agents secrets, et que cette expérience était un complot gouvernemental des plus abject, à peine dissimulé.

Ce n'est qu'à ce moment-là que les scientifiques ont tiré leurs conclusions, de taille, sur cette expérience :

le sommeil REM se situe entre la rationalité et la folie. Si l'on décrit ces symptômes à un psychiatre sans l'informer du contexte de privation de sommeil REM, le clinicien diagnostique clairement dépression, trouble anxieux ou schizophrénie. Les participants étaient toutefois tous de jeunes adultes en bonne santé quelques jours auparavant. Ils n'étaient pas dépressifs, ne souffraient pas de troubles anxieux ni de schizophrénie, ne présentaient pas non plus d'antécédents de telles maladies, ni personnels ni familiaux. Il suffit de regarder toutes les tentatives pour battre le record de privation de sommeil à travers l'histoire récente pour découvrir la même situation universelle d'instabilité émotionnelle et de psychose en tout genre. C'est le manque de sommeil REM – cette phase critique survenant aux dernières heures du sommeil, dont nous privons nos enfants et nos adolescents en faisant démarrer les cours aussi tôt – qui crée la différence entre un état d'esprit stable et un état d'esprit instable.

Nos enfants n'ont pas toujours commencé l'école à cette heure biologiquement insensée. Il y a un siècle, les cours démarraient à neuf heures aux États-Unis. Par conséquent, 95 % des enfants se levaient sans réveil. C'est aujourd'hui l'inverse qui se produit, à cause de l'heure de plus en plus avancée de début d'école, en conflit direct avec le besoin des enfants, biologiquement préprogrammé par l'évolution, d'obtenir du sommeil REM pendant ces heures matinales précieuses.

Le Dr Lewis Terman, psychologue à Stanford connu pour avoir aidé à mettre au point le test de QI, a consacré sa carrière de chercheur à l'amélioration de l'éducation des enfants. Terman, qui a débuté sa carrière dans les années 1920, a recensé tous les facteurs contribuant au succès intellectuel d'un enfant, et parmi ceux-ci : le fait de dormir suffisamment. Comme il l'a publié dans ses articles majeurs et son livre *Genetic Studies of Genius*, il a découvert qu'à tout âge, plus un enfant dort, plus il est intellectuellement doué. Mais il a aussi mis en évidence le fait que le temps de sommeil est fortement lié à une heure de début d'école raisonnable (c'est-à-dire plus tardive) : une heure en harmonie avec le rythme biologique naturel de ces jeunes cerveaux en développement.

Même si le lien de cause à effet ne peut être prouvé par les études de Terman, les données recueillies l'ont persuadé que le sommeil doit être publiquement défendu quand il s'agit de l'éducation des enfants et de leur bon développement. En tant que président de l'American Psychological Association, il a insisté sur le fait que les États-Unis ne devaient pas suivre le mouvement émergeant alors dans certains pays européens, consistant à faire commencer l'école de plus en plus tôt, à partir de huit heures, voire de sept heures du matin, plutôt que de neuf heures.

Terman était convaincu qu'un modèle d'éducation au sein duquel l'école commencerait plus tôt endommagerait profondément la croissance intellectuelle des jeunes. Malgré ses avertissements, presque cent ans plus tard, les systèmes éducatifs aux États-Unis ont avancé l'heure de début d'école quand de nombreux pays européens ont fait l'inverse.

Nous avons aujourd'hui la preuve scientifique de la véracité des croyances de Terman. Une étude longitudinale sur plus de cinq mille écoliers japonais a découvert que ceux qui dormaient plus longtemps obtenaient systématiquement de meilleures notes. D'autres études sur le sommeil contrôlé, à plus petite échelle, montrent que les enfants dormant plus longtemps développent un QI supérieur. Ils se révèlent plus vifs et intelligents quand ils ont dormi systématiquement quarante à cinquante minutes de plus que ceux qui ont développé un QI plus faible.

Une étude réalisée sur de vrais jumeaux a souligné à quel point le sommeil est un facteur puissant susceptible de modifier le déterminisme génétique. Dans le cadre d'une étude commencée par le Dr Ronald Wilson, à l'école de médecine de Louisville dans les années 1980 et toujours en cours, des centaines de paires de jumeaux ont été suivies dès leur plus jeune âge. Les chercheurs ont porté leur attention avant tout sur les jumeaux dont l'un avait pour habitude de dormir moins longtemps que l'autre, suivant leurs progrès et développement sur des dizaines d'années. Au bout de dix ans, les capacités intellectuelles et éducatives du jumeau dormant plus longtemps étaient supérieures. Il obtenait des résultats plus élevés à des tests standardisés de lecture et de compréhension, ainsi qu'un vocabulaire plus riche en comparaison du jumeau dormant moins.

Il existe donc bien un lien entre les deux, mais ce n'est pas une preuve que le sommeil offre ces bienfaits éducatifs. Si l'on combine toutefois ces données avec le lien de causalité entre sommeil et mémoire vu dans le chapitre 6, on peut faire l'hypothèse suivante : si le sommeil est indispensable à l'apprentissage, augmenter le temps de sommeil en repoussant l'heure de début d'école devrait conduire à une transformation. C'est le cas.

De plus en plus d'écoles aux États-Unis se rebellent contre le modèle des cours qui commencent tôt, faisant débuter la journée des élèves à une heure biologiquement plus raisonnable. L'un des premiers tests a eu lieu à Edina, dans le Minnesota, où l'heure de début des cours pour les adolescents a été repoussée de sept heures vingt-cinq à huit heures trente. Outre les quarante-trois minutes de sommeil que les adolescents ont gagnées, le changement des performances scolaires, indexé par une mesure standardisée que l'on nomme le *Scholastic Assessment Test*, ou SAT, se révèle percutant. L'année précédant ce changement, le résultat moyen du SAT oral chez les meilleurs étudiants atteignait un respectable 605. L'année suivante, la journée d'école commençant à huit heures trente, le résultat est passé à 761 pour les mêmes meilleurs étudiants. Le résultat du SAT de maths a également augmenté, passant d'une moyenne de 683 à une moyenne de 739. Choisir de retarder l'heure de début de journée, pour permettre aux élèves de dormir plus longtemps et mieux respecter leur rythme biologique invariable, offre donc un profit net de 212 points au SAT. C'est une amélioration susceptible de modifier le niveau des universités où les élèves iront plus tard, donc la trajectoire de leur vie.

Si l'exactitude et la fiabilité du test d'Edina ont été contestées, d'autres études réalisées sous contrôle strict et de façon bien plus systématique ont démontré que ce cas n'était pas le fruit d'un hasard extraordinaire. De nombreuses villes américaines situées dans des États différents ont vu la moyenne de leurs étudiants augmenter significativement après avoir décalé l'heure de début des cours. Sans surprise, l'amélioration des performances se remarquait à toute heure de la journée, mais les hausses les plus importantes avaient lieu le matin.

Un cerveau fatigué en manque de sommeil devient bien sûr pire qu'une passoire à souvenirs, car il n'est pas en état de recevoir, d'absorber ni de retenir correctement une leçon. Persister dans cette voie, c'est handicaper nos enfants en les rendant partiellement amnésiques. En obligeant de jeunes cerveaux à se lever aux aurores, on les empêche fatalement d'accéder à la connaissance et aux bonnes notes. Nous sommes ainsi en train de créer une génération d'enfants défavorisés, paralysés par le manque de sommeil. Faire démarrer plus tard l'école est clairement le choix le plus intelligent.

L'une des tendances les plus perturbantes en matière de sommeil et de développement du cerveau, directement liée à l'éducation, touche les familles à faibles revenus. Les enfants issus des milieux populaires ont en effet moins de chances de se faire emmener à l'école en voiture, notamment parce que leurs parents travaillent souvent dans le secteur des services et prennent leur poste le matin à 6 heures ou même avant. Leurs enfants doivent donc prendre le bus scolaire et se réveiller plus tôt que ceux qui vont à l'école avec leurs parents. Par conséquent, ces enfants déjà désavantagés le deviennent plus encore parce qu'ils obtiennent quotidiennement moins de sommeil que les enfants de familles plus aisées. Le résultat est un cercle vicieux se perpétuant d'une génération à l'autre – le système tourne en boucle et il est très difficile d'y mettre un terme. Nous avons désespérément et urgemment besoin de trouver des méthodes d'intervention concrètes pour briser ce cycle.

Des résultats de recherche ont également révélé qu'augmenter le temps de sommeil en retardant l'heure de début d'école permettait une hausse nette de l'attention en classe, tout en réduisant les problèmes psychologiques ou de comportement, ainsi que la consommation de drogues et d'alcool. De plus, commencer l'école plus tard signifie *finir* l'école plus tard, ce qui est tout aussi bénéfique, en protégeant les enfants de la « fenêtre de danger » qu'est ce laps de temps – qu'ils attendent avec impatience – entre quinze heures et dix-huit heures, lorsqu'ils ont fini l'école mais que leurs parents ne sont pas rentrés à la maison. Cette période critique durant laquelle les enfants ne sont pas surveillés est une cause reconnue d'implication dans des délits ou de prise d'alcool et de drogues. Commencer l'école plus tard permet de réduire cette durée, de faire baisser ses effets négatifs, dont le coût financier qui en résulte pour la société (une économie pouvant être réinvestie, pour compenser les dépenses additionnelles qu'engendre le fait de commencer plus tard).

Un phénomène plus important s'est toutefois produit avec le décalage du début des cours, que les chercheurs n'avaient pas anticipé : l'espérance de vie des étudiants a augmenté. La principale cause de décès chez les adolescents est en effet les accidents de la route[1]. En ce domaine, le moindre manque de sommeil peut avoir des conséquences irréversibles, comme nous l'avons vu. Lorsque la Mahtomedi School District dans le Minnesota a décalé l'heure de début des cours de sept heures trente à huit heures, les accidents de

1. CENTERS FOR DISEASE CONTROL AND PREVENTION, « Teen drivers: Get the facts », *Injury Prevention & Control: Motor Vehicle Safety*. Disponible sur : www.cdc.gov.

la route chez les conducteurs de seize à dix-huit ans ont baissé[1]. Le comté de Teton, dans le Wyoming, a décrété un changement d'heure plus spectaculaire encore, passant d'une sonnerie à sept heures trente-cinq à une sonnerie à huit heures cinquante-cinq, bien plus raisonnable sur le plan biologique. Le résultat fut stupéfiant : une réduction de 70 % des accidents de voiture chez les conducteurs de seize à dix-huit ans.

Pour replacer les choses dans leur contexte, il faut noter que l'arrivée de la technologie de freinage ABS – empêchant les roues de la voiture de se figer lors d'un freinage brusque et permettant au conducteur de continuer à manœuvrer son véhicule – a réduit le taux d'accident de seulement 20 % à 25 %, ce que l'on a considéré comme une révolution. Un simple facteur biologique – dormir suffisamment – ferait donc chuter le taux d'accident de plus du double chez nos adolescents.

Ces découvertes, accessibles au grand public, auraient dû engager le système éducatif à modifier certaines heures de début de cours, mais elles ont été écartées d'un revers de main. Malgré les appels publics de l'Académie américaine de pédiatrie et des centres pour le contrôle et la prévention des maladies, le changement est lent. Il faut en outre se battre pour l'obtenir. Cela ne suffit pas.

Les horaires des bus scolaires et les syndicats de bus constituent un obstacle majeur, empêchant de décaler à une heure plus appropriée le début des cours et de

1. L'âge minimal pour obtenir son permis aux États-Unis varie entre quatorze et dix-huit ans selon les États, la moyenne étant seize ans. *(N.d.T.)*

changer l'habitude que les enfants partent tôt le matin pour que les parents puissent eux aussi commencer à travailler tôt. Ce sont là quelques bonnes raisons rendant difficile la transformation du modèle national. Je suis particulièrement sensible à ces défis pragmatiques, que je comprends tout à fait, mais cela ne me semble pas une excuse suffisante pour maintenir en place un modèle désuet et nuisible, quand les données y sont clairement défavorables. Si le but de l'éducation est d'éduquer sans mettre des vies en danger, nous échouons de façon spectaculaire en imposant le modèle actuel à nos enfants.

En ne faisant rien, nous perpétuons simplement un cercle vicieux où chaque génération d'enfants erre à moitié comateux dans le système éducatif, en manque chronique de sommeil pendant des années, freinés dans leur croissance mentale et physique. Nous empêchons ainsi d'exploiter au maximum leur véritable potentiel de réussite, pour qu'ils infligent ensuite le même sort à leurs enfants, des décennies plus tard. Et cette spirale infernale ne fait qu'empirer. Les données récoltées durant le siècle dernier sur plus de 750 000 élèves âgés de cinq à dix-huit ans ont montré qu'ils dorment de nos jours deux heures de moins par nuit que leurs homologues d'il y a cent ans. C'est vrai pour tous les groupes d'âge, ou sous-groupes.

Il existe une raison de plus de faire du sommeil une priorité dans l'éducation et la vie de nos enfants : c'est le lien entre le manque de sommeil et le trouble très répandu du déficit de l'attention avec hyperactivité (TDAH). Les enfants diagnostiqués TDAH sont irritables, lunatiques, distraits et moins concentrés pour apprendre dans la journée, et ils présentent beaucoup plus de risques de dépression ou d'idées suicidaires. Si l'on réunit tous ces symptômes (incapacité à rester concentré et attentif, faible capacité d'apprentissage, difficultés comportementales et santé mentale instable) et que l'on supprime le label TDAH, ces symptômes apparaissent presque identiques à ceux qui sont causés par le manque de sommeil. Lorsqu'on emmène un enfant en manque de sommeil chez le médecin pour lui décrire ces symptômes sans évoquer le manque de sommeil dont il souffre – ce qui n'est pas rare –, devinez quel est le diagnostic du médecin, le mal contre lequel il choisira de traiter l'enfant ? Ce n'est pas le manque de sommeil, mais le TDAH.

La situation est bien plus absurde qu'on peut l'imaginer. La plupart des gens connaissent le nom des médicaments couramment utilisés contre le TDAH : Adderall et Ritaline, mais peu savent ce qu'ils contiennent réellement. L'Adderall est une amphétamine mélangée à certains sels, et la Ritaline un stimulant similaire, appelé méthylphénidate. L'amphétamine et le méthylphénidate sont deux des médicaments les plus puissants de lutte contre le sommeil, permettant de maintenir le cerveau d'un adulte (ou, dans le cas présent, d'un enfant) bien éveillé. Or c'est la dernière chose dont ces enfants ont besoin. Comme l'a noté mon collègue en ce domaine, le Dr Charles Czeisler, certaines personnes sont assises dans des cellules de prison depuis des dizaines d'années parce qu'elles se sont fait prendre en train de vendre des amphétamines à des mineurs dans la rue, mais nous n'avons aucun problème à autoriser les entreprises pharmaceutiques à diffuser des publicités à des heures de grande diffusion pour évoquer le TDAH et promouvoir la vente de ces médicaments contenant de l'amphétamine (l'Adderall et la Ritaline). Un cynique dirait pourtant que c'est là une version bourgeoise du dealer de quartier.

Je ne cherche en aucun cas à nier l'existence du TDAH, et tous les enfants atteints de ce trouble ne manquent pas de sommeil. Toutefois, nous savons qu'il existe des enfants, peut-être même beaucoup, en manque de sommeil ou souffrant d'un trouble du sommeil non diagnostiqué, déguisé en TDAH, qui consomment ainsi pendant les années les plus importantes de leur développement, des médicaments à base d'amphétamine.

Un exemple de trouble du sommeil pouvant ne pas être diagnostiqué est celui du trouble respiratoire pendant le sommeil chez l'enfant, ou syndrome d'apnée obstructive du sommeil, associé à de forts ronflements. Des végétations ou des amygdales trop larges peuvent bloquer le passage de l'air chez les enfants, car leurs muscles respiratoires se relâchent pendant le sommeil. Le ronflement pénible est le bruit que fait l'air instable essayant d'arriver aux poumons lorsqu'il passe par une voie respiratoire à moitié bouchée et vibrante. Le manque d'oxygène induit provoque dans le cerveau le réflexe de réveiller brièvement l'enfant plusieurs fois par nuit pour qu'il puisse effectuer quelques grandes inspirations, rétablissant ainsi la pleine saturation d'oxygène dans le sang. Il empêche cependant l'enfant d'atteindre et/ou de rester dans de longues périodes de sommeil NREM réel et profond. À cause de leur trouble respiratoire du sommeil, ces enfants se retrouvent privés de sommeil de façon chronique, nuit après nuit, pendant des mois ou des années.

L'état de privation de sommeil chronique s'établissant dans le temps, l'enfant semble de plus en plus touché par le TDAH dans son tempérament ainsi que sur les plans cognitif, émotionnel et scolaire. La plupart du temps, les enfants qui sont par chance diagnostiqués porteurs d'un trouble du sommeil et à qui on enlève les amygdales ne sont finalement pas atteints d'un TDAH. Dans les semaines suivant l'opération, leur sommeil redevient normal, ainsi que leurs fonctions psychologiques et mentales dans les mois suivants. Leur « TDAH » est ainsi guéri. D'après les derniers sondages et études cliniques, on estime que plus de 50 % des enfants diagnostiqués TDAH souffrent en réalité d'un trouble du sommeil, alors que seule une petite fraction de ces enfants ont connaissance de leur problème de sommeil et de ses effets. Les gouvernements devraient mener une campagne de sensibilisation, peut-être en dehors de l'influence des lobbies pharmaceutiques.

Si l'on laisse à part le cas du TDAH, le problème général semble plus évident encore. En raison du manque de recommandations gouvernementales et d'une faible communication de la part des chercheurs, dont je fais partie, quant aux données scientifiques en présence, de nombreux parents ne se rendent pas compte de l'état de manque de sommeil de leurs enfants, sous-estimant la plupart du temps cette nécessité biologique. Un récent sondage mené par la National Sleep Foundation a confirmé cette idée, démontrant que plus de 70 % des parents estiment que leur enfant dort assez, quand en réalité à peine 25 % des enfants âgés de onze à dix-huit ans obtiennent la quantité de sommeil nécessaire.

Nous, parents, avons une vision erronée du besoin et de l'importance du sommeil pour nos enfants, allant même jusqu'à réprimander ou stigmatiser leur envie de dormir assez, et notamment leurs tentatives désespérées pendant le week-end de purger la dette de sommeil que le système scolaire leur a laissée contre leur gré. J'espère que nous pouvons changer, cesser de transmettre aux enfants cette négligence du sommeil, pour faire en sorte que leurs cerveaux épuisés et exténués n'en manquent plus autant. Quand le sommeil abonde, les esprits fleurissent. Quand il vient à manquer, ils fanent.

Sommeil et soins de santé

Si vous vous apprêtez à recevoir un traitement médical dans un hôpital, vous seriez bien avisé de poser au médecin la question suivante : « Combien de temps avez-vous dormi ces dernières vingt-quatre heures ? » La réponse du médecin déterminera, à un degré statistiquement démontrable, si le traitement que vous allez recevoir débouchera sur une erreur médicale sérieuse, voire vous mènera à la mort.

Nous savons tous que les infirmiers et médecins travaillent de nombreuses heures d'affilée, notamment au cours de leur formation. Peu de personnes savent toutefois pourquoi. Pourquoi oblige-t-on les médecins à apprendre leur profession de façon aussi exténuante, sans dormir ? La réponse est venue d'un médecin réputé, William Stewart Halsted, docteur en médecine, également toxicomane invétéré. Halsted fonda le programme de formation chirurgicale à l'hôpital Johns Hopkins de Baltimore, dans le Maryland, en mai 1889. En tant que chef du département de chirurgie, il avait une influence considérable et ses idées quant à la manière dont les jeunes chirurgiens devaient s'impliquer dans la médecine étaient impressionnantes. Il fallait selon lui pendant six ans rester littéralement « en résidence ». Ce terme renvoyait au fait que, pour Halsted, les médecins devaient vivre à l'hôpital pendant la majeure partie de leur formation pour s'impliquer réellement dans leur apprentissage des compétences chirurgicales et des connaissances médicales. Les internes novices devaient ainsi travailler des heures d'affilée, de jour comme de nuit. Pour Halsted, le sommeil était un luxe dont on pouvait se passer, un frein au travail et à l'apprentissage. Il était difficile de contredire ses idées puisqu'il mettait lui-même en pratique ce qu'il défendait, connu pour sa capacité surhumaine à rester éveillé apparemment pendant des jours, sans montrer aucun signe de fatigue.

Il avait toutefois un vilain secret, découvert seulement plusieurs années après sa mort, expliquant à la fois la structure folle de son programme de résidence et sa faculté de renoncement au sommeil. Halsted était accro à la cocaïne, triste habitude apparemment débutée de façon accidentelle des années avant son arrivée à Johns Hopkins.

Au début de sa carrière, Halsted avait mené une étude sur les capacités de certaines drogues à entraîner des blocages nerveux, pouvant être utilisées comme anesthésiants pour atténuer la douleur lors d'interventions chirurgicales. L'une de ces drogues était la cocaïne, empêchant les ondes des impulsions électriques de descendre le long des nerfs, notamment ceux qui transmettent la douleur. Les personnes dépendantes à la cocaïne le savent bien, car leur nez – et souvent leur visage entier – s'engourdit après qu'elles ont sniffé plusieurs lignes, presque comme si un dentiste enthousiaste leur avait injecté trop d'anesthésiant.

Travaillant avec de la cocaïne dans son laboratoire, Halsted n'a pas mis longtemps à tester cette drogue sur lui-même. C'est ainsi qu'il est devenu accro, ne pouvant plus s'en passer. Son rapport scientifique sur ses découvertes, paru dans le *New York Medical Journal* du 12 septembre 1885, s'avère d'ailleurs particulièrement difficile à lire. Plusieurs historiens de la médecine ont déclaré que ce texte si perturbé et frénétique avait sans doute été écrit sous l'emprise de la cocaïne.

Depuis des années, les collègues de Halsted avaient remarqué son comportement étrange et perturbant, avant et après son arrivée à Johns Hopkins. Il s'éclipsait par exemple de la salle d'opération alors qu'il était en train de superviser les internes pendant l'intervention chirurgicale, laissant ainsi les jeunes médecins terminer tout seuls. À d'autres moments, il n'était pas capable d'opérer lui-même parce que ses mains tremblaient trop, et il tentait de faire croire que c'était en raison de son addiction à la cigarette.

Il avait alors désespérément besoin d'aide. Comme il avait honte et peur que ses collègues découvrent la vérité, il s'inscrivit dans un centre de désintoxication sous son premier et deuxième prénom au lieu de prendre son nom de famille. Ce fut le premier de ses nombreux essais infructueux pour lutter contre son addiction. Durant l'un de ses séjours à l'hôpital psychiatrique Butler à Providence, dans le Rhode Island, Halsted suivit un programme de désintoxication à base de sport, d'un régime sain, de plein air et de morphine, pour combattre la douleur et l'inconfort liés à l'arrêt de la cocaïne. Il en est ressorti accro à la cocaïne *et* à la morphine. On disait même qu'il avait l'habitude étrange d'envoyer ses chemises à Paris pour les faire nettoyer et qu'elles lui revenaient dans un paquet contenant plus que de simples chemises bien propres.

Halsted a donc intégré cet état d'éveil permis par la cocaïne au cœur même du programme chirurgical de Johns Hopkins, obligeant ses internes à se trouver dans le même état surréaliste de manque de sommeil pendant la durée de leur formation. Ce programme de résidence épuisant, qui se poursuit toujours sous une forme ou une autre dans toutes les écoles de médecine des États-Unis, a laissé dans son sillage de nombreux patients blessés ou morts – et sans doute des internes également. C'est une accusation qui peut sembler injuste au vu du travail incroyable réalisé par les jeunes chirurgiens et le personnel médical impliqués, attentionnés et sauvant de nombreuses vies, mais elle peut être prouvée.

De nombreuses écoles de médecine demandent aux internes de travailler trente heures. Vous pensez peut-être que ce n'est pas beaucoup, car je suis certain que vous travaillez au moins quarante heures par semaine. Sauf que, dans le cas des internes, il s'agit de trente heures d'affilée. Pire, ils doivent souvent faire deux créneaux de trente heures dans la semaine, sans compter d'autres créneaux de douze heures entre les deux.

On dispose de nombreuses informations sur les effets négatifs de ce type d'horaires. Les internes qui travaillent trente heures d'affilée commettent 36 % d'erreurs médicales de plus que ceux qui travaillent seize heures ou moins, comme prescrire un mauvais dosage ou oublier un instrument chirurgical dans le corps d'un patient. De plus, après un créneau de trente heures sans dormir, les internes atteignent le chiffre exorbitant de 460 % d'erreurs de diagnostic de plus en unité de soins intensifs que lorsqu'ils sont bien reposés et ont dormi suffisamment. Sur la durée de sa résidence, un interne en médecine sur cinq commet une erreur médicale liée à son manque de sommeil et entraîne une blessure significative sur un patient. Un interne sur vingt tue un patient en raison de son manque de sommeil. Sachant qu'on compte actuellement plus de cent mille internes en formation dans les programmes médicaux américains, cela signifie que des centaines de personnes – fils, filles, maris, femmes, grands-parents, frères, sœurs – perdent la vie chaque année parce que les internes ne peuvent pas dormir assez. Au moment où j'écris ces lignes, un nouveau rapport vient de mettre en lumière le fait que les erreurs médicales sont la troisième cause de mort chez les Américains, après les crises cardiaques et le cancer. Il est évident que le manque de sommeil joue un rôle dans ces vies perdues.

Les jeunes médecins eux-mêmes peuvent intégrer ces statistiques de mortalité. Après avoir travaillé trente heures d'affilée, les internes exténués ont 73 % de risque de plus de se piquer avec une seringue hypodermique ou de se couper avec un scalpel, donc de contracter une maladie infectieuse transmise par le sang, alors que leurs gestes sont plus prudents lorsqu'ils ont suffisamment dormi.

L'une des statistiques les plus absurdes concerne la somnolence au volant. Quand un interne en manque de sommeil termine un long service, par exemple une période aux urgences pour tenter de sauver les victimes d'un accident de voiture, et qu'il prend ensuite lui-même sa voiture pour rentrer chez lui, les risques qu'il soit impliqué dans un accident de la route augmentent de 168 % en raison de la fatigue. Il peut donc se retrouver dans le même hôpital, les mêmes urgences qu'il vient de quitter, cette fois à la place de la victime en raison d'un microsommeil.

Les professeurs de médecine confirmés et les médecins souffrent de la même baisse de leurs capacités médicales suite au manque de sommeil. Si vous êtes allongé sur la table d'opération de votre chirurgien et que celui-ci a dormi moins de six heures la nuit précédente, le risque qu'il commette une erreur chirurgicale grave, par exemple endommager l'un de vos organes ou déclencher une grosse hémorragie, est 170 % plus élevé que s'il avait assez dormi et suivait ainsi une procédure plus sûre.

Si vous êtes sur le point de subir une intervention chirurgicale programmée, vous devriez demander au médecin combien de temps il a dormi. Si sa réponse ne vous convient pas, vous pouvez refuser de vous faire opérer. Des années d'exercice ne permettront jamais à un médecin d'apprendre à surmonter le manque de sommeil ni à développer une forme de résistance. Comment cela serait-il possible ? Mère Nature a passé des millions d'années à mettre en œuvre ce besoin physiologique essentiel. Si vous êtes chirurgien, penser que le courage, la volonté ou les dizaines d'années d'expérience peuvent vous décharger de ce besoin évolutif millénaire est une attitude orgueilleuse pouvant coûter des vies, comme cela a été démontré.

La prochaine fois que vous verrez un médecin dans un hôpital, rappelez-vous de l'étude que nous avons évoquée plus haut, prouvant qu'après vingt-quatre heures sans sommeil nos performances sont aussi altérées que celles de quelqu'un ayant bu jusqu'à la limite légale autorisée. Accepteriez-vous un quelconque traitement hospitalier de la part d'un médecin qui sort une flasque de whisky devant vous pour en siffler quelques gorgées, avant d'essayer de vous procurer des soins médicaux dans un état de stupeur vague ? Moi non plus. Dans ce cas, pourquoi la société devrait-elle jouer à cette roulette russe tout aussi irresponsable et mettre en danger la santé de chacun à cause d'un manque de sommeil ?

Pourquoi ces recherches, et d'autres similaires, n'ont-elles pas poussé le corps médical américain à devenir plus responsable, à revoir les emplois du temps des internes et des médecins ? Pourquoi ne rend-on pas leur sommeil aux médecins exténués, donc plus susceptibles de faire des erreurs ? Après tout, l'objectif commun est d'atteindre la meilleure qualité de soin et de pratique médicale possible, n'est-ce pas ?

Pour faire face aux menaces du gouvernement d'imposer des heures de travail décidées au niveau fédéral, suite à l'étendue des preuves accablantes, l'Accreditation Council for Graduate Medical Education a effectué les changements suivants. Les internes en première année sont limités à (1) quatre-vingt heures de travail par semaine (ce qui représente toujours une moyenne de 11,5 heures par jour pendant sept jours d'affilée), (2) vingt-quatre heures de travail à la suite, et (3) une garde de nuit toutes les trois nuits. Cet emploi du temps revisité dépasse toujours de loin les capacités du cerveau à opérer de manière optimale. Il continue à entraîner des erreurs et même la mort, en raison du manque de sommeil imposé aux médecins pendant leur formation. Comme les travaux de recherche continuaient à s'accumuler, l'Institut de médecine, intégrant l'Académie nationale des sciences aux États-Unis, a publié un rapport affirmant clairement que travailler plus de seize heures de suite sans dormir est dangereux pour le patient comme pour le médecin.

Vous avez peut-être remarqué les termes spécifiques que j'ai utilisés dans le paragraphe ci-dessus, évoquant les internes en *première* année. Cette nouvelle règle (au moment où j'écris ce livre) ne s'applique en effet qu'à eux, et non aux internes en médecine dans les années suivantes de leur formation. Pourquoi ? Parce que l'Accreditation Council for Graduate Medical Education – conseil d'élite composé de médecins puissants dictant l'organisation de la formation américaine – a décrété que les données prouvant les dangers du manque de sommeil ne concernaient que les internes en première année. Ils ont ainsi décidé que pour les internes de la deuxième à la cinquième année, aucune preuve ne justifie un changement – comme si, passés les douze premiers mois du programme de formation, ils se voyaient conférer par magie une immunité contre les effets biologiques et psychologiques du manque de sommeil, effets auxquels ils s'étaient montrés vulnérables quelques mois auparavant.

Ces manières pompeuses, si souvent ancrées dans les hiérarchies institutionnelles dogmatiques définies par les aînés, n'ont pas leur place dans la pratique de la médecine. C'est mon point de vue de scientifique familier des données de recherche. Ces comités doivent se départir de leur mentalité du « nous avons souffert du manque de sommeil, à votre tour maintenant », concernant la formation, l'enseignement et la pratique de la médecine.

Les institutions médicales mettent bien sûr en avant d'autres arguments pour justifier cette vieille habitude de négligence du sommeil. Le plus répandu rappelle les idées de William Halsted : s'ils ne travaillent pas pendant assez longtemps, les internes seront formés moins rapidement, et n'apprendront pas assez efficacement. Dans ce cas, pourquoi plusieurs pays d'Europe occidentale forment-ils les jeunes médecins sur la même durée sans les faire jamais travailler plus de quarante-huit heures par semaine, ni pendant de longues heures d'affilée sans repos ? Peut-être ne sont-ils pas aussi bien formés ? C'est également faux, puisqu'un grand nombre de formations médicales de ces pays d'Europe de l'Ouest, comme au Royaume-Uni ou en Suède, sont classées parmi les dix meilleures pour la plupart des résultats de pratiques de santé médicales, quand la majorité des instituts américains se classent entre les dix-huitième et trente-deuxième places. En réalité, plusieurs études pilotes réalisées aux États-Unis ont montré que lorsqu'on limite les internes à des créneaux de seize heures maximum, en leur laissant la possibilité de se reposer pendant au moins huit heures avant le créneau suivant[1], le nombre d'erreurs médicales graves commises – celles qui blessent ou sont susceptibles de blesser un patient – chute de plus de 20 %. En outre les internes font alors de 400 % à 600 % d'erreurs de diagnostic en moins.

Il n'y a tout simplement aucune raison réelle de persister dans ce modèle actuel d'anémie du sommeil pendant les formations médicales, un modèle qui entrave l'apprentissage, la santé et la sécurité des jeunes médecins comme des patients. Si la situation reste inchangée, coincée entre les mains des médecins confirmés, c'est en raison de cet état d'esprit qui considère : « J'ai pris ma décision, ne venez pas m'embêter avec les faits. »

Plus généralement, il me semble qu'en tant que société, nous devons œuvrer à nous défaire de notre état d'esprit négatif et contre-productif face au sommeil,

1. On pourrait penser que les internes peuvent désormais se reposer vraiment pendant huit heures, mais c'est malheureusement faux. Pendant cette pause de huit heures, ils sont supposés rentrer chez eux, manger, passer du temps avec leurs proches, pratiquer le sport qu'ils désirent, dormir, se doucher, puis retourner à l'hôpital. Il est difficile d'imaginer qu'ils pourraient obtenir plus de cinq heures de sommeil au milieu de toutes ces occupations – bien sûr, c'est impossible. Le maximum exigible des internes, et d'ailleurs de tous les médecins praticiens, est un créneau de douze heures maximum, suivi d'une pause de douze heures.

état d'esprit parfaitement illustré par ces mots d'un sénateur américain : « J'ai toujours détesté le fait de devoir dormir. Comme la mort, le sommeil couche même le plus puissant des hommes. » Cet état d'esprit résume bien le point de vue actuel sur le sommeil : il est détestable, agaçant et rend faible. Bien que le sénateur en question soit un homme de télévision nommé Frank Underwood, dans la série *House of Cards*, les scénaristes – s'inspirant selon moi de leur propre biographie – ont posé le doigt sur le cœur du problème que représente la négligence du sommeil.

Malheureusement, ce même problème est à l'origine de certaines des pires catastrophes mondiales de l'histoire de l'humanité. Prenez par exemple la fusion tristement célèbre du réacteur de la centrale nucléaire de Tchernobyl le 26 avril 1986. La radiation émise par cette catastrophe a été cent fois plus puissante que celle des bombes atomiques lâchées pendant la Seconde Guerre mondiale. Or elle a été causée par des opérateurs en manque de sommeil, ayant travaillé pendant des heures. Ce n'est pas un hasard si la catastrophe s'est produite à une heure du matin. Des milliers de personnes sont mortes des effets à long terme des radiations pendant les décennies suivant l'événement, et des dizaines de milliers d'autres ont souffert toute leur vie de problèmes de santé ou de handicaps. Souvenez-vous également du pétrolier *Exxon Valdez*, venu s'échouer sur le récif Bligh Reef en Alaska, le 24 mars 1989, en déchirant sa coque. On estime que sur cent cinquante millions de litres de pétrole brut, près de quarante se sont répandus sur plus de deux mille kilomètres sur le littoral environnant. Plus de cinq cent mille oiseaux marins ont été tués, ainsi que cinq mille loutres, trois cents phoques, plus de deux cents pygargues à tête blanche et vingt orques. L'écosystème de la côte ne s'en est jamais remis. Les premiers rapports suggèrent que le capitaine était ivre lorsqu'il conduisait le navire mais on a appris plus tard qu'il était sobre et avait laissé les commandes à son troisième lieutenant à bord. Ce dernier n'avait dormi que six heures pendant les dernières quarante-huit heures, et c'est ce qui l'a poussé à commettre cette gravissime erreur de navigation.

Ces deux catastrophes mondiales auraient tout à fait pu être évitées, comme les chiffres malheureux liés au manque de sommeil évoqués dans ce chapitre.

16

Une nouvelle conception du sommeil au XXIe siècle

Partant du principe que notre manque de sommeil est une forme lente d'autoeuthanasie, que peut-on faire ? J'ai évoqué dans ce livre les problèmes et les raisons d'être de notre insomnie collective, mais qu'en est-il des solutions ? Quels changements peut-on apporter ?

Aborder ce problème implique selon moi une logique en deux étapes. Nous devons d'abord comprendre pourquoi il semble si résistant au changement, donc persiste et empire. Ensuite, nous devons développer un modèle structuré pour activer tous les points de levier identifiés. Il n'y aura pas de solution unique, pas de coup de baguette magique, car les raisons pour lesquelles la société dans son ensemble ne dort pas assez sont nombreuses. J'ai schématisé ci-dessous (figure 17) une nouvelle conception du sommeil dans le monde moderne – une sorte de carte routière permettant de visualiser les nombreux niveaux d'intervention possibles.

Figure 17. Niveaux d'intervention sur le sommeil

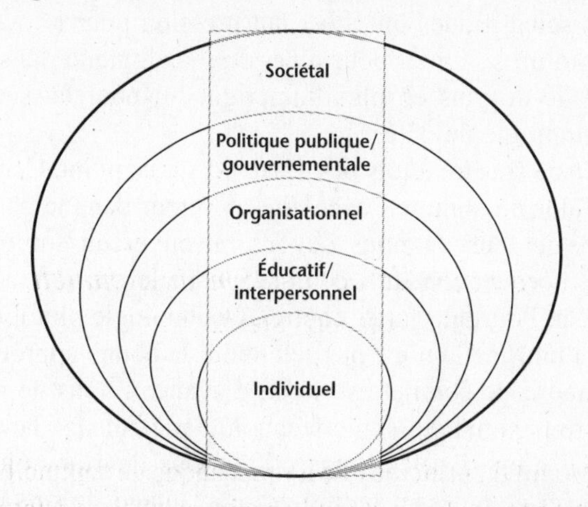

Transformation individuelle

Pour augmenter la quantité de sommeil d'une personne, il existe des méthodes passives, ne demandant aucun effort de la personne en question et qui sont donc préférables, mais aussi des méthodes actives, exigeant un effort. Voici plusieurs possibilités, peut-être pas aussi tirées par les cheveux qu'il y paraît, toutes fondées sur des méthodes scientifiques avérées destinées à améliorer la quantité et la qualité du sommeil.

Nombre de mes collègues prétendent que l'intrusion de la technologie dans nos foyers et dans nos chambres nous a dépossédés de notre précieux sommeil. Je suis d'accord. Les preuves dont nous avons parlé dans ce livre, comme les effets néfastes de l'utilisation d'appareils à LED dans la soirée, le démontrent bien. Les scientifiques ont ainsi fait pression pour le maintien d'un sommeil pour ainsi dire analogique dans ce monde de plus en plus numérique, et pour laisser la technologie de côté.

Je ne suis toutefois pas d'accord sur ce point. Certes, le futur du sommeil nécessite un retour dans le passé, dans le sens où nous devons retrouver un sommeil régulier et abondant, comme c'était le cas il y a un siècle. Pourtant, lutter contre la technologie plutôt que de s'unir à elle n'est pas selon moi la bonne approche. D'abord, le combat est perdu d'avance : nous ne renverrons jamais le génie technologique dans sa lampe, et ce n'est d'ailleurs pas utile. Nous devrions plutôt utiliser ce puissant outil à notre avantage. Je suis certain que d'ici trois à cinq ans, des appareils qui suivront le sommeil d'un individu et son rythme circadien avec précision seront disponibles sur le marché, à prix accessible. Nous pourrons alors coupler ces pisteurs de sommeil individuels avec nos appareils domestiques connectés révolutionnaires, comme les thermostats ou l'éclairage. Certaines personnes sont déjà en train d'y réfléchir à l'heure où j'écris ces lignes.

Il en découle deux possibilités formidables. D'abord, ces appareils pourraient comparer le sommeil de chacun des membres d'une famille dans leur chambre avec la température de chaque pièce captée par le thermostat. En utilisant des algorithmes d'apprentissage automatique établis dans le temps, nous devrions être capables d'enseigner intelligemment au thermostat de notre maison la température idéale pour chaque occupant de chaque chambre, à partir de la biophysiologie calculée par les pisteurs de sommeil (en coupant peut-être la poire en deux lorsque deux personnes ou plus dorment dans la même pièce). Certes, il existe de nombreux facteurs impliquant une bonne ou une mauvaise nuit de sommeil, la température en est l'un des principaux.

Mieux encore, nous pourrions programmer des variations circadiennes naturelles de température durant la nuit, en harmonie avec les attentes de chaque corps, plutôt que de maintenir une température nocturne constante, comme c'est le cas dans la plupart des maisons et des appartements. Avec le temps, nous pourrions intelligemment mettre en place un environnement de sommeil thermique sur mesure, personnalisé en fonction du rythme circadien de chaque occupant de chaque chambre, quittant ainsi cette toile de fond thermique constante qui n'aide pas à dormir et ronge le sommeil de nombreux utilisateurs de thermostats domestiques classiques. Ces deux changements n'exigent aucun effort et devraient accélérer l'endormissement, rallonger le temps total de sommeil, voire renforcer la qualité du sommeil NREM de tous les membres du foyer (comme nous l'avons vu dans le chapitre 13).

La seconde solution passive concerne la lumière électrique. Nombre d'entre nous souffrent d'une exposition à l'éclairage nocturne, particulièrement aux lumières bleues à LED de nos appareils numériques, supprimant la mélatonine et retardant notre sommeil. Si nous faisions de ce problème une solution ? Nous devrions bientôt être capables de créer des ampoules LED avec des filtres permettant de faire varier les longueurs d'onde de la lumière émise, allant des couleurs jaunes, chaudes, moins dangereuses pour la mélatonine, à la lumière bleue, forte, qui la supprime fortement.

Associées à des pisteurs de sommeil permettant de définir précisément notre rythme biologique personnel, nous pourrions installer ces nouvelles ampoules dans toute la maison et les connecter au réseau domestique. Les ampoules (et même d'autres appareils connectés à écran LED, comme les iPads) auraient ainsi pour ordre de faire diminuer progressivement la lumière bleue nocive dans notre foyer au fur et à mesure de la soirée, en fonction du schéma éveil/sommeil naturel de chaque individu (ou d'un groupe d'individus). Nous pourrions le faire efficacement et sans heurt lorsque les personnes passeraient d'une pièce à l'autre, en temps réel. Ici encore, nous pouvons intelligemment et rapidement couper la poire en deux en fonction du mélange biophysiologique des personnes se trouvant dans la pièce. De cette manière, le cerveau et le corps des utilisateurs, sondés puis traduits par les appareils électriques jusqu'au réseau de la maison, réguleraient avec synergie la lumière et la libération de mélatonine, pour permettre une régulation optimale du sommeil pour tous, plutôt que de l'entraver. C'est là la vision d'une médecine du sommeil personnalisée.

Lorsque le matin arrive, nous pouvons faire l'inverse, saturer notre environnement intérieur d'une lumière bleue puissante supprimant tout reste de mélatonine. Cela nous aidera à nous réveiller plus vite, à nous sentir plus vif et d'humeur plus gaie, jour après jour.

Nous pourrions même utiliser cette manipulation de la lumière pour encourager et progressivement décaler le rythme éveil/sommeil de chacun, en avant ou en arrière, dans un créneau biologiquement raisonnable (plus ou moins trente à quarante minutes), selon l'envie de chacun. Par exemple, si vous avez un rendez-vous particulièrement matinal au milieu de votre semaine de travail, cette technologie synchronisée à votre calendrier en ligne, commencerait à vous décaler peu à peu (à décaler votre rythme circadien) pour que vous vous couchiez et vous leviez légèrement plus tôt dès le lundi. Il sera ainsi moins difficile de vous lever tôt le mercredi, et le bouleversement biologique sera moindre pour votre cerveau et votre corps. Un tel procédé pourrait être tout aussi utile, voire plus, aux personnes victimes des décalages horaires, grâce aux appareils à LED avec lesquels elles voyagent déjà – téléphones, tablettes, ordinateurs portables.

Pourquoi s'en tenir à l'environnement domestique ou aux circonstances particulières des décalages horaires ? Les voitures peuvent adopter ces mêmes solutions d'éclairage pour aider à gérer la vigilance du conducteur pendant les trajets matinaux. Certains des taux les plus élevés d'accidents dus à la fatigue au volant se produisent le matin, notamment lorsqu'il est très tôt. Et si le siège du conducteur pouvait être baigné d'une lumière bleue pendant ces trajets matinaux ? Le niveau d'éclairage devrait être modéré pour ne pas gêner le conducteur ou les autres usagers de la route, mais souvenez-vous du chapitre 13 : il n'est pas forcément besoin d'une lumière forte (en lux) pour obtenir un effet important supprimant la mélatonine, et augmenter ainsi l'éveil. Cette idée pourrait s'avérer particulièrement utile dans certains endroits des hémisphères Nord et Sud, pendant les matinées d'hiver respectives, où ce fait pose le plus de problèmes. Au travail, pour ceux qui ont la chance d'avoir leur propre bureau, le rythme lumineux pourrait être personnalisé en fonction de l'occupant, selon ces mêmes principes. Même dans les bureaux partagés, comme pour l'intérieur d'une voiture, la lumière pourrait être personnalisée en fonction de l'endroit où se situe chacun dans ce bureau.

Les bienfaits de ces changements restent à prouver, mais je peux d'ores et déjà évoquer certaines données de la NASA, organisation particulièrement sensible au manque de sommeil et avec laquelle j'ai travaillé sur les troubles du sommeil au début de ma carrière. Les astronautes de la station spatiale internationale voyagent à travers l'espace à la vitesse de 28 000 km/h, faisant le tour de la Terre toutes les quatre-vingt-dix à cent minutes. Ils voient donc le « jour » pendant cinquante minutes environ, puis la « nuit » pendant cinquante minutes environ. Même s'ils ont ainsi la chance et le plaisir d'assister au lever et au coucher du soleil seize fois par jour, cela fait des ravages considérables sur leur rythme éveil/sommeil, engendrant de graves problèmes d'insomnie et de fatigue. Si vous commettez une erreur à votre travail sur la planète Terre, votre patron peut vous réprimander. Si vous commettez une erreur dans un long tube de métal flottant dans le vide sidéral avec une cargaison et des coûts de mission de centaines de millions de dollars, les conséquences peuvent être bien pires.

Pour combattre ce problème, la NASA a lancé il y a quelques années une collaboration avec une grande entreprise d'électricité, afin de mettre au point précisément le type d'ampoules dont je vous ai parlé. Elles devaient être installées dans la station spatiale pour que les astronautes reçoivent une lumière semblable à celle de la Terre et à son cycle de jour et de nuit de vingt-quatre heures. Grâce à une lumière environnante régulée, le rythme biologique de la mélatonine des astronautes est mieux réglé, comme leur sommeil, permettant de réduire les erreurs de manœuvre associées à la fatigue. Je dois admettre que le coût de développement de chaque ampoule était d'environ trois cent mille dollars. Toutefois, de nombreuses entreprises travaillent dur pour créer des ampoules similaires ne coûtant qu'une fraction de cette somme. Les premières sont en train de sortir sur le marché à l'heure où j'écris ces lignes. Quand le coût s'approchera de celui d'une ampoule standard, cette possibilité et bien d'autres deviendront réalité.

Les solutions moins passives, demandant à chacun une participation active, sont plus difficiles à instaurer. Une fois établies, les habitudes sont difficiles à changer. Pensez aux innombrables résolutions du nouvel an que vous avez prises sans jamais les tenir. Manger moins, faire du sport régulièrement ou arrêter de fumer, voilà quelques exemples d'habitudes que nous aimerions changer pour éviter de tomber malade, mais le plus souvent nous nous contentons d'en faire la promesse. Notre persistance à dormir trop peu peut elle aussi sembler une cause perdue, mais je suis optimiste. Je crois que plusieurs solutions actives feront une vraie différence pour votre sommeil.

Instruire chacun sur le sommeil – à l'aide de livres, de conférences engageantes ou de programmes de télévision – peut aider à lutter contre notre manque.

Je le sais personnellement, car je donne des cours sur la science du sommeil à quatre cents ou cinq cents étudiants chaque semestre. Mes étudiants répondent anonymement à une enquête sur le sommeil au début et à la fin de mon cours. Après un semestre, la quantité de sommeil rapportée augmente de quarante-deux minutes par nuit en moyenne. Aussi anodin que cela puisse paraître, cela fait tout de même cinq heures de sommeil en plus par semaine, ou soixante-quinze heures par semestre.

Ce n'est toutefois pas suffisant. Je suis certain que, les années suivantes, une très grande quantité de mes étudiants retrouvent leurs mauvaises habitudes. Il ne suffit pas de décrire les dangers scientifiques de la malbouffe menant à l'obésité pour que les personnes se mettent à préférer les brocolis aux biscuits. La connaissance seule ne suffit pas. D'autres méthodes sont nécessaires.

Il existe une méthode reconnue qui aide à transformer une nouvelle habitude saine en mode de vie permanent : faire face à ses propres données. La recherche en maladies cardiovasculaires en est un bon exemple. Si l'on donne aux patients des outils qu'ils peuvent utiliser chez eux pour suivre l'amélioration de leur santé physiologique suite à un programme d'entraînement – comme un dispositif de contrôle de la tension pendant un exercice, une balance donnant l'indice de masse corporelle pendant un régime, ou des appareils de spirométrie enregistrant la capacité respiratoire lorsqu'on essaie d'arrêter de fumer –, les taux de réussite des programmes de réhabilitation augmentent. Si vous rencontrez de nouveau ces mêmes individus un an, voire cinq ans plus tard, la plupart d'entre eux ont gardé ces changements positifs de comportement et de mode de vie. En matière d'autoévaluation, le vieil adage « il faut le voir pour le croire » permet de conserver des habitudes saines sur le long terme.

Grâce à l'émergence rapide d'appareils intelligents qui suivent notre sommeil avec précision, nous pouvons également appliquer cette méthode au sommeil. En utilisant les smartphones comme centres d'information réunissant toutes les données de santé d'un individu à partir de sources variées – l'activité physique (comme le nombre de pas par minute et l'intensité de l'exercice), l'exposition à la lumière, la température, le rythme cardiaque, le poids, la consommation de nourriture, la productivité au travail, ou l'humeur –, nous montrons à chacun que son propre sommeil est un indicateur direct de sa santé physique et mentale. Il est possible qu'avec un tel appareil vous découvriez qu'après la nuit où vous avez dormi plus vous avez moins mangé le jour suivant, et plus sainement ; que vous vous sentez mieux, plus heureux et plus positif ; que vous avez des interactions sociales de meilleure qualité ; que vous avez été plus efficace au travail. Vous pourriez également vous rendre compte que pendant les mois de l'année où vous avez globalement dormi plus, vous avez été moins malade, que votre poids, votre tension et votre prise de médicaments ont baissé ; et que la satisfaction née de vos relations, de votre mariage, ou de votre vie sexuelle, a été plus élevée.

Si l'on soutient ces encouragements jour après jour, mois après mois et, à terme, année après année, le sommeil de nombreuses personnes pourrait être amélioré.

Je ne suis pas naïf au point d'imaginer un changement radical, mais si la quantité de votre sommeil augmente même de quinze ou vingt minutes par nuit, la science indique que cela entraîne une grande différence sur votre durée de vie, ce qui permet d'économiser des milliards de dollars à l'échelle de la population mondiale, pour ne citer que deux bénéfices. Un tel changement pourrait constituer un facteur déterminant pour passer à l'avenir d'un modèle de traitement des maladies (soins médicaux) – le modèle actuel – à un modèle de traitement de la santé (prévention) – ayant pour but d'éviter de recourir au premier. La prévention est bien plus efficace que les traitements, et coûte bien moins cher sur le long terme.

Pour aller plus loin encore, qu'arriverait-il si nous passions de l'*analyse* (présenter le sommeil passé et/ou présent en lien avec le poids passé et/ou présent) à une vision tournée vers l'avenir, celle de la *prédictibilité* ? Pour l'expliquer, laissez-moi revenir à l'exemple de la cigarette. Des applications de prédictibilité sont en cours de développement. Vous devez tout d'abord prendre une photo de votre visage avec votre Smartphone. L'application vous demande ensuite le nombre de cigarettes que vous fumez par jour en moyenne. À l'aide de données scientifiques ayant déterminé l'impact du nombre de cigarettes fumées sur les éléments extérieurs de votre santé, comme les poches sous les yeux, les rides, le psoriasis, la perte de cheveux et le jaunissement des dents, elle modifie votre visage en fonction de votre consommation, prédisant à quoi vous ressemblerez à différents moments du futur : un an, deux ans, cinq ans, dix ans.

La même approche pourrait être adoptée pour le sommeil, mais à divers niveaux : celui de l'apparence extérieure, mais aussi de la santé interne, du cerveau et du corps. Par exemple, nous pourrions montrer aux individus le risque accru (bien que non déterministe) de développer des maladies comme l'Alzheimer ou certains cancers s'ils continuent à dormir trop peu. Les hommes pourraient voir les prévisions de rétrécissement de leurs testicules ou de la baisse de leur taux de testostérone. Les mêmes prédictions des risques encourus pourraient être faites en matière de prise de poids, de diabète ou de déficience immunitaire et d'infection.

Une autre possibilité serait d'offrir aux individus une prévision du moment où ils devraient ou non faire le vaccin contre la grippe, selon la quantité de sommeil obtenue la semaine précédente. Souvenez-vous du chapitre 8, dans lequel je vous ai expliqué que dormir seulement quatre à six heures par nuit la semaine précédant le vaccin signifie que vous produirez moins de la moitié des anticorps nécessaires, quand dormir sept heures ou plus assure au vaccin une efficacité bien plus forte et exhaustive. Le but serait de fournir aux professionnels de la santé et aux hôpitaux des mises à jour en temps réel du sommeil de la personne en question, d'une semaine à l'autre. Grâce aux notifications, le logiciel pourrait identifier le moment optimal pour que chacun fasse son vaccin contre la grippe, maximisant ainsi son succès.

Notre résistance sera ainsi nettement améliorée, mais aussi celle de la communauté, car les « avantages immunitaires de groupe » seront plus efficaces. Peu de personnes ont conscience du coût financier annuel de la grippe aux États-Unis : il s'élève à environ cent milliards de dollars (dix milliards directement et quatre-vingt-dix milliards en productivité perdue). Même si la solution offerte par ce logiciel ne fait baisser le taux d'infection grippale que de quelques pourcents, il permettra d'économiser des centaines de millions de dollars en améliorant l'efficacité de l'immunisation, et en réduisant le coût pour les services d'hospitalisation et de consultation externe. En évitant la perte de la productivité liée à la maladie et à l'absentéisme en période de grippe, les entreprises et l'économie économiseraient plus encore – sans doute des milliards de dollars – et pourraient ainsi subventionner cet effort.

Nous pouvons adapter cette solution à l'échelle mondiale : partout où existent la vaccination et la possibilité de suivre le sommeil de chacun, les systèmes de santé, les gouvernements et les entreprises peuvent faire des économies, dans le but motivant d'aider les gens à retrouver un rythme de vie plus sain.

Changement éducatif

Ces cinq dernières semaines, j'ai mené une enquête informelle auprès de mes collègues, de mes amis et de ma famille, aux États-Unis et dans mon pays d'origine, le Royaume-Uni. J'ai également interrogé des amis et des collègues d'Espagne, de Grèce, d'Australie, d'Allemagne, d'Israël, du Japon, de Corée du Sud et du Canada.

Je leur ai demandé quel type d'éducation à la santé et au bien-être ils avaient reçu à l'école lorsqu'ils étaient jeunes. Avaient-ils reçu des enseignements quant au régime alimentaire ? 98 % ont répondu oui, et beaucoup d'entre eux se souvenaient encore de certains détails (même si ceux-ci sont en train de changer en fonction des recommandations actuelles). Avaient-ils reçu des cours sur la drogue, l'alcool, les pratiques sexuelles sans risques et la santé reproductive ? 87 % ont répondu oui. Leur avait-on parlé de l'importance du sport à un moment donné de leur éducation, et/ou la pratique d'activités physiques était-elle obligatoire chaque semaine ? Oui : 100 % des personnes l'ont affirmé.

Ce n'est pas réellement un groupe de données scientifiques, mais il semble tout de même qu'une certaine forme d'enseignement relatif à l'alimentation, au sport ou à la santé fasse partie du projet éducatif international reçu par la plupart des écoliers des pays développés. Lorsque j'ai demandé à ce même groupe d'individus divers s'ils avaient reçu des enseignements relatifs au sommeil, la réponse a été tout aussi uniforme, mais dans le sens opposé : parmi les personnes interrogées, aucune (0 %) n'avait reçu d'informations ou du matériel pédagogique au sujet du sommeil. Même dans les cours consacrés au bien-être personnel et à la santé évoqués par certains, l'importance du sommeil sur la santé physique ou mentale n'avait pas été évoquée. Si ces individus sont représentatifs de la communauté, cela signifie que le sommeil n'a aucune place dans l'éducation de nos enfants. Génération après génération, les jeunes esprits demeurent ignorants des dangers immédiats et de l'impact à long terme sur la santé d'un manque de sommeil. Je trouve que cela n'est pas normal.

J'aimerais beaucoup travailler avec l'Organisation mondiale de la santé pour développer un module éducatif simple pouvant être mis en œuvre dans les écoles du monde entier. Il pourrait prendre plusieurs formes selon les groupes d'âge : court-métrage d'animation accessible en ligne, jeu de société physique ou numérique (auquel on pourrait jouer même internationalement grâce à des « correspondants » du sommeil), ou environnement virtuel permettant de découvrir les secrets du sommeil. Il existe de nombreuses options, toutes facilement transposables selon les pays et les cultures.

Le but serait double : changer la vie de ces enfants et, en les sensibilisant au sommeil et en leur faisant adopter de meilleures habitudes en ce domaine, faire en sorte qu'ils transmettent ces valeurs à leurs propres enfants. Ainsi commencerait la transmission familiale de la reconnaissance du sommeil d'une génération à l'autre, telle qu'elle existe déjà dans certains domaines, comme les bonnes manières ou la moralité. Sur le plan médical, les futures générations jouiront d'une durée de vie plus élevée, mais aussi et surtout d'une vie en meilleure santé, débarrassée des maladies et des troubles de milieu et de fin de vie causés, nous le savons, par le manque de sommeil chronique (et non simplement associés à lui). Le prix de ces programmes éducatifs sur le sommeil ne représenterait qu'une fraction de ce que nous dépensons actuellement en raison de notre manque de sommeil global. Si vous êtes une organisation, une entreprise ou un particulier philanthrope, et que vous souhaitez contribuer à faire de ce vœu une réalité, merci de me contacter.

Changement structurel

Laissez-moi vous donner trois exemples de la manière dont une réforme du sommeil au travail et dans les grandes entreprises pourrait être mise en place.

D'abord, pour les employés. L'énorme compagnie d'assurances Aetna, qui compte près de cinquante mille employés, a instauré une option consistant à donner des bonus aux personnes dormant plus, à partir des données avérées de pisteurs de sommeil. Comme l'a déclaré Mark Bertolini, président-directeur général d'Aetna : « Être présent sur le lieu de travail et prendre de meilleures décisions comptent beaucoup pour les valeurs fondamentales de notre entreprise. » Il a ensuite ajouté : « On ne peut pas être efficace lorsqu'on est à moitié endormi. » Si les travailleurs enchaînent vingt nuits de sept heures d'affilée, ou plus, ils reçoivent un bonus de vingt-cinq dollars par nuit, avec un total (maximum) de cinq cents dollars.

Certains pourraient se moquer du système de motivation de Bertolini, mais le fait de développer une nouvelle culture du travail prenant soin du cycle de vie de l'employé, de jour comme de nuit, est d'une grande prudence, sur le plan économique mais aussi d'un point de vue humain, bienveillant. Bertolini semble avoir conscience qu'une entreprise dont les employés dorment correctement obtient un bénéfice net considérable. En termes de productivité, de créativité, d'enthousiasme au travail, d'énergie, d'efficacité – sans parler du bonheur, qui donne aux gens l'envie de travailler dans l'entreprise et d'y rester –, le retour sur investissement est indéniable. Le bon sens de Bertolini, empiriquement prouvé, rejette l'idée fausse selon laquelle il faudrait accabler les employés de journées de travail de seize ou dix-huit heures. Cela les épuise au contraire, fait chuter leur disponibilité et leur productivité, entraînant de nombreux congés maladie, une baisse de moral et un taux de renouvellement élevé.

Je soutiens pleinement l'idée de Bertolini, même si je la modifierais de la façon suivante : plutôt que d'offrir des bonus financiers, mon alternative serait d'offrir plus de vacances. Pour de nombreuses personnes, les congés comptent plus que les avantages financiers modestes. Je proposerais donc un « système de crédit de sommeil », au sein duquel le temps de sommeil serait troqué contre des bonus financiers ou contre des jours de congé supplémentaires. Il y aurait au moins une condition : le système de crédit de sommeil ne serait pas simplement calculé sur le nombre total d'heures dormies comptées sur une semaine ou un mois. Comme nous l'avons appris, la *continuité* du sommeil – dormir toujours sept à neuf heures par nuit, chaque nuit, sans accumuler de dette pendant la semaine et espérer la payer en se gavant de sommeil le week-end – est aussi importante que le temps total de sommeil accumulé pour bénéficier des bienfaits du sommeil sur notre santé mentale et physique. Votre « crédit de sommeil » serait ainsi calculé en fonction de la combinaison entre la *quantité* de sommeil obtenu et la *continuité* de votre sommeil nuit après nuit.

Les insomniaques ne devront pas être pénalisés. Cette méthode de suivi du rythme du sommeil devrait au contraire les aider à identifier leur problème. Ils pourraient ainsi recevoir une thérapie comportementale cognitive grâce à leur Smartphone. Des traitements contre l'insomnie pourraient être encouragés avec les mêmes avantages, permettant d'améliorer la santé de chacun et sa productivité, sa créativité et son succès professionnel.

La deuxième idée de changement concerne la flexibilité des journées de travail. Plutôt que d'établir des heures limitées de façon stricte (c'est-à-dire suivant la journée classique de neuf heures à dix-sept heures), les entreprises devraient adopter une conception plus souple des heures de travail, ressemblant à un U inversé et écrasé. Tout le monde serait présent au moment central de la journée pour les interactions principales, disons de midi à quinze heures Les heures de début et de fin seraient toutefois flexibles, s'adaptant au chronotype de chacun. Les couche-tard pourraient commencer à travailler tard (par exemple à midi) et continuer dans la soirée, pour donner au travail leur capacité mentale et leur énergie physique maximales. Les lève-tôt pourraient faire de même en commençant et en finissant plus tôt, ce qui les empêcherait de passer les dernières heures de la journée de travail « standard » de manière inefficace à cause de leur fatigue. Cette organisation entraîne en outre des avantages secondaires. Prenez l'exemple des heures d'embouteillage : il y en aurait moins, le matin et le soir. L'économie indirecte de temps, d'argent et de stress ne serait pas insignifiante.

Votre lieu de travail offre peut-être une soi-disant version de cette formule. Cependant, d'après mon expérience, la possibilité est suggérée mais rarement considérée comme acceptable, notamment aux yeux des managers et directeurs. Les dogmes et les mentalités semblent les barrières les plus solides contre de meilleures habitudes de travail (comprenant le sommeil).

La troisième idée pour changer notre sommeil dans le secteur économique concerne la médecine. Tout comme il est urgent que les internes aient plus de temps pour dormir, il est nécessaire de repenser radicalement l'importance du facteur sommeil chez les patients. J'illustrerai cette idée par deux exemples concrets.

Exemple 1 : la douleur

Moins vous avez dormi, ou plus votre sommeil a été fragmenté, plus vous êtes sensible aux douleurs de toutes sortes. L'endroit où les gens font le plus fréquemment l'expérience de douleurs importantes prolongées est souvent le dernier où ils peuvent trouver le vrai sommeil : l'hôpital. Vous ne le savez que trop bien si vous avez eu le désagrément de passer ne serait-ce qu'une nuit à l'hôpital. Les problèmes s'accumulent avant tout dans les unités de soins intensifs, qui accueillent les patients les plus gravement malades (donc ayant le plus besoin de l'aide du sommeil). Les bips et les bourdonnements incessants des équipements, les alarmes sporadiques et les examens fréquents empêchent le patient d'obtenir un semblant de sommeil abondant ou reposant.

Des études de santé professionnelles sur les chambres et salles d'hospitalisation ont rapporté un niveau de pollution sonore équivalent en décibels à celui d'un restaurant ou d'un bar bruyant, vingt-quatre heures sur vingt-quatre. Or il s'avère que 50 % à 80 % des alarmes en soins intensifs sont inutiles ou ignorées par le personnel. Ce qui est également frustrant, c'est que tous les examens ou bilans de santé réalisés sur les patients ne sont pas urgents. Pourtant, beaucoup d'entre eux sont effectués à des moments inopportuns pour le sommeil, soit dans l'après-midi, quand les patients pourraient profiter d'une sieste naturelle, d'un sommeil en deux phases, soit dans les premières heures du matin, alors que les patients commencent seulement à s'installer dans un sommeil profond.

Il n'est pas surprenant que, dans les unités de soins intensifs (USI) cardiaques, médicaux et chirurgicaux, les études démontrent toujours la même piètre qualité de sommeil chez tous les patients. Gêné par l'environnement USI, inhabituel et bruyant, le sommeil met plus longtemps à arriver, il est ponctué de réveils, moins profond et contient globalement moins de sommeil REM. Pire encore, les médecins et les infirmiers surestiment systématiquement la quantité de sommeil obtenue par les patients en unités de soins intensifs, par rapport au sommeil objectivement mesuré chez ces personnes. Au final, l'environnement de sommeil, donc sa quantité, pour un patient dans cet environnement hospitalier va à l'encontre totale de sa convalescence.

Nous pouvons résoudre ce problème. Il devrait en effet être possible de créer un système de soins médicaux plaçant le sommeil au centre des besoins du patient, ou presque. Dans l'une de mes propres études, nous avons découvert que les centres liés à la douleur dans le cerveau humain sont plus sensibles aux stimulations thermiques désagréables (mais pas nuisibles, bien sûr) de 42 % après une nuit sans sommeil par rapport à une nuit saine et complète de huit heures de sommeil. Il est intéressant de noter que ces régions cérébrales liées à la douleur sont les mêmes que celles sur lesquelles agissent les médicaments narcotiques tels que la morphine. Le sommeil semble être un analgésique naturel sans lequel la douleur est perçue plus intensément par le cerveau et surtout plus fortement par la personne elle-même. Soit dit en passant : la morphine n'est pas un médicament souhaitable. Elle pose de sérieux problèmes de sécurité liés à l'arrêt de la respiration, à la dépendance et au sevrage, produisant également des effets secondaires terriblement désagréables, dont la nausée, la perte d'appétit, les sueurs froides, les démangeaisons, les problèmes urinaires et intestinaux, sans parler d'une forme de sédation entravant le sommeil naturel. La morphine modifie également les actions d'autres médicaments, engendrant des effets d'interaction problématiques.

Grâce aux désormais nombreuses recherches scientifiques, nous devrions être capables de réduire la dose de médicaments narcotiques dans nos hôpitaux en améliorant les conditions de sommeil. Cela réduirait alors la gravité des effets secondaires et les risques sur notre sécurité, ainsi que ceux d'interaction entre les médicaments.

En améliorant les conditions de sommeil des patients, non seulement les doses de médicaments seraient réduites, mais leur système immunitaire serait également stimulé. Les patients hospitalisés pourraient alors mener une bataille plus efficace contre les infections, et accélérer le processus de cicatrisation postopératoire. La récupération serait plus rapide et les hospitalisations plus courtes, ce qui réduirait les coûts des soins médicaux et les taux des assurances maladie. Personne ne souhaite rester à l'hôpital plus longtemps que le strict nécessaire. Les administrateurs ne le souhaitent pas non plus. Le sommeil peut aider sur ce point.

Les solutions d'amélioration du sommeil ne sont pas nécessairement compliquées. Certaines, simples et peu coûteuses, devraient avoir des bienfaits instantanés. Nous pouvons commencer par enlever tous les équipements et alarmes inutiles pour les patients. Il faut ensuite sensibiliser les médecins, les infirmiers et les administrateurs de l'hôpital aux bienfaits scientifiques d'un bon sommeil pour la santé, afin de les aider à comprendre qu'il faut mettre un point d'honneur à respecter le sommeil des patients. Nous pouvons également demander aux patients de communiquer leurs habitudes de sommeil sur le formulaire d'admission standard de l'hôpital, pour organiser ensuite au maximum les tests et les examens en fonction de leur rythme éveil/sommeil habituel. Quand je me remets d'une opération de l'appendicite, je n'ai pas envie qu'on me réveille à six heures trente du matin si je me réveille naturellement à sept heures quarante-cinq.

Existe-t-il d'autres mises en pratique faciles ? Offrir aux patients des boules Quies et un masque de nuit quand ils entrent dans la chambre pour la première fois, comme le petit sac de voyage que l'on donne sur les vols long-courriers. Utiliser un éclairage tamisé la nuit, sans LED, et un éclairage vif pendant la journée. Cela aidera les patients à conserver des rythmes circadiens forts, donc un rythme éveil/sommeil marqué. Rien de tout cela ne coûte particulièrement cher ; la plupart de ces changements pourraient être effectués demain, et tous présenteraient un bénéfice important pour le sommeil des patients, j'en suis certain.

Exemple 2 : les nouveau-nés

C'est un défi périlleux que de garder un bébé prématuré en vie et en bonne santé. La température corporelle instable, les problèmes respiratoires, la perte de poids et les taux d'infection élevés peuvent mener à une instabilité cardiaque, à des troubles du développement neurologique et à la mort. À cet âge prématuré, les nourrissons devraient dormir la grande majorité du temps, de jour comme de nuit. Cependant, dans la plupart des unités de soins intensifs néonatals, une lumière forte reste souvent allumée toute la nuit, alors que des lumières électriques puissantes au-dessus de la tête des nourrissons agressent toute la journée leurs paupières fines. Imaginez-vous essayant de dormir dans une lumière constante vingt-quatre heures par jour. Évidemment, les nourrissons ne dorment pas normalement dans ces conditions. Il est utile de rappeler ce que nous avons appris dans le chapitre consacré aux effets du manque de sommeil sur les humains et les rats : il provoque une perte de la capacité à maintenir sa température corporelle, un stress cardiovasculaire, des arrêts respiratoires et une chute du système immunitaire.

Pourquoi ne pas demander aux unités de soins intensifs néonatals et à leurs systèmes de soin d'être les garants des plus grandes quantités de sommeil possibles, utilisant ainsi le sommeil comme l'outil de secours que

Mère Nature lui a permis d'être ? En l'espace de ces quelques derniers mois seulement, nous avons obtenu des résultats préliminaires sur des recherches menées dans diverses unités de soins intensifs néonatals ayant adopté des éclairages tamisés pendant la journée et un noir quasi total pendant la nuit. Dans ces conditions, la stabilité, le temps et la qualité du sommeil des nourrissons ont été améliorés. Par conséquent, nous avons observé 50 % à 60 % d'améliorations concernant la prise de poids des nourrissons et l'augmentation du taux de saturation en oxygène de leur sang par comparaison avec les prématurés dont le sommeil n'avait pas été privilégié, donc régulé. Mieux encore, ces bébés prématurés bien reposés ont pu quitter l'hôpital cinq semaines plus tôt !

Nous pouvons également mettre en œuvre cette stratégie dans les pays en voie de développement, sans avoir besoin de faire des changements d'éclairage coûteux, en plaçant simplement un morceau de plastique obscurcissant – un voile régulant la lumière, en quelque sorte – au-dessus des lits des prématurés. Leur coût est inférieur à un dollar, mais l'effet produit sera important, réduisant fortement la lumière et permettant ainsi d'améliorer et de stabiliser le sommeil. Même le simple fait de donner un bain à un bébé au moment opportun, avant le coucher (plutôt qu'au milieu de la nuit, ce que j'ai déjà observé) permettrait d'encourager un sommeil de qualité au lieu de le perturber. Ces deux méthodes sont globalement viables.

Je dois ajouter que rien ne nous retient de faire du sommeil une priorité de manière tout aussi efficace dans toutes les unités pédiatriques, pour tous les enfants de tous les pays.

Aux plus hauts niveaux, nous avons besoin d'une meilleure campagne publique pour sensibiliser la population à l'importance du sommeil. Par rapport aux campagnes innombrables et aux efforts de sensibilisation concernant les accidents liés à la drogue ou à l'alcool, nous ne dépensons qu'une infime fraction du budget dédié à la sécurité routière pour informer les gens des dangers de la conduite en état de fatigue, alors que la fatigue au volant entraîne plus d'accidents que les deux autres facteurs – et qu'elle est plus meurtrière. Les gouvernements pourraient sauver des centaines de milliers de vies chaque année s'ils mettaient en place de telles campagnes. Leur coût serait facilement amorti compte tenu des économies réalisées sur les factures des services de santé et d'urgence. Cela permettrait bien sûr de faire baisser les taux et les primes d'assurance maladie et automobile pour la population.

Une autre possibilité est d'instaurer des lois répressives contre la fatigue au volant. Dans certains États, le taux d'accidents de la route est énorme, en raison du manque de sommeil, bien sûr plus difficile à prouver que le taux d'alcool dans le sang. Après avoir travaillé avec plusieurs grands constructeurs automobiles, je peux vous dire que nos voitures seront bientôt équipées d'une technologie intelligente aidant à identifier, d'après les réactions du conducteur, ses yeux, sa façon de conduire et la nature de l'accident, la « signature » prototypique d'un accident clairement dû à la fatigue. En combinant cela à l'histoire de la personne elle-même, notamment grâce à la montée en popularité des appareils pistant le sommeil, nous sommes peut-être sur le point de développer l'équivalent d'un alcootest pour le manque de sommeil.

Je sais que cela peut sembler déplaisant à certains d'entre vous, mais ce ne serait pas le cas si vous aviez perdu un proche dans un accident dû à la fatigue. Par chance, l'augmentation des fonctions de conduite semi-autonome peut nous aider à éviter ce problème. Les voitures pourraient utiliser ces mêmes signes de fatigue pour être plus attentives et, quand nécessaire, prendre le relais du conducteur quant au contrôle du véhicule.

Au plus haut sommet, transformer des sociétés entières ne sera ni anodin ni facile. Nous pouvons toutefois emprunter des méthodes avérées dans d'autres domaines de la santé. Voici juste un exemple. Aux États-Unis, de nombreuses compagnies d'assurance maladie offrent un crédit financier aux membres qui s'inscrivent dans des salles de sport. Considérant les bienfaits d'une augmentation de la quantité de sommeil sur la santé, pourquoi ne pas instituer ce même avantage pour ceux qui accumulent un sommeil plus adapté et plus abondant ? Les compagnies d'assurance maladie pourraient valider l'utilisation de pisteurs de sommeil commercialisés détenus par les particuliers. Vous-même pourriez ensuite enregistrer votre score de sommeil sur le profil de votre assurance maladie. Grâce à un système au prorata sur plusieurs niveaux, avec des seuils raisonnables à atteindre en fonction des différents groupes d'âge, vous auriez droit à des primes d'assurance moins élevées dès lors que votre crédit de sommeil augmenterait, d'un mois à l'autre.

Tout comme le sport, cela finira par contribuer à l'amélioration massive de la santé de la société et par réduire le coût des soins de santé, tout en permettant à la population d'avoir une vie plus longue et plus saine.

Même si les individus payaient moins cher leur assurance, les assurances maladie continueraient à y gagner, car cela réduirait significativement la charge financière des assurés, permettant une marge de profit plus importante. Tout le monde est gagnant. Bien sûr, comme dans le cas d'une adhésion à une salle de sport, certaines personnes adhéreront puis cesseront leur abonnement ; d'autres essaieront peut-être de trouver un moyen de contourner ou de déjouer le système en jouant sur la véracité de l'évaluation de leur sommeil. Néanmoins, même si la quantité de sommeil de seulement 50 % à 60 % des individus augmente, cela pourrait faire économiser des dizaines ou des centaines de millions de dollars en dépenses de santé – sans parler des centaines de milliers de vies épargnées.

Ce tour d'horizon vous offre, je l'espère, un message optimiste s'opposant au pessimisme sensationnalisme des médias, qui nous assaillent si souvent de messages de santé alarmistes. Plus que vous donner de l'espoir, je souhaite que cela vous aide à trouver vos propres solutions pour mieux dormir – solutions que certains d'entre vous pourront peut-être transformer en projet commercial, à but lucratif ou non.

Conclusion

Dormir ou ne pas dormir

En l'espace de seulement cent ans, les êtres humains ont cessé de subvenir à leur besoin biologique de bien dormir – besoin que l'évolution a mis trois millions quatre cent mille ans à parfaire, le mettant au service de nos fonctions vitales. Dans les nations industrialisées, l'impact de la destruction du sommeil se révèle être une catastrophe pour notre santé, notre espérance de vie, notre sécurité, notre productivité et l'éducation de nos enfants.

Cette épidémie silencieuse représente le plus grand défi de santé publique que nous devons relever en tant que nations développées au XXIe siècle. Si nous ne voulons pas nous laisser étouffer par la corde que représentent la négligence de sommeil, la mort prématurée qu'elle inflige et les défauts de santé qu'elle entraîne, nous devons changer radicalement notre vision personnelle, culturelle, professionnelle et sociétale du sommeil.

Il est temps pour nous de revendiquer notre droit à dormir d'une pleine nuit de sommeil, sans nous sentir honteux et nous retrouver accusé de paresse. Nous récupérerons ainsi ce puissant élixir de bien-être et de vitalité, prodigué par toutes les voies biologiques possibles, et retrouverons la sensation d'être vraiment réveillé pendant la journée, baignant dans la plénitude profonde de l'existence.

Annexe

Douze astuces pour un bon sommeil[1]

1. Suivez un programme de sommeil. Couchez-vous et réveillez-vous à la même heure tous les jours. En tant qu'êtres humains aux habitudes bien ancrées, nous avons le plus grand mal à nous adapter aux changements de programme de notre sommeil. Se coucher plus tard pendant le week-end ne permet pas de rattraper le manque de sommeil accumulé pendant la semaine et rend plus difficile de se lever le lundi matin. Mettez un réveil pour vous souvenir qu'il est temps d'aller au lit. Nous programmons souvent une alarme pour nous lever, mais oublions de le faire pour nous coucher. Si vous ne devez retenir qu'un seul conseil parmi ces douze, c'est celui-là.

1. *Tips for getting a good night's sleep* (« Astuces pour passer une bonne nuit de sommeil »), repris de *NIH Medecine Plus* (Internet), National Library of Medicine (Maryland), Bethesda, été 2012. Disponible sur : www.nlm.nih.gov.

2. L'exercice est tout à fait profitable, mais pas en fin de journée. Tentez de faire au moins trente minutes de sport la plupart des jours de la semaine, mais pas plus tard que deux heures avant votre coucher.

3. Évitez la caféine et la nicotine. Le café, les sodas, certains thés, ainsi que le chocolat contiennent de la caféine, stimulant dont le corps peut mettre jusqu'à huit heures à se débarrasser pleinement. Boire un café en fin d'après-midi peut empêcher de s'endormir le soir. La nicotine est un autre stimulant, qui rend le sommeil des fumeurs souvent très léger et qui les amène à se réveiller trop tôt le matin en raison du besoin ressenti.

4. Évitez les boissons alcoolisées avant d'aller au lit. Boire un digestif ou toute autre boisson alcoolisée avant d'aller vous coucher peut vous permettre de vous détendre, mais en trop grande quantité, cela vous prive de sommeil REM en vous maintenant dans les étapes de sommeil léger. Une forte consommation d'alcool peut également contribuer à la dégradation de votre respiration nocturne. En outre, vous aurez tendance à vous réveiller pendant la nuit une fois les effets de l'alcool disparus.

5. Évitez de faire un repas trop copieux et de boire tard le soir. Un petit casse-croûte ne pose pas de problème, mais un repas lourd peut entraîner une mauvaise digestion, interférant avec le sommeil. Boire trop de liquide le soir oblige à se lever régulièrement pour aller uriner.

6. Dans la mesure du possible, évitez de prendre des médicaments décalant ou perturbant le sommeil. Certains médicaments ordinairement prescrits pour le cœur, la tension artérielle ou l'asthme, mais aussi certains remèdes vendus sans ordonnance ou à base de plantes, contre la toux, le rhume ou les allergies, peuvent perturber les schémas du sommeil. Si vous avez des difficultés à dormir, parlez-en à votre prestataire de soins ou votre pharmacien, afin de savoir si l'un de vos médicaments peut contribuer à vos insomnies, et demandez-lui si la prise peut se faire à un autre moment de la journée, ou tôt dans la soirée.

7. Ne faites pas de sieste après quinze heures. Les siestes peuvent permettre de récupérer d'un manque de sommeil, mais celles qu'on fait en fin d'après-midi empêchent de s'endormir facilement le soir.

8. Détendez-vous avant d'aller vous coucher. Ne surchargez pas votre journée en ne vous laissant aucun temps de détente. Votre rituel du coucher doit intégrer une activité relaxante, comme lire ou écouter de la musique.

9. Prenez un bain chaud avant d'aller dormir. La baisse de température du corps à la sortie du bain peut contribuer à faire advenir le sommeil ; le bain vous détend et vous permet de ralentir le rythme, ce qui vous prépare au sommeil.

10. Une chambre sombre, fraîche, sans gadgets. Débarrassez votre chambre de tout ce qui peut vous

distraire du sommeil, comme les bruits, les lumières claires, un lit inconfortable, ou une température trop élevée. Le sommeil est meilleur quand la température de la pièce est basse. Les télévisions, les téléphones portables et les ordinateurs représentent des distractions susceptibles de vous priver du sommeil dont vous avez besoin. Un matelas et un oreiller confortables peuvent aider à une bonne nuit de sommeil. Les individus souffrant d'insomnie regardent souvent l'horloge. Retournez-la face cachée pour ne pas vous soucier du temps qui défile lorsque vous tentez de vous rendormir.

11. Exposez-vous de façon adéquate à la lumière du soleil, élément clé de la régulation des schémas de sommeil journaliers. Si vous le pouvez, prenez la lumière du jour naturelle au moins trente minutes par jour, levez-vous avec le soleil ou utilisez un éclairage très lumineux le matin. Les experts en sommeil recommandent aux personnes ayant des difficultés à s'endormir de s'exposer pendant une heure à la lumière du jour le matin et de baisser les lumières avant le coucher.

12. Ne restez pas au lit si vous êtes réveillé. Si vous êtes réveillé après être resté au lit pendant plus de vingt minutes, ou que vous commencez à vous sentir anxieux ou inquiet, levez-vous pour pratiquer des activités relaxantes avant de ressentir le sommeil. L'angoisse de ne pas réussir à dormir peut rendre l'endormissement encore plus difficile.

Autorisations concernant les figures

Les figures ont été reproduites avec l'aimable autorisation de l'auteur, à l'exception des suivantes :

Fig. 3. Modifiée à partir de D. A. Noever, R. J. Cronise et R. A. Relwani, « Using spider-web patterns to determine toxicity », *NASA Tech Briefs*, 19(4), 1995, 82.

Fig. 9. Modifiée à partir de www.ncbi.nlm.nih.gov/pmc/articles/PMC2767184/figure/F1/.

Fig. 10. Modifiée à partir de http://journals.lww.com/pedorthopaedics/Abstract/2014/03000/Chronic_Lack_of_Sleep_is_Associated_With_Increased.1.aspx.

Fig. 11. Modifiée à partir de www.cbssports.com/nba/news/in-multibillion-dollar-business-of-nba-sleep-is-the-biggest-debt/.
Source : https://jawbone.com/blog/mvp-andre-iguodala-improved-game/.

Fig. 12. Modifiée à partir de www.aaafoundation.org/sites/default/files/AcuteSleepDeprivationCrashRisk.pdf.

Fig. 15. Modifiée à partir de http://bmjopen.bmj.com/content/2/1/e000850.full.

Fig. 16. Modifiée à partir de www.rand.org/content/dam/rand/pubs/research_reports/RR1700/RR1791/RAND_RR1791.pdf.

Remerciements

Cet ouvrage n'aurait pu exister sans l'incroyable dévouement sur le terrain de mes collègues scientifiques spécialistes du sommeil et celui des étudiants de mon propre laboratoire. En l'absence de leurs héroïques efforts de recherche, il n'aurait été qu'un maigre texte peu instructif. Mais les scientifiques et les jeunes chercheurs ne sont que la moitié de l'équation. La participation bénévole inestimable des sujets de recherche et des patients a permis des avancées scientifiques fondamentales. À tous, j'offre ma gratitude la plus profonde. Merci.

Trois autres entités ont joué un rôle fondamental dans la création de ce livre. Premièrement, mon inimitable directeur de publication, Scribner, qui croyait en cet ouvrage et en sa mission de haut vol : changer la société. Deuxièmement, mes éditeurs, qualifiés, inspirants et profondément investis, Shannon Welch et Kathryn Belden. Troisièmement, mon extraordinaire agent, mon sage mentor en écriture et mon phare littéraire omniprésent, Tina Bennett. Je n'espère qu'une chose, que ce livre soit à la hauteur de ce que vous m'avez, de ce que vous lui avez, donné.

Table des matières

I

Cette chose que l'on nomme « sommeil »

II
Pourquoi faut-il dormir ?

III
Comment et pourquoi nous rêvons

IV
Comment passer des somnifères à une société transformée

Cet ouvrage a été composé et mis en page
par Nord Compo à Villeneuve-d'Ascq

Imprimé en France par CPI
en septembre 2019
N° d'impression : 3035102

POCKET – 12, avenue d'Italie – 75627 Paris Cedex 13

S28723/01